ACCESO GRATIS *a la Lectura en la Nube*

Para visualizar el libro electrónico en la nube de lectura envíe junto a su nombre y apellidos una fotografía del código de barras situado en la contraportada del libro y otra del ticket de compra a la dirección:

ebooktirant@tirant.com

En un máximo de 72 horas laborales le enviaremos el código de acceso con sus instrucciones.

LA PRUEBA DE ADN EN EL PROCESO PENAL

LA PRUEBA DE ADN EN EL PROCESO PENAL

Juan-Luis Gómez Colomer

Coordinador

tirant lo blanch

Valencia, 2014

© Juan-Luis Gómez Colomer y otros

© TIRANT LO BLANCH
EDITA: TIRANT LO BLANCH
C/ Artes Gráficas, 14 - 46010 - Valencia
TELFS.: 96/361 00 48 - 50
FAX: 96/369 41 51
Email:tlb@tirant.com
http://www.tirant.com
Librería virtual: http://www.tirant.es
DEPÓSITO LEGAL: V-2111-2014
ISBN: 978-84-9053-759-6
IMPRIME Y MAQUETA: Tink Factoría de Color

Si tiene alguna queja o sugerencia, envíenos un mail a: atencioncliente@tirant.com. En caso de no ser atendida su sugerencia, por favor, lea en www.tirant.net/index.php/empresa/politicas-de-empresa nuestro Procedimiento de quejas.

Índice

PRÓLOGO 15

Estudios
A) España

Los retos del proceso penal ante las nuevas pruebas que requieren tecnología avanzada: El análisis de ADN
JUAN-LUIS GÓMEZ COLOMER

I. Introducción: Las pruebas científicas 23
II. La ordenación del análisis del ADN en el curso de una investigación criminal 32
   A) Garantías constitucionales y derechos afectados 33
   B) Requisitos de legalidad ordinaria 36
      1. De Derecho Penal sustantivo 36
      2. De Derecho Procesal Penal 37
III. La delicada cuestión de la asistencia letrada 38
IV. La negativa del imputado a la práctica del análisis 42
V. Realización de la prueba: La toma de muestras y la cadena de custodia 44
VI. Valoración judicial de los resultados obtenidos (¿prueba pericial o prueba documental?) 53
VII. El análisis del ADN en la proyectada nueva legislación procesal penal ... 56
   A) Gobierno del Partido Socialista Obrero Español 56
   B) Gobierno del Partido Popular 61
VIII. Bibliografía consultada 63

ADN y Derechos fundamentales
MANUEL-JESÚS DOLZ LAGO

I. Los derechos fundamentales de última generación: derechos de las víctimas y de los victimarios 69
II. Algunos supuestos controvertidos en el proceso penal 72
   A) ADN y menores 72
      1. Introducción: ADN y menores 73
      2. La toma de muestras de ADN: regulación legal 76
      3. Las limitaciones a la capacidad del menor para prestar consentimiento en el ordenamiento jurídico 79
      4. Extensión y límites de la representación legal del menor 82

5. Posición del Tribunal Constitucional sobre la materia. Referencias a la Sentencia núm. 154/2002, de 18 de julio 84
6. Conclusiones: ADN y menores maduros 85
B) La asistencia letrada a detenidos para la toma de muestras con su consentimiento 87
1. Antecedentes legislativos 87
Legislación vigente 87
a) Toma de muestras 87
b) Asistencia letrada al detenido: art. 17.3 CE y art. 520.2.c) y 6 LECrim 89
2. Jurisprudencia Sala Segunda 90
a) Acuerdos Plenarios 90
a.1) 13 julio 2005 (Extracción de muestras de ADN) 90
a.2) 31 enero 2006 (Toma de muestras de los sospechosos) 90
b) Sentencias 90
3. Jurisprudencia del TEDH 94
4. Observaciones claves para la resolución del tema 97
5. Consideraciones prácticas 99
III. Conclusiones: Hacia una legislación que garantice los derechos fundamentales de los ciudadanos ante la prueba de ADN y su eficacia en todos sus ámbitos frente a la arbitrariedad interpretativa 104
IV. Bibliografía 109

Panorama legislativo de la prueba de ADN en España: Consideraciones críticas
Emilio Cortés Bechiarelli

I. Introducción 117
II. Derecho positivo 118
III. La ley reguladora de la base de datos policial 123
IV. Derecho proyectado 124
V. Conclusiones y propuestas de reforma 140

El ADN en la doctrina del Tribunal Supremo
Fidel Ángel Cadena Serrano

I. Regulación del ADN en la LECRIM 143
II. Cuestiones sobre el ADN en la doctrina del Tribunal Supremo 147
A) Obtención del material de prueba de ADN. Es suficiente la autorización judicial 147
B) Recogida de restos genéticos por la policía 148
C) Recogida policial de restos biológicos cuando no concurren razones de urgencia 151

D) Relación de la prueba de ADN con el derecho a la intimidad perso-
    nal e informática 152
E) Cadena de custodia 153
F) Prueba pericial de ADN 155
G) Relación con el derecho a la integridad física 156
H) Relación con el derecho a no autoincriminarse 157
I) Valoración judicial de la negativa a someterse las pruebas 158
J) Recurso de revisión 159
K) Presunción de veracidad de los archivos de ADN almacenados en la
    base de datos y posibilidad de prueba en contrario 159
L) Asistencia letrada 160
LL) Coercibilidad por el juez 161
III. Dos cuestiones básicas: toma de muestras al detenido y presencia letra-
     da y coercibilidad judicial 162
A) Toma de muestras al detenido con consentimiento informado del
    mismo prestado sin asistencia letrada 162
B) Coercibilidad judicial 168
IV. Bibliografía 170

Problemas procesales de la práctica de la prueba de ADN en España. Especial consideración de la negativa del imputado a la toma de muestras

Juan-Salvador Salom Escrivá

I. Regulación de la recogida de vestigios y de la toma de muestras de
    ADN en España: Los artículos 778. 3 y los artículos 326. 3 y 363. 2 de la
    Ley de Enjuiciamiento Criminal 171
II. La recogida de vestigios y muestras 173
A) Legitimados para efectuarla 173
    1. El Juez de Instrucción 173
    2. La Policía Judicial 175
    3. El Ministerio Fiscal 181
    4. La víctima y terceros 181
B) Objeto: el ADN no codificante. Delitos investigados 182
C) La cadena de custodia 185
III. La toma de muestras de ADN: A). Derechos que pueden ser afectados . 188
A) Legitimados para efectuarla 190
B) Sujetos pasivos de la toma de muestras de ADN 193
    1. El "sospechoso", el imputado y el acusado 193
    2. El "sospechoso" desconocido y el identificado 194
    3. Consentimiento del "sospechoso". Derecho de información 195
    4. Asistencia letrada 197
    5. Autorización judicial 200
    6. Toma de muestras subrepticia y provocada 200

C) Delitos a los que puede aplicarse... 202
D) Toma de muestras de una generalidad de personas 203
E) Valoración de la prueba pericial de ADN.. 204
IV. Negativa por el sospechoso a la toma de muestras.............................. 207
    A) Autorización judicial 207
    B) Uso de la fuerza física para obtener la toma de muestras.................... 208
    C) Valoración probatoria de la negativa del imputado a la toma de
       muestras.. 211
       1. Indicio en su contra 211
       2. Delito de desobediencia... 213
       3. Irrelevancia de la negativa 214
V. Tabla de jurisprudencia resumida sobre la recogida de vestigios y toma
   de muestras de ADN... 215
VI. Bibliografía seleccionada 220

Toma de muestras de ADN abandonadas: Análisis jurisprudencial
Prof. Dra. Andrea Planchadell Gargallo

I. Introducción 223
II. Breve referencia a la licitud de la prueba como condición previa 227
III. La recogida de muestras... 229
IV. La recogida subrepticia de muestras... 236
V. Análisis del Acuerdo no jurisdiccional del Pleno del Tribunal Supremo.. 239

Cuestiones prácticas sobre el ADN: La toma de muestras
Mª Ángeles Pérez Cebadera

I. INTRODUCCIÓN.. 259
II. Recogida de muestras en el lugar del delito por la policía judicial 261
III. Toma de muestras del imputado... 264
    A) La toma de muestras realizada de forma directa sobre el cuerpo del
       sospechoso.. 265
       1. Con consentimiento 265
       2. Con autorización judicial 265
    B) Toma de muestras de forma subrepticia 269
IV. Toma de muestras de la base de datos policial 271

ADN y proceso penal en España. La labor de la comisión nacional para el uso forense del ADN
Antonio Alonso Alonso

I. Introducción 273
II. Composición y funciones de la CNUFADN 275

III. La acreditación de los laboratorios: el estándar en ISO/IEC 17025........... 277
IV. Estándares científicos de toma de muestras 278
 V. La problemática de la toma de muestras con intervención corporal y el consentimiento informado 279
VI. El catálogo de delitos susceptibles de toma de muestras de ADN para registro en la base de datos... 281
VII. Estándares científicos y criterios de interpretación de la prueba del ADN... 282
VIII. El nuevo estándar europeo de 12 marcadores STR del ADN 283
IX. Proyectos europeos de para mejorar la eficacia y la seguridad de la base de datos nacional de ADN.. 284
 X. Propuesta normativa para la reforma de la Ley de Enjuiciamiento Criminal.. 285
XI. Agradecimientos... 286
XII. Referencias bibliográficas.. 286

La prueba de ADN en el futuro proceso penal español
José Francisco Etxeberría Guridi

 I. Introducción: ¿Qué queremos decir cuando hablamos del ADN en el futuro proceso penal español?... 289
II. La influencia de las políticas de la UE.. 291
III. Futuro efecto expansivo. La experiencia de otros ordenamientos 296
    A) Evolución expansiva en Inglaterra y Gales.. 299
    B) Evolución expansiva en Alemania 302
    C) Evolución expansiva en Francia.. 306
IV. Las previsiones contenidas en el Anteproyecto de Ley de Enjuiciamiento Criminal (ALECrim) de julio de 2011 308
    A) Obtención de muestras e intervenciones corporales....................... 309
    B) El empleo de la coacción en la obtención de muestras...................... 310
    C) Investigaciones mediante marcadores de ADN.............................. 313
 V. Conclusiones 317

El ADN: reformas legislativas de *lege ferenda* para el nuevo código procesal penal español
Manuel Guillermo Altava Lavall

 I. Introducción 319
II. El derecho vigente... 321
III. La doctrina legal y la jurisprudencia del Tribunal Supremo..................... 323
    A) Sobre la posibilidad de conseguir el perfil genético a través del ADN.. 324
    B) Modo de tomar las muestras de ADN.. 324

C) Necesidad de la autorización judicial para la extracción de muestras
de ADN... 326
D) Cumplimiento de la cadena de custodia.. 326
E) Licitud de lograr el perfil genético de contraste cuando se consigue
a partir de los datos y ficheros que obran en registros policiales 327
F) Consentimiento del interesado 327
G) La realización de la prueba de ADN no supone autoincriminación .. 330
H) Admisión como medio de prueba y carácter pericial del medio de
prueba del ADN 332
I) Prueba de indudable valor de cargo... 332
J) Valoración racional de la prueba.. 333
K) Necesita la ratificación en el juicio oral de quienes realizaron la peri-
cia... 334
L) Motivo de recurso extraordinario por infracción procesal............... 334
M) Interposición del recurso de revisión.. 335
IV. Conclusiones 335

ADN: La genética forense y sus aplicaciones en investigación criminal
ÁNGEL CARRACEDO

I. Genética forense: De los grupos sanguíneos al ADN 339
II. Polimorfismos de ADN.. 341
A) Concepto de polimorfismo de ADN.. 341
B) El descubrimiento de la huella genética 343
C) Análisis de polimorfismos de ADN mediante PCR............................ 345
D) Los polimorfimos de ADN mitocondrial 346
E) Los polimorfimos del cromosoma Y.. 350
F) SNPs y los métodos de futuro... 353
III. Otros aspectos del uso del ADN en medicina forense 354
A) ADN en bajo número de copias y mezclas de perfiles de ADN.......... 354
B) Automatización y rapidez del análisis forense 355
IV. Aplicaciones médico-legales de los polimorfismos de ADN 356
A) Aplicaciones en investigación de la paternidad, identificación y cri-
minalística... 356
B) Las bases de datos de ADN con fines de identificación criminal........ 357
V. El valor de la prueba de ADN.. 358
A) Las etapas de la prueba de ADN en el laboratorio de Biología foren-
se 358
B) La valoración de la prueba biológica.. 359
1. La interpretación de la prueba biológica: la falacia del fiscal y la
falacia de la defensa 359
2. El análisis bayesiano 361
VI. La estandarización y el control de calidad... 363
VII. Bibliografía 366

B) Derecho comparado

ADN y Derecho Procesal en los Estados Unidos: Cinco Problemas
Luis E. Chiesa

I. Confiabilidad y admisibilidad de pruebas de ADN bajo reglas no-constitucionales de derecho probatorio 369
II. Obtención Forzosa de Pruebas de ADN y el Derecho a la No-Autoincriminación 372
III. Admisibilidad de Pruebas de ADN y el Derecho a Confrontación 373
IV. ADN y Evidencia Abandonada 375
   A) Abandono intencional de secreciones o partes del cuerpo 375
   B) Abandono intencional de objetos no-biológicos que contienen material genético 378
   C) Material genético abandonado natural e involuntariamente 383
V. Extracción Forzosa de ADN Incidental a un Arresto 383

Comentario sobre la sentencia del Tribunal Supremo norteamericano: *Maryland v. King* de 3 de junio 2013
Ana Beltrán Montoliu

I. Introducción 391
II. Supuesto de hecho 392
III. La toma de muestras de ADN a los detenidos: una cuestión controvertida 393
IV. Voto discrepante del magistrado Scalia, al que se adhieren Ginsburg, Sotomayor y Kagan 400
V. Jurisprudencia del Tribunal Supremo y de tribunales de apelación 405
VI. Bibliografía 406

El ADN y el proceso penal en Italia
Renzo Orlandi

I. Osservazione introduttiva 407
II. L'antecedente: la vicenda della Madonna di Civitavecchia. La sentenza 238/1996 della Corte cost. Primi tentativi di riforma. La situazione di vuoto normativo 408
III. L'indagine genetica finalizzata all'identificazione personale (D.L. 144/2005) 411
IV. L'attuazione del Trattato di Prüm (L. 85/2009) 412
V. Principali problemi in tema di indagini genetiche nell'attuale situazione italiana 415

El enfoque neerlandés en el tratamiento del ADN en el sistema de justicia penal
J.A.E. Vervaele, F.C.W. de Graaf & N. Tielemans

I. Introducción 419
II. Legislación actual relativa a la utilización del ADN en el proceso penal. 421
   A) Artículos aplicables en el CCP 421
   B) La Ley sobre la prueba de ADN de personas condenadas (The DNA testing (convicted persons) Act) 426
   C) Investigación del parentesco del ADN 427
   D) Investigaciones de ADN a gran escala en una pluralidad o multiplicidad de personas 430
   E) Conclusión provisional 430
III. Investigaciones de ADN: ámbito de aplicación y límites 431
   A) Sospechoso en un proceso penal 432
   B) Sospechoso desconocido en un proceso penal 433
   C) Persona conocida que no es sospechosa en un proceso penal 433
   D) Persona condenada 433
   E) Investigación sobre parentesco 434
   F) Víctima desconocida fallecida 434
IV. Almacenamiento del ADN (Base de ADN) y aspectos específicos de protección de datos 435
V. El ADN como prueba en el tribunal 438
VI. ¿El ADN y la protección de los derechos humanos? 440
VII. Intercambio de información sobre ADN en la Unión Europea 442
VIII. Breve conclusión 444
IX. Bibliografía 445

El ADN y el proceso penal en Alemania
Walter Perron

I. Éxito práctico del análisis genético 447
II. Análisis genético de pruebas del inculpado 448
III. Análisis genético de pruebas de otras personas 448
IV. Grabación de huellas genéticas en bases de datos para la identificación en futuros procesos 449
V. Análisis genético de una multitud de personas para identificar el autor del crimen 450

PRÓLOGO

Del 11 al 13 de julio de 2012 tuve la oportunidad de organizar, gracias al apoyo de la Generalidad Valenciana, de la Universitat Jaume I de Castellón (Departamento de Derecho Público y Rectorado), de la Asociación Internacional de Derecho Penal, de Bancaixa, del Tribunal Supremo y de la Fiscalía General del Estado, un Curso de Verano Internacional sobre "Pruebas científicas, ADN y proceso penal". El curso fue dirigido, dado que entonces yo era Vicerrector de mi universidad, por la Profra. Dra. Andrea Planchadell Gargallo, Titular de Derecho Procesal de la Universitat Jaume I de Castellón, actuando como secretaria la Dra. Ana Beltrán Montoliu, Ayudante Doctora, también de la Universitat Jaume I de Castellón.

La solicitud del curso la justifiqué entonces afirmando que series de TV como CSI (en New York, Miami o Las Vegas) han popularizado la prueba de ADN en las investigaciones penales de una manera tal que es ya de conocimiento público general su existencia, finalidad y aplicabilidad. Pero lo que no puede hacer la TV o el cine es afrontar su análisis técnico particularizado, porque nadie lo entendería, ésa es labor que corresponde a los especialistas.

Las pruebas científicas suponen el fin de un ciclo de técnicas probatorias que, desde hace varias décadas, están cerrando el paso a los errores pero que, a su vez, abren nuevos interrogantes. La importancia de la prueba de ADN ha ido *in crescendo* desde que en 1985 fuera utilizada por primera vez en un proceso penal en Inglaterra por el genetista Alec Jeffreys para la identificación del acusado en el caso conocido *Enderby* —asunto *Queen vs. Pitchfork*— por dos violaciones y un asesinato, que determinaron la libertad del principal sospechoso Richard Buckland, de 17 años de edad, a pesar de haber confesado los hechos, por no corresponderse genéticamente las muestras de semen halladas en ambas víctimas, las cuales procedían de un mismo sujeto, con las muestras de sangre obtenidas a Buckland.

El ADN (Acido Desorribonucleico) es una molécula que se encuentra en cada célula de nuestro cuerpo, conteniendo toda la información genética necesaria para el funcionamiento de nuestro organismo. Su estructura fue descifrada por dos jóvenes científicos, el inglés Francis Harry Compton Crick y el estadounidense James Dewey Watson en 1953, descubriendo que el ADN conforma nuestro código genético, determinando las características de los individuos y nuestra identificación como seres únicos e irrepetibles así como nuestro patrimonio biológico.

Por otra parte, casos como los del 11-S en USA o el 11-M en nuestro país, por citar dos de los atentados terroristas más significativos de nuestra reciente historia, han tenido en la prueba de ADN un instrumento esencial para la identificación no sólo de los sospechosos sino también de las víctimas y desaparecidos.

Ahora bien, la valoración de las pruebas científicas no puede hacerse correctamente sin tener en cuenta que su validez depende de factores muy importantes como son el seguimiento de los protocolos científicos en la obtención de las muestras, en su conservación y en los análisis que sólo laboratorios debidamente acreditados deben de hacer.

En España, en el año 2003, se aprobó una norma que encomendaba al Gobierno la regulación de la Comisión Nacional para el uso forense del ADN, encargada de establecer esos protocolos científicos, pero no ha sido hasta finales del 2008 cuando efectivamente se ha regulado dicha Comisión a través del RD 1977/2008, de 28 noviembre, cumpliendo el mandato legislativo, tras la aprobación de la Ley Orgánica 10/2007, de 8 octubre reguladora de la Base de Datos Policial sobre identificadores obtenidos a partir del ADN.

Según la literatura científica, con esta prueba se procede a la valoración probabilística de la coincidencia de perfiles de ADN (Teorema de Bayes), de forma que la no coincidencia permite descartar que la muestra pertenezca al sospechoso mientras que su coincidencia permite, con un altísimo grado de probabilidades, atribuírsela. Es por tanto, una de las pruebas científicas más fiables, siempre y cuando se sigan los protocolos científicos.

A los miembros de la Comisión Nacional para el uso forense del ADN les corresponde abordar la apasionante tarea de elaborar estos protocolos para la obtención de las muestras, su conservación y análisis en los laboratorios, así como acreditar a éstos, desde un escrupuloso y exquisito respeto a los derechos humanos. De esta labor depende, en gran medida, la eficacia y validez de las famosas pruebas de ADN, las cuales están íntimamente relacionadas con toda la problemática que suscita la genética en el ámbito forense y la protección de los derechos fundamentales.

La prueba de ADN está sometida a los continuos avances científicos y sólo debe ser comprendida en el marco del difícil equilibrio entre la eficacia de la investigación penal y la protección de los derechos humanos.

El objetivo del Curso de Verano era pues adentrarse en esta problemática, de gran actualidad, que irá incrementándose en el futuro, para profundizar en el campo de las garantías del proceso penal en el cumplimiento de sus fines constitucionales, encaminados a servir de instrumento para una mejor protección del libre ejercicio de los derechos fundamentales y libertades públicas de los ciudadanos, particularmente, en sus dos polos que no necesariamente tienen que ser contrapuestos como es el de la protección de las víctimas y las garantías de los investigados.

El carácter internacional viene, por tanto, justificado por sí mismo. En un mundo globalizado, la importancia de la prueba sólo es entendible desde la perspectiva de la cooperación judicial internacional. Los adelantos de los principales países serán puestos de manifiesto en el curso (Estados Unidos, Alemania, Italia, Holanda, etc.).

En consecuencia se invitó y participaron los siguientes ponentes:

1. Nacionales:

   Juan-Luis Gómez Colomer
   Catedrático de Derecho Procesal de la Universitat Jaume I de Castellón.

   José-Luis de la Cuesta Arzamendi
   Catedrático de Derecho Penal de la Universidad del País Vasco, Director del Instituto Vasco de Criminología y Presidente de la Asociación Internacional de Derecho Penal (AIDP).

   José-Luis González Cussac
   Catedrático de Derecho Penal de la Univesidad de Valencia.

   Emilio Cortés Becharelli
   Catedrático acreditado de Derecho Penal de la Universidad de Extremadura.

   Ángel Carracedo Álvarez
   Catedrático de Medicina Legal y Director del Instituto de Medicina Legal de la Universidad de Santiago de Compostela.

   Antonio Alonso Alonso

Secretario de la Comisión Nacional para el Uso Forense del ADN (CNU-FADN).

Fidel Ángel Cadena Serrano
Fiscal de la Sala II del Tribunal Supremo

Manuel-Jesús Dolz Lago
Fiscal del Tribunal Supremo y Vocal Coordinador del Grupo Jurídico Bioético de la Comisión Nacional para el Uso Forense del ADN (CNUFADN).

2. Extranjeros:

Walter Perron
Catedrático de Derecho Penal y Derecho Procesal Penal de la Universidad Albert-Ludwig de Friburgo de Brisgovia (Alemania).

Renzo Orlandi
Catedrático de Derecho Procesal Penal de la Universidad de Bolonia (Italia).

John Vervaele
Catedrático de Derecho Procesal Penal de la Universidad de Utrecht (Holanda) y Presidente del Comité Científico de la Asociación Internacional de Derecho Penal (AIDP).

Luis Chiesa
Catedrático de Derecho Penal y Derecho Procesal Penal de la Universidad PACE de Nueva York (Estados Unidos).

A todos ellos mi mayor agradecimiento por su participación.

Pues bien, una vez realizado el curso, que tuvo una especial brillantez tanto en cuanto a participación de estudiantes y profesionales como por la calidad de los ponentes y ponencias, y me refiero obviamente a los ajenos a mi universidad, llega el momento de ofrecer al público mis frutos. Este libro recoge la mayor parte de esas ponencias, a las que se han añadido algunas de académicos y profesionales que no participaron como ponentes. Es por tanto un libro interdisciplinar, pues además de estudiarse los ámbitos respectivos del Derecho Penal y del Derecho Procesal Penal, afronta el tema del ADN desde las perspectivas de la Medicina Legal y de la Policía Científica, de los que no abundan en esta reciente materia de investigación. También mi agradecimiento por este esfuerzo añadido a todos los autores.

Con la esperanza de que contribuya a un mayor esclarecimiento de los numerosos interrogantes que la prueba del ADN plantea en nuestro proceso penal, se ofrece al público en general, gracias a la positiva visión y certero olfato que la editorial Tirant lo Blanch tiene frente a temas novedosos, y al apoyo de mi Maestro el Prof. Montero Aroca, *doctor honoris causa* por mi universidad y director de la colección en que se publica esta obra.

Castellón, en el día de Todos los Santos de 2013.

Juan-Luis Gómez Colomer
Coordinador

ESTUDIOS
A) España

LOS RETOS DEL PROCESO PENAL ANTE LAS NUEVAS PRUEBAS QUE REQUIEREN TECNOLOGÍA AVANZADA: EL ANÁLISIS DE ADN

JUAN-LUIS GÓMEZ COLOMER
Catedrático de Derecho Procesal
Universidad Jaume I de Castellón (España)

Sumario: I. Introducción: Las pruebas científicas. II. La ordenación del análisis del ADN en el curso de una investigación criminal: a) Garantías constitucionales y derechos afectados; b) Requisitos de legalidad ordinaria. III. La delicada cuestión de la asistencia letrada. IV. La negativa del imputado a la práctica del análisis. V. Realización de la prueba: La toma de muestras y la cadena de custodia. VI. Valoración judicial de los resultados obtenidos. VII. El análisis del ADN en la proyectada nueva legislación procesal penal. Bibliografía consultada.

I. INTRODUCCIÓN: LAS PRUEBAS CIENTÍFICAS

Realizar un análisis del Ácido Desoxirribonucleico (ADN, o NDA en sus siglas en inglés) en una huella o vestigio de naturaleza biológica, de cara a la averiguación de un hecho criminal y de sus circunstancias, así como de su posible autor o autores, plantea científica y jurídicamente una compleja problemática[1].

El ADN es una clase de ácido nucleico, es decir, una macromolécula que forma parte de todas las células de un organismo vivo, de un cuerpo humano por ejemplo, cuya importancia es trascendental porque contiene la

---

[1] El jurista español que más ha estudiado y mejor ha comprendido esta complejidad tanto en la vertiente penal como en la procesal penal, incluso en la de la policía científica, es DOLZ LAGO, M.J., Doctor en Derecho y Fiscal del Tribunal Supremo, cuyos estudios son imprescindibles para dominar esta prueba. Por todos, véase DOLZ LAGO, M.J. (Dir.), *La prueba pericial científica*, Edisofer, Madrid 2012, *passim*.

información genética que determina el desarrollo y el funcionamiento de los seres vivos, aunque nos interesan en principio sólo las personas, así como de algunos virus, siendo además este ácido el responsable de la transmisión hereditaria de esa información.

Su estructura fue descifrada por Francis Harry Compton CRICK y James Dewey WATSON en 1953, descubriendo que el ADN conforma nuestro código genético, determinando las características de los individuos y nuestra identificación como seres únicos e irrepetibles, así como nuestro patrimonio biológico[2].

Su importancia procesal penal reside en que gracias a los avances de la genética como especialidad de la medicina, el ADN está resultando decisivo para averiguar si determinados hechos y sus circunstancias son delito y, si lo son, averiguar quién o quiénes han sido sus autores. Por poner sólo un ejemplo inmediatamente comprensible, en casos como los del 11-S en USA o el 11-M en nuestro país, dos de los atentados terroristas más significativos de nuestra reciente historia, la prueba del ADN ha sido un instrumento esencial para la identificación no sólo de los sospechosos sino también de las víctimas y desaparecidos.

El ADN se utilizó en el proceso penal por vez primera como prueba en 1985, en Inglaterra, por el médico genetista Alec JEFFREYS para la identificación del acusado en el conocido caso *Enderby* —asunto *Queen vs. Pitchfork*— por dos violaciones y un asesinato, que determinaron la libertad del principal sospechoso Richard Buckland, de 17 años de edad, a pesar de haber confesado los hechos, por no corresponderse genéticamente las muestras de semen halladas en ambas víctimas, las cuales procedían de un mismo sujeto, con las muestras de sangre obtenidas de Buckand[3].

Debo avanzar sucintamente, porque ahora no interesa demasiado detenerse en este punto, salvo por los efectos pedagógicos que conlleva, que su

---

[2]   Véase sobre este apasionante descubrimiento ETXEBERRÍA GURIDI, J.F., *El análisis de ADN y su aplicación al proceso penal*, Ed. Comares, Granada, 2000, pp. 9 y ss. Más escuetamente, LÓPEZ BARJA DE QUIROGA, J., "La prueba en el proceso penal obtenida mediante el análisis de ADN", en AA.VV. en *Genética y Derecho*, Cuadernos de Derecho Judicial, núm. VI-2004, p. 211 a 213.

[3]   Así, DOLZ LAGO, M.J., *ADN y derechos fundamentales*, La Ley 12 de enero de 2012, p. 1.

desarrollo es hoy en día espectacular, por la siguiente razón: Existen casos concretos, a saber, cuando con ocasión de la comisión de un delito aparecen huellas o vestigios biológicos humanos, bien en el cuerpo que yace sin vida, bien esparcidos en la escena del crimen, en los que la única manera de averiguar si el hecho es punible y, si lo es, quién entre varios posibles sospechosos lo ha cometido, es dejar que un laboratorio especializado los analice fijando científicamente el carácter delictivo del hecho y quién es su autor con un grado de probabilidad altísimo. Ese análisis tiene lugar mediante la utilización del análisis del ADN de los presuntos autores para, de entre ellos, seleccionar a aquél o aquéllos cuyo ADN coincida con el de las huellas o de los vestigios biológicos humanos también analizados con idéntica técnica.

Según la literatura científica, con esta prueba se procede a la valoración probabilística de la coincidencia de perfiles de ADN (Teorema de BAYES)[4], de forma que la no coincidencia permite descartar que la muestra pertenezca al sospechoso, mientras que su coincidencia permite, con un altísimo grado de probabilidades, atribuírsela. Es, por tanto, una de las pruebas científicas más fiables, siempre y cuando se sigan los protocolos científicos (a los que me referiré más adelante).

La visión del problema debe ser sin embargo inicialmente más general, puesto que de lo que se trata es de ubicar el análisis del ADN en el lugar procesal que le corresponde, para así poder extraer las consecuencias que nos permitan indubitadamente averiguar la verdad, sobre todo exculpar al inocente, que siguen siendo los fines más importantes del proceso penal. Y ese lugar no es otro que el de la prueba científica, un concepto todavía discutido pero muy útil que debemos abordar[5].

---

[4]   Véase CARRACEDO ÁLVAREZ, A., *Valoración de la prueba de ADN*, en MARTÍNEZ JARRETA, M.B. (Dir.), "La prueba del ADN en Medicina Forense", Ed. Masson, Barcelona 1999, pp. 304 y ss. Véanse también FINKELSTEIN, M.O./FAIRLEY, W.B., *A Bayesian approach to identification evidence*, LHR 1970, vol. 3, núm. 3, *passim*; ROMEO CASABONA, C.M./ROMEO MALANDA, S., *Los identificadores de ADN en el sistema de justicia penal*, Ed. Aranzadi, Pamplona 2010, pp. 40 y ss.; MUÑOZ ARANGUREN, A., *La valoración judicial de la prueba de ADN: Estadística y verdad procesal. A propósito de la STS núm. 607/2012, de 9 de julio de 2012*, Revista Derecho y Proceso Penal 2013, núm., 30, pp. 287 y ss. Véase también la ponencia de Ángel CARRACEDO ÁLVAREZ en este libro.

[5]   Véase PÉREZ GIL, J., *El conocimiento científico en el proceso civil. Ciencia y tecnología en tela de juicio*, Ed. Tirant lo Blanch, Valencia 2010, pp. 42 a 47.

En efecto, el desarrollo de todas las ciencias desde la II Guerra Mundial ha sido indescriptible, algunas de ellas sorprendentemente espectaculares en los últimos 25 años. Desde siempre el proceso penal se ha visto obligado a recurrir a la ayuda de quienes tienen conocimientos especializados de carácter científico que el juez no puede tener al pertenecer al mundo exterior al jurídico, o incluso a la ayuda de quienes sin ser científicos utilizan técnicas específicas o particulares para aplicarlas en supuestos en que tienen relevancia procesal penal, técnicas que el juez por desconocer no puede tampoco aplicar.

El proceso se ha servido de varias pruebas para canalizar esa ayuda prestada por profesionales o expertos ajenos o terceros al proceso. En unos casos ha bastado con la declaración como testigo y se ha acudido, por tanto a la prueba testifical; en otros se ha elaborado un informe o documento, que ha sido introducido en el proceso como prueba documental; pero la prueba reina, a cuyo través casi siempre se ha acudido para aportar al proceso los conocimientos profesionales o técnicos de los que carece el juez, ha sido la pericial.

Es obvio que aunque aquí nos refiramos al proceso penal, cabe hablar de esta situación en todo tipo de procesos, civil, administrativo o laboral, por ejemplo. Y no es menos obvio que también cabe hablar de estos temas frente a hechos en que resultan necesarias estas pruebas pero que no son delictivos (por ejemplo, catástrofes naturales o producidas por el ser humano, como accidentes aéreos).

Pues bien, el desarrollo de la ciencia al que me refería ha implicado a su vez un desarrollo de esas pruebas, principalmente la pericial. Es lógico, por otra parte, que a nuevas perspectivas científicas, surjan nuevas necesidades jurídicas a satisfacer. El problema es que hay muchas ciencias y, en consecuencia, la incidencia en la prueba pericial ha sido amplísima.

También hay que ser conscientes que las pruebas científicas suponen el fin de un ciclo de técnicas probatorias ya algo anticuadas en su mayor parte que, desde hace varias décadas, están evitando muchos errores en la identificación de las personas, pero que, a su vez, abren nuevos interrogantes.

Una manera de facilitar su estudio y su práctica es denominar a esta clase de prueba "prueba científica", pero no hay un acuerdo todavía definitivo sobre su perfil ni sobre su contenido, de manera que tenemos que manejarnos aún en el ámbito de la propuesta.

Pedagógicamente habría que precisar lo siguiente[6]:

1º) Hay acuerdo en considerar prueba científica aquélla que requiere de conocimientos profesionales científicos especializados que el juez no tiene.

2º) Hay acuerdo en distinguir los conocimientos científicos de las técnicas especializadas, cayendo éstas fuera de la prueba científica.

3º) Hay acuerdo en considerar que la prueba es científica cuando el resultado probatorio producido es consecuencia de la aplicación y desarrollo de conceptos de carácter científico.

4º) Hay acuerdo en considerar que todos los informes emitidos por laboratorios científicos para ser usados en un proceso penal tienen naturaleza de prueba científica.

Si el laboratorio es oficial, su estructura se incardina generalmente en la llamada Policía Científica.

Pero no hay acuerdo en delimitar las ciencias a que se puede refiere la prueba científica. Instintivamente tendemos a pensar que nos estamos refiriendo al mundo de la tecnología, de la informática, de las telecomunicaciones, de la biología y de la medicina, pero hay más ciencias y no está claro que deban ser excluidas. Por ejemplo, la economía, la sociología o incluso la psicología en su aspecto social, ciencias por cierto que desde antiguo integran prácticamente, con algún matiz, el contenido básico de la Criminología.

Si pensamos en los avances espectaculares de la Medicina y de las Nuevas Tecnologías de la Información y de la Comunicación (NTIC: Informática, Internet y Telecomunicaciones), y si relacionamos su posible aplicación en la investigación de crímenes tan graves como los de la criminalidad organizada (terrorismo o narcotráfico, por ejemplo), asesinatos y homicidios, delitos sexuales, resulta evidente la necesidad de sistematizar toda la problemática que presenta la llevanza al proceso de estos hechos y sus pruebas bajo comunes denominadores, no sólo para facilitar su práctica, sino sobre todo y también por ser más importante, para facilitar el convencimiento positivo o

---

[6]   Véanse URBANO CASTRILLO, E., *La investigación tecnológica del delito*, en Eloy VELASCO NÚÑEZ (Dir.), "Los nuevos medios de investigación en el proceso penal. Especial referencia a la tecnovigilancia", Cuadernos de Derecho Judicial, CGPJ-Escuela Judicial II-2007, Madrid 2007, pp. 51 y ss.; TARUFFO, M., *La prueba científica en el proceso civil*, http://biblio.juridicas.unam.mx/libros/4/1971/7.pdf, pp. 153 y ss.

negativo del juzgador respecto a los hechos que con esas pruebas se trata de demostrar.

Pues bien, atendidas esas precisiones, el análisis científico del ADN de una persona formaría parte de esa categoría y por tanto sería una prueba científica, en los términos prudentes a los que me acabo de referir, porque formaría parte de la Medicina Forense, convirtiéndose en una especialidad de la misma, la Genética Forense[7].

Como tal prueba científica tiene dos vertientes, la científico-profesional, y la procesal. Aquí trataré de la segunda, obviamente.

1ª) Desde el punto de vista jurídico se debe abordar a título de ejemplo toda la problemática jurídica de la toma de muestras del ADN en sus diferentes situaciones (muestras abandonadas, intervenciones corporales, aportaciones voluntarias…), su régimen jurídico (por ejemplo, ¿es una facultad policial o potestad judicial su adopción?, consentimiento o no del afectado, asistencia letrada, etc.); también se deben precisar los delitos susceptibles de tomas de muestras (como aquéllos que dejan huella biológica o no, etc.). Interesa también y mucho considerar la valoración procesal de la prueba de ADN (por ejemplo, tratamiento de las muestras obtenidas subrepticiamente aunque no ilícitas, etc.).

2ª) Desde el punto de vista científico deberían tratarse las bases de datos de ADN y en particular los temas del derecho a la intimidad genética o autodeterminación informativa, acceso, modificación y cancelación de las inscripciones (como actuación de oficio o a instancia de parte), el uso y cesión de esos datos inscritos, compromisos internacionales, como el Tratado de Prüm)[8], etc.

El tema a analizar es además desde el punto de vista práctico interdisciplinar, pues su contenido abarca tanto el Derecho Procesal Penal y el De-

---

[7]   CARRACEDO ÁLVAREZ, A., *Valoración de la prueba de ADN*, en MARTÍNEZ JARRETA, M.B. (Dir.), "La prueba del ADN en Medicina Forense", cit., p. 301. Véase también SUÁREZ-QUI-ÑONES Y FERNÁNDEZ, J.C., *Nuevos retos biológicos en la investigación criminal*, en http://es.scribd.com/doc/135483318/Informe-Retos-Biologicos-Investigacion-Criminal, pp. 6 a 8.

[8]   Pero no lo vamos a hacer aquí por exceder con mucho del objeto introductorio del presente texto. Puede verse una aproximación jurídica en PÉREZ MARÍN, M.A., *Inspecciones, registros e intervenciones corporales. Las pruebas de ADN y otros métodos de investigación en el proceso penal*, Ed. Tirant lo Blanch, Valencia 2008, pp. 200 y ss.

recho Penal, como el Derecho Policial, además del Derecho Constitucional. Esto hace que en mi país su estudio posea un valor añadido, pues hasta ahora generalmente los análisis sobre esta materia se han abordado en forma sectorial o parcial, y no con este carácter global.

Desde el Derecho Procesal, deben estudiarse más concretamente los aspectos procesales más importantes de esta prueba: En primer lugar, el importantísimo tema de los derechos del imputado constitucionalmente protegidos; en segundo lugar, los principios que rigen su práctica; en tercer lugar, los requisitos exigidos para la toma de las huellas o vestigios, las llamadas muestras; en cuarto lugar, su valoración probatoria, en donde habrá de tratarse necesariamente la controvertida cuestión de las consecuencias de su infalibilidad; y finalmente, el nada insignificante problema, nacional e internacional, del almacenamiento de los resultados en bases de datos y su utilización posterior en otros procesos, punto de una gran complejidad en el que no podremos detenernos en este artículo.

La exposición que sigue no se corresponde sólo con una visión general e introductoria, ni tampoco con una descripción meramente informativa, sino sobre todo con un análisis crítico concreto de la situación jurídica en España, en donde el tema es absolutamente novedoso, pues como veremos, sólo en el año 2003 se aprobó en España una norma que encomendaba al Gobierno la regulación de la Comisión Nacional para el uso forense del ADN, encargada de establecer esos protocolos científicos, que fue la Ley Orgánica 15/2003, de 28 noviembre, pero no fue hasta finales del 2008 mediante el Real Decreto 1977/2008, de 28 noviembre (BOE del 11 diciembre 2008) cuando efectivamente se reguló dicha Comisión, cumpliendo el mandato legislativo, sin perjuicio que antes se aprobara la Ley Orgánica 10/2007, de 8 octubre, reguladora de la base de datos policial sobre identificadores a partir del ADN (BOE del 9 octubre), recogiendo sendas Resoluciones comunitarias europeas como las del Consejo relativas al intercambio de análisis de ADN de 9 junio 1997 y de 25 julio 2001, así como la Recomendación nº R (92) de 19 febrero 1992, del Comité de Ministros del Consejo de Europa sobre la utilización de los resultados de análisis en el marco de la justicia penal y las disposiciones del Tratado de Prüm, relativo a la profundización de la cooperación, en particular en materia de lucha contra el terrorismo, delincuencia transfronteriza y la migración ilegal, que fue ratificado por mi país en 18 julio 2006 (BOE de 12 diciembre 2006).

Un tema final clave en la prueba científica que necesariamente debe abordarse es el de su valoración, pues choca con el principio de la lógica, al menos, que siendo técnicamente pruebas prácticamente fiables al cien por cien en cuanto a sus resultados, su aplicabilidad en el proceso penal dependa sin embargo de la voluntad racional del juez. Determinando la prueba del ADN quién ha sido indubitadamente el autor del delito, el juez puede rechazar la prueba y absolver al acusado en uso del principio de la libre valoración de la prueba en el proceso penal. La manera hasta ahora encontrada para salvar este escollo, exigir una especial motivación cuando el juez se aparte de la prueba científica, debe someterse a revisión ante la inseguridad jurídica que provoca, sin que se llegue a sostener el carácter probatorio legal de dichas pruebas.

Téngase en cuenta también que la valoración de las pruebas científicas no puede hacerse correctamente sin tener en cuenta que su validez depende de factores muy importantes como son el seguimiento de los protocolos científicos en la obtención de las muestras, en su conservación y en los análisis que sólo laboratorios debidamente acreditados deben de hacer.

A los miembros de la Comisión Nacional para el uso forense del ADN les correspondió abordar la apasionante tarea de elaborar estos protocolos para la obtención de las muestras, su conservación y análisis en los laboratorios, así como acreditar a éstos, desde un escrupuloso y exquisito respeto a los derechos humanos. De esta labor depende, en gran medida, la eficacia y validez de los análisis de ADN, los cuales están íntimamente relacionadas con toda la problemática que suscita la genética en el ámbito forense y la protección de los derechos fundamentales.

No olvidemos que la prueba de ADN está sometida a los continuos avances científicos y sólo debe ser comprendida en el marco del difícil equilibrio entre la eficacia de la investigación penal y la protección de esos derechos fundamentales.

Como se ha reseñado *supra*, la legislación española es relativamente parca desde el punto de vista procesal a la hora de considerar el análisis del ADN[9]. La LECRIM sólo dedica tres artículos directamente al tema (326, 363 y

---

[9]   Para la situación anterior a la descrita en texto, v. ETXEBERRÍA GURIDI, J.F., *El análisis de ADN y su aplicación al proceso penal*, cit., pp. 49 y ss.; LÓPEZ-FRAGOSO ÁLVAREZ, T., "Prin-

778.3), más la disposición adicional tercera. Los artículos se reformaron y la disposición adicional se añadió por la LO 15/2003, de 25 de noviembre, ley que sustancialmente representó por otra parte una reforma importante del Código Penal de 1995, entre otros temas, en materia de penas.

El contenido básico de dichos preceptos, que debe de ser complementado por la disposición adicional tercera de la Ley Orgánica 10/2007 ya citada sobre obtención de muestras biológicas, hace referencia a la recogida de huellas y vestigios biológicos con ocasión de la práctica de una inspección ocular (art. 326, III); requisitos de la práctica de análisis químicos y obtención de muestras biológicas del imputado como diligencias de investigación (arts. 363 y 778.3). La Disposición Adicional 3ª de la LECRIM regula básicamente la Comisión Nacional para el uso forense del ADN. Serán recogidos literalmente en su lugar oportuno.

Es evidente que por referencia o remisión van a resultar aplicables más preceptos, pero la regulación hasta hace poco vigente era notoriamente insuficiente, particularmente en cuestiones técnicas, de ahí que se tuviera que aprobar legislación específica, constituida por la Ley Orgánica 10/2007, de 8 de octubre, reguladora de la base de datos policial sobre identificadores obtenidos a partir del ADN; y el Real Decreto 1977/2008, de 28 de noviembre, por el que se regula la composición y funciones de la Comisión Nacional para el uso forense del ADN.

Desde el punto de vista europeo e internacional nos afectan diversas normas. Destacaré ante todo el Tratado de Prüm de 2005 (Convenio relativo a la profundización de la cooperación transfronteriza, en particular en materia de lucha contra el terrorismo, la delincuencia transfronteriza y la migración ilegal, hecho en Prüm el 27 de mayo de 2005, Instrumento de ratificación de España BOE del 25 de diciembre de 2006).

Este Tratado firmado en la ciudad alemana de Prüm (Renania-Palatinado) reviste una importancia crucial para los países firmantes en materia de creación de ficheros nacionales de análisis del ADN para los fines de persecución

---

cipios y límites de las pruebas de ADN en el proceso penal", *Estudios de Derecho Judicial*, tomo 36, 2001, pp. 1845 y ss.; y GOYENA HUERTA, J., "Las intervenciones corporales coercitivas", *Actualidad Jurídica Aranzadi*, nº 695, 2005, pp. 2 y 3. Véase la ponencia de Emilio CORTÉS BECHIARELLI en este libro.

de los delitos, porque permite su utilización compartida por todos ellos consultando los llamados índices de referencia, que contienen los perfiles de ADN o modelos de identificación del ADN[10]. Teóricamente, este Tratado debía haber formado parte del marco jurídico de la Unión Europea desde 2009.

En cuanto a la Unión Europea, deben consultarse:

a) La Resolución del Consejo de 9 de junio de 1997, relativa al intercambio de resultados de análisis de ADN (DO C 193 de 24.6.1997, p. 2 y 3).

b) La Resolución del Consejo de 25 de junio de 2001 relativa al intercambio de resultados de análisis de ADN (DO C 187 de 3.7.2001, p. 1 a 4);

c) La Recomendación del Consejo de Europa y del Comité de Ministros (92) 1, de 10 de febrero de 1992.

d) La Recomendación del Consejo 82/472/CEE, de 30 de junio de 1982, relativa al registro de los trabajos en los que intervenga el ácido desoxirribonucleico (ADN) recombinante (DO L 213 de 21.7.1982, p. 15 y 16).

e) La Resolución del Consejo de 30 de noviembre de 2009 relativa al intercambio de resultados de análisis de ADN (2009/C 296/01).

Es momento de entrar ya en el análisis procesal de la prueba del ADN en el Derecho Procesal Penal español vigente, dejando al final unas notas sobre las reformas que nos esperan. Trataré los derechos fundamentales protegidos y los requisitos de legalidad ordinaria establecidos en su desarrollo (apartado siguiente), aspectos concretos del derecho de defensa (ap. III) y del derecho a no confesarse culpable (ap. IV), la técnica científica de la práctica de la prueba (ap. V) y su valoración judicial (ap. VI).

II. LA ORDENACIÓN DEL ANÁLISIS DEL ADN EN EL CURSO DE UNA INVESTIGACIÓN CRIMINAL

Todo acto de investigación o prueba que deba practicarse sobre el cuerpo humano (el del sospechoso o imputado) implica un choque entre la obligación del Estado de investigar el crimen (*"ius puniendi"*) y los derechos fun-

---

[10]   DOLZ LAGO, M.J. (Dir.), *La prueba pericial científica*, cit., p. 63.

damentales de ese sospechoso o imputado, porque no se puede investigar la verdad a cualquier precio[11].

Estamos por tanto ante una colisión jurídica que debe resolverse de manera adecuada en el proceso penal propio de un Estado de Derecho, como es España, es decir, buscando el equilibrio entre los derechos del imputado y las obligaciones públicas del Estado, fijando los límites, a saber, marcando claramente hasta dónde se puede llegar y hasta dónde no[12].

Una de las cuestiones centrales va a ser, en esta línea, si una persona puede someterse contra su voluntad a la prueba del ADN y la validez del resultado obtenido en este caso. Juega un papel importante el consentimiento, porque en caso de que no lo preste, hay que preguntarse por las consecuencias de esta negativa.

Otra será de qué forma está cubierto por el derecho de defensa si todavía no ha sido imputado judicialmente.

Sea como fuere, es obvio que los derechos fundamentales del sospechoso, detenido o imputado quedan afectados por esta prueba.

A) *Garantías constitucionales y derechos afectados*

La doctrina experta en esta prueba afirma con claridad que los derechos fundamentales afectados pueden ser aquí muchos, aunque no todos son igualmente importantes, ni desde luego tiene las mismas consecuencias su vulneración para el resultado final del proceso[13]. En este sentido se dice que estarían afectados:

---

[11]   Según la famosa frase de la sentencia del Tribunal Supremo Federal alemán (BGH) de 14 de junio de 1960, recogida por vez primera en español en mi libro GÓMEZ COLOMER, J.L., *El proceso penal alemán. Introducción y normas básicas*, Ed. J.M. Bosch, Barcelona 1985, p. 128, nota 1.

[12]   ROMEO CASABONA, C.M., *Utilización de las identificaciones del ADN en la Administración de Justicia*, en MARTÍNEZ JARRETA, M.B. (Dir.), "La prueba del ADN en Medicina Forense", cit., p. 7.

[13]   Véanse sobre esta importante cuestión ETXEBERRÍA GURIDI, J.F., *Los análisis de ADN y su aplicación al proceso penal*, cit., pp. 189 y ss.; DOLZ LAGO, M.J., *ADN y derechos fundamentales*, cit., pp. 3 y 4; ROMEO CASABONA/ROMENO MALANDA, *Los identificadores del ADN en el Sistema de Justicia Penal*, cit., pp. 51 y ss.; ÁLVAREZ DE NEYRA KAPPLER, S., *La prueba de ADN en el proceso penal*, Ed. Comares, Granada 2008, pp. 93 y ss.; PÉREZ MARÍN, M.A.,

1º) El derecho a la libertad de movimientos o ambulatoria (art. 17.1 CE);

2º) El derecho a la integridad física (art. 15 CE);

3º) El derecho a la intimidad (art. 18.1 CE);

4º) El derecho a no declarar contra sí mismo y a no confesarse culpable (*nemo tenetur se ipsum accusare*, arts. 17.3 y 24.2 CE); y

5º) El derecho de defensa (art. 24.2 CE).

Podría pensarse incluso que están en riesgo además el principio de legalidad y el principio de intervención judicial (arts. 24 y 25 CE), por los motivos que en este escrito se exponen a la hora de explicar su práctica[14].

Pero de todos ellos, interesan en realidad dos, por las razones que explicaré:

a) La asistencia letrada del sospechoso, detenido o imputado para la práctica de la prueba (derecho de defensa, art. 24.2 CE); y

b) La negativa a colaborar del sospechoso, detenido o imputado en la práctica de la prueba del ADN (derecho a no declararse culpable, arts. 17.3 y 24.2 CE).

Las normas de desarrollo de la práctica de la prueba tienen que ser por tanto respetuosas con estos derechos constitucionales, y en este sentido debe indicarse que la legislación exige básicamente que la adopción de la medida esté justificada, que sea proporcionada y, en caso de negativa del sospechoso, detenido o imputado, que exista autorización judicial[15]:

1ª) La justificación de la medida se concreta en el art. 363, II LECRIM al afirmar "siempre que concurran acreditadas razones que lo justifiquen".

Inspecciones, registros e intervenciones corporales. Las pruebas de ADN y otros métodos de investigación en el proceso penal, cit., pp. 39 y ss. SUÁREZ-QUIÑONES Y FERNÁNDEZ, J.C., *Nuevos retos biológicos en la investigación criminal*, cit., p. 14. Véase también la ponencia de Manuel Jesús DOLZ LAGO en este libro.

[14]   Véase ROMEO CASABONA, C.M., *Utilización de las identificaciones del ADN en la Administración de Justicia*, en MARTÍNEZ JARRETA, M.B. (Dir.), "La prueba del ADN en Medicina Forense", cit., p. 10.

[15]   Véase el excelente resumen jurisprudencial al respecto expuesto en *(Tol 2283557)* sobre el art. 363 LECRIM, que en este artículo se desglosa y que es analizado con detalle en varias de las ponencias recogidas en este libro.

Se trata de una autorización general que requiere un análisis de procedencia en cada caso concreto. Cuando se esté ante un delito grave, o ante uno de los enumerados por la LO 10/2007 (v. *infra*), y sea evidente que para esclarecer los hechos es necesario el análisis del ADN, se entenderá que existe justificación suficiente para la adopción y práctica del acto.

2ª) La proporcionalidad se mide en función de la gravedad del delito cometido, del sujeto a investigar y de las circunstancias del hecho[16].

El art. 363, II (citado literalmente *infra*) recoge específicamente esta exigencia constitucional, vinculando los principios de proporcionalidad (prohibición del exceso) y razonabilidad (acceso lógico al fin perseguido) del acto de investigación a practicar.

3ª) La exclusividad jurisdiccional o exigencia de autorización judicial es el requisito constitucional más importante, porque el juez debe fundar la adopción de la medida explicando la concurrencia de los demás presupuestos constitucionales. Se concreta en la necesidad de que el juez dicte un auto, que es la resolución motivada a que se refiere sin mentarla el art. 363, II LECRIM.

Es imprescindible el auto si se va a utilizar la coacción o fuerza, porque nada hay regulado en nuestro Derecho al respecto y están en peligro, recordemos, varios derechos fundamentales[17]. Por tanto, aunque no lo diga el precepto, la autorización judicial debe ser necesaria cuando el sujeto se niegue o no preste su consentimiento el sospechoso, detenido o imputado.

Por otra parte, la autorización judicial garantiza en principio que las muestras biológicas indispensables para la determinación de su perfil de ADN son auténticas[18], algo muy importante en la cadena de custodia a la que nos referiremos más adelante.

---

[16] SOLETO MUÑOZ, H., *La identificación del imputado. Rueda, fotos, ADN... De los métodos basados en la percepción a la prueba científica*, Ed. Tirant lo Blanch, Valencia, 2009, 243 p. 118.

[17] SOLETO MUÑOZ, H., *La identificación del imputado. Rueda, fotos, ADN... De los métodos basados en la percepción a la prueba científica*, Ed. Tirant lo Blanch, Valencia, 2009, 243 p. 118.

[18] SOLETO MUÑOZ, H., *La identificación del imputado. Rueda, fotos, ADN... De los métodos basados en la percepción a la prueba científica*, cit., p. 130.

B) *Requisitos de legalidad ordinaria*

Expuesta la protección constitucional, las leyes exigen además determinados requisitos de admisibilidad de la prueba, que pueden ser tanto de Derecho Penal sustantivo como de Derecho Procesal Penal.

1. De Derecho Penal sustantivo

En primer lugar debe indicarse que en todo proceso penal no puede practicarse la prueba de análisis de ADN. Para ello el proceso tiene que haberse incoado por un hecho punible o varios de relevancia, ya que legalmente la toma de muestras de ADN únicamente procede en caso de delitos graves, de acuerdo con el art. 3.1, a) de la Ley Orgánica 10/2007, de 8 de octubre, reguladora de la base de datos policial sobre identificadores obtenidos a partir del ADN.

Para que no haya ninguna duda, ese mismo precepto indica qué delitos son graves a estos efectos. Téngase en cuenta que no siempre se trata de delitos en los que hay constancia cierta de que dejan huellas o vestigios, pues el ADN se encuentra en las siguientes muestras biológicas: Sangre, semen, saliva, pelo, uñas, dientes, huesos, escamas y tejidos[19], pero sí constituye el listado un desarrollo que acredita el cumplimiento del requisito de la justificación. Son éstos:

1. Delitos contra la vida,
2. Delitos contra la libertad,
3. Delitos contra la indemnidad o la libertad sexual,
4. Delitos contra la integridad de las personas,
5. Delitos contra el patrimonio siempre que fuesen realizados con fuerza en las cosas, o violencia o intimidación en las personas,
6. Delitos cometidos en los casos de la delincuencia organizada, debiendo entenderse incluida, en todo caso, en el término delincuencia organizada la recogida en el artículo 282 bis, apartado 4 de la Ley de Enjuiciamiento Criminal en relación con los delitos enumerados.

---

[19]   SUÁREZ-QUIÑONES Y FERNÁNDEZ, J.C., *Nuevos retos biológicos en la investigación criminal*, cit., p. 13.

Obsérvese que no es un listado cerrado, pues delito grave es todo aquél que esté castigado con una pena superior a los 5 años de prisión (art. 33.2 CP), por lo que debe concluirse que el listado de delitos en los que se puede tomar o recoger muestras, vestigios o restos biológicos para analizar el ADN es muy amplio.

En la primera Memoria de la CNUFADN 2009/2010 se recoge este catálogo según el CP vigente, si bien se ofrece una interpretación restrictiva acerca del mismo con base en el principio de proporcionalidad, considerando delitos graves sólo los que tengan pena de prisión superior a 5 años y no otras penas no privativas de libertad, que dejen huella genética y que afecten a bienes jurídicos expresamente señalados en el art. 3.1.a) de la Ley Orgánica 10/2007.

2. De Derecho Procesal Penal

Los requisitos son fundamentalmente la necesidad de que exista una investigación criminal en marcha, y que la persona sea al menos sospechosa. Con ello, además de cumplirse procesalmente con el requisito de la justificación, se concreta el requisito de la proporcionalidad.

a) El art. 3.1, a) de la Ley Orgánica 10/2007, de 8 de octubre, reguladora de la base de datos policial sobre identificadores obtenidos a partir del ADN, se refiere a datos identificativos extraídos a partir del ADN de muestras o fluidos recogidos "en el marco de una investigación criminal".

Por tanto, no es posible obtener muestras para averiguar el ADN en relación con una persona de la que se sospecha que puede haber cometido el delito fuera de un proceso penal, si no está iniciada una investigación penal (de manera que queden comprendidas las diligencias preprocesales del fiscal o de la policía).

Sí es posible la toma de muestras, huellas o restos biológicos de personas no sospechosas para otros fines, obviamente, pero relacionados con una investigación criminal, lo que permite tomar restos de cadáveres para analizar si no se sabe con certeza si su muerte fue natural, accidental o criminal.

b) Si el proceso penal está ya en marcha, puede que una persona esté imputada, en cuyo caso no hay problema alguno para cumplir el requisito de que exista al menos una persona sospechosa, pero puede que no.

La pregunta entonces es si basta con el grado de sospechoso (sería una clase de imputación, previa a la formal o judicial, no prevista por la legislación procesal penal española aunque se hagan muchas referencias a él)[20]. La respuesta debe ser afirmativa, con fundamento en el propio art. 363, II LECRIM, y en el Acuerdo No Jurisdiccional de la Sala II del Tribunal Supremo de 13 de julio de 2005.

El problema es que debería haberse regulado un mínimo estatuto jurídico del sospechoso, pero como no ha sido así, debemos entender que sospechoso es equiparable, a efectos de su protección, a imputado (detenido o preso), de ahí que en este texto hagamos continuas referencias a ambos. No es un tema baladí, porque si se es sospechoso no se goza del derecho de defensa, y si se es imputado, sí.

El tema de si es posible tomar muestras para analizar el ADN de terceros personas vivas, por tanto de sujetos que no son ni sospechosas ni imputadas no está resuelto en nuestra legislación, por lo que hoy por hoy no es posible si ellas no acceden voluntariamente. Pero esta situación puede cambiar pronto (v. *infra*).

Todos los requisitos de legalidad ordinaria son controlables jurisdiccionalmente y, por supuesto, pueden ser puestos de manifiesto por las partes en el acto del juicio a la hora de realizarse la prueba sobre los resultados obtenidos.

III. LA DELICADA CUESTIÓN DE LA ASISTENCIA LETRADA

La primera cuestión problemática antes aludida es la relativa al derecho de defensa del sospechoso, detenido o imputado sobre el que se va a practicar una prueba de ADN.

La cuestión que debemos formularnos es si el art. 17.3 CE y su desarrollo por el art. 520.2, a) y art. 520.6 LECRIM tienen aplicación en la práctica del análisis del ADN.

---

[20]   SOLETO MUÑOZ, H., *La identificación del imputado. Rueda, fotos, ADN... De los métodos basados en la percepción a la prueba científica*, cit., p. 111.

La pregunta es pertinente porque desde una jurisprudencia de hace unos 15 años, el detenido tiene derecho a la asistencia letrada cuando se le pida el consentimiento para entrar en su domicilio[21]. Es lícito por tanto preguntarse si también tiene derecho a la asistencia letrada para la toma de una muestra, huella, resto o vestigio de su ADN, porque se le va a preguntar antes de practicarla si consiente en ello.

Las líneas jurisprudenciales al respecto representan la siguiente evolución:

a) El punto de partida fue el siguiente: Si las huellas, vestigios, restos o muestras biológicas han sido abandonadas por el sospechoso, la policía puede recogerlas sin necesidad de autorización judicial[22].

Si esas huellas, vestigios, restos o muestras no están abandonadas y hay que proceder a su recogida o toma, no es necesaria ni la información de derechos ni la asistencia letrada del sospechoso o detenido para extraer muestras para un análisis de ADN, basta con la autorización judicial[23].

Como se ve, unas reglas jurisprudenciales demasiado sencillas para la enorme casuística que en la realidad podía producirse, de ahí que pronto empezaran a cambiar las cosas.

b) El desarrollo posterior fue el siguiente: Varias sentencias no siempre claras y a veces contradictorias empezaron a matizar. Primero se dijo que no era necesaria la asistencia letrada, recordemos, pero una importante sentencia, de ponente muy conocido, dejó sentado *obiter dicta* que la defensa letrada debería ser necesaria para la recogida o toma de muestras no abandonadas[24].

---

21   DOLZ LAGO, M.J., *ADN y derechos fundamentales*, cit., p. 4. Para no reiterar la jurisprudencia, nos remitimos a la ponencia al respecto de Fidel Ángel CADENA SERRANO en este libro.

22   Acuerdo No Jurisdiccional de la Sala II del Tribunal Supremo de 31 de enero de 2006: "La Policía Judicial puede recoger restos genéticos o muestras biológicas abandonadas por el sospechoso sin necesidad de autorización judicial".

23   Según el Acuerdo No Jurisdiccional de la Sala II del Tribunal Supremo de 13 de julio de 2005 (publicado el 3 de octubre del mismo año), en estos casos: "El Art. 778.3 LECrim., constituye habilitación legal suficiente para la práctica de esta diligencia".

24   STS Sala II núm. 685/2010, de 7 de julio (Id Cendoj: 28079120012011101097; Ponente: Marchena Gómez).

El TC y el TS hasta ahora exigen la asistencia letrada únicamente cuando la ley así lo contemple, dado que no es una exigencia genérica de la LECRIM para todos los actos de instrucción en que el imputado tenga que estar presente, a pesar de lo dispuesto en el art. 767 LECRIM, que no siempre se interpreta correctamente al no relacionarlo con el art. 520 de la misma Ley.

La Sentencia del Tribunal Europeo de Derechos Humanos en el caso *S. and Marper v. United Kingdom* avalaría esta interpretación para España[25].

Pero las cosas no son tan sencillas y, de nuevo, la casuística ha hecho que se vuelva sobre este tema.

c) Las consecuencias prácticas: Hoy tendríamos que estar a las siguientes consecuencias, teóricamente.

En primer lugar, la toma de muestras de ADN mediante frotis bucal (saliva) no afecta a ningún derecho fundamental cuando se hace a efectos meramente identificativos. Quizás afecte al derecho a la intimidad, pero en forma muy leve, de ahí que la LO 10/2007, cit., en su art. 4 se ocupe de esta cuestión: Inscripción de ADN no codificante de datos concretos a efectos únicamente identificativos[26].

---

[25]   S TEDH de 4 de diciembre de 2008. Véase un comentario sobre esta sentencia en DE HOYOS SANCHO, M., *Archivo y conservación en registros policiales de muestras biológicas y perfiles de ADN*, Estudios de Derecho Judicial núm. 155, CGPJ - Escuela Judicial, Madrid 2009, pp. 215 y ss. La S TS 709/2013, de 10 de octubre, afirma que no es necesaria la asistencia letrada respecto al imputado que no esté detenido para pedirle su consentimiento de cara a la recogida de muestras de ADN.

[26]   DOLZ LAGO, M.J., *ADN y derechos fundamentales*, cit., p. 4. Recientemente, las SS TC 199/2013, de 5 de diciembre y 13/2014, de 30 de enero, han afirmado indubitadamente que la recogida de muestras en el lugar de los hechos y en sus proximidades por parte de la Policía no lesiona el derecho a la intimidad personal del imputado, ni siquiera aunque se practicara el acto sin autorización judicial, porque de existir alguna lesión, sería "escasa, cuando no nula", siempre que se trate de ADN no codificante, es decir, únicamente de comparar muestras entre las muestras y el imputado a los efectos de investigación criminal, sin almacenamiento para utilización futura. Por tanto, mientras estemos en el acto de investigación de identificación neutral del sujeto, la policía puede practicar el acto sin necesidad de autorización judicial. Véase también la S TS 777/2013, de 7 de octubre, sobre toma de ADN en muestras biológicas abandonadas por el sospechoso, y la severa crítica de DOLZ LAGO, M.J., *Pruebas de ADN en el proceso penal: Crónica de una muerte anunciada gracias a la jurisprudencia de la Sala 2ª del TS que desconoce lo que es el ADN no codificante*, Diario La Ley, miércoles 2 de abril de 2014, págs. 1 y ss.

En segundo lugar, la asistencia letrada al detenido se limita a los interrogatorios y a los reconocimientos de identidad (en rueda), pero no a la toma de huellas dactilares (reseña), ni a la práctica de la prueba de ADN. Ello, porque la recogida o toma de muestras, huellas, vestigios o restos biológicos sólo constituye un elemento objetivo para la práctica de una prueba pericial; además, ni la LECRIM ni ninguna otra ley (véase la Disposición Adicional 3ª de la Ley Orgánica 10/2007), han previsto especialmente la asistencia letrada para la práctica de este acto de investigación.

Finalmente, el resultado no tiene por qué ser incriminatorio, por lo que no es una declaración netamente incriminatoria, luego, si también puede favorecer al detenido, la solución podría ser desaconsejar la intervención letrada para no perjudicarle.

Pero lo cierto es que esa misma realidad se impone en la práctica de esta prueba, porque si el detenido o sospechoso se niega a someterse a la toma de muestras, aunque exista autorización judicial, en la práctica no se recoge o toma ninguna muestra, porque la jurisprudencia del TS exige hoy por hoy habilitación legal para ello y todavía no la hay, a pesar del art. 363 *in fine* LECRIM, y a pesar de que los *obiter dicta* no forman parte del acervo jurisprudencial[27].

Parece ante todo una práctica más que excesivamente garantista, excesivamente temerosa por las posibles consecuencias negativas que para la policía podría tener si se declarara nula la práctica de la toma de ADN.

En el fondo, exigir asistencia letrada para la toma de una muestra de ADN, que no es una declaración en ningún caso, es desconocer que el proceso penal de un Estado de Derecho también debe proteger al Estado y a la víctima, no sólo al presunto delincuente hasta que sea condenado. Un retraso, un recurso, puede ser fundamental para que fracase la averiguación del crimen y sus circunstancias. Y en nada perjudica al derecho de defensa, puesto que cuando llegue el momento de declarar ante la policía, la fiscalía o el juez, ya estará presente y podrá decir en defensa de su cliente lo que considere más conveniente.

---

27   DOLZ LAGO, M.J., *ADN y derechos fundamentales*, cit., pp. 2 y 3.

IV. LA NEGATIVA DEL IMPUTADO A LA PRÁCTICA DEL ANÁLISIS

El proceso penal sólo puede dirigirse contra persona identificada, pues en caso contrario debe sobreseerse provisionalmente (con fundamento en el art. 641.2º LECRIM), o, previamente, no pueden continuar las investigaciones sencillamente. Por tanto, si deseamos evitar estos fracasos iniciales del proceso penal, hay necesidad desde el principio, desde la misma comisión del delito y consiguiente apertura de las investigaciones, de identificar a la persona que pueda haberlo cometido. Esa persona puede querer colaborar con la Justicia o no. Si no lo hace, empiezan los primeros problemas graves que ha debido afrontar la jurisprudencia[28].

La identificación consiste en averiguar quién es la persona a la que se requiere la toma de muestras, huellas restos o vestigios, por un lado, pero por otro y también determinar razonablemente si esa misma persona es la que pudo haber cometido el delito o no. Identificar a la persona e identificar al autor son las dos caras de la misma moneda en el terreno que ahora nos estamos moviendo.

Si no es posible de una manera fácil proceder a dicha identificación, los órganos públicos de persecución tienen la obligación de proceder a ello cumpliendo la ley y de acuerdo con ella.

El problema surge, por tanto, cuando la identificación no la da voluntariamente el propio sospechoso, denunciado o querellado. Dos problemas se plantean entonces, a resolver conforme al alcance del derecho constitucional a no declararse culpable ni a declarar contra sí mismo, antes indicado, el venerado principio *nemo tenetur se ipsum accusare*.

1º) El primer problema es establecer las consecuencias procesales de la negativa a identificarse.

---

[28]   Recogida, respecto a la regulación anterior, por GOYENA HUERTA, J., *La negativa del imputado a intervenir en las diligencias de identificación: Consecuencias procesales*, Actualidad Jurídica Aranzadi, núm. 367, 1998, *passim*. Para la vigente, SOLETO MUÑOZ, H., *La identificación del imputado. Rueda, fotos, ADN… De los métodos basados en la percepción a la prueba científica*, cit., pp. 188 y ss. Véase también la ponencia al respecto de Juan Salvador SALOM ESCRIVÁ en este libro.

Pues bien, la primera consecuencia según la jurisprudencia del TC y del TS español[29] es permitir que la negativa sea valorada por el tribunal como indicio en contra del acusado, a valorar conjuntamente con las demás pruebas de cargo existentes.

El tema es complejo, porque en realidad estamos ante una coacción moral, pues o se identifica el sospechoso o es juzgado y condenado. Pero en numerosas ocasiones es la única manera de llegar a conclusiones razonables. Si el acusado, haciendo uso de su libertad de pensamiento, miente o se niega a identificarse, el Estado puede defenderse ordenando al juez que valore esa conducta en su contra. Obsérvese que no se obliga al imputado a declarar o a confesar, prohibición que está protegida por la Constitución y sería un caso claro de prueba ilícitamente obtenida (a los efectos de los arts. 24.2 CE y 11.1 LOPJ), sino a una identificación, que es una pericia, para la que el hecho de colaborar es determinante.

Por tanto no se vulneraría la CE si se le exige identificación, porque no se le pide declarar, sino verificar una prueba técnica.

2º) El segundo problema es cómo obviar la voluntad contraria del sospechoso y acudir a otros medios para obtener la identificación e incorporarla al proceso.

La LECRIM ha previsto esta situación obligando al juez en este caso a acudir a otros medios probatorios si mediante ellos se puede llegar a resultados relevantes para la investigación. Ello puede hacerse por vía directa o indirecta:

a) La vía directa para la identificación es la que lleva a recoger directamente la muestra, huella o vestigio del cuerpo del sospechoso, de acuerdo con lo expuesto aquí.

Esta posibilidad es menos problemática, pero no exenta de dificultades.

b) La vía indirecta es la que permite incautarse de objetos, por ejemplo, mediante un registro domiciliario, en los que se encuentren huellas o vestigios biológicos para la obtención del ADN.

---

29   Por todas, S TC 161/1997, de 2 de octubre; S TS de 25 de octubre de 2011 (RA 1251). Nos remitimos a la ponencia al respecto de Fidel Ángel CADENA SERRANO en este libro.

Esta posibilidad es más problemática, porque no se requiere el consentimiento del sospechoso o imputado para la recogida de esas muestras.

El problema más arduo se plantea cuando se aporta inconscientemente información, v.gr., bajo la apariencia de la práctica del test de alcoholemia se quiere en verdad obtener la saliva del sospechoso dejada en el recipiente; o dejando productos químicos en un vaso para que la huella no se pueda borrar. Y es el más arduo porque en estos casos el sospechoso es engañado, algo que no debería permitirse.

En este sentido, con la jurisprudencia hasta ahora existente, que no es específica, no habría obstáculo a una resolución judicial de incautación de objetos, bajo el argumento formal de que el sospechoso no tiene derecho a oponerse a los actos de investigación que se acuerden en el proceso penal mediante resolución judicial fundada y ajustada a la CE.

Pero la inducción al engaño quedaría excluida por la jurisprudencia del TS sobre el agente provocador, de manera tal que si la inconsciencia del sospechoso o imputado es directamente provocada por la policía, por ejemplo, administrándole sustancias químicas que atenúen su capacidad de comprensión durante la práctica de un interrogatorio, sería ilegal[30]. En este caso, habría una clara vulneración del derecho a no declarar contra sí mismo, ya que no estaríamos ante una simple identificación, sino ya ante una declaración por suceder todo ello en el seno del interrogatorio policial.

V. REALIZACIÓN DE LA PRUEBA: LA TOMA DE MUESTRAS Y LA CADENA DE CUSTODIA

Una vez expuestos los principios y derechos constitucionales afectados, así como los requisitos que se exigen para su admisibilidad, la cuestión más relevante que sigue es la regulación de la práctica de la prueba es decir, cómo deben tomarse las muestras, huellas, vestigios o restos biológicos, por

---

[30]   SS TS núm. 1473/1998, de 20 de noviembre (RJ\1998\9676; núm. 44/2001, de 23 de enero (RJ\2001\185); y núm. 571/2008, de 25 de septiembre (RJ\2008\5603).

quién, qué protocolo de análisis se sigue y quién vigila la corrección del procedimiento custodiando los materiales obtenidos[31].

Lo mejor para explicar estos temas, ante la parquedad legislativa y la dificultad técnica de las pocas normas de valor inferior a la ley que la regulan, es resolver estas tres preguntas:

1ª) ¿Quién recoge o toma las muestras, huellas, restos o vestigios biológicos de la escena del crimen?[32]

Debemos partir de las diferentes realidades que pueden darse en la escena del crimen con relación al sospechoso:

1. El sospechoso se encuentra en el lugar del crimen.

2. La víctima está en el lugar del crimen.

3. Solamente estamos en el lugar del crimen sin presencia de nadie.

La recogida o toma de muestras es siempre bidireccional: Se recogen de la escena del crimen y de la persona del sospechoso, en principio. Pues bien, solamente importa a nuestros efectos que el sospechoso se encuentre en la escena del crimen o que sea localizado después. La toma de muestras del cadáver y de restos abandonados no debe plantear jurídicamente problema alguno, se pueden recoger en todo caso sin necesidad de autorización judicial[33].

La persona del sospechoso es por tanto la situación más problemática[34]. Este puede someterse voluntariamente a la recogida o toma de muestras, huellas, restos o vestigios biológicos, negarse, o ser inducido o engañado. La primera habilita la prueba hoy en día, aunque en la práctica la policía prefiera

---

31   Véanse PRIETO RAMÍREZ, L.M., *La Ley Orgánica reguladora de la base de datos policial sobre identificadores obtenidos a partir de ADN*, Actualidad Jurídica Aranzadi núm. 747/2008, pp. 1 y ss.; MORENO VERDEJO, J., *Algunas reflexiones sobre la Ley Orgánica 10/2007 reguladora de la base de datos policial de ADN*, Revista de Derecho Procesal Pernal (Argentina), 2009, núm. 2, pp. 129 y ss.; y RAMOS ALONSO, J.V., *La recogida de muestras biológicas en el marco de una investigación criminal*, Diario La Ley 17 de marzo 2010, núm. 7364, pp. 5 y ss.

32   DOLZ LAGO, M.J. (Dir.), *La prueba pericial científica*, pp. 118 y ss.;

33   S TS 685/2010, de 7 de julio *(Tol 1918847)*. Véase la ponencia de Andrea PLANCHADELL GARGALLO al respecto en este libro.

34   SOLETO MUÑOZ, H., *La identificación del imputado. Rueda, fotos, ADN… De los métodos basados en la percepción a la prueba científica*, cit., p. 99.

siempre la autorización judicial y no tomar la muestra por la fuerza, lo que teóricamente podría hacer de acuerdo con la ley, como afirmamos *supra*; la negativa exige autorización judicial siempre y según la moderna tendencia también presencia de su letrado; y la inducción o engaño están totalmente prohibidas y convierten a los resultados probatorios obtenidos en ilícitos o prohibidos[35].

Pero las propias normas legales son algo confusas en punto a quién debe practicar la prueba, pues estando todas ellas en vigencia autorizan al juez, a su secretario, a la policía y al médico forense a tomarlas prácticamente al unísono[36]. Así es:

a) El art. 326 LECRIM (recogido literalmente *infra*) autoriza en primer lugar a la toma o recogida de esas muestras al juez "o quien haga sus veces" (se supone que será el juez sustituto o suplente, pero también el Secretario judicial[37]), pero permite que delegue en la policía, que es lo que sucede siempre.

b) De acuerdo con el art. 282, I LECRIM, "la Policía Judicial tiene por objeto, y será obligación de todos los que la componen, averiguar los delitos públicos que se cometieren en su territorio o demarcación; practicar, según sus atribuciones, las diligencias necesarias para comprobarlos y descubrir a los delincuentes, y recoger todos los efectos, instrumentos o pruebas del delito de cuya desaparición hubiere peligro, poniéndolos a disposición de la autoridad judicial."

Este inciso final quiere decir en la práctica actual desde 2007 que, tanto si existe consentimiento del sospechoso, como si existe autorización judicial, con las precisiones indicadas, la toma de muestras, huellas, restos o vestigios biológicos la realiza la Policía, de acuerdo con la DA-3ª de la LO 10/2007.

Y no sólo como dice el precepto puede la Policía recoger o tomar esas muestras del sospechoso siempre que existan razones de urgencia o de peligro. Gozando de habilitación, la policía puede proceder a la toma o recogida por la fuerza en cualquier caso.

---

[35] S TS 685/2010, de 7 de julio *(Tol 1918847)*.
[36] DOLZ LAGO, M.J. (Dir.), *La prueba pericial científica*, cit., p. 101; SOLETO MUÑOZ, H., *La identificación del imputado. Rueda, fotos, ADN... De los métodos basados en la percepción a la prueba científica*, cit., p. 118.
[37] Al haberse reformado el art. 326 por la Ley 13/2009, de 3 de noviembre, de reforma de la legislación procesal para la implantación de la nueva Oficina judicial.

c) El art. 778.3 LECRIM, específicamente para el proceso abreviado, dispone que "el Juez podrá acordar, cuando lo considere necesario, que por el médico forense u otro perito se proceda a la obtención de muestras o vestigios cuyo análisis pudiera facilitar la mejor calificación del hecho, acreditándose en las diligencias su remisión al laboratorio correspondiente, que enviará el resultado en el plazo que se le señale."

Por tanto, también el médico forense u otro perito (con conocimientos sobre ello obviamente) están autorizados para recoger esas muestras.

d) Finalmente la DA-3ª LECRIM[38] dispone que: "El Gobierno, a propuesta conjunta de los Ministerios de Justicia y de Interior, y previos los informes legalmente procedentes, regulará mediante real decreto la estructura, composición, organización y funcionamiento de la Comisión nacional sobre el uso forense del ADN, a la que corresponderá la acreditación de los laboratorios facultados para contrastar perfiles genéticos en la investigación y persecución de delitos y la identificación de cadáveres, el establecimiento de criterios de coordinación entre ellos, la elaboración de los protocolos técnicos oficiales sobre la obtención, conservación y análisis de las muestras, la determinación de las condiciones de seguridad en su custodia y la fijación de todas aquellas medidas que garanticen la estricta confidencialidad y reserva de las muestras, los análisis y los datos que se obtengan de los mismos, de conformidad con lo establecido en las leyes."

En otras palabras y a lo que aquí interesa, el análisis del ADN y su previa recogida o toma de muestras debe realizarse siempre por la policía científica (en colaboración con el personal técnico especializado de los laboratorios a que se hace referencia).

Pero como hemos indicado esta diversidad orgánica que provoca una gran confusión sobre las autoridades competentes para la recogida o toma de muestras no es tal en la realidad práctica. Quien recoge y toma las muestras, huellas, restos o vestigios biológicos es siempre la policía científica. Obviamente, se trata de policía técnica especializada en la toma de muestras, huellas, restos o vestigios biológicos, en colaboración con el médico forense, por lo que la corrección técnica está garantizada.

---

[38]   Introducida por la DF-1ª.4 de la LO 15/2003, de 25 de noviembre, por la que se modifica el CP, con valor de ley orgánica.

El propio art. 326 LECRIM dice cómo debe procederse:

> "Cuando el delito que se persiga haya dejado vestigios o pruebas materiales de su perpetración, el Juez instructor o el que haga sus veces ordenará que se recojan y conserven para el juicio oral si fuere posible, procediendo al efecto a la inspección ocular y a la descripción de todo aquello que pueda tener relación con la existencia y naturaleza del hecho.
>
> A este fin hará consignar en los autos la descripción del lugar del delito, el sitio y estado en que se hallen los objetos que en él se encuentren, los accidentes del terreno o situación de las habitaciones, y todos los demás detalles que puedan utilizarse, tanto para la acusación como para la defensa.
>
> Cuando se pusiera de manifiesto la existencia de huellas o vestigios cuyo análisis biológico pudiera contribuir al esclarecimiento del hecho investigado, el Juez de Instrucción adoptará u ordenará a la Policía Judicial o al médico forense que adopte las medidas necesarias para que la recogida, custodia y examen de aquellas muestras se verifique en condiciones que garanticen su autenticidad, sin perjuicio de lo establecido en el artículo 282."

2ª) ¿Qué naturaleza jurídica tienen las muestras, huellas, restos o vestigios biológicos recogidos?

Para que el análisis de ADN sea posible, las propias muestras, huellas, vestigios o restos biológicos, como material imprescindible extraído de la persona víctima del delito, forman parte del cuerpo del delito (arts. 334 y ss. LECRIM). Deben guardarse hasta su almacenamiento o destrucción por orden judicial porque son piezas de convicción que puede ser necesario mostrar en el juicio oral.

Pero los resultados a que se llega científicamente tras la recogida o toma de muestras, huellas, vestigios o restos biológicos para ser analizado su ADN, son prueba preconstituida, porque es prueba que no puede practicarse en el juicio oral dado que la materia obtenida para análisis es rápidamente perecedera y no puede reproducirse dicho análisis en el acto del juicio oral (art. 657. III LECRIM)[39].

Esto es importante porque la prueba preconstituida tiene valor incriminatorio por sí misma si el resultado del análisis efectuado da positivo.

---

[39]   DOLZ LAGO, M.J. (Dir.), *La prueba pericial científica*, cit., p. 123.

Ello no significa que no esté sometida a contradicción, o que pueda limitarse el derecho de defensa al no practicarse en el acto del juicio oral. Primero porque las partes siempre pueden aportar sus opiniones previas al análisis y estar presentes si lo desean en aquellos actos en los que su presencia sea posible, sino también porque en el acto del juicio el perito debe comparecer y exponer sus conclusiones, sobre las que todas las partes tienen derecho a exponer sus dudas, críticas o contraargumentaciones, por tanto, tiene derecho el acusado a defenderse.

Esta defensa cubriría también aquellos casos en los que la presencia de las partes no ha sido posible durante la práctica del análisis en que las partes pueden estar presentes, lo que estaría por determinar en cada caso, afirmando con carácter general que durante el análisis genético las partes no pueden estar presentes por su carácter extraordinariamente especializado. Lo que importa siempre es la declaración del perito en el juicio oral y sus explicaciones solicitadas por las partes. Que el laboratorio esté en Madrid, por ejemplo, y el juicio se desarrolle en Ferrol, y el acusado sea insolvente, podría alegarse como causa suficiente para no asistir. Su derecho de defensa (y contradicción) se garantizarán después, en el juicio.

3ª) ¿Qué se hace técnicamente con las muestras, huellas, restos o vestigios biológicos recogidos?

El análisis se realiza siempre por un laboratorio oficial, de acuerdo con los protocolos elaborados por la CNUFADN (Comisión Nacional sobre el Uso Forense del ADN[40], DA-3ª LECRIM), y respetando la cadena de custodia a la que me referirá inmediatamente.

A partir de ahí los protocolos ordenan el siguiente procedimiento, que resumimos[41]:

a) Pasos previos al análisis pericial: Se requiere una correcta recogida del vestigio, resto o huella biológica de la escena del crimen, porque ello es de importancia capital para el correcto análisis que va a efectuar el laboratorio.

---

[40]   Véase la ponencia de Antonio ALONSO ALONSO al respecto en este libro.
[41]   Véase DE HOYOS SANCHO, M., *Archivo y conservación en registros policiales de muestras biológicas y perfiles de ADN*, cit., pp. 233 y ss.

Muchos análisis resultan infructuosos porque la toma o recogida de la muestra se hace de manera descuidada.

Es una labor propia de la Policía Científica y por tanto ella debe seguir estrictamente los protocolos de recogida y toma de huellas, restos o vestigios para garantizar el éxito del análisis de ADN.

b) Aptitud y calidad del laboratorio de Genética Forense: Se requiere también que el laboratorio que va a efectuar el análisis de ADN, tenga una calidad acreditada.

Esa calidad se mide apriorísticamente por su eficacia (número y tipo de polimorfismos que utiliza), por la calidad de su personal y por la superación de controles internos y externos de forma regular. En general, la calidad de los laboratorios españoles acreditados es buena[42].

c) Análisis pericial: Una vez recogida la muestra y levada al laboratorio, comienza su análisis, debiendo distinguirse las siguientes cuestiones[43]:

1. Etapas del análisis: El análisis se realiza en el laboratorio conforme a las técnicas médicas aconsejadas. Se trata de obtener el perfil genético de la muestra analizando el mayor número de polimorfismos. No debemos entrar en mayor detalle.

A continuación se realizará una comparación entre los resultados obtenidos de la muestra con los obtenidos en el inculpado o en la víctima o en quien se haya determinado judicialmente,

Los resultados obtenidos nos dirán o bien que la muestra no se corresponde con el individuo (patrones diferentes); o bien valorarán la posibilidad de que ese vestigio provenga del individuo analizado, lo que dependerá de la frecuencia de sus grupos de población.

A continuación se emitirá el correspondiente informe pericial.

---

[42]   La afirmación es de Ángel CARRACEDO ÁLVAREZ en el libro coordinado por MARTÍNEZ JARRETA, M.B. (Dir.), *La prueba del ADN en Medicina Forense*, cit., p. 301.

[43]   Varios artículos en el libro coordinado por MARTÍNEZ JARRETA, M.B. (Dir.), *La prueba del ADN en Medicina Forense*, cit., se refieren a esta cuestión. Únicamente damos esta referencia por ser un tema excesivamente técnico que excede del objeto de la presente ponencia. Basta con el resumen explicado en el texto en nuestra modesta opinión.

2. Interpretación de las pruebas biológicas: La cuestión es procesalmente relevante si los marcadores utilizados, uno o varios, coinciden, porque el juez esperará entonces una respuesta esclarecedora a la pregunta de qué probabilidad existe de que la muestra analizada sea del sospechoso o imputado.

Es evidente que siempre existirá una incertidumbre, en caso positivo, porque en caso negativo no la hay, la persona deja de ser sospechosa o imputada si lo fue por esta causa inmediatamente. Esa incertidumbre en caso positivo obliga a proceder siempre a la valoración probabilística de la coincidencia de grupos.

Como dicen nuestros expertos del ámbito de la Genética Forense, siempre existirán dos opiniones, la del fiscal y la de la defensa, que en nada ayudan al juez porque son totalmente contrapuestas (se habla por ello de falacia del fiscal y falacia de la defensa)[44]. En realidad eso pasa en todos los ámbitos, también jurídicos, y no debe extrañarnos mucho. Lo importante es ser consciente de que transmitir los conocimientos científicos obtenidos como consecuencia de un análisis de ADN es verdaderamente complejo, porque la valoración del ADN exige un método concreto, el análisis bayesano[45], ideado originariamente para la determinación de la paternidad.

Como es muy difícil de explicar, no por obvio debe dejar de decirse que siempre es útil contar con otras pruebas que ayuden a conformar la opinión judicial, por ejemplo, la prueba testifical.

El análisis bayesano proporciona la razón de verosimilitud o probabilidad (LR) de que la muestra es del acusado[46]. Se trata de una apuesta científica a favor del acusado o en su contra. Para llegar a ello, la regla o fórmula se basa en la población de referencia, porque la probabilidad de que el acusado sea culpable depende de si su ADN coincide con un grupo poblacional concreto, generalmente sus vecinos, la familia de la víctima, etc.

---

[44]	CARRACEDO ÁLVAREZ, A., *Valoración de la prueba de ADN*, en MARTÍNEZ JARRETA, M.B. (Dir.), *La prueba del ADN en Medicina Forense*, cit., p. 307.
[45]	Teorema estadístico del inglés Thomas BAYES, formulado en 1763.
[46]	CARRACEDO ÁLVAREZ, A., *Valoración de la prueba de ADN*, en MARTÍNEZ JARRETA, M.B. (Dir.), *La prueba del ADN en Medicina Forense*, cit., p. 305.

3. Comunicación de los resultados: Una vez se tiene el resultado, el siguiente paso es transmitirlo adecuadamente para que pueda ser valorado judicialmente tras la previa valoración contradictoria de las partes.

Como la prueba es muy sofisticada, esa transmisión es muy difícil y debe hacerse con sumo cuidado para que los juristas, poco inclinados a conocer y aprender fórmulas matemáticas (hecho notorio), puedan entenderla.

La evaluación del juez depende de: 1º) La probabilidad según LR (*Likelihood Ratio*, o razón de probabilidad según la fórmula de Bayes); y 2º) Su creencia en la culpabilidad del acusado.

Aunque podríamos manejarnos también en esta prueba con el criterio de la certeza moral, basada en la argumentación, es más seguro fiarse de los números, porque son más exactos que las palabras.

d) Almacenamiento: Se regula en la Ley Orgánica 10/2007, de 8 de octubre, reguladora de las base de datos policial sobre identificadores obtenidos a partir del ADN. No podemos entrar en detalles, pero es obvio su importancia para que los datos puedan ser utilizados posteriormente en otras investigaciones actuales o futuras, incluso sin el consentimiento expreso del titular de dichos datos[47].

4ª) ¿Cómo se efectúa la cadena de custodia?

Cadena de custodia es el procedimiento específico de conservación de una pieza de convicción para garantizar su fiabilidad y, por tanto, su admisibilidad procesal. En consecuencia, cadena de custodia aquí es el aseguramiento de las muestras tomadas o recogidas con ese fin de garantizar la fiabilidad y admisibilidad[48].

La cadena de custodia requiere previamente que se practique adecuadamente la selección, la toma y el envío de las muestras al laboratorio, de manera que se pueda realizar el análisis del ADN que permita llegar a unos resultados fiables.

---

[47] Sobre la actividad policial y en particular las bases de datos, con el fin de articular mejor la lucha contra la criminalidad organizada y en concreto el terrorismo, es de gran valor la reciente obra de CABEZUDO, BAJO, M.J. (Dir.), *Las bases de datos policiales del ADN*, Ed. Dykinson, Madrid 2013, esp. págs. 145 y ss.

[48] DOLZ LAGO, M.J. (Dir.), *La prueba pericial científica*, pp. 326 y ss.

Todo el procedimiento de cadena de custodia está regulado en instrucciones y protocolos previstos en la DA-3ª LECRIM, así como en la legislación específica citada, tanto nacional, como internacional y europea[49]. Básicamente hay que decir que el análisis se efectúa en laboratorios autorizados, que son los responsables principales de la cadena de custodia en el momento en que entran las muestras en sus dependencias y hasta su almacenamiento o destrucción total si procede.

Pero no debemos entrar aquí en mayores detalles. La cadena de custodia se regula precisamente por normas muy técnicas que escapan a los fines de esta ponencia. Pero ello no quiere decir que no tengan relevancia procesal, porque en toda muestra debe acreditarse que se ha cumplido con la normativa de aseguramiento y protección, ya que de lo contrario la defensa tendrá muy fácil impugnar la fiabilidad de los resultados.

La cadena de custodia no se regula específicamente, aunque se entiende que el art. 326, III LECRIM hace referencia a ella al referirse a "custodia"[50].

VI. VALORACIÓN JUDICIAL DE LOS RESULTADOS OBTENIDOS (¿PRUEBA PERICIAL O PRUEBA DOCUMENTAL?)

Toda prueba preconstituida, al igual que toda prueba en el proceso penal, está sometida a los criterios de valoración libre (valoración en conciencia, sana crítica, valoración no arbitraria) por el juzgador.

Pero con la prueba del ADN las cosas no son tan sencillas y el problema de su valoración no es fácil de explicar. De entrada diré que, al igual que ocurre por ejemplo con el atestado policial (art. 297 LECRIM), la prueba del ADN en realidad pueden ser tres pruebas distintas: La prueba pericial, la más importante; la intervención de la Policía Científica en el proceso penal como testigos; o la prueba documental al elaborar la Policía sus informes[51].

---

[49]   DOLZ LAGO, M.J. (Dir.), *La prueba pericial científica*, cit., p. 326; SOLETO MUÑOZ, H., *La identificación del imputado. Rueda, fotos, ADN… De los métodos basados en la percepción a la prueba científica*, cit., p. 141.

[50]   Véase S TS 1190/2009, de 3 de diciembre *(Tol 1762123);* y SOLETO MUÑOZ, H, *op. et loc. cit.*

[51]   DOLZ LAGO, M.J. (Dir.), *La prueba pericial científica*, cit., p. 91.

En este sentido, la Policía Científica es conforme a la LECRIM perito a los efectos de los arts. 459, I (sustituye a los dos peritos a que se refiere el texto), 778.1 y 788.2 (sustituye al único perito a que se refiere el texto), teniendo en cuenta que esta última norma concede valor probatorio documental a los informes emitidos por la Policía Científica en materia de drogas si se han seguido los protocolos aprobados.

Esta aparente divergencia de naturaleza jurídica de una prueba requiere una cierta explicación, porque la reforma de 2002 ha decidido optar por una de las soluciones, poco convincentemente a mi juicio, después de muchos años de discusión, que paso a explicar:

a) Según la jurisprudencia tradicional[52], la prueba pericial que se valoraba era la practicada en el juicio oral. Pero también tenían eficacia probatoria los informes periciales elaborados durante la instrucción, según la jurisprudencia del TC y del TS[53], siempre que se hubiesen practicado con todas las formalidades y garantías que la CE y la LECRIM establecen y fuesen efectivamente reproducidos en el juicio oral, en condiciones que permitieran a las defensas someterlos a contradicción.

Para ello se requería la presencia del perito o peritos en el juicio oral, a efectos de interrogatorio por las partes y ratificación. si la defensa no impugnaba la prueba pericial, el perito no tenía que comparecer en el acto del juicio oral, jurisprudencia que pronto empezó a decaer.

b) Pero después el TS ha considerado innecesaria la presencia de los peritos en los juicios si se trata de dictámenes periciales elaborados por organismos oficiales, por diferentes razones: Presunción de imparcialidad, complejidad de la vida moderna, sobrecarga laboral, etc.[54].

Para que ello sea posible sin contradecir su propia doctrina, ha cambiado la naturaleza de la prueba y considera que los informes técnicos de la Policía Científica y Laboratorios de Genética Forense, son prueba documental, prue-

---

[52]   Véase GASCÓN ABELLÁN, M., *Validez y valor de las pruebas científicas: La prueba del ADN*, cit., pp. 10 a 12.
[53]   Véase SS TC 107/1983, de 29 de noviembre; y 303/1993, de 25 de octubre, entre otras muchas.
[54]   Véase PÉREZ MARTÍN, M.A., *Inspecciones, registros e intervenciones corporales*, cit., pp. 196 y ss.

ba que es mucho más fácil de practicar. No obstante, a partir de 2008, hay jurisprudencia que desmiente esta naturaleza, porque se trata de pruebas personales[55].

La última evolución considera que la prueba (sea pericial o documental) sólo se practica en el juicio oral si hay impugnación de la defensa. Si no se impugna, tiene el carácter de prueba preconstituida.

c) Pero, vuelta atrás de nuevo, la reforma del art. 788.2 LECRIM en 2002 quiere zanjar la cuestión y vuelve a la naturaleza de prueba documental, un claro error dogmático porque es una prueba personal en materia que exige unos conocimientos que el juez no tiene, o sea, en realidad, es una prueba pericial documentada.

La conclusión respecto al ADN, pues, sea prueba pericial, que lo es realmente, o documental, si así fuera el criterio legal futuro, ya que actualmente sólo lo son los informes emitidos por laboratorios oficiales de estupefacientes a que se refiere el art. 788.2 LECrim, es que se valora conforme a los criterios de la sana crítica.

Y ello nos lleva a la objeción fundamental: Si es prueba que se practica para esclarecer unos hechos para los que se requieren conocimientos que el juez no tiene, cómo puede ese juez apartarse de los resultados probatorios obtenidos en el análisis de ADN al aplicar valorativamente la regla o criterio de la sana crítica, máxime con la gran fiabilidad que tiene hoy esta prueba.

Pueden darse algunos criterios orientativos[56]:

1º) Valoración conjunta del análisis pericial del ADN con las demás pruebas practicadas en la causa.

No apuesto por esta solución porque la valoración conjunta excluye la motivación y ello es inconstitucional, ya que el condenado o perjudicado por la sentencia penal no sabe exactamente en qué pruebas se ha basado el tribunal para condenarle.

---

[55]   Vide ETXEBERRÍA GURIDI, J.F., *El análisis de ADN y su aplicación al proceso penal*, cit., pp. 314 y ss.

[56]   GASCÓN ABELLÁN, M., *Validez y valor de las pruebas científicas: La prueba del ADN*, cit., pp. 3 y ss.

2º) Valoración de la incidencia directa del ADN en la prueba del hecho principal investigado (semen en delito sexual, cabellos en la escena del crimen).

El peligro es que la prueba de ADN se hipervalore y que ello conlleve a una merma de la valoración libre de la prueba. La doctrina afirma por ello que no vendría mal una cierta formación de los jueces en las pruebas científicas.

Por tanto, como el juez no puede quedar sometido a dictámenes periciales contradictorios, y se supone que posee el sentido común y cultura suficientes para entender lo esencial de la prueba, deberá aplicarse la doctrina común en este caso también, y si el juez desea apartarse de las conclusiones del análisis de ADN efectuado por el perito correspondiente, deberá motivar de manera muy cuidadosa y muy fundada las razones de ello, lo que por otra parte, como es bien sabido, es doctrina general en esta prueba.

VII. EL ANÁLISIS DEL ADN EN LA PROYECTADA NUEVA LEGISLACIÓN PROCESAL PENAL

Debemos recoger dos hitos en este último apartado, pues dos textos pre-normativos se han producido recientemente[57]: El Anteproyecto del Gobierno del PSOE, truncado por las elecciones generales, y la todavía propuesta del Gobierno del PP, que tiene muchos visos de poder convertirse en realidad.

A) *Gobierno del Partido Socialista Obrero Español*

El Gobierno socialista español aprobó en Consejo de Ministros el día 22 de julio de 2011 el proyecto de una nueva Ley de Enjuiciamiento Criminal basada en el sistema acusatorio (adversarial), cuyo anteproyecto fue elaborado por una comisión de expertos con muchísima más presencia de prácticos que de teóricos, lo que en un cambio de modelo resulta bastante sorprendente. Un acto por cierto puramente testimonial porque el texto

---

[57]   Véanse las ponencias al respecto de José-Francisco ETXEBERRÍA GURIDI y Manuel Guillermo ALTAVA LAVALL en este libro.

de referencia ni siquiera pudo superar el trámite parlamentario inicial al haberse disuelto las cámaras el día 27 de septiembre de 2011, por adelanto de las elecciones al día 20 de noviembre de 2011[58]. La esperanza previa a las elecciones de retomar la tarea después, se esfumó completamente al perderlas.

Es interesante no obstante su estudio porque supone el primer texto en el que se recoge un sistema de enjuiciamiento criminal distinto al acusatorio formal o mixto, el de la LECRIM de 1882 vigente, orientado como acabo de decir hacia el sistema adversarial anglosajón, aunque sin aceptarlo plenamente. Es obvio que nuestra LECRIM vigente debe ponerse al día en muchas materias, entre otras, en tema de actos o diligencias de investigación del crimen. Por ello, un nuevo texto legal obligaría a regular el análisis del ADN como prueba pericial válida en la investigación del crimen, superando la legislación actualmente en vigor, demasiado parca y dispersa, como hemos visto en este escrito.

La larga Exposición de Motivos del Anteproyecto pretendía explicar la prueba del ADN en su apartado XXXIV: Las medidas relativas al investigado: su identificación[59], la regulación de esta diligencia:

> "Mayor fuerza de convicción en la formación de la tesis acusatoria tiene, en cambio, la identificación mediante marcadores de ADN. Se trata de comparar el perfil genético que puede haberse obtenido de una muestra tomada en el lugar del delito con el del propio investigado. El perfil del investigado podrá obtenerse bien con el consentimiento del afectado, bien, en su defecto, con la autorización del Juez de Garantías. Si a tal fin resulta necesaria la práctica de una inspección o intervención corporal, se procederá conforme a las disposiciones particulares que regulan esta modalidad de acto de investigación.
>
> Se prohíbe, en cualquier caso, la utilización de muestras biológicas del investigado obtenidas de forma subrepticia o con engaño. Otra solución degradaría las cautelas que se fijan en la regulación de la diligencia, que pasarían a ser meramente nominales. Hay que tener presente que se establece la posibilidad de obtención coactiva de la muestra, en los términos fijados en la resolución judicial, con lo que, en la nueva regulación, el recurso a un ardid o engaño pierde toda utilidad y justificación.

---

[58]   Se puede consultar en MINISTERIO DE JUSTICIA, *Anteproyectos de ley para un nuevo proceso penal*, Ed. Secretaría General Técnica - Ministerio de Justicia, Madrid 2011, pp. 19 y ss.

[59]   Párrafos VII a IX, p. 64.

Se permite, sin embargo, el análisis de muestras abandonadas siempre que puedan atribuirse fundadamente al investigado y que éste preste su consentimiento. A estos efectos, deberá ser debidamente informado de las condiciones en las que la muestra ha sido hallada y de la finalidad con la que puede utilizarse. Evidentemente, también en este caso el juez podrá suplir con su autorización la falta de consentimiento. En cambio, sólo con autorización del Juez de Garantías y en los supuestos de delitos graves podrán emplearse las muestras obtenidas con fines diagnósticos, terapéuticos o de investigación biomédica. "

El texto articulado (arts. 262 a 267)[60] detallaba estas ideas:

"Artículo 262. Toma de muestras

1. La Policía Judicial, de oficio o por orden del Ministerio Fiscal, recogerá del lugar del delito cualquier clase de sustancias, objetos o elementos cuando pueda suponerse que contengan huellas o vestigios cuyo análisis genético pueda proporcionar información relevante para el esclarecimiento del hecho investigado o el descubrimiento de su autor.

2. El fiscal adoptará las previsiones necesarias para asegurar que en la obtención de las muestras se toman las medidas necesarias para que su recogida, custodia y examen se realice en condiciones que garanticen la autenticidad e inalterabilidad de la fuente de prueba.

3. En todo caso, la recogida de las sustancias, objetos o elementos a las que se refiere este capítulo se sujetará a las siguientes reglas:

a) Serán efectuadas por dos facultativos que se identificarán en el atestado.

b) Se extenderá un acta de constancia tanto del objeto de que se trate como de su ubicación.

c) Se indicarán los precintos y las medidas de seguridad que se han tomado para asegurar la autenticidad de la muestra.

d) Se dejará constancia de la traza seguida por la muestra y de la identidad de todas las personas que hayan estado en contacto con la misma.

e) Siempre que sea posible, la documentación de la intervención de la muestra se completará con la obtención de fotografías.

4. La ejecución de la diligencia de obtención de las muestras será encomendada al personal técnico de la Policía Judicial especialista en recogida de huellas o de ma-

---

[60]   Título I (Los medios de investigación relativos al sujeto investigado), del Libro III (De las diligencias de investigación), Capítulo V (Las investigaciones mediante marcadores de ADN).

terial genético, al médico forense o a otros expertos cualificados en la recogida de material biológico.

Artículo 263. Obtención de los perfiles identificativos de ADN del investigado

1. Cuando para la comprobación de los hechos investigados o la determinación de su autor sea necesario comparar los perfiles de ADN obtenidos en el curso de la investigación con el perfil genético del investigado, el Juez de Garantías, a petición del Ministerio Fiscal, podrá acordarlo, autorizando que con tal finalidad se obtengan y analicen las muestras biológicas del investigado.

No será necesaria la autorización del Juez de Garantías si el interesado presta su consentimiento de conformidad con lo establecido en el artículo 265 de esta ley.

2. Si la obtención de la muestra requiere la realización de una inspección o intervención corporal, se estará a lo dispuesto en el capítulo anterior.

3. A los fines expresados en este artículo podrán utilizarse las muestras abandonadas y las que fundadamente se le atribuyan.

El investigado tendrá derecho a proporcionar una muestra auténtica para realizar pruebas de contraste.

4. Salvo consentimiento expreso del investigado o autorización judicial, en ningún caso podrán traerse al procedimiento las muestras o informaciones del investigado obtenidas para otros fines.

Tan sólo si se trata de la comisión de un delito grave y concurriendo acreditadas razones que lo justifiquen, el Juez de Garantías podrá autorizar la utilización de las muestras e informaciones obtenidas para un fin diagnóstico, terapéutico o de investigación biomédica.

Artículo 264. Obtención de muestras de personas distintas del investigado

1. A los fines establecidos en este capítulo, para la obtención de muestras biológicas de personas distintas del investigado bastará su consentimiento, previa información de la finalidad para la que han de ser utilizadas.

2. Si el interesado no consintiere, el Juez de Garantías, a petición del Ministerio Fiscal, teniendo en cuenta la gravedad del hecho investigado y la necesidad de la intervención, podrá autorizar que se le requiera para que la proporcione imponiendo incluso que se obtenga contra su voluntad.

A tal efecto, la resolución en la que se acuerde justificará la necesidad de la obtención forzosa y expresará el medio para hacer cumplir la decisión.

Artículo 265. Garantías e información

1. Toda persona que haya de facilitar muestras biológicas para la realización de análisis genético encaminado a obtener los marcadores de ADN, antes de prestar el

correspondiente consentimiento será informada de manera comprensible del fin para el que la muestra ha de ser obtenida, de los análisis que han de realizarse sobre ella y de los datos que pretende obtenerse con los mismos.

2. Si se encontrase detenida, podrá prestar el consentimiento sin necesidad de asistencia letrada, siempre que no se utilicen otros medios o instrumentos distintos del frotis bucal.

3. Si se tratase de menores de edad mayores de catorce años o personas con la capacidad de obrar modificada judicialmente sometidos a tutela será preciso su consentimiento informado cuando por sus condiciones de madurez puedan comprender el significado y la finalidad de la diligencia o, en caso contrario, de su representante legal, quien deberá siempre prestar su consentimiento si el menor es de edad igual o inferior a catorce años.

Artículo 266. Análisis de los perfiles de ADN

1. Las muestras o vestigios que deban analizarse para la extracción de los marcadores de ADN con fines identificativos se remitirán a los laboratorios debidamente acreditados.

2. Los datos del análisis se limitarán a la extracción del ADN con valor identificativo, sin proporcionar información alguna relativa a la salud de las personas.

3. Los datos identificativos extraídos a partir del ADN se inscribirán en la base de datos policial conforme a su ley reguladora y se mantendrán en ella hasta que de acuerdo con lo establecido en la misma proceda su cancelación.

4. Una vez extraídos e inscritos en la base de datos policial los datos identificativos del investigado, se dispondrá la destrucción de la muestra.

5. Las muestras halladas en el lugar del delito, en el cuerpo o en las ropas de la víctima se conservarán con las debidas garantías de seguridad hasta que se su destrucción sea acordada por la autoridad judicial.

Si el procedimiento se siguiese contra una persona determinada, no se acordará la destrucción de estas muestras hasta que el proceso haya concluido por sentencia firme y, si la sentencia fuere condenatoria, hasta que haya sido ejecutada o la pena o el delito hayan prescrito.

Artículo 267. Valor de la diligencia

El resultado de los análisis comparativos de los perfiles de ADN tendrá el carácter de investigación pericial y deberá ser sometido a contradicción en el juicio oral."

Obsérvese que el art. 265 habría obligado a la autoridad pública de persecución a informar de sus derechos al sospechoso o detenido antes de prestar el correspondiente consentimiento para la práctica de la prueba del ADN, únicamente en caso de estar detenido, y sin necesidad de asistencia letrada si la toma se efectuaba mediante frotis bucal.

También es de destacar la posibilidad de extracción coactiva, la prohibición del engaño, y la posibilidad de toma de muestras en terceros.

B) Gobierno del Partido Popular

Como la necesidad de organizar un nuevo sistema de enjuiciamiento criminal y, por tanto, de aprobar una nueva Ley de Enjuiciamiento Criminal sigue siendo insoslayable e imperiosa, el Gobierno del Partido Popular ha redactado también su Propuesta de Texto Articulado de un nuevo Código Procesal Penal[61], de febrero de 2013, en la que se recoge un texto orientado igualmente hacia el sistema adversarial, con una profunda actualización de las diligencias de investigación, modernizando absolutamente su regulación[62]. Es muy probable que este texto esté en tramitación parlamentaria cuando se publique este libro.

Pues bien, también su Exposición de Motivos dedica un párrafo al análisis del ADN, dentro del Apartado VI: Libro IV. Proceso ordinario, A) La investigación, párrafo VIII:

> "Los arts. 326, párrafo 3º, y 363, párrafo 2, de la Ley de Enjuiciamiento Criminal supusieron un primer paso en la regulación de una de las técnicas de investigación cuya utilidad es paralela a las implicaciones de muy distinto signo que suscita su práctica. La experiencia ha evidenciado la necesidad de ofrecer soluciones a las cuestiones más importantes asociadas a la obtención de los indicadores genéticos de ADN a partir de restos biológicos. La reforma autoriza a los agentes de Policía para la recogida y obtención de huellas o vestigios de los que obtener tales indicadores. Del mismo modo, hace del consentimiento libre el presupuesto de validez de la entrega de muestras por el propio encausado. También se acoge la jurisprudencia del Tribunal Supremo que viene exigiendo que la toma de muestras del encausado que

---

[61]   Cuyo borrador fue elaborado por una comisión técnica presidida por el mismo Magistrado de la Sala II del Tribunal Supremo que, en sus *obiter dicta*, insiste en la asistencia letrada del detenido para la prestación del consentimiento de la toma de muestras biológicas, el Dr. Manuel Marchena.

[62]   Que se puede consultar en el momento de escribir estas líneas en la página *web* del Ministerio: http://www.mjusticia.gob.es/cs/Satellite/es/1215198252237/ALegislativa_P/1288 775964668/Detalle.html

se hallare cautelarmente detenido o privado de libertad, se realice con la asistencia y asesoramiento de Letrado."

En el texto articulado, la diligencia se regula en los arts. 287 a 290[63], ambos inclusive:

"Artículo 287. Recogida y obtención de vestigios

1. Cuando se ponga de manifiesto la existencia de huellas o vestigios cuyo análisis biológico pudiera contribuir al esclarecimiento del hecho investigado, la Policía Judicial, de oficio o en ejecución de las instrucciones generales o particulares que le hubieran sido transmitidas por el Fiscal, adoptará las medidas necesarias para que la recogida, custodia y examen de aquellas muestras se verifique en condiciones que garanticen su autenticidad.

2. La diligencia a que se refiere el apartado anterior se llevará a cabo por miembros de las unidades de Policía científica, por el médico forense o por otro personal especializado.

3. Los datos identificativos extraídos de muestras que hubieran sido obtenidos en el lugar del hecho serán contrastados por la Policía Judicial con los datos obrantes en la base oficial sobre identificadores obtenidos a partir de ADN.

Artículo 288. Toma de muestras del encausado

1. El encausado podrá ofrecer una muestra auténtica de contraste para su comparación con la obtenida con arreglo a lo dispuesto en el artículo precedente.

2. No podrán ser obtenidas las muestras del sospechoso mediante engaño.

3. La Policía Judicial podrá intervenir las muestras abandonadas por el propio afectado.

4. Si la toma de muestras exigiera la práctica de una intervención corporal, se estará a lo dispuesto en la Sección anterior. En todo caso, si el afectado se hallare cautelarmente detenido o privado de libertad, se estará a lo dispuesto en el párrafo 2º del artículo 284.3.

Artículo 289. Personas distintas al encausado

1. Cuando las circunstancias de la investigación así lo aconsejen, podrán ser requeridas para la toma de muestras destinadas a la práctica de un análisis genético

---

[63] Libro IV (Proceso ordinario), Título II (Contenido de las diligencias de investigación), Capítulo III (Inspecciones e intervenciones corporales e investigación mediante ADN), Sección 2ª (De la investigación mediante ADN).

que permita la obtención de identificadores de ADN, personas que no hayan sido encausadas.

2. La prestación de su consentimiento y las limitaciones para la toma de muestras se regirán por lo dispuesto en esta Sección.

Artículo 290. Acceso de los indicadores a la base de datos policial y cancelación

1. Sólo podrán inscribirse en la base de datos policial los identificadores obtenidos a partir del ADN que proporcionen, exclusivamente, información genética reveladora de la identidad de la persona y de su sexo.

2. La cancelación de los datos se regirá por la Ley reguladora de la base de datos policial de identificadores."

Obsérvese que existe intención de prohibir expresamente el engaño en la práctica de esta prueba (art. 288.2), y que si la toma de muestras exige una intervención corporal o está detenido cautelarmente, se aplicará por remisión normas que exigen la asistencia letrada (art. 288.4), en todo caso, aunque preste el consentimiento, con lo que legalmente se resuelve el problema, pero de manera exageradamente garantista[64]. Los terceros también podrán ser sometidos a la prueba (art. 289.1)[65].

VIII. BIBLIOGRAFÍA CONSULTADA

ÁLVAREZ DE NEYRA KAPPLER, S., *La prueba de ADN en el proceso penal*, Ed. Comares, Granada, 2008.

ARMENTEROS LEÓN, M., "Perspectiva actual del ADN como medio de investigación y de prueba en el proceso penal", en *La Ley* núm. 6738, 19 junio 2007, p. 1882 a 1896.

CABEZUDO, BAJO, M.J. (Dir.), *Las bases de datos policiales del ADN*, Ed. Dykinson, Madrid 2013.

CHOCLÁN MONTALVO, J.A., "Las técnicas de ADN como método de identificación del autor de delitos contra la libertad sexual", en *La Ley*, tomo 3-1994, pp. 815 a 837.

CORTÉS BECHIARELLI, E., "Muestras biológicas abandonadas por el sospechoso y validez de la prueba de ADN en el proceso penal: o sobre la competencia legislativa de la Sala Segunda del Tribunal Supremo, *Revista Penal*, nº 18, 2006, p. 45 a 54.

---

[64] Lo que se podría explicar al haber sido Marchena Gómez, el autor del *obiter dicta* recogido supra, el magistrado que presidió la comisión redactora de este Anteproyecto.

[65] Véase LIBANO BERISTAIN, A., "La práctica de análisis de perfiles de ADN a personas distintas al imputado en el proceso penal", Revista Justicia 2010, núms. 3-4, pp. 203 y ss.

CUESTA PASTOR, P.J., "Los mecanismos de identificación y su uso en el proceso penal: interrogantes a propósito de la "huella de ADN", pp. 75-124, en *Bases de datos de perfiles de ADN y criminalidad.* Ed. Comares (2002).

DE DIEGO DÍEZ, L.A., *Otros medios de identificación del delincuente: La voz y los marcadores de ADN, (Tol 10723)* Tirant on Line.

DE HOYOS SANCHO, M., *Archivo y conservación en registros policiales de muestras biológicas y perfiles de ADN,* Estudios de Derecho Judicial núm. 155, CGPJ - Escuela Judicial, Madrid 2009, pp. 215 y ss.

DEL OLMO DEL OLMO, J.A., "Las garantías jurídicas de la toma de muestras biológicas para la identificación de la persona imputada mediante el AD", en ALBEL CLUCH, X., PICÓ i JUNNY, J. y RICHARD GONZÁLEZ, M. (Directores) *La Prueba Judicial. Desafíos en las jurisdicciones civil, penal, laboral y contencioso-administrativa,* La Ley, con la colaboración de ESADE Facultad de Derecho, Universidad Ramón Llull e Instituto Probática y Derecho probatorio, Madrid, 2011, pp. 1541 a 1564.

DEL MORAL GARCÍA, A., "Intervenciones corporales: reflexiones ante la inminente enésima reforma de la Ley de Enjuiciamiento Criminal", en Curso *Constitución y Garantías Penales,* CGPJ, noviembre 2003.

DÍAZ CABIALE, J.A., "Cacheos superficiales, intervenciones corporales y el cuerpo humano como objeto de recogida de muestras para análisis periciales (ADN, sangre, etc.)", Cuadernos de Derecho Judicial 12: 67-196 (1996).

DOLZ LAGO, M.J., "Problemática de la toma de muestras de ADN a los menores y su tratamiento legal", *La Ley Penal,* nº 54, año V, noviembre 2008, p. 27 a 35.

"Reflexiones sobre la prueba oficial-científica (a propósito del valor probatorio de los informes periciales emitidos por Laboratorios oficiales)", en *La Ley Penal,* nº 65, año VI, noviembre 2009, pp. 19 a 38.

ADN y derechos fundamentales, La Ley 12 de enero de 2012.

Prueba de ADN: Validez del informe pericial basado en perfiles genéticos inscritos en la Base de Datos del ADN obtenidos a partir de muestras tomadas de otras causas penales seguidas contra el acusado, La Ley 19 de enero de 2012.

Pruebas de ADN en el proceso penal: Crónica de una muerte anunciada gracias a la jurisprudencia de la Sala 2ª del TS que desconoce lo que es el ADN no codificante, Diario La Ley, miércoles 2 de abril de 2014, págs. 1 y ss.

DOLZ LAGO, M.J. (Dir.), La prueba pericial científica, Edisofer, Madrid 2012.

ETXEBERRÍA GURIDI, J.F., "La inadmisibilidad de los "test masivos" de ADN en la investigación de hechos punibles", *Actualidad Penal* 28: 541-570 (1999).

El análisis de ADN y su aplicación al proceso penal, Ed. Comares, Granada, 2000.

"Reflexiones acerca del Borrador de Anteproyecto de Ley Reguladora de las Bases de ADN", *Revista de Derecho y Genoma Humano* 14: 55-95 (2001).

"Evolución expansiva en la regulación francesa de los ficheros de huellas genéticas tras las recientes reformas (parte I)", *Revista de Derecho y Genoma Humano 19:* 109-125 (2003).

"La ausencia de garantías en las bases de datos de ADN en la investigación penal", *Derechos Humanos y nuevas tecnologías* 99-144 (2003).

"Los análisis de ADN en la Ley de Enjuiciamiento Criminal (reformada por la Ley Orgánica 15/2003, de 25 noviembre)", *La Ley Penal: revista de Derecho penal, procesal y penitenciario* 4: 19-38 (2004).

"Evolución expansiva en la regulación francesa de los ficheros de huellas genéticas tras las recientes reformas (parte II)", *Revista de Derecho y Genoma Humano 20:* 107-122 (2004).

"Intervenciones corporales y perfiles de ADN tras la LO 15/2003, de 25 noviembre, *Justicia* 2004.

"Reserva judicial y otras cuestiones relacionadas con el empleo del ADN en la investigación penal", en *Revista Derecho y Genoma Humano,* nº 27, 2007, p. 49.

"Reserva judicial y otras cuestiones relacionadas con el empleo del ADN en la investigación penal", en *Revista Derecho y Genoma Humano,* nº 28, 2008, p. 105-140.

"La LO 10/2007, de 8 de octubre, reguladora de la base de datos policial sobre identificadores obtenidos a partir del ADN", *La Ley* núm. 6901, 11 marzo 2008.

FERNÁNDEZ GARCÍA, E.M., "La elaboración de bases de datos de perfiles de ADN de delincuente: aspectos procesales", pp. 125-137, en *Bases de datos de perfiles de ADN y criminalidad,* Ed. Comares (2002).

GASCÓN ABELLÁN, M., *Validez y valor de las pruebas científicas: La prueba del ADN,* Universidad Castilla-La Mancha, sin fecha, en http://www.uv.es/cefd/15/gascon.pdf.

GIL HERNÁNDEZ, A., "La investigación genética como medio de prueba en el proceso penal", *Revista de Actualidad Penal,* núm. 44, 1996, pp. 868 y ss.

GOYENA HUERTA, J., "La negativa del imputado a intervenir en las diligencias de identificación: Consecuencias procesales", *Actualidad Jurídica Aranzadi,* nº 367, 1998.

"Las intervenciones corporales coercitivas", Actualidad Jurídica Aranzadi, núm. 695, 2005.

IGLESIAS CANLE, I., Investigación penal sobre el cuerpo humano y prueba científica. Madrid, 2003.

JAÉN VALLEJO, M., "Una visión del problema desde una perspectiva constitucional: El estudio particular de la protección de la intimidad y los bancos genéticos", *Genética y Derecho,* Cuadernos de Derecho Judicial, núm. VI-2004, p. 122-123.

LIBANO BERISTAIN, A., "La práctica de análisis de perfiles de ADN a personas distintas al imputado en el proceso penal", en ALBEL CLUCH, X., PICÓ i JUNNY, J. y RICHARD GONZÁLEZ, M. (Directores) *La Prueba Judicial. Desafíos en las jurisdicciones civil, penal, laboral y contencioso-administrativa,* La Ley, con la colaboración de ESADE Facultad de Derecho, Universidad Ramón Llull e Instituto Probática y Derecho probatorio, Madrid, 2011, pp. 1523 a 1540. También publicado en Revista Justicia 2010, núms. 3-4, pp. 203 y ss.

LÓPEZ BARJA DE QUIROGA, J., "La prueba en el proceso penal obtenida mediante el análisis de ADN", en AA.VV. en *Genética y Derecho,* Cuadernos de Derecho Judicial, núm. VI-2004, p. 227 y ss.

LÓPEZ FRAGOSO ÁLVAREZ, T., "Principios y límites de las pruebas de ADN en el proceso penal", *Estudios de Derecho Judicial,* tomo 36, 2001, pp. 1845 y ss.

LORENTE ACOSTA, M. / LORENTE ACOSTA, J.A., *El ADN y la identificación humana en la investigación criminal y en la paternidad biológica,* Ed. Comares, Granada 1995.

LUZÓN CUESTA, J.M., "La investigación sobre el ADN y sus problemas. Toma de muestras", *Revista del Ministerio Fiscal,* núm. 6, año 1999.

MAGRO SERVET, V., "El registro de la huella genética. La regulación legal para la obtención de una base de datos de ADN", *La Ley* núm. 6662, 1 marzo 2007.

MARTIN PASTOR, J., "Controversia judicial y avances legislativos sobre la prueba pericial de ADN en el proceso penal", Revista *La Ley Penal,* nº 46, p. 60 y ss. (2008).

MARTÍNEZ JARRETA, M.B. (Dir.), *La prueba del ADN en Medicina Forense*, Ed. Masson, Barcelona 1999.

MORA SÁNCHEZ, J.M., *Aspectos sustantivos y procesales de la tecnología del ADN en el proceso penal*, Granada 2002.

"La prueba de ADN en el proceso penal", en *Bioética y Derecho*, Barcelona, 2004, pp. 187 a 237.

MORENO VERDEJO, J., *ADN y proceso penal. Análisis de la reforma operada por Ley 15/2003 de reforma del CP*, en www.cej.justicia.es Estudios Jurídicos del Ministerio Fiscal, 2004.

MORENO VERDEJO, J., *Algunas reflexiones sobre la Ley Orgánica 10/2007 reguladora de la base de datos policial de ADN*, Revista de Derecho Procesal Pernal (Argentina), 2009, núm. 2, pp. 129 y ss.

MUÑOZ CUESTA, F.J., "Obtención de muestras del inculpado contra su voluntad para determinar su ADN: posibilidad de utilizar la fuerza física", en *Repertorio de Jurisprudencia Aranzadi*, nº 25, 2006.

NARVÁEZ RODRÍGUEZ, A., "ADN e investigación penal: su necesaria regulación legal", *Revista del Centro de Estudios Jurídicos de la Administración de Justicia*, 1º semestre de 2003, núm. 2, p. 43.

"La prueba de ADN: su normativa procesal", en *Revista del Ministerio Fiscal*, año 2004.

"La recogida de muestras biológicas: la contradictoria jurisprudencia del Tribunal Supremo", en *Actualidad jurídica Aranzadi*, nº 703, 2006.

ORTIZ ÚRCULO, J.C., "El ADN en la investigación penal. Breve repaso a la jurisprudencia del Tribunal Supremo, del Tribunal Constitucional y del TEDH", *Revista del Ministerio Fiscal*, núm. 6, año 1999.

PÉREZ GIL, J., *El conocimiento científico en el proceso civil. Ciencia y tecnología en tela de juicio*, Ed. Tirant lo Blanch, Valencia 2010.

PÉREZ MARTÍN, M.A., "Los análisis de ADN como método de identificación en el proceso penal", en *Inspecciones, registros e intervenciones corporales*. Ed. Tirant lo Blanch, Valencia 2008.

PRIETO RAMÍREZ, L.M., La Ley Orgánica de Registro de perfiles de ADN para fines de investigación criminal, en el marco del Derecho comparado, La Ley Penal, núm. 54, año V, noviembre 2008, p. 19 a 26.

PRIETO RAMÍREZ, L.M., *La Ley Orgánica reguladora de la base de datos policial sobre identificadores obtenidos a partir de ADN*, Actualidad Jurídica Aranzadi núm. 747/2008, pp. 1 y ss.

RAMOS ALONSO, J.V., *La recogida de muestras biológicas en el marco de una investigación criminal*, Diario La Ley 17 de marzo 2010, núm. 7364, pp. 1 y ss.

REVERÓN PALENZUELA, B., "La nueva Ley Orgánica 10/2007, de 8 de octubre, reguladora de la base de datos policial sobre identificadores obtenido a partir del ADN. Aspectos procesales", *Revista de Derecho y Genoma Humano* 29: 67-110 (2008).

RICHARD GONZÁLEZ, M., "La identificación del imputado mediante la comparación de perfiles de ADN", en ALBEL CLUCH, X., PICÓ i JUNNY, J. y RICHARD GONZÁLEZ, M. (Directores) *La Prueba Judicial. Desafíos en las jurisdicciones civil, penal, laboral y contencioso-administrativa*, La Ley, con la colaboración de ESADE Facultad de Derecho, Universidad Ramón Llull e Instituto Probática y Derecho probatorio, Madrid, 2011, pp. 1489 a 1522.

ROMEO CASABONA, C.M., *Los genes y sus leyes. El Derecho ante el Genoma Humano*, ed. Comares, Bilbao-Granada 2002.

"Los perfiles de ADN en el proceso penal: Novedades y carencias del derecho español", en *Estudios de Derecho Judicial* nº 58, 2005, pp. 420 y ss.

RUIZ MIGUEL, C., "La nueva frontera del derecho a la intimidad", *Revista Derecho y Genoma Humano,* nº 14, 2001, p. 161.

Los datos sobre características genéticas: libertad, intimidad y no discriminación. Estudios de Derecho Judicial, *Genética y Derecho* 36: 13-68 (2001).

SOLETO MUÑOZ, H., *La identificación del imputado. Rueda, fotos, ADN… De los métodos basados en la percepción a la prueba científica,* Ed. Tirant lo Blanch, Valencia, 2009.

Los perfiles de ADN y su comunicación en el ámbito de la Unión Europea, Revista de Derecho y proceso penal, 2010, núm. 23, pp. 113 y ss.

SUÁREZ-QUIÑONES Y FERNÁNDEZ, J.C., *Nuevos retos biológicos en la investigación criminal,* en http://es.scribd.com/doc/135483318/Informe-Retos-Biologicos-Investigacion-Criminal.

TRONCOSO REIGADA, A., *La protección de datos personales. En busca del equilibrio,* Tirant on Line *(Tol 2029300),* pp. 1613 y ss.

URBANO CASTRILLO, E., *La investigación tecnológica del delito,* en Eloy VELASCO NÚÑEZ (Dir.), "Los nuevos medios de investigación en el proceso penal. Especial referencia a la tecnovigilancia", Cuadernos de Derecho Judicial, CGPJ-Escuela Judicial II-2007, Madrid 2007, pp. 51 y ss.

VALMAÑA OCHAITA, S., *La prueba pericial en Derecho comparado. Especial referencia a la prueba científica de ADN,* en DOLZ LAGO, M.J. (Dir.) "Prueba pericial científica", cit., pp. 165 y ss.

VELASCO NÚÑEZ, E., *Los nuevos medios de investigación en el proceso penal. Especial referencia a la tecnovigilancia,* Cuadernos de Derecho Judicial II-2007, Ed. CGPJ, Madrid 2007.

ADN Y DERECHOS FUNDAMENTALES

Fiscal del Tribunal Supremo[1]

"No se necesita ser brillante en la ley. Sólo sentido común, y llevar las uñas de las manos limpias" *Sir John Mortimer Clifford (1923-2009). A voyage round my Father, 1971.*

Sumario: I. Los derechos fundamentales de última generación: derechos de las víctimas y de los victimarios. II. Algunos supuestos controvertidos en el proceso penal: A) ADN y menores; B) La asistencia letrada a detenidos para la toma de muestras con su consentimiento. III. Conclusiones: Hacia una legislación que garantice los derechos fundamentales de los ciudadanos ante la prueba de ADN y su eficacia en todos sus ámbitos frente a la arbitrariedad interpretativa. Bibliografía.

I. LOS DERECHOS FUNDAMENTALES DE ÚLTIMA GENERACIÓN: DERECHOS DE LAS VÍCTIMAS Y DE LOS VICTIMARIOS

Como es conocido, las pruebas de ADN fueron utilizadas en 1985 por primera vez en un proceso penal en Inglaterra por el genetista Alec Jeffreys para la identificación del acusado en el caso conocido *Enderby* —asunto *Queen vs. Pitchfork*— por dos violaciones y un asesinato, que determinaron la libertad del principal sospechoso Richard Buckland, de 17 años de edad, a pesar de haber confesado los hechos, por no corresponderse genéticamente las muestras de semen halladas en ambas víctimas, las cuales procedían de un mismo sujeto, con las muestras de sangre obtenidas a Buckand[2].

---

[1] Primer Vocal coordinador del grupo jurídico bioético de la Comisión Nacional para el Uso Forense del ADN desde el 27 marzo 2009 hasta el 20 marzo 2012.

[2] En la bibliografía jurídica española que elaboré para la Comisión Nacional para el Uso Forense del ADN se recoge una amplia relación cronológica, desde 1986 hasta nuestros días, que puede consultarse al final de este trabajo. En síntesis, véanse en cuanto a monografías más importantes las de Etxeberría Guridi, JF. *El análisis de ADN y su aplicación al proceso penal*, ed. Comares, Granada, 2000, 380 pp. si bien ésta es anterior

Desde entonces, la eclosión de estas pruebas se ha revelado de una gran eficacia en la investigación penal para el esclarecimiento de la participación de un sujeto en un hecho delictivo[3], sustentando no sólo condenas sino, lo que es más importante, absoluciones e incluso revisiones penales de condenas firmes (cfr. STS-2ª-nº 792/2009, de 16 julio), a pesar de haber sido dictadas estas en el caso citado con pruebas de cargo contundentes como el reconocimiento sin dudas de la víctima o como ocurrió en el primer caso en que se utilizó esta prueba en 1985, según se ha indicado *supra,* con la conformidad del propio acusado.

El derecho a un proceso con todas las garantías, proclamado en los textos internacionales[4] y en el art. 24.2 CE, obliga a examinar cualquier aspecto que afecte al proceso desde esta perspectiva garantista[5], en la que la intangibili-

---

a la LO 10/2007; Álvarez de Neyra Kappler, Susana, *La prueba de ADN en el proceso penal,* Edit. Comares, Granada, 2008, 174 págs y Soleto Múñoz, Helena, *La identificación del imputado. Reseña, fotos, ADN…De los métodos basados en la percepción a la prueba científica.* Ed. Tirant lo blanch, Valencia, 2009, 243 pp. y en cuanto al más del centenar de artículos doctrinales publicados, Dolz Lago, M.J., "Problemática de la toma de muestras de ADN a los menores y su tratamiento legal", en en La Ley Penal, nº 54, noviembre 2008 y la reciente columna de Sánchez Melgar, Julián, "La prueba de ADN: pronunciamientos de la jurisprudencia", diario *La Ley,* año XXXII, núm. 7720, viernes 21 octubre 2011.

3   Como lo demuestran las estadísticas proporcionadas por el Ministerio del Interior al indicarnos que la Base de Datos de ADN en tres años guarda información genética de 183.000 personas y ha contribuido a resolver 7.500 violaciones, robos y homicidios.

4   Cfr. art. 14.1 del Pacto Internacional de Derechos Civiles y Políticos de Nueva York de 19 diciembre 1966 (ratificado en 27 abril 1977 - BOE nº 103, de 30 abril 1977).

5   Cfr. Ferrajoli, Luigi, *Derecho y razón.* Teoría del garantismo penal. Editorial Trotta, 8ª edición, 2006. Si bien en la sesuda y válida obra de Ferrajoli se acusa extrañamente la ausencia de una profunda reflexión sobre la noción de garantismo penal y sus límites en función a la protección de los derechos fundamentales de las víctimas o, dicho de otro modo, el garantismo penal sólo se construye con la visión parcial en la que ha caído la ciencia penal desde hace más dos siglos, teniendo en cuenta sólo los derechos de los infractores penales y olvidando a las víctimas. Somos conscientes que escribir sobre garantías de los acusados haciendo ver las limitaciones derivadas de la protección a las víctimas es hoy trabajo arduo e ir contracorriente. Lo fácil es predicar en pro de la asistencia letrada del investigado desde el inicio de las investigaciones penales, olvidando la alabada Exposición de Motivos de nuestra liberal LECrim de 1882 cuando Alonso Martínez decía: *"Es difícil establecer la igualdad absoluta de condiciones jurídicas entre el individuo y el Estado en el comienzo mismo del procedimiento, por la desigualdad real que*

dad de los derechos fundamentales del acusado debe mantenerse al ser éste un componente esencial del núcleo de cualquier proceso penal de un Estado democrático de derecho, sin que ello suponga desvirtuar una de las finalidades más importantes del proceso, cual es la protección de la víctimas[6], las cuales delegaron en el Estado el ejercicio del *ius puniendi*, precisamente en un salto cualitativo del estado de nuestra civilización para evitar los horrores de la venganza privada[7].

Ahora bien, la protección, defensa y garantía de los derechos fundamentales del acusado en el proceso penal debe realizarse desde una previa delimitación conceptual de estos derechos, de su contenido y de su regulación norma-

---

en momento tan crítico existe entre uno y otro, desigualdad calculadamente introducida por el criminal y de que éste sólo es responsable. Desde que surge en su mente la idea del delito, o por lo menos desde que, pervertida su conciencia, forma el propósito deliberado de cometerle, estudia cauteloso un conjunto de precauciones para sustraerse a la acción de la justicia y coloca al Poder público en una posición análoga a la de la víctima, la cual sufre el golpe por sorpresa, indefensa y desprevenida. Para restablecer, pues, la igualdad en las condiciones de lucha, ya que se pretende por los aludidos escritores que el procedimiento criminal no debe ser más que un duelo noblemente sostenido por ambos combatientes, menester es que el Estado tenga alguna ventaja en los primeros momentos, siquiera para recoger los vestigios del crimen y los indicios de culpabilidad de su autor". Véase Aguilera de Paz, E. *Comentarios a la Ley de Enjuiciamiento Criminal,* con prólogo de Trinitario Ruiz y Valarino, Hijos de Reus, Editores, Madrid, 1912.

[6]   Sobre proceso penal, garantías y víctimas, véase Fletcher, George P. *Las víctimas ante el jurado.* Editorial Tirant lo blanch, 1997. También, Dolz Lago, M.J. "Las actuaciones del Ministerio Fiscal en defensa de la dignidad de las víctimas del terrorismo", en diario *La Ley* nº 7302, 14 diciembre 2009 y bibliografía allí citada. Estudio que fue objeto de consideración en la reunión de expertos internacionales en ayuda a las víctimas del terrorismo, organizado por Naciones Unidas (Oficina de Naciones Unidas contra la Droga y el Delito), Bogotá (Colombia), 26 y 27 enero 2011.

[7]   Nuestro clásico Cesare Bonesana. Marqués de Beccaria (1738-1794), sobre este particular, afirmaba en su famosa obra *De los delitos y de las penas* (1764), edición de Alianza editorial (1968), con comentarios de Voltaire y traducción de Juan Antonio de las Casas e introducción de Juan Antonio del Val, p. 29, lo siguiente: "Fue, pues, la necesidad quien obligó a los hombres a ceder parte de su libertad propia: y es cierto que cada uno no quiere poner en el depósito público sino la porción más pequeña que sea posible, aquella solo que baste a mover a los hombres para que le defiendan. El agregado de todas estas pequeñas porciones de libertad posibles forma el derecho de castigar; todo lo demás es abuso, y no justicia: es hecho, no derecho".

tiva[8], ya que sin esta elemental clarificación metodológica, nos encontraremos en el magma de la confusión, terreno abonado para extraer conclusiones erróneas que pueden llegar a inhabilitar el fin último del propio proceso penal en un Estado de derecho cual es, en definitiva, la protección de las víctimas[9].

II. ALGUNOS SUPUESTOS CONTROVERTIDOS EN EL PROCESO PENAL

A) ADN y menores[10]

1. Introducción: ADN y menores.

2. La toma de muestras de ADN: regulación legal.

3. Las limitaciones a la capacidad del menor para prestar consentimiento en el ordenamiento jurídico.

4. Extensión y límites de la representación del menor.

5. Posición del Tribunal Constitucional sobre la materia. Referencias a la Sentencia núm. 154/2002, de 18 de julio.

6. Conclusiones: ADN y menores maduros.

---

[8]   Desde esta perspectiva, el derecho de asistencia letrada al detenido si bien unido al derecho de defensa no deja de ser un derecho constitucional de configuración legal —véase art. 17.3 CE—, lo que pone en manos del legislador su regulación, como ha reconocido el Tribunal Constitucional desde sus primeras sentencias sobre la temática (cfr. núms. 18/1995, de 24 de enero, 233/1998, de 1 de diciembre y 162/1999, de 27 de septiembre).

[9]   Sobre estas ideas, véase Dolz Lago, M.J., "Las actuaciones del Ministerio Fiscal en defensa de la dignidad de las víctimas del terrorismo", citado.

[10] Trabajo publicado en la Revista de Derecho Penal, Procesal y Penitenciario La Ley Penal nº 54, Año V, noviembre 2008, pp. 27 y ss., bajo el título "Problemática de la toma de muestras de ADN a los menores y su tratamiento legal". Con posterioridad, en fecha 20 septiembre 2010, la Fiscalía General del Estado, a través de la Fiscalía de Sala de Menores, desempeñada por mi compañera Consuelo Madrigal Martínez de Pereda como Fiscal de Sala y mis compañeros José Miguel De la Rosa Cortina y Francisco José García Ingelmo, emitieron un informe oficial a solicitud de la CNUFADN sobre determinados extremos de la investigación de ADN en el marco del proceso de menores, que comparte básicamente las conclusiones de mi estudio. Para consultar dicho informe véase Memoria FGE 2011, pp. 1054 a 1057.

1. Introducción: ADN y menores

En la Disposición Adicional Tercera de la Ley Orgánica 10/2007, de 8 octubre, reguladora de la bases de datos policial sobre identificadores obtenidos a partir del ADN[11], se indica que:

> *"Para la investigación de los delitos enumerados en la letra a) del apartado 1 del art. 3[12], la policía judicial procederá a la toma de muestras y fluidos del sospechoso, detenido o imputado, así como del lugar del delito. La toma de muestras que requieran inspecciones, reconocimientos o intervenciones corporales, sin consentimiento del afectado, requerirá en todo caso autorización judicial, mediante auto motivado, de acuerdo con lo establecido en la Ley de Enjuiciamiento Criminal".*

Este precepto, introducido con deficiente técnica legislativa en una Disposición Adicional cuando merecía estar incluido en el cuerpo principal de la norma reguladora de la investigación penal, cual es la LECrim, suscita algunos interrogantes, entre los que se encuentran todos los relativos a la problemática de su aplicación a los menores infractores penales y su tratamiento legal.

Las presentes líneas pretenden abordar esta problemática y extenderla también al tratamiento legal de la toma de muestras de ADN a los menores víctimas, que aunque no comprendidos en la anterior Disposición Adicional, sí resulta de interés su estudio dado que comparten con la de los menores

---

[11]   En adelante, L.O. 10/2007.
[12]   Se refiere a delitos graves (castigados con pena de prisión superior a cinco años cfr. art. 13 y 33 CP), y, en todo caso, los que afecten a la vida, la libertad, la indemnidad o la libertad sexual, la integridad de las personas, el patrimonio siempre que fuesen realizados con fuerza en las cosas, o violencia o intimidación en las personas, así como en los casos de la delincuencia organizada, debiendo entenderse incluida, en todo caso, en el término delincuencia organizada la recogida en el art. 282 bis (agente encubierto), apartado 4 de la Ley de Enjuiciamiento Criminal en relación con los delitos enumerados, que dice: "4. A los efectos señalados en el apartado 1 de este artículo, se considerará como delincuencia organizada la asociación de tres o más personas para realizar, de forma permanente o reiterada, conductas que tengan como fin cometer alguno o algunos de los delitos siguientes: a) Delito de secuestro de personas previsto en los arts. 164 a 166 del Código Penal. b) Delitos relativos a la prostitución previstos en los arts. 187 a 189 del Código Penal. c) Delitos contra el patrimonio y contra el orden socioeconómico previstos en los arts. 237, 243, 244, 248 y 301 del Código Penal. d) Delitos relativos a la propiedad intelectual e industrial previstos en los arts. 270 a 277 del Código Penal".

infractores los aspectos prácticos más esenciales cuales son los derivados de la prestación del consentimiento en la toma de muestras.

Con independencia de estudios más profundos, se puede llegar al acuerdo básico de que la toma de muestras de ADN afecta, al menos, a la intimidad, ya que es discutible *verbigratia* que una simple muestra de saliva pueda afectar a la integridad corporal. Por ello, enfocaremos esta cuestión en los menores desde la perspectiva del derecho a la intimidad[13].

También hay que señalar que cualquier tratamiento jurídico del menor, tanto internacional como nacional y autonómico, se realiza desde la perspectiva de su protección y sólo desde ese ángulo es posible reflexionar en términos jurídicos.

En otros estudios míos sobre la intimidad del menor en el ámbito sanitario[14], señalaba que la intimidad forma parte de la esfera personal del menor y tiene una doble vertiente: por un lado, el respeto de la autonomía del menor como manifestación de su intimidad, y, por otro, la confidencialidad[15].

---

[13] Un recorrido legal, doctrinal y jurisprudencial sobre el derecho a la intimidad de los menores puede verse en la Instrucción FGE 2/2006, de 15 marzo, sobre el fiscal y la protección del derecho al honor, intimidad y propia imagen de los menores.

[14] Véase "Menores embarazadas y aborto, ¿quién decide?", publicado en "Actualidad Penal", núm. 29, semana del 15 al 21 de julio de 1996, p. 539 y ss.; "Capacidad de obrar del menor en su esfera personal (en especial, sobre su libertad sexual)", en *Adolescencia y Salud* (Jornada sobre la atención a la sexualidad en el adolescente de 3 junio 1998), Reunions científiques, serie R, nº 24, Generalitat Valenciana, Consellería de Sanitat, Valencia, 1998; "¿Inconstitucionalidad de la Ley 1/2003, de 28 de enero, de la Generalitat, de derechos e información al paciente de la Comunidad Valenciana en relación con los menores de edad?", publicado en el Diario LA LEY nº 5744, 21 de marzo de 2003; "La protección del menor en el ámbito sanitario: derecho del menor a su intimidad (aproximación a su regulación estatal y autonómica catalana y valenciana), en Jornada Sanitaria sobre el menor maduro, Girona 1 abril 2005, organizadas por la Asociación Nacional de Pediatría.

[15] Ver ROMEO MALANDA, S. "El valor jurídico del consentimiento prestado por los menores de edad en el ámbito sanitario", revista jurídica LA LEY, núm. 5.185 y 5.186, de 16 y 17 de noviembre de 2000, en el que se realiza un estudio detallado del valor del consentimiento de los menores ante los actos médicos y las intervenciones quirúrgicas (ensayos clínicos, abortos, donación de órganos, receptor de material biológico, tansfusiones de sangre, trasplante de órganos, técnicas de reproducción asistida, donación de gametos y preembriones, donación de embriones y fetos humanos o de sus células, tejidos u órganos). El autor llega a las mismas conclusiones sobre la progresiva autonomía del menor para prestar su consentimiento en todos los actos médicos e intervenciones qui-

En este pequeño trabajo nos centraremos más en el primer aspecto por entender de suma importancia resaltar el marco de autonomía del menor en general.

En efecto, sólo desde una perspectiva general de esta protección podremos después adentrarnos en sus manifestaciones concretas en cualquier ámbito.

Desde un punto de vista general, la protección del menor se debate entre el reconocimiento de su progresiva capacidad de autonomía, no tanto en función al simple dato cronológico de la edad sino a su grado de madurez, y su condición jurídica de menor dependiente de sus representantes legales hasta la mayoría de edad, fijada en los 18 años (*ex* arts. 12 de la Constitución y 315 del Código Civil).

Esa situación (autonomía/dependencia) gravita sobre las legislaciones, que, según inclinen la balanza a uno u otro lado, serán más restrictivas o no con el reconocimiento de la capacidad de obrar del menor y de su autonomía frente a las limitaciones que le condicionan por su calidad de ser dependiente de los adultos, teniendo en cuenta que según los principios de Derecho internacional y nacional sobre menores siempre debe prevalecer la protección del "superior interés del menor" frente a cualquier otro interés legítimo[16].

---

rúrgicas con las limitaciones del derecho a la vida y a su salud, no permitiendo su negativa a someterse a un tratamiento vital o su consentimiento a sufrir una lesión irreversible o pérdida importante e irreparable de un órgano o función. Por último, considera que se deben completar el consentimiento del menor con el de sus representantes legales, con intervención del Juez o del Ministerio Fiscal para ensayos clínicos, donación de cierto tipo de tejidos humanos u otro tipo de elementos, como embriones, fetos o sus células, tejidos u órganos.

[16] Estos principios están plasmados, a nivel internacional, en la convención de las Naciones Unidas de 20 de noviembre de 1989, sobre derechos del niño, ratificada por España por Instrumento de 30 de noviembre de 1990 (BOE núm. 313, de 31 de diciembre de 1990). Igualmente, aunque no vinculante, en la Resolución A3-0172/92 del Parlamento Europeo sobre la Carta Europea de Derechos del Niño de 27 de abril de 1992, en la que fue ponente el Abogado español D. Juan Marí Bandrés. Ambos textos pueden consultarse en Fundación Abogados Sin Fronteras, "Código de los Derechos del Niño", editorial Aranzadi, Pamplona, 1995, pp. 150 y 535, respectivamente. A nivel nacional, Ley Orgánica 1/1996, de 15 de enero (BOE nº 15, de 17 de enero de 1996). En el ámbito comunitario, véase DOLZ LAGO, M.-J., "¿Existe un Derecho Comunitario del Menor: la Unión

Atendido lo anterior, veremos, en primer lugar la regulación legal de la toma de muestras de ADN y, posteriormente, con carácter general, cuáles son las limitaciones a la capacidad del menor para ser autónomo, o lo que es lo mismo, para prestar su consentimiento y la extensión y límites de la representación del menor, para extraer unas conclusiones en la toma de muestras de ADN a estos menores[17].

2. La toma de muestras de ADN: regulación legal

Como se dice en el Preámbulo de la L.O. 10/2007, ya citada, *"desde que en 1988, en el Reino Unido y por primera vez, la información obtenida del ADN fuese utilizada para identificar y condenar al culpable de un delito, tanto en España como en el resto de los países de nuestro entorno se ha tomado conciencia de la trascendencia de los marcadores genéticos en las investigaciones criminales, algo que venía siendo más frecuente en otros ámbitos, como la identificación de cadáveres o la determinación de relaciones de parentesco".*

Ahora bien, no es hasta la tardía reforma operada por la Disposición Final Primera de la Ley Orgánica 15/2003, de 25 noviembre, de modificación del Código Penal, mediante la nueva redacción dada a los artículos 326 y 363 de la LECrim cuando se da cierta cobertura jurídica específica a la toma de muestras de ADN en la instrucción penal. En esta reforma se regula la posibilidad de obtener el ADN a partir de muestras biológicas provenientes de pruebas halladas en el lugar del delito o extraídas de sospechosos, de manera que dichos perfiles de ADN puedan ser incorporados a una base de datos para su empleo en esa concreta investigación.

De forma complementaria a la regulación anterior, la ya citada Disposición Adicional Tercera de la L.O. 10/2007, regula expresamente la obtención

---

Europea y los Niños", publicado en la revista Noticias de la Unión Europea, editorial CISS, abril 1996.

[17]   Similares problemáticas se plantean en otras materias limitativas de derechos fundamentales de menores en el proceso penal de menores *verbigracia* registro de su correspondencia, habitación, ordenador personal, móvil, en cuyos casos estimo necesario su consentimiento personal y no el de sus representantes legales, precisándose la autorización judicial cuando no exista este consentimiento del menor, que, en definitiva, es el objeto de la investigación penal y no sus representantes aunque éstos sean responsables civiles solidarios del menor *ex* art. 61.3 LORPM.

de muestras biológicas por la policía judicial, en los términos transcritos *ab initio*, en los que se fija esta obligación dentro del catálogo de delitos enumerado en la propia ley en relación con los sospechosos, detenidos o imputados así como el lugar del delito, señalando expresamente que *"la toma de muestras que requieran inspecciones, reconocimientos o intervenciones corporales, sin consentimiento del afectado, requerirá en todo caso autorización judicial mediante auto motivado, de acuerdo con lo establecido en la Ley de Enjuiciamiento Criminal".*

En consecuencia, el marco jurídico actual sobre la toma de muestras, que podríamos calificar esencial, viene dado por la Disposición Adicional Tercera de la L.O. 10/2007 y por los arts. 326 y 363 de la LECrim, introducidos por la Disposición Final Primera de la Ley Orgánica 15/2003, de 25 noviembre, de modificación del Código Penal.

De ese marco jurídico básico destacaremos las tres siguientes características esenciales:

1ª) La toma de muestras y fluidos del sospechoso, detenido o imputado así como del lugar del delito, en los delitos específicamente recogidos en la letra a) del apartado 1º del art. 3 de la L.O. 10/2007, parece configurarse como una obligación de la policía judicial (*ex* Disposición Adicional Tercera L.O. 10/2007, primer párrafo, que emplea el término *"la policía judicial procederá a la toma de muestras y fluidos…"*).

2ª) La toma de muestras y fluidos voluntaria no requiere autorización judicial sino exclusivamente consentimiento del afectado (*ex* Disposición Adicional Tercera L.O. 10/2007, primer párrafo).

3ª) Cuando la toma de muestras requieran inspecciones, reconocimientos o intervenciones corporales y no haya consentimiento del afectado, es precisa la autorización judicial mediante auto motivado conforme a la LECrim (*ex* Disposición Adicional Tercera L.O. 10/2007, segundo párrafo en relación con los arts. 326 y 363 de la LECrim). Aplicada esta regulación esencial a menores infractores penales de edades comprendidas entre los 14 y 17 años[18], cabe decir lo siguiente, sin perjuicio de las conclusiones que expondremos en el último apartado de este trabajo.

---

[18] Recuérdese que el art. 1.1 LORPM delimita el ámbito subjetivo de la ley a las personas mayores de catorce años y menores de dieciocho.

En primer lugar, en materia de responsabilidad penal de los menores, dada la supletoriedad de la LECrim establecida en la Disposición final primera de la Ley Orgánica 5/2000, de 12 de enero[19], no cabe duda que resultan aplicables los arts. 326 y 363 de dicha norma así como la propia Disposición Adicional Tercera de la L.O. 10/2007, tanto por su remisión a la propia LECrim en el supuesto de falta de consentimiento del afectado como por contener una norma dirigida a la policía judicial, la cual también tiene su campo de actuación en materia de menores *ex* art. 6 de la LORPM.

Esto no obstante, dadas las peculiaridades del proceso penal de menores, en el que el instructor del procedimiento es el Ministerio Fiscal (*ex* art. 16.1 LORPM) y que en caso de falta del consentimiento del afectado la Disposición Adicional Tercera de la L.O. 10/2007 impone la autorización judicial, habrá de considerarse que ésta se dará, si resulta procedente, por el Juez de Menores, conforme a los arts. 23.2 y 26.3 de la LORPM y no podrá obtenerse la muestra con autorización del Ministerio Fiscal, al cual la policía judicial cursará la petición de autorización judicial para que la Fiscalía, a su vez de estimarla procedente, la inste del Juzgado de Menores competente, sin que la policía esté legitimada para instarla directamente de dicho Juzgado.

En segundo lugar, la utilización de los términos *"sospechoso, detenido o imputado"*[20] así como *"afectado"* en la Disposición Adicional Tercera de la L.O. 10/2007, induce a pensar que el consentimiento para la toma de muestras sólo lo puede otorgar el propio menor y en ningún caso sus representantes legales.

En desarrollo de esta segunda conclusión dedicamos los epígrafes siguientes que enmarcan esta problemática en la más general de las limitaciones a la capacidad del menor para prestar consentimiento en el ordenamiento jurídico así como en la extensión y límites de la representación del menor.

---

[19]   En adelante, LORPM.

[20]   Con independencia de la inexistencia de imputación judicial en el proceso penal de menores tal y como se concibe en el procedimiento para los adultos, tanto en el ordinario mediante el auto de procesamiento como en el abreviado en el auto de transformación a este procedimiento, dado que la instrucción está a cargo del Ministerio Fiscal y no del Juez de instrucción que es el que realiza en el procedimiento de adultos esos actos de imputación judicial en la fase instructora.

Por lo que respecta a los menores infractores penales de edades inferiores a los 14 años, hay que decir que el hecho de que no pueda deducirse responsabilidad penal alguna a estos menores *ex* art. 1.1 y 3 LORPM no es óbice para que se realice una investigación penal con objeto de esclarecer los hechos y determinar sus autores. Desde esta perspectiva, trataremos esta problemática en las conclusiones de este trabajo junto con la de los menores víctimas.

3. Las limitaciones a la capacidad del menor para prestar consentimiento en el ordenamiento jurídico

Sabido es que los menores de edad tienen limitada su capacidad de obrar, ya que, al no alcanzar los 18 años (art. 12 de la Constitución y art. 315 del Código Civil), no pueden realizar actos de la vida civil (art. 322 del Código Civil, *"a sensu contrario"*), ni tampoco, en materia contractual, según el art. 1.263 del mismo Código pueden prestar el consentimiento si fueren no emancipados.

Ello no quiere decir que no tengan personalidad civil[21], como reconoce el art. 29 del Código Civil al indicar que *"el nacimiento determina la persona-*

---

[21]   Otros se refieren, por un lado, a la capacidad jurídica equiparándola a la personalidad civil y por otro, a la capacidad de obrar. Por todos, en la bibliografía civil, véase ESPÍN CÁNOVAS, D. "Derecho Civil Español", editorial Revista de Derecho Privado, tomo I, 3ª ed., 1968, pp. 202 y ss., quien afirma: *"La edad ejerce una gran influencia sobre la capacidad de obrar o de ejercicio, pero, en cambio, sólo excepcionalmente influye sobre la capacidad de derecho. Los actos que por falta de edad no pueden ejercitarse personalmente son susceptibles, generalmente, de ejercicio por un representante, con lo cual la incapacidad del que por su edad no puede regirse a sí mismo es sólo incapacidad de obrar, pero no de goce. Sin embargo, a veces ciertos derechos no pueden ejercitarse por representación, y entonces la incapacidad no es sólo de obrar, sino que alcanza también a la capacidad de derecho; la incapacidad de derecho de los que no han llegado a cierta edad se basa en que se trata de derechos que no están en consonancia con las necesidades y aptitudes de esa edad (por ejemplo, el matrimonio). Son incapaces de derecho (…) la del menor de catorce años para testar (art. 663.1); la del menor de catorce años, para intervenir como testigos en los actos inter vivos (art 1.246.3); la del menor de dieciséis años, para ser testigo en el testamento excepcional otorgado en tiempo de epidemia (art. 701); la del menor de treinta y cinco (hoy veinticinco años) para adoptar (art. 175)…".*

lidad", pero sí nos encontramos ante una limitación de esa personalidad civil en orden a su capacidad de obrar, es decir, de actuar por sí mismo.

El reconocimiento de la personalidad civil o capacidad jurídica del menor tiene una consecuencia directa: el menor no es un "muerto civil" ni un "incapaz", sino que, por el contrario, según las leyes y en función a su estado de desarrollo intelectual o físico (madurez) es titular de derechos y puede ejercerlos directamente, como luego veremos[22].

En efecto, creo que desde esta perspectiva, la Ley Orgánica 1/1996, de 15 de enero de Protección Jurídica del Menor[23], en su Exposición de Motivos, afirma lo siguiente:

> *"Las transformaciones sociales y culturales operadas en nuestra sociedad han provocado un cambio en el status social del niño y como consecuencia de ello se ha dado un nuevo enfoque en la construcción del edificio de los derechos humanos de la infancia. Este enfoque reformula la estructura del derecho a la protección a la infancia vigente en España y en la mayoría de los países desarrollados desde finales del siglo XX, y consiste fundamentalmente **en el reconocimiento de la titularidad de derechos de los menores de edad y de una capacidad progresiva para ejercerlos.** El desarrollo*

---

[22]   El reconocimiento de la autonomía de los menores ha sido la tendencia de las políticas de infancia europeas, como pone de manifiesto MATO GÓMEZ, en "Perspectivas de las políticas de Infancia en la Europa de los noventa", en "Investigaciones y Políticas de Infancia en la Europa en los años 90" (trabajos del Seminario europeo del mismo título celebrado en Madrid, 20 al 22 de junio de 1991), Ministerio de Asuntos Sociales, 1994, p. 23-24.

[23]   Entre los primeros comentarios a esta Ley, véase GULLÓN BALLESTEROS, A. "Sobre la Ley 1/1996, de Protección jurídica del menor", en la revista LA LEY, núm. 3.970, de 8 de febrero de 1996; LEAL PÉREZ-OLAGUE, Mª Luisa, "Comentarios a la Ley Orgánica 1/1996, de 15 de enero, de Protección Jurídica del Menor, de modificación parcial del Código Civil y de la Ley de Enjuiciamiento Civil", en la revista LA LEY, núm. 3.986, 1 de marzo de 1996, esta última autora, a la sazón en aquella fecha Consejera Técnica de la Dirección General de Protección Jurídica del Menor, afirma: *"Las últimas modificaciones del Código Civil han supuesto también una evolución encomiable en la consideración jurídica y social del menor, en la línea de ir rompiendo con la tradicional equiparación de éste con el incapaz y con su configuración como un ser sin voluntad propia y sin cauces específicos de expresión y actuación",* destacándose que *"La Convención de Derechos del Niño de Naciones Unidas, de 20 de noviembre de 1989, ratificada por España el 20 de diciembre de 1990, ha inspirado una nueva filosofía del menor nacida tanto de las recomendaciones de profesionales y expertos en el campo de la infancia como del estudio de la realidad social actual. Según esta filosofía, el menor pasa a constituirse como auténtico sujeto de derecho al tiempo que ve notablemente incrementada su capacidad para el ejercicio directo de los mismos".*

*postconstitucional refleja esta tendencia, introduciendo la condición de sujeto de derecho a las personas menores de edad. Así, el concepto "ser escuchado si tuviere suficiente juicio" se ha ido trasladando a todo el ordenamiento jurídico en todas aquellas cuestiones que le afectan. Este concepto introduce la dimensión del desarrollo evolutivo en el ejercicio directo de sus derechos. Las limitaciones que pudieran derivarse del hecho evolutivo deben interpretarse de forma restrictiva. Más aún, esas limitaciones deben centrarse más en los adecuados a la edad del sujeto. El ordenamiento jurídico, y esta Ley en particular, va reflejando progresivamente una concepción de las personas menores de edad como **sujetos activos**, participativos y creativos, **con capacidad de modificar su propio medio personal y social**; de participar en la búsqueda y satisfacción de sus necesidades y en la satisfacción de las necesidades de los demás. El conocimiento científico actual nos permite concluir que no existe una diferencia tajante entre las necesidades de protección y las necesidades relacionadas con la autonomía del sujeto, sino que **la mejor forma de garantizar social y jurídicamente la protección de la infancia es promover su autonomía como sujetos...**"*

De esta forma, la situación jurídica del menor varía notablemente, ya que, según el art. 2.1 de la Ley Orgánica 1/1996 citada **"las limitaciones a la capacidad de obrar de los menores se interpretarán de forma restrictiva"**, lo que significa que, en el caso de que no se recoja expresamente por la ley, esta limitación de la capacidad de obrar no cabrá extenderla, o desde otro ángulo de vista, que habrá supuestos legales que admitan la capacidad de obrar del menor de edad, con plena autonomía.

Ya se han indicado ejemplos en el ámbito civil como la del mayor de catorce años, que puede testar (art. 663.1 del Código civil) ó ser testigo en los actos inter vivos (art. 1.246.3 del Código civil), o la del mayor de dieciséis años para ser testigo en el testamento excepcional otorgado en tiempo de epidemia (art. 701 del Código civil) o adquirir la mayoría de edad laboral (art. 6.1. del Estatuto de los Trabajadores).

En el ámbito penal, el Código Penal, en el art. 181, admite que el consentimiento libre y voluntario de un menor de edad que tuviere ya cumplidos los 13 años, permita una relación sexual con el mismo sin considerarla delito de abuso sexual, el cual siempre se estima que existe cuando la relación sexual se tiene con un menor de 13 años[24]. Es cierto que en este mismo artículo,

---

[24]   Esta edad fue modificada por Ley Orgánica 11/1999, de 30 abril. Antes era de 12 años. Ver mi estudio "El menor como víctima en el nuevo Código Penal", publicado en la revista jurídica LA LEY, número 4.115, de 4-9-1996.

en su apartado 3°, con una adecuada cautela, se castiga también *"cuando el consentimiento se obtenga prevaliéndose el culpable de una situación de superioridad manifiesta que coarte la libertad de la víctima (…)",* y que con 13 años es fácil prevalecerse de esa superioridad. Pero habrá que demostrar ese prevalimiento para los mayores de 13 años, de lo contrario, no cabe impedir la relación sexual libremente consentida por un mayor de 13 años.

También, es cierto que el art. 183 castiga al que cometiere abuso sexual con una persona mayor de 13 años y menor de 16, pero para la concurrencia del delito se exige que en este caso intervenga engaño, de tal forma, que si el consentimiento del mayor de 13 años y menor de 16 lo es libremente, sin engaño, no existe delito alguno[25].

Así las cosas, el dato cronológico de los 13 años es de suma importancia, a los efectos de la atención sexual al adolescente, desde el punto de vista sanitario.

Las limitaciones de la capacidad de obrar del menor se suplen mediante el mecanismo de la representación legal, la cual se ejerce bien por los titulares de la patria potestad —art. 162 del Código civil— bien por los tutores ya públicos —art. 172 del Código civil—, como privados —art. 267 Código civil—.

Veamos cual es la extensión y límites de esta representación legal del menor

4. Extensión y límites de la representación legal del menor

Visto lo anterior, hay que plantearse, en orden a la toma de muestras de ADN, si es posible que el representante legal del/la menor pueda suplir su falta de capacidad para consentir la toma de muestras o no.

Es evidente que tanto el titular de la patria potestad como el de la tutela o su representante legal tienen facultades para suplir la falta de capacidad de obrar del menor. Precisamente, estas figuras surgen, en gran parte, con esa finalidad.

---

[25]   Véase mi estudio "El delito de abuso sexual según la Jurisprudencia del Tribunal Supremo", revista Sepín Penal, noviembre 2007.

Así, el art. 162 del Código civil dice:

> *"Los padres que ostenten la patria potestad tienen la representación legal de sus hijos menores no emancipados"*

El art. 267 del mismo Cuerpo legal, dispone:

> *"El tutor es el representante del menor…"*

Ahora bien, de la lectura de la propia legislación civil citada se deduce que esta representación legal no es absoluta y que el menor tiene cierto margen de actuación autónoma que no precisaría la actuación de su representante legal, en la línea abierta por la nueva legislación de protección del menor citada (Ley Orgánica 1/1996).

En efecto, el párrafo 2º del art. 162 del Código Civil exceptúa de la representación legal de los hijos por los padres *"los actos relativos a derechos de la personalidad u otros que el hijo, de acuerdo con las leyes y sus condiciones de madurez, pueda realizar por sí mismo".*

Igualmente, el art. 267 del mismo Código exceptúa de la representación del menor del tutor *"aquellos actos que pueda realizar por sí sólo (…) por disposición expresa de la ley".*

Por otro lado, en la misma legislación civil, donde se inserta el art. 322 del Código Civil, en el que se basa la interpretación *"a sensu contrario"*, según la cual el menor de 18 años no emancipado es un incapaz para realizar los actos de la vida civil, se encuentran manifestaciones de la autonomía del menor, además de los arts. 162-2 y 267 del Código Civil, ya citados, que permiten atemperar la calificación de incapaz del menor.

Así, debe ser oído y tenido en cuenta en aspecto que le afectan personalmente (v.gr. para adoptar decisiones que le afecten —art. 154.2 del Código Civil— o contratos que obliguen al hijo a realizar prestaciones personales —art. 162 *"in fine"*—. Adopción —art. 177 del Código Civil—, y, sobre todo, el artículo 9 de la Ley Orgánica 1/1996, el cual afirma taxativamente que *"el menor tiene derecho a ser oído, tanto en el ámbito familiar como en cualquier procedimiento administrativo o judicial en que esté directamente implicado y que conduzca a una decisión que afecte a su esfera personal, familiar o social").*

La Ley Orgánica 1/1982, de 5 de mayo, de protección civil del derecho al honor, a la intimidad personal y familiar y a la propia imagen[26], en su art. 3.1, señala que *"El consentimiento de los menores (…) deberá prestarse por ellos mismos si sus condiciones de madurez lo permiten, de acuerdo con la legislación civil…"*

Por otro lado, recuérdese que el menor de 18 años y mayor de 16 tiene derecho a emanciparse, lo que le da plenitud de actuación en derecho (ver art. 317 y ss. Código Civil).

Así las cosas, es patente que la legislación civil pone como límites a la representación legal del menor, *"los actos relativos a derechos de la persona-lidad u otros que el hijo, de acuerdo con las leyes y sus condiciones de madurez, pueda realizar por sí mismo…"* (art. 162.1 del Código Civil) y *"…aquellos actos que pueda realizar por sí solo, ya sea por disposición expresa de la ley…"* (art. 267 del Código Civil), por lo que es necesario, a la vista de este panorama legislativo, indagar sobre su incidencia en la protección de la intimidad del menor en el ámbito de la toma de muestras de ADN.

5. Posición del Tribunal Constitucional sobre la materia. Referencias a la Sentencia núm. 154/2002, de 18 de julio

Sobre la capacidad del menor en el ámbito sanitario no había llegado ningún asunto al Tribunal Constitucional que permitiera conocer su criterio hasta que en fecha 18 de julio de 2002, el Pleno del Tribunal emitió la Sentencia núm. 154/2002 en la que anulaba otra del Tribunal Supremo (Sentencia de la Sala Segunda de 27 de junio de 1997) por la que se condenaba a los padres de un menor por homicidio imprudente (arts. 11 y 138 del Código Penal) al no convencer a su hijo de 13 años para que consintiera una transfusión sanguínea, dado que tanto los padres como el menor eran testigos de Jehová. El Tribunal Supremo había condenado a los padres al entender que estos estaban obligados, como garantes del menor, a adoptar una conducta que hubiera impedido el resultado de muerte del mismo, el cual persistía en su negativa a la transfusión debido a sus convicciones religiosas. Sin embargo, el Tribunal Constitucional anula dicha condena otorgando el amparo cons-

---

[26]   BOE núm. 115, de 14.5.82.

titucional a los padres porque entiende que estaban ejerciendo su derecho fundamental a la libertad religiosa (art. 16 de la Constitución) y que no les era exigible otra conducta.

Ahora bien, lo relevante del caso es que, si bien el Tribunal Constitucional no entra abiertamente en el reconocimiento de la autonomía del menor, al señalar que no constara que tuviera suficiente madurez, *"a sensu contrario"* hay que interpretar que el máximo intérprete de la Constitución reconoce que de existir esa madurez en el menor, el mismo no queda representado por los titulares de la patria potestad para otorgar su consentimiento de eficacia en el ámbito sanitario sino que lo presta por sí mismo, sin que los padres puedan sustituirlo o decidir por él, como se viene exponiendo en estas líneas.

SANTOS MORÓN[27], en un comentario crítico a la citada Sentencia del Tribunal Constitucional señala que el Tribunal se mostró vacilante en el reconocimiento del derecho de autodeterminación del menor fundándose en su falta de madurez, a pesar de que su negativa a la transfusión fue tan firme que impidió el que los médicos, con autorización judicial inclusive, pudieran realizársela. Esta autora se muestra partidaria de lo que hemos expresado en líneas anteriores sobre el derecho de autodeterminación del menor en cuestiones que afectan a su esfera personal, tales como las comprendidas en el ámbito sanitario.

Por último, nosotros entendemos que la lectura que hay que hacer de la Sentencia del Tribunal Constitucional es la derivada de reconocimiento del derecho a la autodeterminación del menor en estas materias, *"siempre que tuviere la suficiente madurez personal"* en concordancia con el art. 162 del Código Civil y art. 3.1 de la Ley Orgánica 1/1996, de 15 de enero, de Protección Jurídica del Menor.

6. Conclusiones: ADN y menores maduros

Abordado en los epígrafes anteriores la problemática de la toma de muestras y fluidos de ADN en los menores infractores penales en términos que nos

---

[27]   "Sobre la capacidad del menor para el ejercicio de sus derechos fundamentales. Comentario a la TC S 154/2002, de 18 de julio", Revista jurídica LA LEY núm. 5.675, de 12 diciembre 2002.

permiten sostener la necesidad del consentimiento del propio menor e imposibilidad de que este consentimiento sea suplido por sus representantes legales, veamos ahora si se puede sostener el mismo criterio cuando los menores son infractores penales de edad inferior a los catorce años o víctimas y no autores de los delitos.

En principio, puede darse aquí por reproducido todo lo dicho anteriormente para los menores infractores, ahora bien es posible plantearse que carezcan de la suficiente madurez para prestar ese consentimiento y preguntarse sobre qué solución dar en estos casos.

Por ello, será razonable entender que en virtud del art. 9 de la L.O. 1/1996 siempre deben de ser oídos sobre este particular, sobre todo a partir de los doce años, y que si no tienen suficiente madurez, podrá prestarse el consentimiento en la toma de muestras y fluidos por sus representantes legales, conforme a la normativa civil anteriormente expuesta[28] o, en último caso, mediante autorización judicial.

En la Memoria de la CNUFADN expresiva de las iniciales actividades de este organismo entre los años 2009 y 2010[29] en relación con los menores infractores penales se recoge lo siguiente:

> "En relación con los derechos de los menores, se planteó la problemática de los menores infractores lo que originó un amplio y complejo debate sobre el consentimiento de los menores en nuestro ordenamiento jurídico y su reflejo en el consentimiento informado. Se interesó un informe a la FGE que lo emitió en fecha 20 septiembre 2010, favorable a la aplicación de la LO 10/2007 a estos menores, acordándose en el Pleno de la Comisión de 30 noviembre 2010 que para los mayores de 14 años

---

[28]   En algunas Comunidades Autónomas como la Valenciana la normativa sobre el consentimiento de los menores en el ámbito sanitario es errónea, ya que como indicábamos en nuestro estudio citado en la nota 4 sobre la inconstitucionalidad de la Ley 1/2003, de 28 enero, de derechos e información al paciente de la Comunidad Valenciana, el dotar de eficacia al consentimiento del menor en ese ámbito sólo cuando ya ha cumplido los 16 años o ha sido emancipado es un error por no respetar la L.O. 1/1996 en un caso y por ser innecesario en el otro ex art. 317 CC, error que reproducen los arts. 13 párrafo 3º y 15 de la Ley 8/2008, de 20 junio, de la Generalitat valenciana sobre los derechos de salud de los niños y adolescentes.

[29]   Véase el texto en la página web del Instituto Nacional de Toxicología y Ciencias Forenses, web http://institutodetoxicologia.justicia.es/wps/portal/intcf_internet/portada/utilidades_portal/comision_ADN

y menores de 18 se les aplicaría el régimen de los adultos, debiendo contar con asistencia letrada para prestar su consentimiento a la toma de muestras si se encontraban expedientados y que para los menores de edad inferior a 14 se estaría a las instrucciones del fiscal de menores competente o, en su caso, de la autoridad judicial. En las recomendaciones que se elaboren en relación con la actuación de la policía sobre la valoración de la capacidad del menor, debe de quedar constancia de que se trata de un procedimiento excepcional y que el policía actuante ha valorado convenientemente la madurez del menor para solicitar su consentimiento en la toma de muestras y en caso de duda lo pondrá en conocimiento del Fiscal de menores para valorar la presencia de los representantes legales del menor"

B) La asistencia letrada a detenidos para la toma de muestras con su consentimiento[30]

1. Antecedentes legislativos
2. Jurisprudencia de la Sala Segunda del TS
3. Jurisprudencia del TEDH
4. Observaciones claves para la resolución del tema
5. Cuestiones prácticas

1. Antecedentes legislativos

Legislación vigente[31]

a) Toma de muestras

1º) Los arts. 326, último párrafo, 363 último párrafo (sumario) y 778.3º (procedimiento abreviado) de la LECrim, contemplan la materia como toma de vestigios en la instrucción penal por el juez o por a quién éste delegue,

---

[30] Trabajo publicado en el diario La Ley, año XXXIII, núm. 7774, 12 enero 2012, bajo el título "ADN y derechos fundamentales (Breves notas sobre la problemática de la toma de muestras de ADN —frotis bucal— a detenidos e imputados)"

[31] Véase Recomendación nº R (92) 1 de 10 de febrero de 1992, del Comité de Ministros del Consejo de Europa sobre la utilización de los resultados de análisis de ADN en el marco de justicia penal. Esta Recomendación en su número 4 sobre "obtención de muestras a los fines del análisis de ADN", remite al derecho interno de los estados miembros a la hora de determinar las circunstancias en que se ha de practicar, así como para resolver

por la policía judicial o por el médico forense, sin referencias a la asistencia letrada.

2°) La Disposición adicional tercera (obtención de muestras biológicas) Ley Orgánica 10/2007[32], dice:

> *"Para la investigación de los delitos enumerados en la letra a) del apartado 1 del art. 3, la policía judicial procederá a la toma de muestras y fluidos del sospechoso, detenido o imputado, así como del lugar del delito. La toma de muestras que requieran inspecciones, reconocimientos o intervenciones corporales, sin consentimiento del afectado, requerirá en todo caso autorización judicial mediante auto motivado, de acuerdo con lo establecido en la Ley de Enjuiciamiento Criminal".*

3°) El Real Decreto 1977/2008, de 28 de noviembre, por el que se regula la composición y funciones de la Comisión Nacional para el uso forense del ADN[33].

Artículo 3. Funciones.

La Comisión Nacional para el uso forense del ADN desempeñará las siguientes funciones: (…)

c) La elaboración y aprobación de los protocolos técnicos oficiales sobre la obtención, conservación y análisis de las muestras, incluida la determinación de los marcadores homogéneos sobre los que los laboratorios acreditados han de realizar los análisis[34].

---

acerca de la necesidad del consentimiento o no del afectado. No hace referencia alguna a la asistencia letrada.

[32] Esta disposición es el resultado de una enmienda transaccional entre las enmiendas n° 10 y 7 del GP Socialista, que postulaban el texto aprobado y la n° 19 del GP Esquerra, que indicaba que las tomas de muestras siempre se realizarán con autorización judicial, haciéndose eco de los modelos internacionales existentes, que optan entre un modelo policial o judicial en la toma de muestras, sin que haya referencia alguna a la asistencia letrada en uno u otro modelo y no sea tema discutible su innecesariedad. En el debate parlamentario nadie planteó la necesidad de asistencia letrada para la prestación del consentimiento del detenido. (Véase Informe de la Comisión en BOCG, Serie A, n° 117-9 de 20 junio 2007).

[33] BOE 11-12-2008

[34] El Pleno de la CNUFADN en fecha 29 noviembre 2011 aprobó, por unanimidad, un formulario de toma de muestras a detenidos e imputados en el que se recoge la necesaria asistencia letrada. Mi voto sólo se fundó en la prudencia y no en el convencimiento de que esta asistencia letrada sea necesaria de acuerdo a nuestra legislación vigente.

b) *Asistencia letrada al detenido:* art. 17.3 CE y art. 520.2.c) y 6 LECrim

La Constitución dice que en su art. 17.3 que *"Se garantizará la asistencia de abogado al detenido en las diligencias policiales y judiciales, en los términos que la ley establezca",* reconociendo un derecho constitucional de configuración legal.

El art. 520.2,c) de la LECrim delimita el contenido legal de la asistencia de abogado al detenido *"a designar Abogado y a solicitar su presencia para que asista a las diligencias policiales y judiciales de declaración e intervenga en todo reconocimiento de identidad de que sea objeto",* completándose en el n° 6 del mismo precepto la actividad del abogado en la declaración.

Los arts. 118 y 767 de la LECrim, que establecen, respectivamente, un derecho genérico de defensa (art. 118) y de asistencia letrada (art. 767 —en el procedimiento abreviado—) desde la detención deben de interpretarse en relación con el art. 520 de la LECrim, que concreta el contenido de este derecho de asistencia al detenido, en los términos ya expresados. El art. 767 de la LECrim se introdujo tras la reforma operada por Ley 38/2002, de 24 de octubre, con el claro propósito de garantizar la asistencia letrada al imputado no detenido[35]. Pero no, sostenemos nosotros ahora, para modificar el contenido de la asistencia letrada al detenido ya establecido en el art. 520.2.c) y 6, ya citados.

Como es conocido, la jurisprudencia de la Sala 2ª, a finales de los años noventa, amplió la asistencia letrada al detenido cuando a éste se le solicita el consentimiento para la entrada y registro en su domicilio, al entender que estaba en juego un derecho fundamental como el de la inviolabilidad del domicilio y esta asistencia letrada garantizaba mejor el libre consentimiento del detenido, a la vista de su situación de privación de libertad[36].

---

[35] Así lo recuerda, entre otros, la sentencia núm. 48/2005 de 10 junio, de la Sección 2ª de la Audiencia Provincial de León (Álvarez Rodríguez), quien refleja la situación anterior a la reforma en la que existían dudas acerca si era preceptiva la asistencia letrada al policialmente imputado no judicial, que no estuviera detenido, a la vista de la redacción del art. 118 LECrim introducido por la Ley 53/1978.

[36] Véanse SSTS de 11-2-98, 21-1-99 y 4-3-99.

2. Jurisprudencia Sala Segunda

a) Acuerdos Plenarios

a.1) 13 julio 2005 (Extracción de muestras de ADN)

Cuestión planteada: ¿Es suficiente la autorización judicial para extraer muestras para un análisis de ADN a una persona detenida a la que no se informa de su derecho a no autoinculparse y que carece de asistencia letrada?

Contenido del acuerdo: El art. 778.3 LECrim constituye habilitación legal suficiente para la práctica de esta diligencia.

Conclusión: no es necesaria ni la información de derechos ni la asistencia letrada al detenido para la extracción de la muestra de ADN acordada por la autoridad judicial en una instrucción penal.

a.2) 31 enero 2006 (Toma de muestras de los sospechosos)

Cuestión: Toma de muestras de los sospechosos.

Acuerdo: La policía judicial puede recoger restos genéticos o muestras biológicas abandonadas por el sospechoso sin necesidad de autorización judicial.

Este Acuerdo se adopta tras la STS —2ª— 19 abril 2005, que consideró nula la prueba obtenida por una toma de muestras abandonadas del sospechoso. El Acuerdo cambia el criterio y se refleja en las SSTS —2ª— 14 febrero 2006, 27 junio 2006, 4 octubre 2006, 11 octubre 2006, siendo ya pacífico en la jurisprudencia.

b) Sentencias

Nº 803/2003, de 4 junio (Andrés Ibáñez)

Toma de muestras de ADN mediante obtención de saliva y comparación con restos hallados en el lugar.

Señala que si se ciñe a la mera identificación no afecta a ningún derecho fundamental ni a la integridad física ni a la intimidad.

No contempla la problemática de la Base de Datos de ADN entonces inexistente, ya que ésta se creó en 2007. Aunque resulta aplicable al ceñir la no vulneración de derecho fundamental alguno al uso meramente identificativo de la muestra, que es el que se da en la Ley Orgánica 10/2007 (cfr. Exposición de Motivos y art. 4 (identidad de una persona y sexo). Entendemos que ahora tampoco queda afectado el derecho a la autodeterminación informativa o intimidad genética, ya que las críticas que se hacían por la afectación de este derecho partían de la inexistencia de una regulación legal de la Base de datos de ADN, en punto al tratamiento de la cesión de datos, acceso, modificación y cancelación de las inscripciones[37]. Encontrándose actualmente esta materia perfectamente regulada en los arts. 7 y 9 de la LO 10/2007, bastará el consentimiento informado sobre los mismos y la propia prestación del consentimiento del afectado para estimar que no queda vulnerado este derecho, sin necesidad de asistencia letrada.

Nº 940/2007, de 7 noviembre (Puerta)

Desestima el recurso pero como *obiter dicta* afirma: *"En principio, ha de reconocerse la razón que asiste a la parte recurrente en cuanto se refiere **a la posibilidad** de asesoramiento de Letrado —dada su condición de detenido— para prestar su consentimiento para la obtención de muestras biológicas (v. art. 520. por todas, STC de 3 de abril 2001 y STS de 16 de mayo de 2000, relativa al consentimiento de la práctica de la diligencia de entrada y registro en el domicilio, que sientan una doctrina aplicable lógicamente al consentimiento para la obtención de dichas muestras), y, en buena medida, la relativa a la asistencia de intérprete (v.art. 520.2. e) LECrim).*

El *obiter dicta* de esta sentencia se limita a la posibilidad pero no establece la preceptividad del asesoramiento de letrado.

---

[37]   Véase Etxebarría Guridi, JF, ob. cit. pp. 189 y ss.

Nº 863/2008, de 3 diciembre (Delgado)

Afirma la licitud de una toma de muestras de ADN realizada en la celda de un preso con autorización judicial mediante registro sin intervención de letrado.

Nº 151/2010, de 22 febrero (Marchena)

Ante la negativa a una toma de muestra de un investigado por consejo de su abogado, se recuerda la jurisprudencia de la Sala 2ª en orden a su posible valoración probatoria, no en concepto de indicio pero sin para confirmar otros indicios, que permitan enervar la presunción de inocencia. Se indica: "En el ámbito penal, la STS 1697/1994, 4 de octubre, valoró la negativa a someterse a la prueba de ADN, en unión de otros elementos indiciarios, como una actividad probatoria *"…apta para enervar la verdad interina de inculpabilidad en que la presunción 'iuris tantum' de inocencia consiste"*. En línea similar, la STS 107/2003, 4 de febrero, recordó que *"… cuando la negativa a someterse a la prueba del ADN, carece de justificación o explicación suficiente, teniendo en cuenta que se trata de una prueba que no reporta ningún perjuicio físico y que tiene un efecto ambivalente, es decir puede ser inculpatorio o totalmente exculpatorio, nada impide valorar racional y lógicamente esta actitud procesal como un elemento que, por sí sólo, no tiene virtualidad probatoria, pero que conectado con el resto de la prueba puede reforzar las conclusiones obtenidas por el órgano juzgador"*. Puede también traerse a colación la sentencia del Tribunal Europeo de Derechos Humanos de 17 de diciembre de 1996 (*caso Saunders versus Reino Unido*), que en su parágrafo 69 afirma que el derecho a guardar silencio no se extiende al uso, en un procedimiento penal, de datos que se hayan podido obtener del acusado recurriendo a poderes coercitivos y cita, entre otras, las tomas de aliento, de sangre y de orina".

Nª 685/2010, de 7 julio (Marchena)

Desestima el recurso, se trataba de muestras abandonadas, pero como *obiter dicta* se dispone a enumerar los requisitos legales para la toma de muestras de ADN afirmando que en caso de detenidos es necesario que estos cuenten con asistencia letrada para prestar el consentimiento, en contra del Acuerdo Plenario de 13 julio 2005, que indicaba que en estos casos el juez puede ordenar la toma de vestigio, al amparo del art. 778.3º LECrim, sin asistencia letrada, obviando que la policía judicial está habilitada por la disposición adicional 3ª de la LO 10/2007 y que actúan como comisionados de los jueces y fiscales[38].

Nº 353/2011, de 9 mayo (Varela)

Desestima el recurso, pero dice que no consta que la muestra se tomara sin la información de derechos y asistencia letrada "exigibles". No explica por qué es exigible la asistencia letrada ni hace un estudio de la normativa aplicable.

Nº 827/2011, de 25 octubre (Marchena)

Reitera el *obiter dicta* de la nº 685/2010, de 7 julio, indicando que se insiste en esa opinión y citando sólo los arts. 17.3, 24.2 de la CE y 767 LECrim, si bien el pronunciamiento carece de valor jurisprudencial al no afectar a la *ratio decidendi* de recurso, que es desestimado.

Asistencia letrada al detenido:

Del examen de la jurisprudencia del TS, puede concluirse que la asistencia del Letrado no es exigible en los siguientes actos procesales: a) en las declaraciones de otros coimputados a los que no asiste profesionalmente; b) declaraciones de los testigos; c) actos de imputación a terceros por parte del detenido (STS 1737/2000, 15 de noviembre); d) exploración radiológica del detenido (en el caso analizado concurría autorización judicial para la práctica de tal diligencia); d) prueba de alcoholemia (STS 590/2000, de 8 abril); e) cuando se trata 'ab initio' del reconocimiento fotográfico de un posible delincuente que aún no ha sido concretado en su identidad (STS 1479/1999, de 19 octubre); f) en el registro practicado en el domicilio del acusado cuando todavía no se le imputa delito alguno (STS 847/1999, de 24 mayo, con cita de

---

[38]   Como recuerda la importante STS —2ª— nº 1426/2005, de 13 diciembre (Berdugo). Véase también art. 126 CE y art. 34.2 de la Ley Orgánica 2/1986, de 13 marzo, de Fuerzas y Cuerpos de Seguridad del Estado. Sobre policía judicial es interesante la recopilación legislativa de Marchal Escalona, A. (coordinador) *Código de Policía Judicial,* Aranzadi-Thomson Reuters, 2009.

otras muchas, SSTS de 17 de febrero de 1998, 23 de octubre de 1991, 4 de diciembre de 1992, 17 de marzo de 1993 y 8 de marzo y 7 de diciembre de 1994).

Consulta FGE 2/2003, de 18 diciembre, sobre determinados aspectos de la asistencia letrada al detenido[39].

Hay que recordar que tanto el Tribunal Constitucional como el Tribunal Supremo han declarado reiteradamente que la asistencia letrada únicamente es preceptiva "en aquellos casos en que la ley procesal así lo requiera, no como exigencia genérica para todos los actos de instrucción en que el imputado o procesado tenga que estar presente" (SSTC nº 32/2003 y 475/2004) y SSTS nº 314/2002, 697/2003, 429/2004, 922/2005 y 863/2008)

3. Jurisprudencia del TEDH[40]

La jurisprudencia del TEDH[41] no se ha pronunciado expresamente sobre esta cuestión.

Sólo en el caso S y Marper c/ Reino Unido —TEDH (Gran Sala) Sentencia 4-12-2008— con carácter general, recordando los requisitos que exige el art.

---

[39]   Téngase en cuenta también la interpretación de la FGE expresada en el documentado y acertado informe de la Fiscal de Sala de Menores, Consuelo Madrigal Martínez de Pereda (en el que participaron los fiscales José Miguel de Rosa Cortina y Francisco José García Ingelmo), de fecha 20 septiembre 2010 remitido a la CNUFADN a petición de ésta, para esclarecer algunas cuestiones relativas a menores y que se inclina por entender que en el marco legal vigente, en general, no es preceptiva la asistencia letrada al detenido para prestar consentimiento en la toma de muestras de ADN, a salvo de la regulación específica de menores que sí que la exige cuando hayan sido expedientados (cfr. art. 22.1.b) LORPM). Este informe fue autorizado por el Fiscal General del Estado, Cándido Conde-Pumpido Ferreiro a través de oficio remitido por la Fiscal Jefe de la Secretaría Técnica de la FGE a la Presidenta de la CNUFADN.

[40]   En Derecho comparado, sólo Italia (art. 224 bis CPP) y Colombia (art. 247 a 249 CPP) contemplan la asistencia letrada en la toma de muestras corporales de ADN a detenidos, mientras que en los demás países (Inglaterra, Francia, Bélgica, Alemania, Suiza, etc…) esta cuestión la dejan en manos de los expertos de la policía científica incluso en contra de la voluntad de afectado.

[41]   Caso S y Marper c/ Reino Unido TEDH (Gran Sala) Sentencia 4-12-2008; Caso Gardel c/ Francia TEDH (Sección 5ª) Sentencia 17-12-2009; Caso M.B. c/ Francia TEDH (Sección 5ª) Sentencia 17-12-2009; Caso Werz c/ Suiza TEDH (Sección 5ª) Sentencia 17-12-2009.

8 del Convenio para que sea válida una injerencia en un derecho fundamental, al interpretar el término "prevista por la ley", dice que "La Ley ha de ser así suficientemente accesible y previsible, es decir, ha de estar enunciada con la suficiente precisión para permitir que la persona —**asistida en su caso por un consejero**[42]— regule su conducta"

El parágrafo 95 de la sentencia, que es introductorio a los razonamientos subsiguientes y tiene un carácter general, dice lo siguiente:

"El Tribunal recuerda su constante jurisprudencia según la cual los términos 'prevista por la Ley' significan que la medida litigiosa ha de tener una base en derecho interno y ser compatible con la preeminencia del derecho, expresamente mencionada en el preámbulo del *Convenio (RCL 1999, 1190, 1572)* e inherente al objeto y fin del artículo 8[43]. La Ley ha de ser así suficientemente accesible y previsible, es decir, ha de estar enunciada con la suficiente precisión para permitir que la persona —**asistida en su caso por un consejero**— regule su conducta. Para que se la pueda juzgar conforme a estas exigencias, debe ofrecer una protección adecuada contra lo arbitrario y, en consecuencia, definir con suficiente claridad el alcance y las modalidades de ejercicio de la facultad que se confiere a las autoridades competentes

---

[42]   Alguna editorial jurídica ha traducido en lugar de consejero como "abogado". En las versiones oficiales inglesa y francesa se emplean las siguientes frases. En versión inglesa: "if need be with appropriate advice", en inglés para expresar el término abogado se utilizan las palabras barristers o advocates —Escocia— (abogados ante tribunales inferiores) o solicitors (abogados antes tribunales superiores), en el diccionario también aparece la traducción con el término lawyer En versión francesa: "en s'entourant au besoin de conseils éclairés", en francés abogado es advocat. De donde se deduce que el TEDH no empleó la palabra abogado en esta sentencia sino que se inclinó por consejero o consejo, advice o conseils.

[43]   Convenio de Roma de 4 de noviembre de 1950, para la Protección de los Derechos Humanos y de las Libertades Fundamentales (BOE 243/1979, de 10 de octubre de 1979 Ref Boletín: 79/24010). Artículo 8. Derecho al respeto de la vida privada y familiar. 1. Toda persona tiene derecho al respeto de su vida privada y familiar, de su domicilio y de su correspondencia. 2. No podrá haber injerencia de la autoridad pública en el ejercicio de este derecho, sino en tanto en cuanto esta injerencia esté prevista por la ley y constituya una medida que, en una sociedad democrática, sea necesaria para la seguridad nacional, la seguridad pública, el bienestar económico del país, la defensa del orden y la prevención del delito, la protección de la salud o de la moral, o la protección de los derechos y las libertades de los demás.

(*Sentencias Malone contra el Reino Unido [TEDH 1984, 1]* de 2 agosto 1984, aps. 66-68, serie A núm. 82, *Rotaru contra Rumanía [TEDH 2000, 130]* [GS], núm. 28341/1995, ap. 55, TEDH 2000-V y *Amann [TEDH 2000, 87]*, previamente citada, ap. 56)".

En base a la expresión **"asistida en su caso por un consejero"**, hay un sector doctrinal que hace hincapié en la traducción española no oficial para introducir la palabra "abogado" y entiende que el TEDH está interpretando que cualquier injerencia en un derecho fundamental requiere la asistencia de un abogado, transmutando el término **"en su caso"** por **"en todo caso"**.

Este planteamiento no es correcto, ya que con esa expresión, que en las versiones oficiales inglesa y francesa no se refieren al abogado, el TEDH lo que está diciendo es que "en su caso", refiriéndose a las legislaciones nacionales, podrá la persona estar asistida por un consejero. Lo que remite a las legislaciones nacionales. El consentimiento informado de nuestra legislación colmaría las exigencias del TEDH.

No obstante, si entendiéramos que la sentencia del TEDH se refiere a la asistencia de un "abogado", en el caso español, es claro que la norma reguladora de la asistencia letrada al detenido es el art. 520 LECrim, que sólo contempla esta asistencia en las declaraciones y los reconocimientos de identidad y no para la toma de vestigios biológicos en la persona del implicado.

Por otra parte, es conveniente recordar que el consentimiento para la injerencia en un derecho fundamental no requiere en nuestra legislación vigente asistencia de abogado y que, como se ha indicado antes, sólo la jurisprudencia lo ha entendido así en los casos de detenidos por la clara afección del derecho fundamental a la inviolabilidad de domicilio (ex art. 18.3 CE), no siendo aplicable esta jurisprudencia a la toma de muestras (saliva) de ADN por su leve afección al derecho fundamental a la intimidad, que siempre ha permitido la jurisprudencia pueda ser llevada a cabo por la autoridad pública, incluso sin autorización judicial por la policía, si con ello se persigue la salvaguarda de un bien superior como es la seguridad pública (v.gr. registros o cacheos corporales).

La otra posible perspectiva de afectación del derecho a la intimidad, en cuanto a derecho a la autodeterminación informativa o intimidad genética, por la inclusión en la base de datos, queda suficientemente salvaguardada por el consentimiento informado, en el que se explican la cesión de datos y los derechos de cancelación, rectificación y acceso a los datos en la forma establecida en los arts. 7 y 9 de la LO 10/2007 y conforme a la Ley 15/1999, de 13 de diciembre, de Protección de Datos de carácter personal y en su Reglamento de desarrollo.

4. Observaciones claves para la resolución del tema[44]

1ª) La toma de muestras de ADN mediante frotis bucal (saliva) no afecta a ningún derecho fundamental cuando se hace a efectos meramente identificativos (cfr. STS —2ª— nº 803/2003; también vide SSTS —2ª— 949/2006; 1311/2005 y 179/2006), salvo levemente al derecho a la intimidad, el cual según conocida jurisprudencia puede verse limitado en aras a la investigación penal incluso sin autorización judicial (v.gr. cacheos policiales).

Por tanto, no resulta aplicable la jurisprudencia que extendió la asistencia letrada a la prestación del consentimiento del detenido para la entrada y registro porque aquella contemplaba la injerencia clara en un derecho fundamental como es la inviolabilidad de domicilio (cfr. art. 18.2 CE).

La LO 10/2007 tanto en su exposición de motivos, que compara la huella genética con la huella dactilar, como en su articulado, expresa que para preservar el derecho a la intimidad sólo se permite la inscripción en la base de datos de ADN no codificante a los solos efectos identificativos (cfr. art. 4),

---

[44]   No se olvide que los polos de la controversia vienen dados por la presunción de inocencia y la eficacia de las investigaciones penales, entre cuyos extremos las pruebas de ADN como pruebas científicas permiten guardar el deseado equilibrio que Alonso Martínez expresó en la LECrim en 1882, cuando pasábamos del sistema inquisitivo al acusatorio mixto, al decir: "En los pueblos verdaderamente libres el ciudadano debe tener en su mano medios eficaces de defender y conservar su vida, su libertad, su fortuna, su dignidad, su honor; y si el interés de los habitantes del territorio es ayudar al Estado para que ejerza libérrimamente una de sus funciones más esenciales, cual es la de castigar la infracción de la ley penal para restablecer, allí donde se turbe la armonía del derecho, no por esto deben sacrificarse jamás los fueros de la inocencia porque al cabo el orden social bien entendido no es más que el mantenimiento de la libertad de todos y el respeto recíproco de los derechos individuales". Más ampliamente, en Dolz Lago, M.J., "La aportación científico-policial al proceso penal (El proceso del 11 M sin Guatánamo)", en Diario La Ley nº 7027, 6 de octubre de 2008.

relevantes para la identidad y el sexo, sin que puedan revelarse otros datos genéticos (v.gr. enfermedades, antecedentes familiares, etc…).

El que la ley reguladora de la base de datos tenga carácter de Ley Orgánica en parte de su articulado (cfr. Disposición Final Segunda) sólo debe interpretarse bajo la óptica de la reserva de Ley Orgánica establecida en el art. 81 CE por cuanto su regulación afecta al desarrollo del derecho a la intimidad[45], si bien lo hace estableciendo las cautelas para su salvaguarda. Precisamente por ello, si se aplica en los términos que está regulada (v.gr. Disposición Adicional Tercera, para la toma de muestras) no existe vulneración alguno de ese derecho a la intimidad. La Exposición de Motivos de la LO 10/2007 afirma taxativamente que: *"Esta regulación contiene una salvaguarda muy especial, que resulta fundamental **para eliminar toda vulneración al derecho a la intimidad,** puesto que sólo podrán ser inscritos aquellos perfiles de ADN que sean reveladores, exclusivamente, de la identidad del sujeto —la misma que ofrece una huella dactilar— y del sexo, pero, en ningún caso, los de naturaleza codificante que permitan revelar cualquier otro dato o característica genética"*

2ª) La asistencia letrada al detenido se limita legalmente a los interrogatorios y reconocimientos de identidad, entendiéndose estos últimos como reconocimientos en rueda y no como las identificaciones policiales derivadas por ejemplo de la huella dactilar. Extender esta asistencia letrada a la reseña dactilar o fotográfica es tan improcedente como a la reseña genética.

La toma de muestras de ADN no es un interrogatorio ni reconocimiento de identidad (por analogía, ver jurisprudencia del Tribunal Constitucional sobre pruebas de alcoholemia, desde S 4-10-1985, nº 103/1985-Arozamena)[46].

La toma de muestras de ADN sólo constituye un elemento objetivo para la práctica de una prueba pericial, resultando ser una diligencia de investigación en cuya práctica no está prevista la asistencia letrada, sino sólo el consentimiento informado del afectado y en caso de negativa la autorización judicial.

3ª) El resultado de la pericial es inequívocamente favorable si se descarta la coincidencia del perfil genético del detenido (indubitado) con el dubitado

---

[45]   Así se recoge en los debates parlamentarios de la Ley, véase nota 11.
[46]   Véase en el mismo sentido, STS —2ª— nº 151/2010, de 22 febrero (Marchena).

(v.gr. SSTS —2ª— 789/1997, 158/2010 y 792/2009) y altamente desfavorable si se aprecia su coincidencia en unos índices muy altos (expresado desde la primera sentencia del TS sobre el ADN, que fue la STS —2ª— n° 1701/1992, de 13 julio (Ruiz Vadillo).

En consecuencia, no se puede afirmar que sea una diligencia netamente incriminatoria, extremo sobre el que hay unánime acuerdo jurisprudencial (cfr. STS —2ª— n° 151/2010, de 22 febrero (Marchena). De ahí que si es ambivalente y puede también favorecer al detenido no debieran extremarse las garantías derivadas de la asistencia letrada, la cual podría incluso aconsejar la no prestación del consentimiento en contra del propio detenido y de las expectativas de ser descartado en la investigación penal.

5. Consideraciones prácticas

1ª) Desde la vigencia de la Ley Orgánica 10/2007, la Base de datos policial se nutre de miles de tomas de muestras de todos los detenidos por los delitos del art. 3.1.a) de la Ley con su consentimiento sin asistencia letrada y, en su caso, con autorización judicial. La Base de Datos en tres años guarda información genética de 183.000 personas y ha contribuido a resolver 7.500 violaciones, robos y homicidios.

2ª) En caso de negativa a someterse a la toma de muestra, aunque exista autorización judicial, resulta que en la práctica no puede recogerse ninguna muestra por entenderse erróneamente (STS —2ª— n° 680/2010, ya citada, con carácter de *obiter dicta*) que actualmente no existe habilitación legal para ello, a pesar de la dicción literal del art. 363 *in fine* de la LECrim, que establece que el juez *"podrá decidir la práctica de aquellos actos de inspección, reconocimiento o intervención corporal que resulten adecuados a los principios de proporcionalidad y razonabilidad"*[47].

3ª) La asistencia letrada seguramente incrementará las negativas sistemáticas a la toma de muestras de ADN. Esta conclusión resulta razonable

---

[47] Esta previsión legal creo que colma uno de los requisitos que la jurisprudencia del Tribunal Constitucional ha establecido para el uso de la coacción en las intervenciones corporales, a la vista del principio de proporcionalidad (cfr. STCo. 207/1996, de 16 diciembre —Gimeno Sendra—), resumidos en que se persiga un fin constitucionalmente legítimo, que esté prevista en la ley y que se acuerde judicialmente.

por la propia dinámica de la labor de la defensa, que se amparará lógica y legítimamente en la presunción de inocencia, lo que le lleva a adoptar una posición pasiva contraria a la actividad probatoria, cuya carga corresponde a las acusaciones. Ante ello y dada la imposibilidad de ejecutar una eventual autorización judicial si también se opusiese el afectado, quedará en manos del detenido la eficacia de la investigación penal a través de la base de datos de ADN, lo cual es contrario a las finalidades del proceso penal en protección de las víctimas y para el esclarecimiento de los hechos y persecución y castigo de los infractores penales. Fin que igualmente persiguen los abogados de las acusaciones particulares y populares, que también, seguramente, serán favorables a que se tomen las muestras de los investigados con su consentimiento pero sin la asistencia letrada. Bajo mi modesto criterio y perdón si me equivoco, la abogacía, por sí misma, es difícil que adopte una posición unánimemente favorable a una u otra tesis, ya que su posición estratégica depende de si ejerce la defensa o la acusación.

Por otro lado, ya en un plano más general, si se deja la eficacia de la investigación penal en manos de los investigados, puede pensarse que con ello se impedirá el cumplimiento de una obligación estatal como es la aplicación de las leyes penales, que obliga a una investigación penal con las finalidades del proceso ya expresadas (cfr. arts. 9, 24, 104, 124 y 126 CE).

4ª) La Base de Datos española está obligada a intercambio de datos con las Bases de Datos de otros países europeos mediante el Tratado de Prüm[48], y mediante convenios bilaterales con países extracomunitarios (v.gr. USA). Un cuestionamiento de la legitimidad de las inscripciones tomadas a detenidos con su consentimiento pero sin asistencia letrada resulta improcedente. Del mismo modo, no podremos desconocer la legitimidad de las inscripciones de los perfiles genéticos hechas en otros países que no exijan esta asistencia letrada en la toma de muestras de detenidos, como es en la gran mayoría de

---

[48]   Tratado de Prüm, relativo a la profundización de la cooperación, en particular en materia de lucha contra el terrorismo, la delincuencia transfronteriza y la migración ilegal (Instrumento de Ratificación en 18 de julio de 2006 —BOE 25 diciembre 2006—). Véase Figueroa Navarro, C. "Cooperación policial e intercambio de perfiles de ADN", en La Ley Penal, nº 54, noviembre 2008.

los países de nuestro entorno, algunos de los cuales ni siquiera solicitan el consentimiento[49].

5ª) Los *obiter dicta* de la Sala 2ª TS[50] no sólo no han solucionado nada en las sentencias en los que han sido dictados, dado que han sido desestimados los recursos de casación interpuestos sino que abren, entre otros, los siguientes interrogantes, que van a dar no pocos quebraderos de cabeza y recursos jurisdiccionales. Así, ¿Los casos de revisión penal en los que se ha absuelto

---

[49]   V.gr. en Inglaterra, que se permite desde 2004 de oficio tomar la muestra a la policía o igualmente en Francia o en Alemania véase parágrafo 81 StPO, que sólo exige el consentimiento si se trata de una intervención corporal que pueda afectar a su salud. Véase Prieto Ramírez, Luisa Mª "La Ley Orgánica de Registro de perfiles de ADN para fines de investigación criminal, en el marco del Derecho Comparado", en La Ley Penal, nº 54, noviembre 2008, que expone el panorama del Derecho Comparado, en el que la asistencia letrada brilla por su ausencia y en el que los sistemas de toma de muestras se diseñan bien como facultad policial o bien como decisión judicial. Recuérdese que el Convenio Europeo de Asistencia Judicial en materia penal, hecho en Estrasburgo el 20 abril 1959 (Instrumento de ratificación de 14 julio 1982 —BOE nº 223/1982, de 17 septiembre—), señala que la legislación del país en el que se obtienen y practican las pruebas es la que rige en cuanto al modo de practicarlas y obtenerlas, al decir en su art. 3.1 que "La parte requerida hará ejecutar, en la forma que su legislación establezca, las comisiones rogatorias relativas a un asunto penal que le cursen las autoridades judiciales de la Parte requirente y que tengan como fin realizar actuaciones de instrucción o transmitir piezas probatorias, expedientes o documentos". El TS ha recordado que no es posible entrar en valoraciones o distinciones sobre las garantías de imparcialidad de unos u otros jueces o autoridades, ni del respectivo valor de los actos ante ellos practicados en la forma que la legislación del país establece (cfr. SSTS —2ª— 14-2-2000, 8-3-2000, 27-2-2001, 18-5-2001, 21-5-2001, entre otras muchas). Para una visión crítica del estado actual de la cuestión, véase Kai Ambos, "Obtención trasnacional de pruebas. 10 Tesis sobre el Libro Verde de la Comisión Europea sobre "Obtención de pruebas en materia penal en otro Estado miembro y la garantía de su admisibilidad", en *Revista Penal*, nº 27, enero 2011, pp. 3 y ss. Por otro lado, en nuestra doctrina, Soleto Múñoz, H. dice: "Entendemos que sería positiva una regulación más clara que permitiera a la policía la toma de la muestra en todo caso, incluso ante la negativa del sujeto, regulándose expresamente esta posibilidad y la consecuente facultad de uso proporcional de la fuerza por parte de las fuerzas y cuerpos de seguridad", ob. cit. p. 110.

[50]   Es ocioso recordar que los *obiter dicta* no son jurisprudencia (cfr. SSTS 2 febrero 2003 y 17 enero 2006) y que la jurisprudencia, conforme al art. 1.6 del Código Civil complementa el ordenamiento jurídico con la doctrina que, de modo reiterado, establezca el Tribunal Supremo al interpretar y aplicar la ley, la costumbre y los principios generales del derecho, que son las fuentes del derecho *ex* nº 1 del mismo artículo.

a condenados gracias a la prueba de ADN, una vez obtenidas sus muestras con su consentimiento sin asistencia letrada, carecerán de validez? ¿Cómo se resolverán las nulidades solicitadas al amparo de los *obiter dicta* de la Sala 2ª cuando la policía judicial tomó las muestras conforme a la legalidad vigente (disposición adicional 3ª LO 10/2007)? ¿Serán nulas de pleno derecho estas pruebas conforme al art. 11.1 LOPJ, simplemente irregulares o no estarán afectadas de reproche alguno? ¿Se revisarán las condenas penales firmes sustentadas en estas pruebas con la consiguiente puesta en libertad de condenados por delitos tan graves como terrorismo, asesinatos o violaciones? ¿Se cancelarán los perfiles genéticos de los detenidos cuyas muestras biológicas se hayan obtenido con su consentimiento sin asistencia letrada? ¿Se casarán y anularán sentencias condenatorias cuya principal prueba de cargo haya sido la prueba de ADN obtenida sólo con el consentimiento del detenido sin asistencia letrada, dejando en libertad a los condenados por delitos tan graves como terrorismo, asesinatos o violaciones? Ya en la práctica de la asistencia letrada, ¿se aplicará el art. 520.4 *in fine* de la LECrim, que permite la toma de declaración o del detenido si transcurridas ocho horas desde la comunicación realizada al Colegio de Abogados no compareciere injustificadamente letrado alguno, pudiendo obtener el consentimiento en la toma de muestras de ADN del detenido sin asistencia letrada? Si el art. 520.6 LECrim no permite la entrevista previa y reservada del letrado con el detenido antes de la declaración, ¿se podrá permitir el asesoramiento del letrado al detenido para el consentimiento en la toma de muestras de ADN previo a la toma de declaración?

No podemos finalizar sin recordar el texto del art. 265 del Anteproyecto de Ley de Enjuiciamiento Criminal, aprobado por el Consejo de Ministros el día 22 julio 2011[51], el cual dice: "Garantías e información 1. Toda persona que haya de facilitar muestras biológicas para la realización de análisis genético encaminado a obtener los marcadores de ADN, antes de prestar el correspondiente consentimiento será informada de manera comprensible del fin para el que la muestra ha de ser obtenida, de los análisis que han de realizarse sobre ella y de los datos que pretende obtenerse con los mismos. 2. Si se encontrase detenida, podrá prestar el consentimiento sin necesidad de

---

[51]   El referido texto es un claro exponente de la voluntad del prelegislador sobre la materia.

asistencia letrada, siempre que no se utilicen otros medios o instrumentos distintos del frotis bucal. 3. se tratase de menores de edad mayores de catorce años o personas con la capacidad de obrar modificada judicialmente sometidos a tutela será preciso su consentimiento informado cuando por sus condiciones de madurez puedan comprender el significado y la finalidad de la diligencia o, en caso contrario, de su representante legal, quien deberá siempre prestar su consentimiento si el menor es de edad igual o inferior a catorce años".

En un sistema democrático, donde la soberanía reside en el pueblo del que emanan todos los poderes y donde la ley es la expresión de la voluntad general[52], no hay ninguna duda que el legislador tiene la primera y la última palabra. Aunque en este tema, por el momento y en estas circunstancias, si me permiten la broma sin que nadie se ofenda, no está de mal recordar la lección de humildad impartida por el juez Marshall (1755-1835), que presidiendo la Corte Suprema estadounidense dijo que "los jueces del Supremo no hablaban los últimos porque tuvieran la razón sino que tenían la razón porque hablaban los últimos"[53].

Por último, ya que de recogida de vestigios se trata cuando se toman muestras biológicas de ADN, no se olvide el sabio consejo del liberal Alonso Martínez, ya referido antes, cuando en la Exposición de Motivos de la LECrim en 1882, al tratar del principio de igualdad de armas entre el criminal y el Estado, tras destacar la desigualdad previa que el delincuente pone deliberadamente a la víctima y al Estado, concluía que "menester es que el Estado tenga alguna ventaja en los primeros momentos siquiera para recoger los vestigios del crimen y los indicios de culpabilidad de su autor".

---

[52] Cfr. art. 1.2 y 9.3 CE.

[53] Todo ello con mi más profundo respeto y consideración a las cualificadas opiniones de mis compañeros del Supremo que, por ahora, entiendo salvo error mío no son jurisprudencia y resultan criticables dentro del libre y necesario debate jurídico, en función a lo que cada uno entienda por defensa de la legalidad, de los derechos de los ciudadanos y del interés público tutelado por la ley así como del interés social, desde el irrenunciable y legal parámetro de su conciencia o convicción personal. Obsérvese que la convicción personal se erige en último criterio valorativo de la prueba penal en el art. 741 LECrim, con independencia del mandato jurídico de resolver los litigios conforme al sistema legal de fuentes establecido (cfr. art. 5 LOPJ).

III. CONCLUSIONES: HACIA UNA LEGISLACIÓN QUE GARANTICE LOS DERECHOS FUNDAMENTALES DE LOS CIUDADANOS ANTE LA PRUEBA DE ADN Y SU EFICACIA EN TODOS SUS ÁMBITOS FRENTE A LA ARBITRARIEDAD INTERPRETATIVA

La bases de datos de ADN sirvió desde su puesta en marcha el 9 noviembre 2009 hasta abril 2011 para esclarecer 7.500 delitos, entre los que se encontraban 581 violaciones, 454 homicidios y 51 actos de terrorismo. Desde que la reseña genética se hace previo asesoramiento de letrado han caído éstas en un casi 40% en el Cuerpo Nacional de Policía y un 70% en la Guardia Civil, con una pérdida mensual de inscripciones de un millar. En un año se habrán perdido 12.000 inscripciones. Actualmente, la base de datos tiene 267.602 perfiles inscritos, al ritmo de pérdida de inscripciones que se está produciendo, ¿cuántas tendrá dentro de unos años? ¿servirá para descubrir a los delincuentes e investigar adecuadamente los delitos?

El Consejo de Ministros de 22 julio 2011 aprobó un anteproyecto de Ley de Enjuiciamiento Criminal, en cuyos artículos 262 a 267 se regulaban las investigaciones mediante marcadores de ADN. En el art. 265 relativo a las garantías e información se dice en su apartado 2º "Si se encontrase detenida, podrá prestar el consentimiento sin necesidad de asistencia letrada, siempre que no se utilicen otros medios o instrumentos distintos al del frotis bucal".

Al decaer la legislatura, no pudo llevarse a adelante este anteproyecto, por lo que nos encontramos en la misma situación de inseguridad en este punto. No obstante, hay que hacer constar que existen actualmente iniciativas legislativas del propio Gobierno y del GP Socialista[54], que inciden en la misma materia en la dirección ya apuntada en el anteproyecto. Esperemos que lleguen a buen puerto por el bien de todos, en especial, de los más débiles, que son las víctimas de los delitos, ya que a los victimarios con estas pruebas no se les lesiona ningún derecho fundamental, estando garantizados sus derechos mediante el consentimiento informado que establece la Ley Orgánica 10/2007.

---

[54] El GP Socialista presentó el pasado 9 abril 2012 una proposición de ley orgánica sobre regulación de los actos de investigación cuando se trate de muestras y fluidos cuya obtención requiera un acto de intervención corporal.

La prueba de ADN en el proceso penal español está en un momento de crisis, por los erráticos pronunciamientos de la Sala Segunda del Tribunal Supremo, que, desconociendo lo que significa el ADN no codificante, único susceptible de ser inscrito en la Base de Datos y que solo permite conocer identidad genética y sexo, ha vertido diversas manifestaciones en sus sentencias, en calidad de obiter dicta, totalmente disfuncionales y generadoras de gran confusión en la comunidad científica sobre el régimen jurídico de esta prueba penal.

Como prueba científica, actualmente, se debate entre un mal entendido garantismo penal, que le lleva a su absoluta ineficacia, y una cabal comprensión de su naturaleza y regulación legal, cuya norma básica es del año 2007, tan desconocida como mal interpretada.

Debe tenerse en cuenta que la relevancia de esta prueba científica se asienta en su eficacia e importancia en la resolución de casos criminales, desde unos parámetros conceptuales de la prueba penal, en la que se prescinde de datos subjetivos sobre los que se anclaba el sistema probatorio histórico, el cual llegó a consagrar la tortura con objeto de obtener la prueba reina del proceso, esto es la confesión del reo. Es decir, que su relevancia se inserta en el escrupuloso respeto de los derechos fundamentales como hito histórico frente a un pasado, y quizás, presente de prueba penal ilícita.

A propósito de la jurisprudencia de la Sala 2ª del TS, al hilo de una de sus últimas sentencias, la STS —2ª— 777/2013, de 1 octubre (véase su comentario en el diario La Ley nº 8248, de 2 abril 2014, bajo el título "Pruebas de ADN en el proceso penal: crónica de una muerte anunciada gracias a la jurisprudencia de la Sala 2ª del TS que desconoce lo que es el ADN no codificante"), decíamos que la sentencia indicada, al margen de otras cuestiones, si hemos entendido bien, se plantea con carácter de *obiter dicta,* ya que no era el *thema decidendi,* si la inclusión en la Base de Datos ADN de un perfil genético obtenido de unas muestras biológicas del sospechoso que fueron abandonadas, una vez realizado el cotejo uno contra uno, requiere o no autorización judicial, ya que esa inclusión supone un cotejo indiscriminado con todos los perfiles inscritos, lo que podría afectar al derecho a la intimidad del investigado, en su vertiente de autodeterminación informativa (habeas *data).*

En primer lugar, con todos los respetos, tenemos que expresar nuestra discrepancia en la forma y en el fondo con que la Sala 2a del TS viene abordando la compleja materia de las pruebas de ADN y su uso en el proceso penal.

En nuestra condición de Vocal coordinador del grupo jurídico bioético de la Comisión Nacional para el Uso Forense del ADN desde su constitución en 2009 hasta el 2012, nos enfrentamos al estudio de la normativa aplicable (básicamente, arts. 18 CE y 326 y 363 LECrim. y LO 10/2007), llegando a conclusiones que parcialmente quedaron expuestas en nuestros trabajos: "ADN y menores (Problemática de la toma de muestras a menores)", publicado en la revista La Ley Penal no 54, noviembre 2008, y "ADN y derechos fundamentales (Breves notas sobre la problemática de la toma de muestras de ADN —frotis bucal— a detenidos e imputados)", publicado en el diario La Ley no 7774, 12 enero 2012, a los que nos remitimos para no cansar la atención del lector. También nos hemos pronunciado mediante comentarios de jurisprudencia en los publicados en los diarios La Ley no 7779 de 19 enero 2012 (Prueba de ADN) y no 7912 de 26 noviembre 2012 (Toma de muestras de ADN y cadena de custodia).

Pues bien, en cuanto a la forma, es censurable que la Sala 2a TS esté abusando, como lo está haciendo, de los *obiter dicta,* que no son jurisprudencia (cfr. SSTS —2ª— 2 febrero 2003 y 17 enero 2006), para expresar los criterios particulares de los ponentes sobre cuestiones que no afectan a la esencia del recurso, no son *thema decidendi,* y que confunden a la comunidad científica, de forma que reiterados estos se pretenden vestir con el carácter de jurisprudencia, a la que anudan los efectos de ésta, desde un planteamiento que, con todos los respetos, puede llegar a ser fraudulento. Nos explicamos.

Primero, sobre una cuestión determinada, se expresa el *obiter dicta,* que no es jurisprudencia, después se reitera y a fuerza de repetirlo se transmuta su naturaleza y se dice que es jurisprudencia para finalmente concluir sobre la cuestión tratada que están vinculados por su "jurisprudencia". Como afirma el dicho popular: "Una mentira no se transmuta en verdad por muchas veces que se repita". Esto es lo que ha ocurrido sobre la pretendida "jurisprudencia" sobre la necesidad de la asistencia letrada al detenido para la prestación del consentimiento en la toma de muestra biológica de saliva del frotis bucal con objeto de determinar su perfil genético, a la que me refería en mi estudio "ADN y derechos fundamentales", ya citado, y sobre la que desde la STS —2ª— 685/2010, de 7 julio (Marchena) viene periódicamente pronunciándose la Sala invocando como jurisprudencia lo que solo han sido reiteraciones de *obiter dicta*. Adviértase que incluso la STS —2ª— 709/2013, de 10 octubre (Berdugo), si bien reitera esos *obiter dicta*, ya introduce literalmente en calidad de opinión doctrinal en su FJ 2o las objeciones que hacíamos en nuestro estudio y, a pesar de la inexistencia de esta asistencia letrada, desestima el recurso ofreciendo una inteligente solución ante el atolladero en que se ha metido la propia Sala 2a ella sola con esta forma de proceder.

Obsérvese que por mucho que se insista por algunos compañeros míos, siempre admirados magistrados de la Sala 2a, en sus tesis mediante estos *obiter dicta*, todavía no hemos encontrado ninguna sentencia que siente como jurisprudencia la nulidad de una prueba de ADN cuya muestra biológica haya sido obtenida al detenido con su consentimiento sin asistencia letrada, determinándose en consecuencia la absolución de un asesino, violador o terrorista. Es más, la reciente Directiva 2013/48/UE del Parlamento Europeo y del Consejo de 22 noviembre 2013 (DOUE no 294/1 de 6 noviembre 2011) sobre la asistencia letrada en el proceso penal, *véase* art. 3.3.c), no da la razón a la tesis defendida en esos *obiter dicta* al remitirse a la previsión normativa nacional, no a la previsión de unos *obiter dicta* ni siquiera a la jurisprudencial, ni tampoco el prelegislador en el único proyecto de ley de reforma de la LECrim que hemos conocido aprobado por un Consejo de Ministros, el de fecha 22 julio 2011 (art. 265), ya que lo demás no pasan de ser meros borradores de textos ante-pre-legislativos, llamados Código Procesal Penal.

En cuanto al fondo de la cuestión que aborda la sentencia comentada, sin duda, con muy buenas intenciones por parte del ponente, para esclarecer un régimen jurídico que califica de confuso, tampoco compartimos sus conclusiones, que se mueven igualmente en el terreno de los meros *obiter dicta*. Es cierto que sería necesaria una reforma legislativa para sistematizar el régimen jurídico de la prueba, hoy disperso básicamente entre la LECrim y la L.O. 10/2007, además de otras normas concordantes (v.gr. LOPDP) pero no creemos que este régimen alcance más confusión que la que se plantean los que predican ésta. Nos explicamos.

El rango normativo de Ley Orgánica tanto de la reforma de la LECrim en el año 2003 (L.O. 15/2003) como de la propia Ley de Bases de Datos ADN 10/2007 *ex* art. 81.1 CE, debería haber despejado ya las dudas de la constitucionalidad del actual régimen jurídico y las continuas objeciones que se expresan frente a esta última norma que, guste o no, optó por un sistema policial de obtención de las muestras y conservación de las mismas a través de la Base de Datos ADN frente al sistema judicial. Tan legítimo es uno como otro, pero el legal hoy día en España es el sistema policial. Si no gusta que se cambie la ley por el legislador pero no por los jueces partidarios del sistema judicial, para lo que no tienen competencia. ¿Por qué no plantean estos jueces cuestión de inconstitucionalidad contra la LO 10/2007?

Atendiendo a ello, la LO 10/2007 indica de forma meridianamente clara que la inclusión de los perfiles genéticos de ADN no codificante en la Base de Datos ADN no precisa consentimiento del investigado, que solo será informado (art. 3.1. *in fine)*. Es decir, se produce *ope legis*. ¿Por qué plantearse si precisa autorización judicial? ¿No hay mayor garantía que una Ley Orgánica regule la posible afectación de un derecho fundamental como puede ser el de la autodeterminación informativa, componente del derecho a la intimidad? Da igual si el cotejo es uno contra uno o uno contra todos los perfiles inscritos en la base de datos.

Lo determinante es si estamos ante una investigación criminal en los términos fijados en la ley (art. 3.1.a) y no se olvide que puede haber delitos que vinculen al investigado por conexidad subjetiva (art. 17.5 LECrim.) en cuya investigación hayan podido (pasado) o puedan ser inscritos (futuro) perfiles genéticos dubitados, los cuales tienen la posibilidad de ser esclarecidos precisamente gracias al cotejo en la Base de Datos ADN con el perfil indubitado del sospechoso de una investigación concreta, aunque en ésta no haya dado resultado positivo.

Si no, ¿para qué tenemos la Base de Datos ADN?

En el Derecho Comparado no se plantean estas cuestiones, lo tienen claro. E incluso la jurisprudencia del TEDH va en la misma línea, no siendo admisible su lectura parcial o descontextualizada, como habitualmente observamos se hace. La STEDH de 4 diciembre 2006, caso *S y Marper* contra Reino Unido censura la conservación indefinida de los perfiles genéticos en la Base de Datos y no otra cosa. En España, conforme al art. 9 LO 10/2007, esto no es posible. Es más, esta STEDH da la razón a nuestro planteamiento: son legítimos los análisis de ADN cuando están destinados "a vincular a una persona determinada con un delito concreto que se sospecha que ha cometido" (parágrafo 100). Por no citar la sentencia del Tribunal Supremo de USA en el caso *Maryland v King* de 26 febrero 2013, que otorga plenas facultades a la policía en la obtención de estas muestras biológicas para la determinación de los perfiles genéticos de ADN.

Estoy trabajando en un estudio que no me gustaría publicar porque su título, parafraseando una famosa novela de García Márquez, es el siguiente: "Prueba de ADN en el proceso penal español: crónica de una muerte anunciada". Desde el *obiter dicta* de la STS —2ª— 685/2010, de 7 julio (Marchena), sobre la asistencia letrada, las inscripciones en la Base de Datos ADN, que sirvió para esclarece al poco tiempo de su implantación más de 7.000 crímenes como asesinatos, violaciones, terrorismo, etcétera, han bajado en casi un 80 %. Mientras los países de nuestro entorno los perfiles inscritos se cuentan por millones, lo que representa que la Base de Datos ADN es un poderoso instrumento en la lucha contra la criminalidad más grave, nosotros apenas llegamos a los 200.000, encontrándonos en "caída libre". Ojalá cambie el tratamiento pretendidamente "jurisprudencial" de esta prueba y no tenga que publicarlo. En el buen camino, *véase* la Sentencia del Pleno del Tribunal Constitucional de 5 diciembre 2013 (ponente Pérez de los Cobos), con independencia del respeto que siempre merecen los votos particulares discrepantes al fallo firmados por tres magistrados.

IV. BIBLIOGRAFÍA[55]

Por orden cronológico de publicación

ESER, A. "¿Genética, gen-ética, Derecho genético? Reflexiones político-jurídicas sobre la actuación en la herencia humana?", *La Ley* núm. 1, 1986, p. 1142 (traducción de ROMEO CASABONA)

CARRACEDO ÁLVAREZ, A. "Análisis de vestigios biológicos en el laboratorio de biología forense. El polimorfismo del ADN", en Centro de Estudios Judiciales, 1991. "La identificación de la persona mediante pruebas genéticas: aspectos médico-legales", en la obra colectiva *El derecho ante el proyecto Genoma Humano*, vol. IV, 1993, pp. 121 y ss.

---

[55]   Sólo en español. Aunque tenemos hecha una relación bibliográfica por orden alfabético de autor, preferimos publicar ésta por orden cronológico para situar la misma en su contexto legislativo e histórico, sin el cual la lectura de esta bibliografía puede resultar incomprensible, dada la vinculación de la misma a la legislación de la época sobre la que se elabora. Comenzamos en el año 1986, antes de la vigencia de las Leyes Orgánicas 15/2003, de 25 noviembre y 10/2007, de 8 octubre, decisivas sobre la materia en el ordenamiento jurídico español, además del RD 1977/2008, de 28 noviembre, por el que se regula la composición y funciones de la Comisión Nacional para el uso forense del ADN, para finalizar a la fecha de la elaboración de este estudio en julio 2012.

STEPHAN, R.T. "Genética y culpabilidad ¿quién paga el precio", en la obra colectiva *El derecho ante el Proyecto Genoma Humano*, vol. IV, 1993, p. 233 y ss.

WEEDN, V.W. "La identificación mediante pruebas genéticas y sus implicaciones jurídicas", en la obra colectiva *El Derecho ante el Proyecto Genoma Humano*, Vol. IV, 1993, p. 250 y ss.

CHOCLÁN MONTALVO, José Antonio "Las técnicas de ADN como método de identificación del autor de delitos contra la libertad sexual", en *La Ley*, tomo 3-1994, p. 815.

LORENTE ACOSTA, M., LORENTE ACOSTA, J.A. y VILLANUEVA, E. "Problemas éticos y jurídicos en el estudio del ADN para la identificación médico-legal", en *Bioética y Ciencias de la Salud*, 1994, 1, 22-29

CARRACEDO ÁLVAREZ, A. *La huella genética, en genética humana. Fundamentos para el estudio de los efectos sociales derivados de los avances en genética humana*. Ed. Universidad de Deusto, año 1995, pp. 295 y ss.

CARRACEDO ÁLVAREZ, A. y BARROS, J. "El cálculo de la probabilidad en la prueba biológica de la paternidad", en *Revista de Derecho y Genoma Humano*, núm. 3, 1995, p. 193

LORENTE ACOSTA, M., LORENTE ACOSTA, J.A. *El ADN y la identificación humana en la investigación criminal y en la paternidad biológica*, Ed. Comares, Granada, 1995.

PERIS RIERA, J.M. *La regulación penal de la manipulación genética en España* Ed. Civitas, Madrid, 1995.

DÍAZ CABIALE, J.A. "Cacheos superficiales, intervenciones corporales y el cuerpo humano como objeto de recogida de muestras para análisis periciales (ADN, sangre, etc.)". Cuadernos de Derecho Judicial 12: 67-196 (1996).

FERNÁNDEZ COBOS, Ángel Luis, Utilización de material genético en crimininalística y pruebas de paternidad: aspectos éticos, técnicos y legales, en La prueba en el proceso penal II, 1996, *Cuadernos de Derecho Judicial*, p. 595 a 608.

GIL HERNÁNDEZ, A. "La investigación genética como medio de prueba en el proceso penal" *Revista de Actualidad Penal*, núm. 44, 1996, p. 868.

GÓSSEL, Karl Heinz, "Las investigaciones genéticas como objeto de la prueba en el proceso penal", en *Revista del Ministerio Fiscal* nº 3, enero-junio 1996, (traducción de POLAINO NAVARRETE, Miguel).

QUEVEDO, A. *Genes en tela de juicio. Pruebas de identificación por ADN: de los laboratorios a los tribunales*, McGraw-Hill, Madrid (1997).

GUILLÉN VÁZQUEZ, M., PESTONI, C. y CARRACEDO, A. "Bases de datos de ADN con fines de investigación criminal: aspectos técnicos y problemas ético-legales", en *Revista de Derecho y Genoma Humano*, núm. 8, año 1998, pp. 140 y ss.

ANDRADAS HERRANZ, "El análisis del ADN en los vestigios biológicos", en *Estudios Ciencia Policial*, núm. 40, enero-febrero 1998.

ALONSO ALONSO, A. "El ADN en la investigación penal y civil" *Revista del Ministerio Fiscal* nº 6, 1999, pp. 271-281.

BLÁZQUEZ RUIZ, J. *Derechos Humanos y Proyecto Genoma*. Ed. Comares, Granada, 1999.

ETXEBERRÍA GURIDI, J.F. La inadmisibilidad de los "test masivos" de ADN en la investigación de hechos punibles. *Actualidad Penal* 28: 541-570 (1999).

FÁBREGA RUIZ, Cristóbal "Aspectos jurídicos de las nuevas técnicas de investigación criminal, con especial referencia a la "huella genética" y su valoración judicial", en *La Ley*, tomo 1-1999, ref. D-23.

LUZÓN CUESTA, José Mª "La investigación sobre el ADN y sus problemas. Toma de muestras" *Revista del Ministerio Fiscal*, núm. 6, año 1999.

MARTÍNEZ JARRETA, Mª Begoña (Dir.), "La prueba de ADN en Medicina Forense: *la genética al servicio de la Ley en el análisis de indicios criminales y en la investigación biológica de la paternidad*", ed. Masson, Barcelona, 1999.

ORTIZ ÚRCULO, Juan Cesáreo, "El ADN en la investigación penal. Breve repaso a la jurisprudencia del Tribunal Supremo, del Tribunal Constitucional y del TEDH", *Revista del Ministerio Fiscal*, núm. 6, año 1999.

VV.AA. *La prueba de ADN en Medicina Forense: la genética al servicio de la Ley en el análisis de indicios criminales y en la investigación biológica de la paternidad (Dir. Martínez Jarreta, Mª Begoña)* edit. Masson, Barcelona, 1999.

ALONSO ALONSO, A. "Criterios de fiabilidad y admisibilidad de la prueba de ADN y su regulación legal" Curso: "La tecnología del ADN y al Identificación genética humana" Centro de Estudios Jurídicos de la Administración de Justicia, 2000.

ETXEBERRÍA GURIDI, J.F. *El análisis de ADN y su aplicación al proceso penal,* ed. Comares, Granada, 2000, 380 pp.

WHIPPLE, Norma ANSI/NIST-ITL 1-2000 formato de los datos para el intercambio de información sobre huellas dactilares, caracteres faciales e información sobre cicatrices, marcas y tatuajes. Aplicación en Interpol, Documento elaborado por el Grupo de Expertos en SAID de Interpol http://www.interpol.int./Public/Forensic/fingerprints/RefDoc/implementation5es.pdf.

ALONSO ALONSO, A. "Una década de perfiles de ADN en la investigación penal y civil en España: la necesidad de una regulación penal", en VV.AA. *Genética y Derecho* (Dir. Romeo Casabona, Carlos Mª), Estudios de Derecho Judicial (CGPJ), Madrid, 2001.

ANDRADAS HERRANZ, Presentación en INTERPOL www.interpol.int/Public/Forensic/dna/conference/2001/andradas.pdf.

CHIERI, P. y ZANNONI, E.A. *Prueba de ADN,* 2ª ed. Astrea, Buenos Aires, 2001.

ETXEBERRÍA GURIDI, J.F. "Reflexiones acerca del Borrador de Anteproyecto de Ley Reguladora de las Bases de ADN". *Revista de Derecho y Genoma Humano* 14: 55-95 (2001).

GUILLÉN GARCÍA, S. Borrador del Anteproyecto de Ley reguladora de las bases de datos de ADN. Incidencia en los derechos fundamentales y libertades públicas. Disponible en: http://www.derecho.com/articulos/2001/02/01/borrador-del-anteproyecto-de-ley-reguladora-de-las-bases-de-datos-de-adn-incidencia-en-los-derechos-fundamentales-y-libertades-p-blicas/.

LÓPEZ FRAGOSO ÁLVAREZ, T. "Principios y límites de las pruebas de ADN en el proceso penal", en VV.AA. *Genética y Derecho* (Dir. Romeo Casabona, Carlos Mª), Estudios de Derecho Judicial (CGPJ), Madrid, 2001. pp. 1845 y ss.

RODRÍGUEZ LÓPEZ, R. Los análisis genéticos: su capacidad predictiva. Estudios de Derecho Judicial, *Genética y Derecho* 36: 223-235 (2001).

RUIZ MIGUEL, C. "La nueva frontera del derecho a la intimidad"en *Revista Derecho y Genoma Humano,* nº 14, 2001, p. 161. "Los datos sobre características genéticas: libertad, intimidad y no discriminación". Estudios de Derecho Judicial, *Genética y Derecho* 36: 13-68 (2001).

WHIPPLE, Resolución del Consejo de 25 de junio de 2001 sobre intercambio de resultados de análisis de ADN (Boletín Oficial C 187, 03.07.2001) http://europa.eu.int/scadplus/leg/en/lvb/l33097.htm.

VV.AA. *Genética y Derecho* (Dir. Romeo Casabona, Carlos Mª), Estudios de Derecho Judicial (CGPJ), Madrid, 2001.

CUESTA PASTOR, P..J. "Los mecanismos de identificación y su uso en el proceso penal: interrogantes a propósito de la "huella de ADN", pp. 75-124, en *Bases de datos de perfiles de ADN y criminalidad*. Ed. Comares (2002).

FERNÁNDEZ GARCÍA, E.M. "La elaboración de bases de datos de perfiles de ADN de delincuente: aspectos procesales", pp. 125-137, en *Bases de datos de perfiles de ADN y criminalidad*, ed. Comares (2002).

GARCÍA, O., ALONSO A. Las bases de datos de perfiles de ADN como instrumento en la investigación policial, pp. 27-44. En: *Bases de datos de perfiles de ADN y criminalidad*. Ed. Comares (2002).

LORENTE ACOSTA, J.A. Identificación genética criminal: importancia médico-legal de las bases de datos de ADN, pp. 1-26. En: *Bases de datos de perfiles de ADN y criminalidad*. Ed. Comares (2002).

MORA SÁNCHEZ, Juan Miguel, Propuestas para la creación y regulación legal en España de una base de datos de ADN con fines de identificación criminal, pp. 45-74. En: *Bases de datos de perfiles de ADN y criminalidad*. Ed. Comares (2002). *Aspectos sustantivos y procesales de la tecnología del ADN en el proceso penal*, Granada, 2002, 378 pp.

ROMEO CASABONA, Carlos Mª *Los genes y sus leyes. El Derecho ante el Genoma Humano*, ed. Comares, Bilbao-Granada, 2002.

DEL MORAL GARCÍA, A. "Intervenciones corporales: reflexiones ante la inminente enésima reforma de la Ley de Enjuiciamiento Criminal", en Curso *Constitución y Garantías Penales*, CGPJ, noviembre 2003.

ETXEBERRÍA GURIDI, J.F. "Evolución expansiva en la regulación francesa de los ficheros de huellas genéticas tras las recientes reformas (parte I). *Revista de Derecho y Genoma Humano 19:* 109-125 (2003). "La ausencia de garantías en las bases de datos de ADN en la investigación penal". *Derechos Humanos y nuevas tecnologías* 99-144 (2003).

GUILLÉN VÁZQUEZ, M. y MORENO VERDEJO, J. "ADN y proceso jurisdiccional: Excesos y defectos. Necesidad de superar la actual situación de anomia". *Práctica Penal, SEPIN* 1: 45 y ss. (2003).

IGLESIAS CANLE, Inés, *Investigación penal sobre el cuerpo humano y prueba científica*. Madrid, 2003, 170 pp.

NARVÁEZ RODRÍGUEZ, A."ADN e investigación penal: su necesaria regulación legal", en *Revista del Centro de Estudios Jurídicos de la Administración de Justicia*, 1° semestre de 2003, núm. 2, p. 43.

SÁNCHEZ, A. SILVEIRA, H. y NAVARRO, M. *Tecnología, intimidad y sociedad democrática*. Ed. Icaria editorial, S.A., Barcelona, 2003.

VV.AA. *Genética y Derecho* II (Dir. Romeo Casabona, Carlos Mª), Estudios de Derecho Judicial (CGPJ), Madrid, 2003.

ALONSO ALONSO, A "Conceptos básicos de ADN forense", en *Nuevas Técnicas de Investigación del Delito: Intervenciones Corporales y ADN*, Centro de Estudios Jurídicos, Ministerio de Justicia, 2004, pp. 1860 a 1871.

BELLO LANDROVE, F. "ADN y relaciones jurídicas no penales: una panorámica", en *Estudios Jurídicos del Ministerio Fiscal*, 2004.

DE LUÍS TURÉGANO, Juan Vte."Las pruebas de ADN: la prueba penal y la práctica policial", en *Bioética y Derecho*, Barcelona, 2004, p. 239 a 261.

ETXEBERRÍA GURIDI, J.F. "Los análisis de ADN en la Ley de Enjuiciamiento Criminal (reformada por la Ley Orgánica 15/2003, de 25 noviembre). *La Ley Penal:* revista de Derecho penal, procesal y penitenciario 4: 19-38 (2004), "Evolución expansiva en la regulación francesa de los ficheros de huellas genéticas tras las recientes reformas (parte II). *Revista de Derecho y Genoma Humano 20:* 107-122 (2004), «Intervenciones corporales y perfiles de ADN tras la LO 15/2003, de 25 noviembre, *Justicia 2004.*

GARCÍA DÍAZ, F. *Huella Genética e investigación criminal,* ed. Lexis Nexis, Santiago de Chile (2004)

JAÉN VALLEJO, M. "Una visión del problema desde una perspectiva constitucional: El estudio particular de la protección de la intimidad y los bancos genéticos", en *Genética y Derecho,* Cuadernos de Derecho Judicial, 2004, p. 122-123.

LÓPEZ BARJA DE QUIROGA, Jacobo, "La prueba en el proceso penal obtenida mediante el análisis del ADN", en VV.AA., *Genética y Derecho* (Dir. Pérez del Valle, C. José), Cuadernos de Derecho Judicial (CGPJ), Madrid, 2004, pp. 227 y ss.

LORENTE ACOSTA, J.A. *Un detective llamado ADN.* Ed. Temas de Hoy, Madrid (2004).

MARTIN CASALLO LÓPEZ, J.J. "Tratamiento automatizado de las bases de datos de ADN. Régimen legal", en *Estudios jurídicos del Ministerio Fiscal,* 2004, p. 1842 y ss.

MORA SÁNCHEZ, Juan Miguel, La prueba de ADN en el proceso penal, en *Bioética y Derecho,* Barcelona, 2004, pp. 187 a 237.

MORENO VERDEJO, Jaime "ADN y proceso penal. Análisis de la reforma operada por Ley 15/2003 de reforma del CP", en www.cej.justicia.es Estudios Jurídicos del Ministerio Fiscal, 2004.

NARVÁEZ RODRÍGUEZ, A. "La prueba de ADN: su normativa procesal", en *Revista del Ministerio Fiscal,* año 2004.

PRIETO SOLLA, Lourdes, "Aplicaciones forenses del ADN", en Nuevas Técnicas de Investigación del Delito: Intervenciones Corporales y ADN, *Centro de Estudios Jurídicos,* Ministerio de Justicia, 2004, pp. 1872 a 1889.

VV.AA. *Genética y Derecho* (Dir. Pérez del Valle, C. José), Cuadernos de Derecho Judicial (CGPJ), Madrid, 2004.

ALONSO ALONSO, A "Conceptos básicos de ADN forense", en *Nuevas Técnicas de Investigación del Delito: Intervenciones Corporales y ADN,* Centro de Estudios Jurídicos, Ministerio de Justicia, 2004, pp. 1860 a 1871. "Las bases de datos de ADN en el ámbito forense", Centro de Estudios Jurídicos, Ministerio de Justicia, 2005, pp. 40 a 4031. http://www.cej.justicia.es/pdf/publicaciones/medicos_forenses/MEDI23.pdf.

GOYENA HUERTA, J. "Las intervenciones corporales coercitivas", en *Actualidad Jurídica Aranzadi,* nº 695, 2005.

MONTES LÓPEZ, F. *El ADN en la investigación criminal.* Instituto Universitario de Investigación sobre Seguridad Interior, UNED. La Criminalística en la Guardia Civil. Octubre 2005. Disponible en: http://www.uned.es/investigacion/publicaciones/Cuadernillo_octubre20052005.pdf..

ROMEO CASABONA, Carlos Mª "Los perfiles de ADN en el proceso penal: Novedades y carencias del derecho español", en *Estudios de Derecho Judicial* nº 58, 2005, pp. 420 y ss.

CORTÉS BECHIARELLI, «Muestras biológicas abandonadas por el sospechoso y validez de la prueba de ADN en el proceso penal: o sobre la competencia legislativa de la Sala Segunda del Tribunal Supremo, *Revista Penal,* nº 18, 2006, p. 45 a 54.

COSPEDAL GARCÍA, R. "Laboratorios acreditados. Un aval de confianza en las pruebas periciales de ADN", en Revista La Ley, año XXVII, núm. 6565, de 6 octubre 2006.

FERNÁNDEZ ÁLVAREZ, B.M. "El ADN desde una perspectiva penal", Noticias jurídicas, diciembre 2006, disponible en: http://noticias.juridicas.com/articulos/55-Derecho%20Penal/200612-11156578461200.html

GARCÍA AMEZ, J. "La protección de los datos genéticos en España. Un análisis desde los principios generales de protección de datos de carácter personal", en Revista Derecho y Genoma Humano, nº 24, 2006, p. 63.

GUILLÉN VÁZQUEZ, M. Bases de datos de ADN con fines de investigación penal. Especial referencia al derecho comparado. Centro de Estudios Jurídicos del Ministerio de Justicia, 2006, en página web www.cej.justicia.es pp. 2006 y ss.

MUÑOZ CUESTA, F.J. "Obtención de muestras del inculpado contra su voluntad para determinar su ADN: posibilidad de utilizar la fuerza física", en Repertorio de Jurisprudencia Aranzadi, nº 25, 2006.

NARVÁEZ RODRÍGUEZ, A. "La recogida de muestras biológicas: la contradictoria jurisprudencia del Tribunal Supremo", en Actualidad jurídica Aranzadi, nº 703, 2006.

ARMENTEROS LEÓN, Miguel "Perspectiva actual del ADN como medio de investigación y de prueba en el proceso penal", en La Ley núm. 6738, 19 junio 2007.

ETXEBERRÍA GURIDI, J.F. "Reserva judicial y otras cuestiones relacionadas con el empleo del ADN en la investigación penal", en Revista Derecho y Genoma Humano, nº 27, 2007, p. 49.

GARCÍA, O. "Ley Orgánica 10/2007, de 8 de octubre, reguladora de la base de datos policial sobre identificadores obtenido a partir del ADN: Antecedentes históricos y visión genética". Revista de Derecho y Genoma Humano 27: 181-2003 (2007).

GÓMEZ SÁNCHEZ, Y. "Las bases de datos genéticos para aplicaciones policiales", en Cuadernos de la Guardia Civil, nº 35, 2007, p. 91. "Los datos genéticos en el Tratado de Prüm", en Revista de Derecho Constitucional Europeo, nº 7, enero-junio 2007, p. 142.

MAGRO SERVET, Vicente "El registro de la huella genética. La regulación legal para la obtención de una base de datos de ADN", en La Ley núm. 6662, 1 marzo 2007.

ZAMBRANO GÓMEZ, E. "La regulación de los ficheros policiales en España y su tratamiento en la Convención de Prüm. La perspectiva de las autoridades nacionales de protección de datos", en Revista de Derecho Constitucional Europeo, nº 7, enero-junio 2007, pp. 167 y ss.

ÁLVAREZ DE NEYRA KAPPLER, Susana, La prueba de ADN en el proceso penal, Edit. Comares, Granada, 2008, 174 pp.

CURIEL, A.M. "Utilidad criminológica del ADN: actualización", en Noticias jurídicas, marzo 2008.

ETXEBERRÍA GURIDI, J.F. "Reserva judicial y otras cuestiones relacionadas con el empleo del ADN en la investigación penal", en Revista Derecho y Genoma Humano, nº 28, 2008, p. 105-140.

DOLZ LAGO, Manuel-Jesús "Problemática de la toma de muestras de ADN a los menores y su tratamiento legal" en La Ley Penal, nº 54, año V, noviembre 2008, p. 27 a 35.

FIGUEROA NAVARRO, Carmen "Cooperación policial e intercambio de perfiles de ADN", en La Ley Penal, nº 54, noviembre 2008, p. 5 a 18.

MARTIN PASTOR, J. "Controversia judicial y avances legislativos sobre la prueba pericial de ADN en el proceso penal", Revista La Ley Penal, nº 46, 2008, p. 60 y ss.

OLLERO TASSARA, Andrés, De la protección de la intimidad al poder de control sobre datos personales. Exigencias jurídico-naturales e historicidad en la jurisprudencia constitucional.

Discurso de recepción en la Real Academia de Ciencias Morales y Políticas, Madrid, 18 noviembre 2008.

PÉREZ MARTÍN, M.A. "Los análisis de ADN como método de identificación en el proceso penal", en *Inspecciones, registros e intervenciones corporales*. Ed. Tirant lo Blanch, 2008.

PRIETO RAMÍREZ, Luisa Mª "La Ley Orgánica reguladora de la bases de datos policial sobre identificadores obtenidos a partir del ADN", en *Actualidad jurídica Aranzadi*, nº 747, 2008, pp. 1-6.

"La Ley Orgánica de Registro de perfiles de ADN para fines de investigación criminal, en el marco del Derecho comparado", en *La Ley Penal*, nº 54, noviembre 2008, p. 19 a 26. OLLÉ SESÉ, M. *La nueva ley del ADN en España*. Disponible en: htto://www.nebrija.com/Nebrija-santander-derechos humanos/pdf/articulo%20ley%20ADN%20Espa%C3%B1a.pdf.

REVERÓN PALENZUELA, B. "La nueva Ley Orgánica 10/2007, de 8 de octubre, reguladora de la base de datos policial sobre identificadores obtenido a partir del ADN. Aspectos procesales", *Revista de Derecho y Genoma Humano* 29: 67-110 (2008).

ALONSO ALONSO, Antonio y VALLEJO, Gloria "La identificación genética en grandes catástrofes: avances científicos y normativos en España", en colaboración con VALLEJO, Gloria, publicado en Revista española de Medicina Legal, 2009, 35 (1), pp. 19 a 27.

BAETA, Miriam y MARTÍNEZ-JARRETA, Begoña. "Situación actual de las bases de datos de ADN en el ámbito forense: Nuevos avances, nuevas necesidades". *Revista de Derecho y Genoma Humano* 31: 161-186 (2009).

SOLETO MUÑOZ, Helena, *La identificación del imputado. Reseña, fotos, ADN...De los métodos basados en la percepción a la prueba científica*. Ed. Tirant lo Blanch, Valencia, 2009, 243 pp.

RAMOS ALONSO, José Vte. "La recogida de muestras biológicas en el marco de una investigación criminal", diario LA LEY, años XXXI, número 7364, miércoles 17 marzo 2010.

PÉREZ GIL, Julio y GONZÁLEZ LÓPEZ, Juan José "Cesión de datos personales para la investigación penal (Una propuesta para su inmediata inclusión en la Ley de Enjuiciamiento Criminal), diario LA LEY año XXXI, número 7401, jueves, 13 mayo 2010.

SOLETO MUÑOZ, Helena, "Los perfiles de ADN y su comunicación en el ámbito de la Unión Europea". *Revista de Derecho y proceso penal* 23: 113-136 (2010).

DEL OLMO DEL OLMO, José Antonio, "Las garantías jurídicas de la toma de muestras biológicas para la identificación de la persona imputada mediante el AD", en ALBEL CLUCH, X., PICÓ i JUNNY, J. y RICHARD GONZÁLEZ, M. (Directores) *La Prueba Judicial. Desafíos en las jurisdicciones civil, penal, laboral y contencioso-administrativa*, La Ley, con la colaboración de ESADE Facultad de Derecho, Universidad Ramón Llull e Instituto Probática y Derecho probatorio, Madrid, 2011, pp. 1541 a 1564.

LÍBANO BERISTAIN, Arantza "La práctica de análisis de perfiles de ADN a personas distintas al imputado en el proceso penal", en ALBEL CLUCH, X., PICÓ i JUNNY, J. y RICHARD GONZÁLEZ, M. (Directores) *La Prueba Judicial. Desafíos en las jurisdicciones civil, penal, laboral y contencioso-administrativa*, La Ley, con la colaboración de ESADE Facultad de Derecho, Universidad Ramón Llull e Instituto Probática y Derecho probatorio, Madrid, 2011, pp. 1523 a 1540..

RICHARD GONZÁLEZ, Manuel, "La identificación del imputado mediante la comparación de perfiles de ADN", en ALBEL CLUCH, X., PICÓ i JUNNY, J. y RICHARD GONZÁLEZ, M. (Directores) *La Prueba Judicial. Desafíos en las jurisdicciones civil, penal, laboral y contencioso-*

administrativa, La Ley, con la colaboración de ESADE Facultad de Derecho, Universidad Ramón Llull e Instituto Probática y Derecho probatorio, Madrid, 2011, pp. 1489 a 1522.

SÁNCHEZ MELGAR, Julián "La prueba de ADN: pronunciamientos de la jurisprudencia", diario *La Ley,* año XXXII, núm. 7720, viernes 21 octubre 2011.

DOLZ LAGO, Manuel-Jesús, "ADN y derechos fundamentales (Breves notas sobre la problemática de la toma de muestras de ADN —frotis bucal— a detenidos e imputados)", diario La Ley nº 7774, jueves 12 enero 2012.

MARTIN PASTOR, José, "La recogida por la policía judicial de muestras biológicas para la práctica de la prueba pericial de ADN en el proceso penal y el régimen de sometimiento del sujeto pasivo de las medidas de inspección, registro o intervención corporal", La Ley Penal nº 89, enero 2012, pp. 38 y ss.

DEL OLMO DEL OLMO, José Antonio, "Las garantías procesales en la identificación de imputados mediante perfiles de ADN", en *Revista de Derecho Penal, Procesal y Penitenciario La Ley Penal* nº 91, marzo 2012, p. 20 y ss.

MESTRES NAVAL, Frances y VIVES-REGO, Josep, "Identificación de características forenses avanzadas a partir del ADN: etnogeografía, patología delictiva y morfoanatomia", en *Revista de Derecho Penal, Procesal y Penitenciario La Ley Penal* nº 91, marzo 2012, pp. 48 y ss.

NIEVA FENOLL, Jordi, "Algunas sugerencias acerca de la práctica y valoración de la prueba del perfil de ADN", en *Revista de Derecho Penal, Procesal y Penitenciario La Ley Penal* nº 93, mayo 2012, pp. 17 y ss.

ÁLVAREZ DE NEYRA KAPPLER, Susana, "La toma de muestras de ADN en las víctimas de los delitos", en *Revista de Derecho Penal, Procesal y Penitenciario La Ley Penal* nº 93, mayo 2012, pp. 39 y ss.

DOLZ LAGO, M.J., "Toma de muestras de ADN y cadena de custodia", comentario jurisprudencial, diario La Ley núm. 7912, de 26 noviembre 2012.

DOLZ LAGO, M.J., "Pruebas de ADN en el proceso penal: crónica de una muerte anunciada gracias a la jurisprudencia de la Sala 2ª del TS que desconoce lo que es el ADN no codificante", comentario jurisprudencial, diario La Ley nº 8284, de 2 abril 2014.

CASTILLEJO MANZANARES, R. "La prueba de ADN en el borrador del Código Procesal Penal", en diario La Ley nº 8213, diciembre 2013.

ZAFRA ESPINOSA DE LOS MONTEROS, Rocío, "El impacto de la prueba de ADN en los derechos fundamentales", diario La Ley nº 8283, de 1 abril 2014.

PANORAMA LEGISLATIVO DE LA PRUEBA DE ADN EN ESPAÑA: CONSIDERACIONES CRÍTICAS

Emilio Cortés Bechiarelli
Catedrático acreditado de Derecho penal
Director de la Cátedra de Derechos Humanos
Manuel de Lardizábal
Universidad de Extremadura
Abogado

Sumario: I. Introducción. II. Derecho positivo. III. La ley reguladora de la base de datos policial. IV. Derecho proyectado. V. Conclusiones y propuestas de reforma.

I. INTRODUCCIÓN

La prueba pericial de ADN, como especie del género Biometría, ha alcanzado en los últimos lustros un protagonismo esencial en la investigación judicial en atención a los atributos de fiabilidad y singularidad de los que participa[1]. En efecto, su grado de certeza es prácticamente absoluto, de manera que el resultado del cotejo de las muestras dubitada e indubitada puede constituir en el proceso penal la principal prueba de cargo contra el acusado —o de descargo, en su caso— sin que las partes personadas impugnen la pericia. Además, no es previsible que los perfiles de ADN de dos ciudadanos coincidan porque no hay en todo el orbe dos iguales. No cabe duda de que una prueba de esta

---

[1] Sobre las características de esta prueba, ROMEO CASABONA y ROMEO MALANDA, "Los identificadores del ADN en el sistema de justicia penal", en *Revista Aranzadi de Derecho y Proceso Penal*, nº 23, 2010, pp. 24 y 25. Respecto a su cronología, el *Preámbulo* de la LO 10/2007 afirma que la primera vez que se utilizó este método para identificar y condenar al culpable de una infracción penal fue en Reino Unido en 1988. Nos encontramos, pues, ante una prueba joven.

naturaleza ha supuesto para la administración de justicia criminal una suerte de revolución que habrá de ser articulada, como tantas veces sucede, con base en dos extremos obligados a convivir: por una parte, el interés de los poderes públicos por la represión del delito y el castigo de sus culpables y, por otra, el respeto a los derechos subjetivos de las personas investigadas, que debiera alcanzar especial grado de tensión cuando la intervención corporal se realiza en un Estado que se autoproclama social y democrático de Derecho. Es el caso, claro, del Reino de España.

El actual régimen legal en nuestro ordenamiento es parco, contradictorio y en ciertos aspectos desconcertante. Es previsible, además, que la legislación que en el futuro discipline esta prueba desdeñe en exceso el compromiso que acarrea para los derechos fundamentales de los investigados y, en aras del Derecho penal funcionalista imperante, relaje mucho las garantías de todo orden que debieran amparar, sobre todo, la toma de la muestra indubitada. Baste reseñar que en nuestro derecho ya se ha proyectado la posibilidad de captación judicial coactiva en los supuestos de negativa del investigado.

II. DERECHO POSITIVO

La necesidad de regular la prueba de ADN en el proceso penal no se envolvió en la redacción de una nueva Ley de proceso criminal que derogara de una vez por todas la de 1882, sino que, a través de la técnica —si se puede llamar así— del *parcheo* se abordó la cuestión por vez primera al entrar en vigor la LO 15/2003, de 25 de noviembre, *por la que se modifica la Ley Orgánica 10/1995, de 23 de noviembre, del Código penal*[2]. Esto es: desde una perspectiva formal, ni siquiera la norma por la que se legisla en esta trascendente materia es estrictamente procesal, sino que se aprovecha una reforma del Código penal para este fin. Censurable método, a mi juicio, y todo un símbolo del carácter accesorio que se le otorga por el legislador a la pericia en este momento histórico. Esto hace, primero, que la *Exposición de Motivos* de la referida Ley Orgánica guarde silencio acerca de las razones que justifican las novedades que contiene en relación con el proceso criminal, hurtando así al

---

[2]   BOE nº 283, 26 de noviembre de 2003, pp. 41842 y ss.

intérprete de la primera y principal herramienta de interpretación auténtica; y, segundo:

- se completan las redacciones de los arts. 326 (i) y 363 (ii) LECrim en la Disposición Final Primera de la LO 15/2003 con dos párrafos que disciplinan, respectivamente, la *recogida, custodia y examen* de *huellas o vestigios cuyo análisis pudiera contribuir al esclarecimiento del hecho investigado* (i) y, en concreto, *la obtención de muestras biológicas del sospechoso que resulten indispensables para la determinación de su perfil de ADN* (ii). Se alude así a las muestras dubitada e indubitada en dos pasajes diferentes de la ley adjetiva;

- esa misma Disposición Final Primera añade que e*l Gobierno, a propuesta conjunta de los Ministerios de Justicia y de Interior, y previos los informes legalmente procedentes, regulará mediante real decreto la estructura, composición, organización y funcionamiento de la Comisión nacional sobre el uso forense del ADN, a la que corresponderá la acreditación de los laboratorios facultados para contrastar perfiles genéticos en la investigación y persecución de delitos y la identificación de cadáveres, el establecimiento de criterios de coordinación entre ellos, la elaboración de los protocolos técnicos oficiales sobre la obtención, conservación y análisis de las muestras, la determinación de las condiciones de seguridad en su custodia y la fijación de todas aquellas medidas que garanticen la estricta confidencialidad y reserva de las muestras, los análisis y los datos que se obtengan de los mismos, de conformidad con lo establecido en las leyes.*

Sea como fuere, lo cierto es que estos hechos legislativos acallaban en cierto modo las legítimas reivindicaciones de la Sala Segunda del Tribunal Supremo; en efecto se notaba que *de forma ciertamente incomprensible, por injustificada, el legislador español, a estas alturas, sigue manteniendo sustancialmente huérfana de regulación específica la práctica de actuaciones sobre el cuerpo humano, a pesar de la notable importancia que, desde hace tiempo, han cobrado en el desarrollo de la investigación criminal de determinados delitos, siempre graves, y de su posible incidencia en los derechos fundamentales de los afectados. El legislador, al eludir de este modo su responsabilidad, no obstante las reiteradas advertencias del Tribunal Europeo de Derechos Humanos, se convierte en factor de inseguridad jurídica y delega,* de facto, *en los jueces competencias que desbordan la función jurisdiccional, incrementando su discrecionalidad más allá de lo aceptable* (sentencia de 4 de junio de 2003).

La labor legislativa del Tribunal Supremo. Lamentándolo mucho, no puede completarse esta enumeración de antecedentes sin hacer mención a dos Acuerdos no jurisdiccionales del Pleno de la Sala Segunda del Tribunal Supremo que intervienen en la dimensión aplicativa de la prueba pericial de ADN. Lo lamento porque es muy cuestionable la legitimidad de estos Acuerdos que, resumidamente, y a mi modo de ver, suponen una suerte de colonización tolerada del poder judicial en el legislativo a través de unos instrumentos de controvertido valor jurídico pero que, en definitiva, son de automática estimación jurisprudencial por esa Sala Segunda[3]. A pesar de lo atinado del razonamiento de la sentencia anteriormente transcrita en parte, lo cierto es que vamos a asistir a la manifiesta asunción por parte de los jueces de *competencias que desbordan la función jurisdiccional, incrementando su discrecionalidad más allá de lo aceptable,* parafraseando su propia terminología. Pero vayamos al contenido de estos dos Acuerdos:

–   el primero es de fecha 3 de octubre de 2005 y respondía a la pregunta: *¿Es suficiente la autorización judicial para extraer muestras para un análisis de ADN a una persona detenida a la que no se informa de su derecho a no autoinculparse y que carece de asistencia letrada?* La respuesta dada por el Tribunal Supremo fue considerar título válido para la ortodoxia de esta práctica el art. 778.3º LECrim, con el consiguiente desaire a los derechos fundamentales a la defensa y a no confesarse culpable. Lógicamente, esta conclusión es consecuencia directa de la falta de regulación integral de esta materia probatoria (tanto desde una perspectiva formal como material), que deja al albur de la recreación judicial su dimensión práctica;

–   el segundo es de 31 de enero de 2006 y resulta lacónico por demás en su redacción: *la Policía Judicial puede recoger restos genéticos o mues-*

---

[3]   Sobre las críticas que me merecen estos Acuerdos, CORTÉS BECHIARELLI, "Muestras biológicas abandonadas por el sospechoso y validez de la prueba en el proceso penal (o sobre la competencia legislativa de la Sala Segunda del Tribunal Supremo)", en *Revista Penal*, nº 18, julio de 2006, pp. 45 y ss. Puede encontrarse un juicio más benévolo en ÍÑIGO CORROZA y RUIZ DE ERENCHUN ARTECHE, *Los Acuerdos de la Sala Penal del Tribunal Supremo: naturaleza jurídica y contenido (1991-2007)*, BARCELONA, 2007, pp. 95 y ss. Estos autores esgrimen razones de seguridad jurídica para justificar su existencia.

tras biológicas abandonadas por el sospechoso sin necesidad de autori-zación judicial.

Sostuve en su día que este segundo Acuerdo contravenía lo dispuesto en el art. 363 LECrim tras la reforma del año 2003[4], convirtiéndose por esta vía en letra muerta la necesidad de autorización judicial para la obtención de la muestra biológica de la que extraer el perfil de ADN. Se concedía una potestad a la Policía Judicial incompatible con lo regulado en aquella norma procesal que sí parecía ser sensible al significado constitucional de la pericia, atribuyendo de manera expresa al Juez de Instrucción el juicio sobre la *proporcionalidad y razonabilidad* de la injerencia corporal (art. 363 LECrim). Este Acuerdo, además, entraba en contradicción con la propia exégesis jurisprudencial de la Sala Segunda del Tribunal Supremo, que en su sentencia de 19 de abril de 2005 había casado la de la Audiencia Nacional (Sección Tercera de la Sala de lo Penal) de 12 de abril de 2004 en un supuesto en el que un miembro de una policía autonómica se había apoderado, según refirió este funcionario, de unos restos de saliva expulsados por un detenido en el calabozo de la comisaría[5]. La redacción del Acuerdo no jurisdiccional se traduce en sentencias del alto Tribunal que entran en contradicción con la señalada de 19 de abril de 2005 (cfr. las de 14 de febrero, 4 de octubre y 20 de diciembre de 2006, 3 de diciembre de 2009 y 22 de junio de 2011).

En definitiva, el Acuerdo de 2006 disponía una forma alternativa de captación de la muestra indubitada del *sospechoso*, término que contribuye muy eficazmente a convertir en resbaladiza la previsión de la Sala Segunda. Con independencia de la rebeldía que su texto observa hacia la letra del art. 363 LECrim, lo cierto es que emerge así un campo de cultivo idóneo para un uso funcionalista y libérrimo de la investigación criminal carente de cualquier clase de justificación legal y que, en suma, sustrae del control judicial la limitación de derechos fundamentales de los ciudadanos. Desde todos los

---

4   CORTÉS BECHIARELLI, *op. cit.*, pp. 45 y ss.

5   Cfr. mi comentario a la misma: CORTÉS BECHIARELLI, "Garantías procesales para la obtención de muestras de ADN", en *Revista Penal*, nº 16, julio de 2005, pp. 36 y ss. La sentencia del Tribunal Supremo de 29 de septiembre de 2010, inspirada por el Acuerdo no jurisdiccional de referencia, consideró válido lo que unos años antes declaró nulo a efectos probatorios: la recogida por un funcionario de policía de restos de saliva de un detenido con un hisopo.

puntos de vista, el Acuerdo carece del más elemental fundamento democrático —tanto formal, como materialmente— y cualquier reforma rigurosa de esta materia habrá de contemplar su eliminación del panorama judicial. Por eso se volverá más adelante sobre su tenor y efectos.

Las sentencias del Tribunal Supremo de 7 de julio de 2010, y la de 25 de octubre de 2011, abordan la cuestión de la muestra indubitada —con sesgo de *obiter dicta*— distinguiendo entre dos situaciones que se reputan diferentes, a saber:

> *Cuando, el contrario, se trate de muestras y fluidos cuya obtención requiera un acto de intervención corporal y, por tanto, la colaboración del imputado, el consentimiento de éste actuará como verdadera fuente de legitimación de la injerencia estatal que representa la toma de tales muestras. En estos casos, si el imputado se hallare detenido, ese consentimiento precisará la asistencia letrada.* Esta garantía no será exigible, aun detenido, cuando la toma de muestras se obtenga, no a partir de un acto de intervención que reclame el consentimiento del afectado, sino valiéndose de restos o excrecencias abandonadas por el propio imputado.
>
> *En aquellas ocasiones en que la policía no cuente con la colaboración del acusado o éste niegue su consentimiento para la práctica de los actos de inspección, reconocimiento o intervención corporal que resulten precisos para la obtención de las muestras, será indispensable la autorización judicial. Esta resolución habilitante no podrá legitimar la práctica de actos violentos o de compulsión personal, sometida a una reserva legal explícita —hoy por hoy, inexistente— que legitime la intervención, sin que pueda entenderse que la cláusula abierta prevista en el art. 549.1.c) de la LOPJ, colma la exigencia constitucional impuesta para el sacrificio de los derechos afectados.*

A la vista de estas resoluciones, lo que se fomenta es la captación subrepticia de la muestra indubitada. Nótese cómo se subraya la posibilidad de que la toma se realice sin el consentimiento del investigado y sin asistencia letrada, bastando que los *restos o excrecencias* sean *abandonadas* por, según se dice, *el propio imputado*. Al menos, se supera así la mención al *sospechoso* que rezaba en el Acuerdo no jurisdiccional de 31 de enero de 2006, pero, sea como fuere, a mi juicio, esta potestad policial supone una manifiesta burla al conjunto de razonables garantías contenidas en la Ley de Enjuiciamiento criminal, a la vez que introduce un nuevo factor de distorsión en el tratamiento legal de la materia. Al menos, se reconoce —por el momento— la imposibilidad de toma coactiva de la muestra.

III. LA LEY REGULADORA DE LA BASE DE DATOS POLICIAL

Por último, y en cumplimiento de lo ordenado por la Disposición Final Primera de la ley de 25 de noviembre de 2003, se dicta la LO 10/2007, de 8 de octubre, *reguladora de la base de datos policial sobre identificadores obtenidos a partir del ADN*[6]. De este modo, nos topamos con una herramienta legal integral, sí, pero que contrae su objeto a la creación de esa base de datos *tanto para la investigación y averiguación, como para los procedimientos de identificación de restos cadavéricos o de averiguación de personas desaparecidas* (art. 1). Aunque el *Preámbulo* de esta norma no lo reconoce expresamente, debe entenderse directo el estímulo dado por el *Instrumento de ratificación de España del Convenio relativo a la profundización de la cooperación transfronteriza, en particular en materia de lucha contra el terrorismo, la delincuencia transfronteriza y la migración ilegal, hecho en Prüm el 27 de mayo de 2005*[7]. Este protocolo obligaba al Reino de España como parte contratante a *crear y mantener ficheros nacionales de análisis del ADN para los fines de la persecución de los delitos*. Lógicamente, lo que el Convenio de Prüm buscaba era el tránsito de este tipo de datos entre los países que lo suscribían (Bélgica, Alemania, España, Francia, Luxemburgo, Holanda y Austria) a fin de agilizar y potenciar la investigación criminal con el auxilio de estas pruebas, encontrándose reflejo de esta vocación coadyuvante en el art. 7.3 de la LO 10/2007 española, que

---

[6]   BOE nº 242, 9 de octubre de 2007, pp. 40969 y ss. Cfr. la referida STS de 25 de octubre de 2011 que ya interpreta algunos aspectos de la norma, por ejemplo la que tiene que ver con la posibilidad de impugnación —y el momento procesal en el que ha de realizarse— de lo registrado en la base de datos, estableciéndose la posibilidad de contradecir lo recogido en ese fichero durante el periodo de instrucción. De este modo, y así se reconoce de forma expresa, lo que se dispone es una presunción *iuris tantum* de veracidad de la base de datos cuyo reverso se supedita a su contraste durante la fase de instrucción, como manifestación, según parece, del principio de contradicción que inspira el proceso penal en España.

[7]   BOE nº 307, 25 de diciembre de 2006, pp. 45524 y ss. Cfr. sobre el particular, GÓMEZ SÁNCHEZ, "Los datos genéticos en el Tratado de Prüm", en *Revista de Derecho Constitucional Europeo*, nº 7, 2007, pp. 137 y ss.; ZAMBRANO GÓMEZ, "La regulación de los ficheros policiales en España y su tratamiento en la Convención de Prüm: la perspectiva de las autoridades nacionales de protección de datos", en *Revista de Derecho Constitucional Europeo*, nº 7, 2007, pp. 167 y ss.; o HEREDERO HIGUERAS, "La protección de los datos de interés policial y judicial en la Unión Europea: de Shengen a Prüm", en *Revista Jurídica de Navarra*, nº 42, pp. 119 y ss.

permite la cesión *a las autoridades judiciales, fiscales o policiales de terceros países de acuerdo con lo previsto en los convenios internacionales ratificados por España y que estén vigentes.*

A la vista de todas las consideraciones anteriores, la primera de las críticas que merece el tratamiento jurídico-penal de las pruebas de ADN es de naturaleza cronológica: el legislador —influenciado por los instrumentos internacionales de colaboración judicial y policial— centra sus esfuerzos en el modo de establecer y custodiar la base de datos del ADN obtenido *antes* de desarrollar una norma coherente y extensa que atienda al modo de su captación. Lo anterior resulta especialmente llamativo si se atiende a los ensayos legislativos de la Sala Segunda del Tribunal Supremo en esta materia (emboscados bajo la equívoca etiqueta de Acuerdos no jurisdiccionales del Pleno) que contribuyen a difuminar la legislación positiva introducida en la Ley de Enjuiciamiento criminal. En suma, aun pareciéndome bien que exista una norma que regule el uso de la base de datos de ADN, puede concluirse coloquialmente que *la casa se ha empezado por el tejado*, y que era exigible haber disciplinado los aspectos atinentes a las garantías concurrentes en el momento de la toma de la muestra indubitada antes —o a la vez— de haberse aprobado la LO 10/2007. Pero las ansias de los legisladores nacionales por dar satisfacción a los requerimientos europeos en materia criminal son evidentes y constituyen en más ocasiones de las deseadas la coartada para el establecimiento y expansión de un Derecho penal funcionalista, exacerbado y simbólico, que excede incluso de los marcos punitivos impuestos por la normativa internacional[8].

IV. DERECHO PROYECTADO

Antes de las elecciones del año 2011 —en las que se cambió nuevamente de signo político—, se encontraba en fase de anteproyecto la reforma de la Ley de Enjuiciamiento criminal que trataba de adecuar estructuralmente

---

[8]   Sobre el aprovechamiento de las recomendaciones europeas para el desarrollo de nuestro actual Derecho penal cfr. CORTÉS BECHIARELLI, *La crisis del Derecho penal español y su última reforma legislativa*, en VV.AA., *Nuevas realidades penales y penitenciarias: los retos en un escenario de cambios*, Cáceres, 2011, pp. 147 y ss.

las normas del proceso penal a la vigente Constitución de 1978, usándose en esta ocasión una razonabilísima, a mi entender, técnica bimembre, pero complementaria. Por una parte, en cumplimiento de lo previsto en el art. 81.1 de esta norma fundamental, se ensayó un, así llamado, *Anteproyecto de Ley Orgánica de desarrollo de los derechos fundamentales vinculados al proceso penal*, correspondiendo a la Ley de Enjuiciamiento criminal, como ley ordinaria, por otra, la regulación de su ejercicio. Ambos se aprobaron en el Consejo de Ministros del día 22 de julio de 2011, pero finalmente el nuevo Gobierno parece haber desechado estas propuestas procesales. Lógicamente, en ambos casos la cuestión de las pruebas de ADN se abordó de manera específica y exhaustiva, persiguiéndose con ello disciplinar un aspecto de la investigación criminal que incomprensiblemente, a estas alturas de nuestra democracia, se encuentra todavía huérfano de una regulación concreta: el que tiene que ver con la limitación de los derechos fundamentales de los ciudadanos durante la investigación criminal. Nada más y nada menos.

Esta ausencia de rigor normativo ha servido para que, desde el Auto del caso Naseiro, la jurisprudencia de los Tribunales nacionales haya ido cincelando diversas doctrinas no siempre coincidentes relativas a la relajación de la intimidad, la inviolabilidad domiciliaria o el secreto de las comunicaciones, sin concretar tampoco demasiado acerca de cuándo termina la fase policial de la investigación en sentido estricto para dar comienzo a la judicial[9]. Por eso, el valor de estos Anteproyectos me parece más formal que material: llamar la atención sobre la ya más que perentoria necesidad de que estas cuestiones de tan notorio calado democrático no sean resueltas sobre la base de la discrecionalidad judicial, sino con arreglo a lo que se dispone de forma

---

[9] Advierte con razón MORENO CATENA que la intervención de la Policía Judicial en el proceso penal *no es del todo satisfactoria, pues al depender de todos (del Gobierno, de los jueces y de los fiscales) no dependen exactamente de nadie y por eso se ha dicho que la instrucción penal queda en buena medida en sus manos*, en "El Ministerio Fiscal, director de la investigación de los delitos", en *Teoría y Derecho. Revista de pensamiento jurídico*, n° 1, 2007, p. 87. Mi punto de vista sobre algunos de los aspectos de esta problemática pueden consultarse en CORTÉS BECHIARELLI, "La investigación policial sin control judicial como integrante de la expresión típica 'mediando causa por delito' (arts. 534 a 536 CP)", en *Revista Penal*, n° 24, 2009, pp. 39 y ss.; o "Policía Judicial y control jurisdiccional de la investigación criminal: reglas para un tránsito inmediato (comentario a la SAP de Cáceres de 20 de octubre de 2008)", *en Revista de Derecho de Extremadura*, n° 4, 2009, pp. 107 y ss.

taxativa en una Ley Orgánica. Pero entremos a analizar críticamente el tratamiento otorgado a la prueba de ADN en los referidos Anteproyectos.

(*i*) El denominado *Anteproyecto de Ley Orgánica de desarrollo de los derechos fundamentales vinculados al proceso penal*, bajo su artículo 3, ordenaba
las *Medidas con incidencia en la integridad física y en la intimidad de las personas*[10], tolerando expresamente la posibilidad de que se acuerde la *ejecución
coactiva* siempre que sea autorizada por un Juez (párrafo segundo). En lo que
tiene que ver con la prueba que se analiza en este estudio, se establece que
*podrá extraerse el perfil de ADN de las muestras biológicas obtenidas del investi-
gado o de un tercero siempre que sea necesario para comprobar las circunstancias del delito o para identificar a sus responsables. Los datos obtenidos a partir
del ADN se limitarán a aquellos que tengan valor identificativo sin proporcionar
información sobre la salud de la persona*. Sistemáticamente, estas medidas se
sitúan en pie de igualdad con la detención del ciudadano, la interceptación
de las comunicaciones o la entrada y registro domiciliarios, por citar algunos
ejemplos; esto es, en palabras del *Preámbulo* del Anteproyecto, en un Título
cuya declarada vocación es *concretar las autorizaciones de injerencia del poder
público en el estatuto jurídico más esencial de la persona*.

(*ii*) Por su parte, el *Anteproyecto de Ley de Enjuiciamiento criminal*, en su
extensísima *Exposición de Motivos*, anuncia que *bajo la rúbrica "medios de investigación relativos al sujeto investigado" se regula la identificación visual, la
acreditación de la edad y la identidad del investigado, la declaración que éste
puede prestar voluntariamente, las inspecciones e intervenciones corporales a
que puede ser sometido, la investigación mediante marcadores de ADN y las
pruebas de detección de alcohol y drogas*. Más adelante, añade que *en co-*

---

[10]   Con carácter genérico, el párrafo primero dice que *las inspecciones e intervenciones corporales se graduarán proporcionadamente atendiendo a su intensidad y contarán, en cada
caso, con las garantías necesarias para asegurar el respeto a la dignidad e intimidad de las
personas. Las exploraciones que deban practicarse en zonas íntimas del cuerpo de la persona o que puedan causarle dolor o requieran sedación o anestesia, solo podrán practicarse
por personal médico o sanitario cualificado y precisarán autorización judicial si el afectado
no consintiese su realización. En ningún caso podrá practicarse una intervención corporal
que implique un riesgo cierto y directo para la vida o la salud del afectado*. La mención al
dolor o al uso de la *sedación o anestesia* resultan, a mi juicio, inadecuadas y, desde luego,
poco compatibles con la administración de justicia criminal que se predica de un Estado
democrático y de derecho, por mucha autorización judicial (¡faltaría más!) que concurra.

herencia con la norma correlativa contenida en las disposiciones generales, se afirma la obligación del investigado de someterse de la inspección o intervención corporal que haya sido ordenada en la forma legalmente prevista. Ante la negativa, el Juez de Garantías podrá acordar su cumplimiento forzoso, fijando expresamente en la resolución las medidas coercitivas que puedan emplearse a estos efectos. Se da, así, una solución legislativa expresa al problema de la imposición coactiva de la intervención corporal, acudiendo para ello a la decisión de la autoridad judicial, ajena en el nuevo modelo a los intereses del investigador. Será el juez, por tanto, el que se pronuncie sobre la necesidad y los límites de las posibles medidas coercitivas. En relación con las intervenciones corporales genéricamente consideradas, se dispone que *consisten, a su vez, en la extracción de sustancias o elementos o en la toma de muestras del cuerpo humano. De acuerdo con la doctrina constitucional, se deslinda la regulación de las intervenciones leves y las graves. Para las primeras, en cuanto no exigen acceder a zonas corporales íntimas ni pueden causar dolor o sufrimiento, bastará la autorización previa del fiscal cuando el interesado no consienta en su realización. Las intervenciones corporales graves —en cuanto puedan tener por objeto la extracción de sustancias o elementos de zonas íntimas o del interior del cuerpo, requerir la anestesia o sedación o suponer un dolor sufrimiento—, quedan sujetas a un régimen normativo más exigente. Podrán practicarse únicamente en la investigación de delitos graves siempre que no supongan un riesgo para la salud del afectado. Requerirán autorización judicial cuando el afectado no preste su consentimiento y deberán ser practicadas por personal médico o sanitario cualificado en el centro correspondiente.* Los artículos 262 a 267 de este Anteproyecto disciplinan *las investigaciones mediante marcadores de ADN:*

Artículo 262. Toma de muestras

1. La Policía Judicial, de oficio o por orden del Ministerio Fiscal, recogerá del lugar del delito cualquier clase de sustancias, objetos o elementos cuando pueda suponerse que contengan huellas o vestigios cuyo análisis genético pueda proporcionar información relevante para el esclarecimiento del hecho investigado o el descubrimiento de su autor.

2. El fiscal adoptará las previsiones necesarias para asegurar que en la obtención de las muestras se toman las medidas necesarias para que su recogida, custodia y examen se realice en condiciones que garanticen la autenticidad e inalterabilidad de la fuente de prueba.

3. En todo caso, la recogida de las sustancias, objetos o elementos a las que se refiere este capítulo se sujetará a las siguientes reglas:

a) Serán efectuadas por dos facultativos que se identificarán en el atestado.

b) Se extenderá un acta de constancia tanto del objeto de que se trate como de su ubicación.

c) Se indicarán los precintos y las medidas de seguridad que se han tomado para asegurar la autenticidad de la muestra.

d) Se dejará constancia de la traza seguida por la muestra y de la identidad de todas las personas que hayan estado en contacto con la misma.

e) Siempre que sea posible, la documentación de la intervención de la muestra se completará con la obtención de fotografías.

4. La ejecución de la diligencia de obtención de las muestras será encomendada al personal técnico de la Policía Judicial especialista en recogida de huellas o de material genético, al médico forense o a otros expertos cualificados en la recogida de material biológico.

Artículo 263. Obtención de los perfiles identificativos de ADN del investigado

1. Cuando para la comprobación de los hechos investigados o la determinación de su autor sea necesario comparar los perfiles de ADN obtenidos en el curso de la investigación con el perfil genético del investigado, el Juez de Garantías, a petición del Ministerio Fiscal, podrá acordarlo, autorizando que con tal finalidad se obtengan y analicen las muestras biológicas del investigado.

No será necesaria la autorización del Juez de Garantías si el interesado presta su consentimiento de conformidad con lo establecido en el artículo 265 de esta ley.

2. Si la obtención de la muestra requiere la realización de una inspección o intervención corporal, se estará a lo dispuesto en el capítulo anterior.

3. A los fines expresados en este artículo podrán utilizarse las muestras abandonadas y las que fundadamente se le atribuyan.

El investigado tendrá derecho a proporcionar una muestra auténtica para realizar pruebas de contraste.

4. Salvo consentimiento expreso del investigado o autorización judicial, en ningún caso podrán traerse al procedimiento las muestras o informaciones del investigado obtenidas para otros fines.

Tan sólo si se trata de la comisión de un delito grave y concurriendo acreditadas razones que lo justifiquen, el Juez de Garantías podrá autorizar la utilización de las muestras e informaciones obtenidas para un fin diagnóstico, terapéutico o de investigación biomédica.

Artículo 264. Obtención de muestras de personas distintas del investigado

1. A los fines establecidos en este capítulo, para la obtención de muestras biológicas de personas distintas del investigado bastará su consentimiento, previa información de la finalidad para la que han de ser utilizadas.

2. Si el interesado no consintiere, el Juez de Garantías, a petición del Ministerio Fiscal, teniendo en cuenta la gravedad del hecho investigado y la necesidad de la intervención, podrá autorizar que se le requiera para que la proporcione imponiendo incluso que se obtenga contra su voluntad.

A tal efecto, la resolución en la que se acuerde justificará la necesidad de la obtención forzosa y expresará el medio para hacer cumplir la decisión.

Artículo 265. Garantías e información

1. Toda persona que haya de facilitar muestras biológicas para la realización de análisis genético encaminado a obtener los marcadores de ADN, antes de prestar el correspondiente consentimiento será informada de manera comprensible del fin para el que la muestra ha de ser obtenida, de los análisis que han de realizarse sobre ella y de los datos que pretende obtenerse con los mismos.

2. Si se encontrase detenida, podrá prestar el consentimiento sin necesidad de asistencia letrada, siempre que no se utilicen otros medios o instrumentos distintos del frotis bucal.

3. Si se tratase de menores de edad mayores de catorce años o personas con la capacidad de obrar modificada judicialmente sometidos a tutela será preciso su consentimiento informado cuando por sus condiciones de madurez puedan comprender el significado y la finalidad de la diligencia o, en caso contrario, de su representante legal, quien deberá siempre prestar su consentimiento si el menor es de edad igual o inferior a catorce años.

Artículo 266. Análisis de los perfiles de ADN

1. Las muestras o vestigios que deban analizarse para la extracción de los marcadores de ADN con fines identificativos se remitirán a los laboratorios debidamente acreditados.

2. Los datos del análisis se limitarán a la extracción del ADN con valor identificativo, sin proporcionar información alguna relativa a la salud de las personas.

3. Los datos identificativos extraídos a partir del ADN se inscribirán en la base de datos policial conforme a su ley reguladora y se mantendrán en ella hasta que de acuerdo con lo establecido en la misma proceda su cancelación.

4. Una vez extraídos e inscritos en la base de datos policial los datos identificativos del investigado, se dispondrá la destrucción de la muestra.

5. Las muestras halladas en el lugar del delito, en el cuerpo o en las ropas de la víctima se conservarán con las debidas garantías de seguridad hasta que se su destrucción sea acordada por la autoridad judicial.

Si el procedimiento se siguiese contra una persona determinada, no se acordará la destrucción de estas muestras hasta que el proceso haya concluido por sentencia firme y, si la sentencia fuere condenatoria, hasta que haya sido ejecutada o la pena o el delito hayan prescrito.

Artículo 267. Valor de la diligencia
El resultado de los análisis comparativos de los perfiles de ADN tendrá el carácter de investigación pericial y deberá ser sometido a contradicción en el juicio oral.

Merecen muchos y diversos comentarios estos preceptos proyectados, sobre todo porque no cabe duda de que van a constituir el punto de partida para futuros intentos de fijación normativa de esta materia, esperemos que pronto y como consecuencia de una ordenación estructural y definitiva del proceso penal en España que supere el incompresible estigma de que nos sigamos rigiendo por una Ley de 1882 parcheada cíclicamente. Con independencia de esto, llaman la atención algunas de las novedades que se proponían por los redactores del Anteproyecto en la medida en que se redactaron gobernando un partido de signo progresista. La necesidad política de establecer un marco de convivencia aparentemente seguro ante la amenaza de fenómenos de delincuencia organizada y agresiva ha podido avalar la justificación de unas medidas de injerencia corporal que, a mi modo de ver, sobrepasan extraordinariamente las líneas que traza el art. 1 de nuestra Constitución. Cosa diferente es el valor probatorio que en el proceso pueda darse a la negativa de la persona investigada a realizarse la prueba de ADN, en los términos que propondré más adelante; pero lo cierto es que algunos de los excesos que se ensayan en este texto han de ser necesariamente atemperados en futuros intentos de disciplinar normativamente esta materia de una vez por todas. Paso a continuación a resumir las líneas programáticas de los artículos antes transcritos de manera resumida y sistemática.

(*i*) *La muestra dubitada.* Se regula de una manera más completa la recogida de esta muestra si se compara con lo que en la actualidad describe el art. 326, apartado tercero, de la Ley de Enjuiciamiento criminal. La Policía Judicial tiene asignada de oficio la posibilidad de recoger cualquier suerte de elemento tendente a la obtención del vestigio, potestad que en la regulación vigente le asigna el referido art. 326 de manera indirecta, por remisión al art. 282 de la ley adjetiva. Además, se atribuye al Ministerio Fiscal el control de la *autenticidad e inalterabilidad de la fuente de prueba*, tratando con ello, a lo que parece, de solucionar las controversias relativas a lo que se denomina *ca-*

dena de custodia[11]. De este modo, se procura la presencia del Ministerio Fiscal de forma efectiva en el control de la cadena, superándose así el estado actual de las cosas, que otorga poderes omnímodos a la Policía Judicial a la hora de acreditar su salvaguarda en todo momento. Sea como fuere, al tratarse de una prueba preconstituida, la celeridad en su realización y el conocimiento del Abogado defensor de las circunstancias de su práctica evitaría mayores cautelas al respecto.

En íntima relación con lo anteriormente expuesto, se refuerzan extraordinariamente las garantías en orden a la acreditación documental de la toma de la muestra dubitada. Así, por ejemplo, y otra vez respecto a la cadena de custodia, es preciso que conste por escrito —a través de las herramientas a las que aludiré a renglón seguido— *la traza seguida por la muestra y la identidad de todas las personas que hayan estado en contacto con la misma*. Se exige la redacción de un Atestado, si bien no con la rotundidad que debiera hacerse (así se infiere de la redacción del primer apartado del párrafo tercero del art. 262 del texto proyectado), al igual que de un *acta de constancia tanto del objeto de que se trate como de su ubicación*. Se advierten, además, y por último, sendos saltos en lo atinente a la cualificación de los profesionales que han de recoger los vestigios. Así, se establece que en esta diligencia habrán de estar presentes dos facultativos —insisto: en la *recogida*—, a la vez que se dispone que *la ejecución de la diligencia de obtención de las muestras será encomendada al personal técnico de la Policía Judicial especialista en recogida de huellas o de material genético, al médico forense o a otros expertos cualificados*

---

[11]   Cfr. la sentencia del Tribunal Supremo de 3 de diciembre de 2009: *el problema que se plantea es garantizar que dado que se recogen los vestigios relacionados con el delito hasta que llegan a concretarse como pruebas en el momento del juicio, aquello sobre lo que recaerá la inmediación, publicidad y contradicción de las partes y el juicio de lo juzgado es lo mismo. Es a través de la cadena de custodia como le satisface la garantía de la mismidad de la prueba. Se ha dicho por la doctrina que la cadena de custodia es una figura tomada de la realidad a la que tiñe de valor jurídico con el fin de en su caso, identificar el objeto intervenido, pues al tener que pasar por distintos lugares para que se verifiquen los correspondientes exámenes, es necesario tener la seguridad de lo que se traslada y analiza es lo mismo en todo momento, desde que se recoge del lugar del delito hasta el momento final que se estudia, y en su caso, se destruye.* Más correcta me parece la mención a la necesidad de intangibilidad entre *la relación entre el sospechoso y la evidencia* a la que alude la sentencia del Tribunal Supremo de 9 de julio de 2012.

en la recogida de material biológico. Lógicamente, se refiere esta previsión al acto científico de la consecución de la traza que habrá de cotejarse con la muestra indubitada. Resulta muy interesante la presencia de los técnicos, no sólo en el momento en el que se obtiene el resultado de la prueba sino, incluso, cuando del lugar del delito se toman aquellas sustancias o elementos útiles para la pericia, fundamentalmente porque así se le resta protagonismo a la Policía Judicial que en nuestro país, por desgracia, no es un cuerpo autónomo. Otra cosa será la posibilidad fáctica de contar con esos dos facultativos en el momento concreto de la recogida, dada la falta de medios materiales y humanos con los que en la actualidad cuenta la administración de justicia en España. Todo un tópico. Pero no es preciso, o al menos se colige de la redacción proyectada, que estos facultativos sean médicos forenses adscritos a Juzgado alguno, atendiendo a la mención genérica que se hace a dos *facultativos.* Sea como fuere, y aun considerando necesaria esta presencia, mantengo que los problemas que se pueden originar en la práctica pueden ser variados, sobre todo si se trata de sustancias volátiles que con el paso del tiempo pueden perder su aptitud para ser analizadas científicamente y no se encuentran los dos facultativos para su recogida. En cualquier caso, la falta de este requisito contaminaría de ilegalidad la diligencia, al decaer una de sus principales garantías de aval científico.

Pensando en una futura redacción novedosa, será preciso pulir algunas de las previsiones de este art. 262 del Anteproyecto cuya bondad radica, fundamentalmente, como se ha dicho, en la reducción de competencias asignadas a la Policía Judicial; la tecnificación, por así decir, de la diligencia (otorgando papel protagonista a los facultativos); la mención específica al atestado como protocolo formal ineludible; y el reforzamiento, en fin, de las garantías de la cadena de custodia.

(ii) La muestra indubitada. Sobre este tipo de muestra gravita la problemática de naturaleza constitucional derivada de esta prueba científica. Como tal, la posibilidad de su práctica prevista en la Ley de Enjuiciamiento criminal ya la relaciona con los derechos fundamentales a no declarar contra sí mismo y a no confesarse culpable, e incluso a la defensa; pero, a la vez, sus concretas características en relación con el modo de ser obtenidas obligan a analizarla desde el prisma de las intervenciones corporales. Esta trascendencia de la prueba de ADN no pasa desapercibida para los redactores del Anteproyecto de Ley de Enjuiciamiento criminal, que en su *Exposición de Motivos* dice:

Mayor fuerza de convicción en la formación de la tesis acusatoria tiene, en cambio, la identificación mediante marcadores de ADN. Se trata de comparar el perfil genético que puede haberse obtenido de una muestra tomada en el lugar del delito con el del propio investigado. El perfil del investigado podrá obtenerse bien con el consentimiento del afectado, bien, en su defecto, con la autorización del Juez de Garantías. Si a tal fin resulta necesaria la práctica de una inspección o intervención corporal, se procederá conforme a las disposiciones particulares que regulan esta modalidad de acto de investigación.

Se prohíbe, en cualquier caso, la utilización de muestras biológicas del investigado obtenidas de forma subrepticia o con engaño. Otra solución degradaría las cautelas que se fijan en la regulación de la diligencia, que pasarían a ser meramente nominales. Hay que tener presente que se establece la posibilidad de obtención coactiva de la muestra, en los términos fijados en la resolución judicial, con lo que, en la nueva regulación, el recurso a un ardid o engaño pierde toda utilidad y justificación.

Se permite, sin embargo, el análisis de muestras abandonadas siempre que puedan atribuirse fundamentamente al investigado y que éste preste su consentimiento. A estos efectos, deberá ser debidamente informado de las condiciones en las que la muestra ha sido hallada y de la finalidad con la que puede utilizarse. Evidentemente, también en este caso el juez podrá suplir con su autorización la falta de consentimiento. En cambio, sólo con autorización del Juez de Garantías y en los supuestos de delitos graves podrán emplearse las muestras obtenidas con fines diagnósticos, terapéuticos o de investigación biomédica.

Por otra parte, si hasta ahora se ha hecho referencia a la "identificación" como diligencia orientada a la búsqueda y concreción de la persona responsable —lo que podríamos considerar, más bien, la determinación del sujeto investigado—, el término también puede ser utilizado con más precisión en un segundo sentido. Determinada la persona sospechosa, pueden existir dudas sobre sus datos identificativos con relevancia procesal. De ahí que, en defecto de documento oficial de identidad o cuando éste no resulte fiable, se pueda recabar la certificación de nacimiento. Cuando las dudas se refieran a la edad del investigado y no sea notoria la mayoría de edad, se podrá recurrir a la correspondiente prueba antropométrica.

El sistema legal ensayado no resulta, a mi modo de ver, nada satisfactorio y supone un regreso notorio en el haz de garantías del sistema que actualmente se encuentra recogido en el art. 363 LECrim, y que ya quedó debilitado como consecuencia del referido Acuerdo no jurisdiccional de la Sala Segunda del Tribunal Supremo de 31 de enero de 2006. El Anteproyecto distingue claramente dos posibilidades dependiendo de la concurrencia o no del investigado. Precisamente, el uso de este término —*investigado*— constituye el primero de los defectos del texto proyectado porque mantiene

la posibilidad de que la prueba se obtenga en ese limbo procesal que trans-
curre desde la inconsistente condición de *sospechoso* hasta la de *imputado*.
La cuestión resulta especialmente preocupante si se atiende al hecho de que
se va a proponer la posibilidad legal de que se recojan restos abandonados,
por lo que, insisto, se dibuja un escenario en el que resulta posible la captación del vestigio en supuestos en los que no se ha producido una imputación procesal formalizada contra el ciudadano. En este sentido, es claro que
convergemos hacia la práctica judicial consistente en la toma de muestras
prospectiva, extraña a las reglas dispuestas en el art. 3 de la LO 10/2007, posibilidad que, como veremos en seguida, consagraba este Anteproyecto de
Ley de Enjuiciamiento criminal.

Me detengo brevemente en este aspecto. La referida ley de 8 de octubre de 2007 avala exclusivamente la toma de muestras del *sospechoso, detenido o imputado* (art. 3.1, a) cuando se trate de la investigación de delitos
graves, pero, como se ve, ha de haberse alcanzando, al menos, el umbral de
sospechoso. Con independencia de la falta evidente de coordinación que
se advierte entre el texto proyectado y el vigente en lo relativo a la fijación
de estos términos, lo cierto es que algunos sucesos criminales ocurridos en
España han justificado la captación de muestras biológicas consentidas por
personas cuyo único título indiciario de imputación procesal era vivir en el
mismo pueblo que el asesinado, lo que les convertía incompresiblemente
en *sospechosos*. Así ocurrió en el denominado *crimen de Fago*, que motivó
que los vecinos de esa localidad fueran pasando por la Comandancia de la
Guardia Civil para tales fines indagatorios[12]. Esta clase de actividad, de ge-
neralizarse en la práctica judicial, supondría un auténtico fraude a la letra de
la LO 10/2007, a la vez que una manifiesta banalización de esta prueba cuyo
alcance constitucional se ha subrayado con anterioridad en este estudio. Ser

---

[12]   Según informaba el periódico *La Verdad de Murcia* en su edición de 18 de enero de 2007,
        *la policía judicial de la Guardia Civil ha empezado a recoger muestras para hacer pruebas
        de ADN de algunos vecinos de Fago y también de Ansó (Huesca) para avanzar en la investi-
        gación del crimen del alcalde Miguel Grima, quien apareció muerto en un barranco con un
        disparo de postas.* El artículo de prensa titulado *Señor agente, ¿quién da la vez?* (*El Periódi-
        co de Extremadura*, edición de 25 de agosto de 2007) resume mi idea sobre el particular:
        *como en el Cluedo, la Policía Judicial cree saber que el homicida, son seguridad, está en el
        tablero.*

vecino de la víctima, en suma, jamás debiera considerarse *per se* indicio criminal de clase alguna[13].

Sin embargo, observamos cómo el art. 264 del Anteproyecto llegaba incluso a disciplinar lo que se denomina *obtención de muestras de personas distintas del investigado*; esto es, diligencias prospectivas como las realizadas por la Policía Judicial durante la investigación del asesinato del Alcalde de Fago. Por esta vía, cualquier persona habría de aportar una muestra biológica para extraer de ella su perfil genético, aun cuando no exista en el procedimiento penal en instrucción ni un solo indicio en su contra. Así quedaría descartada del elenco de posibles autores. Nótese que esta previsión, para el caso de que se convirtiera en derecho positivo, contradice el art. 3 de la LO 10/2007, salvo que se decida que los resultados así obtenidos no son susceptibles de ser incorporados a la base de datos policial sobre identificadores obtenidos a partir del ADN. Pero esta hipótesis no parece posible a la vista de lo que dispone el art. 266.3 del Anteproyecto, que no distingue, como sería menester, entre las pruebas obtenidas a los sospechosos y las facilitadas por los que ni siquiera han resultado ser tales. La arbitrariedad judicial —estimulada por el Ministerio Fiscal, única parte habilitada para solicitar esta prueba de descarte, por así decir— resultaría excesiva, sobre todo si aparece en el debate este dato: el Anteproyecto prevé la posibilidad de toma coactiva de la muestra indubitada (lo que eufemísticamente se denomina en el art. 264.2 *obtención forzosa*). Verdaderamente, cuesta leer este tipo de normas procesales en el momento histórico en el que nos encontramos, por mucho que la jurisprudencia constitucional en materia de intervenciones corporales no haya sido lo terminante que la problemática requería[14] y algunos autores hayan justificado doctrinalmente este uso de la violencia judicialmente amparada.

---

[13]   Así, el Auto de la Audiencia Provincial de Cádiz de 24 de junio de 2003 se opone a la práctica de esta prueba a testigos sumariales.

[14]   Esta cierta ambigüedad la resumen ROMEO CASABONA y ROMEO MALANDA cuando escriben que *en general el TC se ha mostrado reacio a la admisión del recurso a la vis física para practicar intervenciones, inspecciones o reconocimientos corporales, aun admitiendo indirectamente la obligación de sometimiento (y dejando abierta la aplicación del delito de desobediencia)*, en *op. cit.,* p. 127. MATALLÍN EVANGELIO, por su parte, afirma que en esta materia el Tribunal Constitucional *elude los pronunciamientos tajantes*, en *Intervenciones corporales ilícitas: tutela penal*, Valencia, 2008, p. 119. En ambas obras se encuentran las

Pero volvamos al tratamiento que el Anteproyecto de Ley de Enjuiciamiento criminal otorga a la prueba indubitada y sus formas de captación, distinguiendo dos métodos diferenciados.

(*a*) Existencia de consentimiento. La primera de las posibilidades legales que se encuentra recogida en el Anteproyecto consiste en que concurra el consentimiento de la persona investigada. Respecto al modo, circunstancias y reflejo documental relacionados con la concurrencia de ese consentimiento, el art. 265 del Anteproyecto alude a la información previa que ha de comunicarse en todo caso, así como a los supuestos de menores de edad[15], mayores de catorce años o personas con la capacidad de obrar modificada judicialmente (cfr. su texto). Resultaba preciso ahondar más en los requisitos que han de rodear la recogida de este consentimiento, sobre todo teniendo en cuenta que el Capítulo genérico anterior (*las inspecciones e intervenciones corporales*) en nada contribuye a esta labor de concreción. Mención aparte merece la mención a la posibilidad de asistencia letrada.

En honor a la verdad, la existencia o no de asistencia letrada en esta diligencia, desgraciadamente, se convierte en una cuestión accesoria desde el punto y hora en que cabe la posibilidad de toma coactiva de la muestra acordada judicialmente. Esto es; en un escenario procesal en el que la negativa de la persona investigada pueda llevar aparejada la imposición judicial forzada, el consejo del Abogado pierde su sentido y éste actuará como mero espectador del trámite procesal. La regla propuesta se resume en que si se encuentra detenido el ciudadano, su consentimiento es válido aun sin esa asistencia técnica, lo que significa, *sensu contrario*, que en el resto de casos se exige la presencia del profesional de la Abogacía, al igual que si se va a usar un medio distinto al frotis bucal. Pero, insisto, esta asistencia resultará tan formalista como estéril: a la negativa le sucederá, de acuerdo con el texto del Anteproyecto, la orden judicial de toma de muestra frente a la que nada cabe oponer. Se supera por esta vía la letra de las sentencias del Tribunal Supremo de 7 de julio de 2010 y 25 de octubre de 2011, además

---

referencias jurisprudenciales que avalan estas conclusiones, remitiéndome a ellas en aras de una mayor brevedad en la exposición.

[15]   Es interesante la lectura de la sentencia de la Audiencia Provincial de Madrid de 30 de diciembre de 2009 que declara nula la toma de una muestra a un menor de quince años para obtener así la prueba de ADN.

de la de la Audiencia Nacional de 25 de enero de 2013, que concluyen que *conviene insistir en la exigencia de asistencia letrada para la obtención de las muestras de saliva u otros fluidos del imputado detenido, cuando éstos sean necesarios para la definición de su perfil genético. Ello no es sino consecuencia del significado constitucional de los derechos de defensa y aun proceso con todas las garantías.*

(b) Ausencia de consentimiento. Ya sabemos cuál es la consecuencia de la negativa del justiciable: *todo investigado está obligado a soportar la práctica de una inspección o intervención corporal,* de suerte que *si quien haya de someterse a la misma se opone a su realización, el Juez de Garantías, atendiendo a la necesidad de la actuación y la gravedad del hecho investigado, podrá imponer su cumplimiento forzoso estableciendo las medidas que, si es imprescindible, podrán emplearse para la realización de la diligencia contra la voluntad del afectado* (art. 260 del Anteproyecto).

Puede decirse que este texto proyectado abre una senda que más pronto que tarde se convertirá en derecho procesal aplicable, sea cual sea el partido que gobierne. No es previsible que el Ministerio de Justicia de un signo conservador vaya a rebajar la manifiesta inconstitucionalidad del precepto antes transcrito, sino, posiblemente, todo lo contrario. Y lo que patrocina uno progresista lo acabamos de leer. Entiendo que este artículo 260 del Anteproyecto de Ley de Enjuiciamiento criminal no es sostenible desde el punto de vista constitucional en la medida en que lesiona los derechos fundamentales a no confesarse culpable y a no declarar contra sí mismo. El populismo punitivo que actualmente inspira al legislador penal español debiera tener límites infranqueables, y el principal lo integraría el respeto al catálogo de tales derechos y libertades públicas, de suerte que no todo valiera en aras de la averiguación de la verdad forense. Como bien se ha escrito de forma gráfica, *la complacencia con las obsesiones securitarias solo conduce a la paulatina jibarización de los derechos fundamentales de las personas y a la consagración de la arbitrariedad*[16]. Nos situamos, así, en suma, ante lo que puede denominarse una manifestación del derecho procesal del enemigo que poco a poco va percutiendo los cimientos nunca demasiado sólidos de la administración

---

[16]   Grupo de Estudios de Política Criminal, *Una propuesta alternativa de regulación del uso de la fuerza policial,* Valencia, 2012, p. 33.

de justicia democrática en España[17]. No deja de ser curioso —casi irónico— que en el preámbulo del Anteproyecto se reconozca que *se prohíbe, en cualquier caso, la utilización de muestras biológicas del investigado obtenidas de forma subrepticia o con engaño.*

En nuestra doctrina encontramos algunas opiniones que justifican la intervención corporal coactiva ordenada judicialmente, si bien sometida a algunas limitaciones tan elementales como que no suponga una práctica vejatoria o que no afecte a la salud del imputado[18]. Menos mal. Ya es conocido mi punto de vista sobre esta cuestión: el uso de la violencia física amparada por los Jueces en un Estado democrático para la obtención de pruebas previsiblemente incriminatorias carece de justificación constitucional y repudia el modo de entender la administración de justicia criminal, retrotrayéndonos a épocas muy pretéritas nada deseables. Aun entendiendo comprensible el interés de los gobiernos por prevenir y sancionar el delito (ahora más que nunca), este empeño cede ante la oposición de hasta tres derechos fundamentales diferentes por parte de sujeto sometido a investigación: a no declararse culpable, a no declarar contra sí mismo y a la defensa.

Es preciso, por ello, y en consecuencia, poner el acento en el valor probatorio que se le asigne a la negativa del ciudadano investigado. En este sentido, existe un razonable cuerpo de jurisprudencia que concluye que el rechazo a la práctica de la prueba es un elemento que *por sí solo, no tiene virtualidad probatoria pero que, conectado con el resto de la prueba puede reforzar las conclusiones obtenidas por el órgano juzgador* (sentencias del Tribunal Supremo de 4 de febrero de 2003 y 4 de octubre de 1994). En efecto, como de igual forma significara la sentencia de la Audiencia Provincial de Badajoz de 11 de mayo de 2001, se trataría de *un indicio claro de que el resultado ha de*

---

[17]   Cfr. mi trabajo "Garantías procesales" *op. cit.*, pp. 38 y 39. De manera monográfica, MUÑOZ CONDE, *De las prohibiciones probatorias al Derecho procesal penal del enemigo*, Buenos Aires, 2008. Además, PORTILLA CONTRERAS, "El Derecho penal y procesal del 'enemigo'. Las viejas y nuevas políticas de seguridad frente a los peligros internos-externos", en *Dogmática y Ley Penal, Libro Homenaje a Enrique Bacigalupo*, vol. I, Madrid-Barcelona, 2004, pp. 693 y ss.

[18]   GÓMEZ AMIGO, *Las intervenciones corporales como diligencias de investigación penal*, Pamplona, 2003, p. 48, o MATALLÍN EVANGELIO, *op. cit.*, pp. 117 y ss.

serle adverso[19]. Pero nada más, a mi juicio, de forma que una condena penal nunca debiera basarse exclusivamente en esa renuncia del imputado. No se olvide que es posible que la negativa no signifique atribución automática de la culpabilidad: merece la pena la lectura de la sentencia del Tribunal Supremo de 19 de diciembre de 2003 que describe cómo el acusado se negó en dos ocasiones a la toma de muestras para la prueba de ADN, resultando negativa cuando finalmente accedió a realizarla.

Otros autores han abordado la cuestión buscando una solución intermedia consistente en proponer el castigo de la negativa como una forma de desobediencia[20]. Sin embargo, sigo entendiendo que un imputado nunca puede ser sancionado por este delito si se niega a colaborar con la justicia, por mucho que el Tribunal Constitucional avalara la legalidad del actual art. 383 del Código penal. Hasta se puede sostener que las dinámicas investigadoras son diferentes en un supuesto y en el otro: el sometido al control de alcoholemia no tiene más indicio en su contra, generalmente, que ir conduciendo, sin haberse dirigido la acción penal contra él en sentido estricto. El requerido para la toma de muestra tiene que haber soportado previamente, como he mantenido antes, la existencia de algún indicio de criminalidad previo que estime la práctica de esta prueba preconstituida. Al menos así debiera ser, aunque hemos comprobado que el art. 264 del Anteproyecto posibilita la toma de muestras de personas distintas al investigado.

---

[19]   Como HUERTAS MARTÍN, *El sujeto pasivo del proceso penal como medio de prueba*, Barcelona, 1999, p. 410. En contra parace situarse la sentencia del Tribunal Supremo de 22 de febrero de 2010, si bien parece llegar a una conclusión parecida respecto al efecto procesal de la falta de colaboración del imputado: *más allá de la discutible calificación por algunos de ese silencio o de las explicaciones inverosímiles como indicios endoprocesales, lo cierto es que su adecuada ponderación es obligada, no como indicio o contraindicio, sino como elemento de respaldo de la inferencia probatoria obtenida por el Tribunal a partir de los verdaderos indicios… la participación criminal no puede deducirse de la falta de explicaciones verosímiles por parte de quien está amparado por la presunción de inocencia, sino del resultado de un proceso lógico cuyo punto de arranque se sitúa en el conjunto de hechos base llamados indicios, con capacidad —ellos mismos, y por sí mismos— de conducción por vía deductiva y de modo lógico, a una conclusión llamada hecho consecuencia.*

[20]   Sobre el particular, compilando las opiniones al respecto, IGLESIAS CANLE, *investigación penal sobre el cuerpo humano y prueba científica*, Madrid, 2003, pp. 102 y ss.

V. CONCLUSIONES Y PROPUESTAS DE REFORMA

No parece demasiado aventurado concluir que el valor del Anteproyecto de reforma de la Ley de Enjuiciamiento criminal comentado en los epígrafes anteriores radica más que en su articulado concreto en la ruptura con algunos presupuestos que se entendían esenciales a la hora de abordar la toma de muestras para la obtención fiable de la prueba de ADN. O, lo que es lo mismo: en el actual contexto en el que se generan las leyes penales en España, sean de la naturaleza que sean, lo lógico es pensar que muchos de los aspectos novedosos de este texto se mantendrán en el futuro, gobierne quien gobierne, y a pesar de que se ha llegado incluso a justificar la extracción judicial coactiva de la muestra biológica. Este convencimiento no obsta que a renglón seguido, como hiciera durante el desarrollo de mi ponencia en el Curso de Verano que justifica esta publicación, enumere los parámetros que a mi juicio debieran ser tenidos en cuenta a fin de articular un cuerpo legislativo que discipline esta materia con respeto a la Constitución española. Así:

1. El resultado de la prueba de ADN compromete el derecho fundamental a lo que se ha denominado con acierto *intimidad genética*, de suerte que *cualquier dato personal de carácter genético deberá ser considerado como un dato que exacta a la salud de las personas y, por tanto, abarcado por el derecho fundamental a la intimidad genética*[21]. Esta conclusión sitúa a la referida prueba en pie de igualdad con otras que de igual forma afectan a los derechos fundamentales y libertades públicas como la entrada y registro domiciliario o las intervenciones telefónicas. Significa, además, que su tratamiento legal habrá de ordenarse en virtud de Ley Orgánica y que la legitimidad de su constitucionalidad dependerá de su adecuación a lo previsto por el art. 11 LOPJ.

---

[21]　ROMEO CASABONA y ROMEO MALANDA, *op. cit.*, p. 63. Igualmente, el Auto de la Sala de lo Civil y Penal del Tribunal Superior de Justicia de Madrid de 19 de mayo de 2004: *una elemental* prudencia iuris *conduce a admitir que existe una afectación a la intimidad personal, aunque sea de menor entidad, propugnando que deba asumirse y adoptarse garantías de protección semejantes a las que se aplica en relación con otras pruebas corporales y otros datos de carácter personal.* Niega esta posibilidad, por ejemplo, la sentencia del Tribunal Supremo de 14 de octubre de 2005.

2. La negativa del sospechoso o imputado a la práctica de la prueba se justifica con base, además, en los derechos fundamentales a la defensa, a no declarar contra sí mismo y a no declararse culpable.

3. No es constitucionalmente lícita la obtención de la muestra biológica para conseguir la traza de ADN con el recurso a la fuerza física o de cualquier otra especie. Tampoco serán válidas las captadas de forma artera, engañosa o subrepticia.

4. Cualquier obtención de muestra biológica para los fines señalados habrá de contar con la previa asistencia letrada relativa a la naturaleza, efectos y método de la intervención corporal, con independencia de que el investigado se encuentre o no detenido. En todo caso, se ordenará por medio de Auto en el que se especifiquen las razones que justifican la injerencia, de acuerdo con los cánones de proporcionalidad y pertinencia utilizados en este tipo de pruebas limitadoras de derechos fundamentales.

5. La nueva normativa deberá alinearse con lo recogido en la LO 10/2007 en lo referente al momento procesal en el que se solicita judicialmente la muestra. En tal sentido, conviene erradicar del debate el término *sospechoso*, de modo que sólo pueda demandarse esta prueba de quienes han sido imputados por la existencia de indicios de criminalidad fiables. No deben tolerarse tomas de muestra de personas que no hayan sido imputadas, a pesar de que puedan estar relacionadas con el crimen por razones de vecindad o por algún vínculo familiar o profesional. No se entienden lícitas, en suma, las investigaciones prospectivas atendida la manifiesta dimensión constitucional de esta especie de prueba.

6. La toma de la muestra dubitada podrá realizarse por los funcionarios de la Policial cuando por razones de urgencia o necesidad no sea posible la autorización judicial previa. En cualquier caso, las circunstancias que rodean esa captación habrán de ser recogidas de forma exhaustiva en el correspondiente Atestado, con posible sometimiento a la contradicción de las partes.

EL ADN EN LA DOCTRINA DEL TRIBUNAL SUPREMO

FIDEL ÁNGEL CADENA SERRANO
Fiscal de la Sala II del Tribunal Supremo

> Sumario: I. Regulación del ADN en la LECRIM. II. Cuestiones sobre el ADN en la doctrina del Tribunal Supremo. III. Dos cuestiones básicas: toma de muestras al detenido y presencia letrada y coercibilidad judicial. IV. Bibliografía.

I. REGULACIÓN DEL ADN EN LA LECRIM

La introducción del ADN como técnica de investigación criminal surge en el contexto de la Unión Europea a partir de la Recomendación del Comité de Ministros (92) 1, de 10 de febrero de 1992. Pero pronto se advierte que además de prueba científica que lucha contra el delito cometido, el depósito de los perfiles biológicos que identifican al autor servirá también para prevenirlo, neutralizando la secuela de crímenes de los asesinos y violadores en serie. Dando un paso más, el intercambio de datos entre países aparecerá como nueva forma de lucha contra el delito. Finalmente, la Policía científica, observará que los datos biológicos hallados en la escena del crimen y su posibilidad de contraste con los indubitados favorecerán de modo determinante el descubrimiento de los delitos y el ejercicio del ius puniendi del Estado. De ahí la necesidad de obtener los perfiles en laboratorios forenses y de registrar los datos en archivos oficiales. La utilización y transmisión de los datos conseguidos con motivo de la práctica ortodoxa del ADN ha merecido el interés de las Resoluciones del Consejo de Europa, relativas al intercambio de resultados de análisis de ADN, de 9 de junio de 1997 y de 25 de julio de 2001 y de las normas recogidas en el Reglamento de EUROJUST, relativas al tratamiento y a la protección de datos personales, aprobado por el Consejo de Europa el 24 de febrero de 2005, e incluso, más recientemente, del Convenio de PRÜM, que ha influido directamente en la elaboración y aprobación de la Ley Orgánica 10/2007 y en la Decisión-Marco 2008/615/JAI del Consejo, de 23 de junio de 2008, sobre la profundización de la cooperación transfronteriza, en particular en materia de lucha contra el terrorismo y la delincuencia transfronteriza. Este régimen jurídico debe completarse con la Decisión-Marco 2008/615 JAI, que tiene por objeto intensificar la cooperación transfronteriza, en particular, la que se refiere al intercambio de información entre las autoridades responsables de la prevención y persecución de delitos. Para ello, contiene disposiciones sobre las condiciones y procedimientos de transferencia automatizada de perfiles de ADN.

La preocupación internacional por la regulación de la materia se revela obvia, pues la obtención de perfiles genéticos de sospechosos, detenidos o condenados y su posibilidad de transmisión y comunicación entre autoridades policiales y judiciales de países de la Unión Europea es básica para la prevención y la lucha contra el delito. En este sentido, el intercambio de datos es obligado entre las Bases de Datos de los países firmantes del Tratado de PRÜM[1], objeto de introducción en nuestro derecho por el Instrumento de Ratificación de 18 de junio de 2006, e incluso se ha extendido el conocimiento y comunicabilidad de dichos datos a otros países no europeos mediante Convenios bilaterales.

En efecto, el Convenio de PRÜM, en su artículo 4 dispone, en su apartado primero, que las Partes Contratantes llevarán a cabo, de mutuo acuerdo y a través de sus puntos de contacto nacionales, una comparación de los perfiles de ADN de sus huellas abiertas con todos los perfiles de ADN contenidos en los índices de referencia de los ficheros nacionales de análisis del ADN, para los fines de la persecución de delitos, indicando igualmente que la transmisión y la comparación se efectuarán de forma automatizada.

Ahora bien, los perfiles de la Base de Datos pueden obtenerse de restos cadavéricos, de vestigios corporales abandonados en el lugar de los hechos o de muestras tomadas de sospechosos, detenidos o condenados. Los dos prime-

---

[1]   Tratado entre EL REINO DE BÉLGICA, LA REPÚBLICA FEDERAL DE ALEMANIA, EL REINO DE ESPAÑA, LA REPÚBLICA FRANCESA, EL GRAN DUCADO DE LUXEMBURGO, EL REINO DE LOS PAÍSES BAJOS Y LA REPÚBLICA DE AUSTRIA relativo a la profundización de la cooperación transfronteriza, en particular en materia de lucha contra el terrorismo, la delincuencia transfronteriza y la migración ilegal.

ros supuestos son menos problemáticos, pero el tercero presenta sombras de duda. En nuestro derecho, la toma de muestras en relación con sospechosos o detenidos puede obtenerse, previo consentimiento informado del afectado, en los supuestos prevenidos en la LO 10/2007 o bien por auto judicial en que así se acuerde. Este trabajo, con las limitaciones de su extensión, está dirigido, desde la doctrina del TS, a reflexionar sobre dos problemas capitales: la legitimidad de la toma de muestras del detenido, previo consentimiento informado del mismo, pero sin intervención y asistencia letrada para prestarlo y la posibilidad de que el juez pueda ordenar coercitivamente que se obtengan esos perfiles pese a la oposición y voluntad contraria del detenido o sospechoso.

La utilización del cuerpo humano de una persona viva como fuente de prueba en el proceso penal es posible esencialmente cuando en el interior del mismo se oculte el cuerpo o los efectos del delito o para obtener a partir de su examen corporal pruebas biológicas o de otro tipo que permitan identificar al imputado y determinar su participación presunta en el hecho delictivo. Ello puede afectar, entre otros, a los derechos fundamentales de la dignidad (art. 10 CE), la integridad física (art. 15 CE), la intimidad personal (art. 18 CE), la libertad deambulatoria (art. 19 CE) y al derecho a no declarar contra sí misma (art. 24.2 CE) de la persona que se ve sometida a alguna de las diligencias que con este fin pueden practicarse, por lo que se impone una especial cautela para evitar sus lesiones. Esa posición tangente entre fines públicos del Estado en la lucha contra el delito y derechos públicos subjetivos del individuo frente al Estado que éste debe respetar, hace que surjan situaciones de conflicto entre los derechos fundamentales del individuo y el interés público en la averiguación y persecución de los mismos. La doctrina y la jurisprudencia ofrecen distintas soluciones en función del tipo de intervención y, en consecuencia, del derecho que pueda verse afectado. En nuestro trabajo sólo examinaremos cómo ha resuelto el TS esas situaciones de conflicto en relación con la prueba del ADN.

La escasa regulación legal acerca de este tema la encontramos en la LECR en sus arts. 326, 363 párrafo 2º y 778.3, así como en la Lo 10/2007, de 8 de octubre reguladora de la base de datos policial sobre identificadores obtenidos a partir del ADN.

El art. 326 de la LECR, abriendo el Capítulo dedicado a la inspección ocular dentro del Título V del Libro Segundo ("De la comprobación del delito y averiguación del delincuente") establece lo siguiente:

"Cuando el delito que se persiga haya dejado vestigios o pruebas materiales de su perpetración, el Juez instructor o el que haga sus veces ordenará que se recojan y conserven para el juicio oral si fuere posible, procediendo al efecto a la inspección ocular y a la descripción de todo aquello que pueda tener relación con la existencia y naturaleza del hecho."

"A este fin hará consignar en los autos la descripción del lugar del delito, el sitio y estado en que se hallen los objetos que en él se encuentren, los accidentes del terreno o situación de las habitaciones, y todos los demás detalles que puedan utilizarse, tanto para la acusación como para la defensa[2]."

"Cuando se pusiera de manifiesto la existencia de huellas o vestigios cuyo análisis biológico pudiera contribuir al esclarecimiento del hecho investigado, el Juez de Instrucción adoptará u ordenará a la Policía Judicial o al médico forense que adopte las medidas necesarias para que la recogida, custodia y examen de aquellas muestras se verifique en condiciones que garanticen su autenticidad, sin perjuicio de lo establecido en el artículo 282[3]."

Por su parte, el art. 363 LECR dispone lo siguiente:

"Los Juzgados y Tribunales ordenarán la práctica de los análisis químicos únicamente en los casos en que se consideren absolutamente indispensables para la necesaria investigación judicial y la recta administración de justicia.

Siempre que concurran acreditadas razones que lo justifiquen, el Juez de Instrucción podrá acordar, en resolución motivada, la obtención de muestras biológicas del sospechoso que resulten indispensables para la determinación de su perfil de ADN. A tal fin, podrá decidir la práctica de aquellos actos de inspección, reconocimiento o intervención corporal que resulten adecuados a los principios de proporcionalidad y razonabilidad[4]".

También el artículo 778.3 LECR nos dice que "el Juez podrá acordar, cuando lo considere necesario, que por el médico forense u otro perito se proceda a la obtención de muestras o vestigios cuyo análisis pudiera facilitar la mejor calificación del hecho, acreditándose en las diligencias su remisión al laboratorio correspondiente, que enviará el resultado en el plazo que se le señale".

[2] Este párrafo 1º fue introducido en su actual su redacción por la Ley 13/2009, de reforma de la legislación procesal para la implantación de la nueva Oficina Judicial.

[3] Este párrafo 3º fue añadido por la LO 15/2003 por la que se modifica el Código Penal (LO 10/1995, de 23 de noviembre).

[4] El párrafo 2º fue añadido por la LO 15/2003, de 25 de noviembre, por la que se modifica el Código Penal de 1995.

Igualmente, la Disposición Adicional Tercera de la LO 10/2007, proclama lo siguiente:

> "Para la investigación de los delitos enumerados en la letra a del apartado 1 del artículo 3, la policía judicial procederá a la toma de muestras y fluidos del sospechoso, detenido o imputado, así como del lugar del delito. La toma de muestras que requieran inspecciones, reconocimientos o intervenciones corporales, sin consentimiento del afectado, requerirá en todo caso autorización judicial mediante auto motivado, de acuerdo con lo establecido en la LECR".

Los delitos del artículo 3 de la LO 10/2007 son los delitos graves y, en todo caso, los que afecten a la vida, la libertad, la indemnidad o la libertad sexual, la integridad de las personas, el patrimonio siempre que fuesen realizados con fuerza en las cosas, o violencia o intimidación en las personas, así como en los casos de la delincuencia organizada, debiendo entenderse incluida, en todo caso, en el término delincuencia organizada, la recogida en el artículo 282 bis, apartado 4 de al LECR, en relación con los delitos enumerados.

Cabría además mencionar el RD 1997/2008, de 28 de noviembre por el que se regula la composición y funciones de la Comisión Nacional para el uso forense del ADN.

II. CUESTIONES SOBRE EL ADN EN LA DOCTRINA DEL TRIBUNAL SUPREMO

Se tratará en este apartado de exponer, con separación de temas, los pronunciamientos más destacados del TS sobre la materia estudiada.

A) Obtención del material de prueba de ADN. Es suficiente la autorización judicial

En el Pleno no jurisdiccional celebrado el día 13 de julio de 2005 se examinó la siguiente cuestión: ¿Es suficiente la autorización judicial para extraer muestras para un análisis de ADN a una persona detenida a la que no se informa de su derecho a no autoinculparse y que carece de asistencia letrada?

La habilitación legal al juez estaría recogida en los arts. 339, 778.3 ("el Juez podrá acordar, cuando lo considere necesario, que por el médico forense u otro perito se proceda a la obtención de muestras o vestigios cuyo análisis pudiera facilitar la mejor calificación del hecho, acreditándose en las diligencias su remisión al laboratorio correspondiente, que enviará el resultado en el plazo que se le señale"), y en el art. 363 LECR, cuyo párrafo segundo, añadido por disposición final 1ª primero c) LO. 15/2003 de 21.11, preceptúa que "siempre que concurran acreditadas razones que lo justifiquen, el Juez de instrucción podrá acordar, en resolución motivada, la obtención de muestras biológicas del sospechoso que resultan indispensables para la determinación de un perfil de ADN. A tal fin podrá decidir la práctica de aquellos actos de inspección, reconocimiento o intervención corporal que resulten adecuados a los principios de proporcionalidad y racionabilidad".

El Acuerdo es relevante, pues permite el juez acordar la toma de muestras, sin previa lectura de sus derechos al detenido y sin asistencia letrada.

Tras el debate correspondiente se tomó el siguiente Acuerdo:

> "El Art. 778.3 de la Ley de Enjuiciamiento Criminal constituye habilitación legal suficiente para la práctica de esta diligencia".

B) *Recogida de restos genéticos por la policía*

En el Pleno no jurisdiccional celebrado el día 31 de enero de 2006 se examina la recogida del material que se utilizará luego en prueba de ADN ante las aparentes contradicciones surgidas entre las Sentencias de esta Sala de 19 de abril y 14 de octubre de 2005.

Así, la Sentencia de 19 de abril de 2005 declaró la nulidad de la recogida de saliva y su utilización para la obtención del ADN por no haber mediado resolución judicial para obtenerla. Proclamó la resolución, interpretando el artículo 363, apartado segundo LECR, que dicha norma pone de relieve que es preceptiva la intervención judicial a través de una resolución motivada (auto) para ordenar la obtención de las muestras biológicas del sospechoso a fin de conocer su ADN cuando ello sea necesario para la investigación criminal por delitos graves (proporcionalidad); lo que constituye el primer paso que ha de darse en la práctica de la prueba pericial, tras haber conocido antes algún vestigio en el lugar del delito con restos de los que poder obtener su ADN. Añade la resolución que las normas procesales antes referidas imponen al juez la obligación de actuar personalmente en la recogida de esta clase de muestras. Además enfatiza, lo que posiblemente explique su reticencia en admitir la toma de muestras recogidas por la Policía, que en el caso enjuiciado ni siquiera figuraba en las actuaciones, diligencias o informe alguno en el que constase por escrito esa recogida policial de la muestra biológica, luego utilizada como indubitada, para compararla con la obtenida del examen de los restos sacados de la manga del jersey hallado en el lugar del crimen. En este sentido, insistió la sentencia en cómo los extremos relativos a este tema de muestra indubitada, así como su envío al órgano policial especializado que practicó la pericial de ADN, sólo aparecían acreditados por la declaración del funcionario que acudió como testigo al juicio oral. Por ello, en aquel caso, concluyó la Sala, que no podía tener validez probatoria alguna el análisis de ADN practicado sobre una muestra biológica indubitada, que fue obtenida sin las garantías exigidas por nuestra ley procesal. Por último, y para la resolución, no había razón de urgencia que permitiera actuar a prevención al funcionario policial que tomó la muestra biológica de la celda ocupada por el ahora recurrente.

Distinto fue el criterio adoptado por otra Sentencia posterior del Tribunal Supremo, la número 1311/2005, de 14 de octubre, en la que se declara, entre otros extremos, la validez de los análisis y comparación de restos genéticos del acusado con los hallados en una prenda recogida en el lugar de los hechos. Se dice en esta Sentencia que se centra la impugnación en la ausencia de garantías en la toma de muestras genéticas indubitadas que se obtienen de los restos de un esputo que el acusado realizó cuando salía de una de las celdas de la Comisaría y que fue recogida por la policía. La toma de muestras para el control, se llevó a cabo por razones de puro azar y a la vista de un suceso totalmente imprevisible. Los restos de saliva escupidos se convirtieron así en un objeto procedente del cuerpo del sospechoso, pero obtenido de forma totalmente inesperada, lo que refrendaba la legitimidad de su obtención.

Las hipotéticas divergencias que pudieran suscitar las declaraciones realizadas en las sentencias mencionadas 501/2005, de 19 de abril, y 1311/2005, de 14 de octubre, al estar pendientes además otros pronunciamientos referidos a casos similares, fue lo que determinó la celebración de un Pleno no jurisdiccional de la Sala Penal del Tribunal Supremo, celebrado el 31 de enero de 2006, en el que se tomó el siguiente Acuerdo:

> **"La Policía Judicial puede recoger restos genéticos o muestras biológicas abandonadas por el sospechoso sin necesidad de autorización judicial".**

Este Acuerdo ha sido seguido por todas las demás sentencias posteriores Sentencias del Tribunal Supremo.

Así, en la Sentencia 179/2006, de 14 de febrero, se examina un supuesto de recogida y utilización para fines de investigación policial de vestigios corporales (saliva) encontrados en la colilla arrojada por una persona que era objeto de seguimiento, y se declara que sobre la ausencia de consentimiento de los acusados, ni la autoridad judicial, ni la policial que investiga a sus órdenes, ha de pedir permiso a un ciudadano para cumplir con sus obligaciones legales. Asimismo se aclara que después de la reforma del artículo 363 LECR operada en 2003, y como criterio aceptable antes y después de la misma, se puede concluir que la intervención del juez, salvo en supuestos de afectación de derechos fundamentales, no debe impedir la posibilidad de actuación de la policía, en el ámbito de la investigación y averiguación de los delitos en los que posee espacios de actuación autónoma. Luego, aclara la resolución que esta Sala estima oportuno interpretar de forma flexible las facultades atribuidas a la policía, dada la vetustez del párrafo 1º del mentado art. 282 al que remite el art. 326, que debe verse enriquecido con una interpretación armónica en sintonía con el contexto legislativo actual, en atención a las más amplias facultades concedidas a una policía científica especializada y mejor preparada, con funciones relevantes en la investigación de los delitos (véase Ley Orgánica de Fuerzas y Cuerpos de la Seguridad del Estado de 13 de marzo de 1986, art. 11.1.g; y Real Decreto de Policía Judicial de 19 de junio de 1987, art. 4º).

Esta idea fue ratificada por numerosos fallos del TS, de los que las SSTS 1190/2009, 3 de diciembre, 701/2006, 27 de junio, 949/2006 de octubre, 1267/2006, 20 de diciembre y de 7.7.2010, son sólo muestras más que significativas. Esta tesis es plenamente congruente con el art. 126 de la CE, que impone a la Policía Judicial la averiguación del delito y el descubrimiento del delincuente, esto es, le atribuye la práctica de los actos de investigación pertinentes para el descubrimiento del hecho punible y de su autoría.

La reflexión se ha visto confirmada por la ya citada LO 10/2007, 8 de octubre. En su Disposición Adicional 3ª —a la que el propio texto adjudica el carácter de ley orgánica— se establece que "…para la investigación de los delitos enumerados en la letra a) del apartado 1 del artículo 3, la policía judicial procederá a la toma de muestras y fluidos del sospechoso, detenido o imputado, así como del lugar del delito. La toma de muestras que requieran inspecciones, reconocimientos o intervenciones corporales, sin consentimiento del afectado, requerirá en todo caso autorización judicial mediante auto motivado, de acuerdo con lo establecido en la Ley de Enjuiciamiento Criminal". El precepto normativo contenido en la Disposición enunciada sirve para observar que de la "actuación delegada por el juez" del artículo 326 LECR se ha pasado a la "facultad autónoma" de actuación por la Policía, venciendo de esta forma los injustificados recelos sobre la legitimidad de su actuación y colocándonos en conexión con el derecho europeo en la materia.

En general y en relación con las tomas subrepticias, tiene declarado esta Sala, en Sentencia 1311/2005, de 14 de octubre, que, cuando se trata de saliva arrojada por una persona, no nos encontramos ante la obtención de muestras corporales realizada de forma directa sobre el sospechoso, sino ante una toma derivada de un acto voluntario de expulsión de materia orgánica realizado por el sujeto objeto de investigación, sin intervención de métodos o prácticas incisivas sobre la integridad corporal, por lo que, en estos casos, no entra en juego la necesaria intervención judicial.

C) Recogida policial de restos biológicos cuando no concurren razones de urgencia

El problema planteado es qué ocurre con la prueba pericial de ADN en aquellos supuestos en que la Policía recoge las muestras del lugar de los hechos o abandonadas, pero sin que concurran razones de urgencia, pues cuando concurren es correcta y obligada su intervención de recogida, depósito y custodia de la fuente de prueba.

Pues bien, también la STS de 14.2006 nos recordará en este punto que en los supuestos en que sin ordenarlo el juez instructor y sin existir riesgo de que la prueba se pierda o desaparezca, intervenga la policía y conforme a sus protocolos proceda a la recogida y práctica documentada de la diligencia, poniéndola en conocimiento del juez y aportando a la causa sus resultados, nos hallaríamos ante una infracción procesal, que no viciaría de nulidad la diligencia, sin perjuicio de la devaluación de la garantía de autenticidad provocada por el déficit formal que podría llegar hasta la descalificación total de la pericia, si la cadena de custodia no ofreciese ninguna garantía, como fue el caso contemplado por la reseñada sentencia de esta Sala de 19 de abril de 2005.

Debe aclararse que la Disposición adicional tercera de la LO 10/2007, en cuanto permite a la Policía, en actuación autónoma y no delegada, "proceder a la toma de muestras y fluidos del sospechoso, detenido o imputado, así como del lugar del delito".

D) Relación de la prueba de ADN con el derecho a la intimidad personal e informática

La STS de 14 de octubre de 2005, estudia la denuncia relativa a la posible afectación de la intimidad del acusado, ya que los perfiles genéticos no sólo sirven para la identificación de personas sino que pueden almacenar datos relativos a la salud que son eminentemente sensibles. Resalta la resolución que las muestras indubitadas se obtuvieron solamente para la identificación a través de una captación aleatoria y con fines de investigación de un delito. Más allá de las posibilidades científicas de analizar aspectos no codificantes con las muestras obtenidas en la instrucción judicial, razonó el TS que no constaba en las actuaciones que el proceso posterior de almacenamiento incluyera datos más allá de los necesarios para las labores de investigación policial[5]. En todo caso, si el almacenamiento de datos excesivos e innecesarios perjudicase o contraviniese la normativa de la Ley de Protección de Datos, añade la sentencia, sería competencia de la Agencia de Protección de Datos investigar el fichero y reducirlo a los términos previstos por la ley. Todo ello para nada afectaba a la identificación previa realizada con criterios adecuados, lo que hace innecesaria la autorización judicial al no suponer invasión corporal alguna.

Recuerda la sentencia estudiada que la Carta de los Derechos Fundamentales de la Unión Europea, en su artículo 8, proclama que toda persona tiene derecho a la protección de los datos de carácter personal, que sólo podrán ser recogidos mediante su consentimiento o *en virtud de otro fundamento legítimo previsto por la ley,* inciso subrayado que lleva a la conclusión de que la salvaguarda de la intimidad permite la injerencia prevista

---

[5]   En este sentido, el artículo 4 de la LO 10/2007 dispone que "sólo podrán inscribirse en la Base de Datos regulada en esta Ley, los indicadores obtenidos a partir de ADN, en el marco de una investigación criminal, que proporcionen exclusivamente información genética de las personalidad reveladora de la persona y de su sexo".

por la ley o cuando se trate de adoptar medidas aceptables en una sociedad democrática para la prevención del delito. La Ley de 13 de Diciembre de 1999 de Protección de Datos, además, dirá la sentencia, excluye de su ámbito de aplicación los ficheros y tratamientos establecidos con fines de investigación del terrorismo y formas graves de delincuencia organizada. En todo caso, el hipotético incumplimiento del registro, razona la sentencia, constituiría una irregularidad administrativa, que en modo alguno supondría la vulneración de un derecho fundamental que lleve aparejada la nulidad absoluta del análisis practicado.

También la STS de 4 de junio de 2003 había declarado antes que la "toma de muestra de saliva, ceñida a la mera identificación del acusado, no afecta a ningún derecho fundamental, ni a la integridad física ni a la intimidad del mismo".

E) Cadena de custodia

El tema ha sido abordado en la STS de 25 de noviembre de 2010, que nos recuerda que no cualquier irregularidad formal puede convertir en nula la prueba y que para los supuestos en que se dude de la muestra indubitada obtenida del imputado queda el recurso de la subsanación por el testimonio de los intervinientes que documentan el acto o bien la solicitud de la prueba de contraste. En este sentido, dice la sentencia que "acerca de la posible ruptura de la cadena de custodia, aunque no se halla perfectamente documentada y existe un error, perfectamente detectado y corregido en relación a una fecha, lo cierto es que no es posible oponer ninguna tacha, según se desprende del contenido de la diligencia en la que se refleja la cadena de custodia (folio 262), aunque no firmaran cada uno de los intervinientes (sólo el autor de la diligencia), pues todos ellos depusieron en juicio y garantizaron con sus firmes testimonios la regularidad de tal cadena de custodia". Y todavía más, "si el acusado dudaba de la garantía de la prueba, estaba en sus manos ofrecer un fluido (poco invasivo es incorporar en un frotis bucal algo de saliva), para demostrar el error que ahora sostiene". En cualquier caso, la resolución enfatiza que, en supuestos dudosos, nada impide al juez instructor de la causa, si hubiera advertido alguna anomalía insalvable o que pusiera en riesgo la garantía de la prueba, haber actuado conforme le autoriza el art. 363 LECR, acordando la obtención de muestras biológicas de la persona del sospechoso para la determinación de su perfil de ADN, con fundamento en los principios de proporcionalidad y razonabilidad.

La STS de 24.3.20010 abordó el tema de la nulidad de la prueba de obtención de ADN, concretamente en la fase de recogida de los objetos, que fueron entregados dos días después por el padre de la ofendida, incurriendo en posible contaminación y convirtiéndose en una muestra viciada, en tanto en cuanto no se entregó a la policía nacional o a la guardia civil, sino al médico forense. De ese modo se habrían infringido los preceptos previstos para la recogida de muestras con ocasión de la inspección ocular, concretamente los arts. 326 y siguientes y 778-3º, reformado por ley 10/2007, ambos de la LECR, en los que se establece el régimen adecuado para la no afectación de derechos fundamentales. La sentencia entiende que "en modo alguno se ha producido la ruptura de la cadena de custodia, recordando que realmente el recurrente confunde los preceptos de la inspección ocular (art. 326 y 778-3 LECR) con la práctica de una prueba sobre fluidos que se hallan contenidos en una prenda íntima de la propiedad de la ofendida, que a requerimiento del forense, el cual a su vez actúa por orden del juez, entrega para su análisis. Cosa distinta hubiera sido que las bragas hubieran sido habidas en el lugar de los hechos, en cuyo caso la policía judicial que levantó el atestado e inspeccionó el lugar debería haber actuado de conformidad a los preceptos citados por el recurrente, pero ése no era el caso".

Considera la resolución comentada que es de elemental lógica concluir que existe mayor garantía de conservación, tratamiento y remisión de una muestra biológica al Laboratorio Oficial de análisis cuando se interviene con más alto grado de profesionalidad y especialización, lo que puede atribuirse a la intervención del médico forense, funcionario adscrito al juzgado, siendo por tal razón por la que los preceptos supuestamente infringidos (art. 326 p. 3º y 778-3º LECR) prevén la intervención del médico forense. El médico forense se atuvo al protocolo para los "informes clínicos de violencia".

La STS de 25.1.2011 también incide en el tema de la cadena de custodia validando un proceso en el que "el informe pericial obrante a los folios 314 a 318 de los autos, acredita que, examinada por la Unidad de Policía Científica de la Ertzaintza la colilla de cigarrillo de la marca Marlboro recogida del lugar de los hechos, la misma pertenece al acusado. Esta colilla, fue recogida del lugar de los hechos, en concreto, del portal en el que se detectó el incendio, en presencia, tal y como lo declaró en el plenario, del agente 12297, por parte de los agentes número 12566 y L47D4, encargados de realizar la inspección ocular del lugar. Quedó reseñada como Evidencia nº 4, en concreto, como muestra M002/4, y fue objeto de cotejo con las muestras biológicas indubitadas obtenidas con el consentimiento del acusado, en la forma expuesta en el punto cuarto de este fundamento tercero. Así pues del informe pericial reseñado resulta su coincidencia con el perfil genético del acusado".

También la STS de 3.12.2009 se ocupa de la recogida de una lata de cerveza por la Guardia civil y de las objeciones a que sirviese como fuente de prueba por no haberse levantado acta de tal hecho y por no haber intervenido el secretario judicial. Tales objeciones, dirá la sentencia acotada, carecen de relevancia, toda vez que la prueba del hecho no radica en el acta de ocupación, sino en el testimonio prestado por los funcionarios en el juicio oral con todas las garantías relatando las circunstancias y resultado del registro practicado. En efecto, razonará la sentencia, el acta levantada por el secretario judicial constituye el único vehículo que permite la valoración de la diligencia como prueba preconstituida en cuanto a su contenido y la reseña de los efectos hallados, sin que precise de ratificación alguna por parte de las personas que hubieran intervenido, derivando su función acreditativa de la propia naturaleza de la función orgánica atribuida al Secretario Judicial. Por tanto, inferirá la resolución, la presencia del secretario es requisito necesario para la validez de esta actuación como prueba preconstituida, pero no para la validez de una diligencia policial como mero acto de investigación, pues al tratarse de simples diligencias de investigación carecen en sí mismas de valor probatorio, aunque se reflejen documentalmente en un atestado policial, por lo que los elementos probatorios que de ellas pudiesen derivarse deben incorporarse al juicio oral, mediante un medio probatorio aceptable en derecho: por ejemplo, la declaración testifical de los agentes intervinientes debidamente practicada en juicio con las garantías de la contradicción y la inmediación.

F) Prueba pericial de ADN

La STS 287/2010, de 26 de marzo, nos recuerda en orden a la prueba del ADN, que ésta se lleva a cabo por el Instituto Nacional de Toxicología y Ciencias Forenses y está firmada por dos facultativos identificados por sus carnets profesionales. Enfatiza que no es cierto que no compareciera ninguno de ellos al plenario, ya que uno estaba presente. En todo caso, y aunque hubiera comparecido cualquier otro funcionario del organismo oficial, también recuerda que los peritajes de los laboratorios oficiales, que funcionan con métodos de colaboración y reparto de funciones, pueden ser ratificados por cualquiera que trabaje en el centro oficial. En este punto debe puntualizarse que, aun cuando de no existir impugnación, el informe de Laboratorio oficial pueda servir como prueba documentada si se han seguido los protocolos legales en su elaboración, la importancia de la pericia debería exigir su celebración en el plenario, para examen de los peritos con contradicción efectiva.

G) Relación con el derecho a la integridad física

La STS de 22.2.2010 en este punto aclara que "la obtención de muestras corporales del sospechoso no conlleva una vulneración del derecho a la integridad física que no esté constitucionalmente legitimada. Es cierto que, en algunas ocasiones, la obtención de muestras corporales puede implicar una afectación, siquiera leve, de ese derecho a la incolumidad. Sin embargo, como ha precisado la jurisprudencia constitucional, ese derecho no puede considerarse, en modo alguno, absoluto".

Como apunta la STC 207/1996, 16 de diciembre, "la Constitución, en sus arts. 15 y 18.1, no prevé expresamente la posibilidad de un sacrificio legítimo de los derechos a la integridad física y a la intimidad (a diferencia, por ejemplo, de lo que ocurre con los derechos a la inviolabilidad del domicilio o al secreto de las comunicaciones (-art. 18.2 y 3 CE-), mas ello no significa que sean derechos absolutos, pues pueden ceder ante razones justificadas de interés general convenientemente previstas por la Ley, entre las que, sin duda, se encuentra la actuación del ius puniendi (STC 37/1989, fundamentos jurídicos 7.º y 8.º). [...]

Así pues, nos dirá la STS de 22.2.2010, "el interés público propio de la investigación de un delito, y, más en concreto, la determinación de hechos relevantes para el proceso penal son, desde luego, causa legítima que puede justificar la realización de una intervención corporal, siempre y cuando dicha medida esté prevista por la Ley, lo cual nos remite a la siguiente de las exigencias constitucionales antes indicadas". La simple lectura de los arts. 363 párrafo 2º y 326 párrafo 3º de la LECR, ponen de manifiesto la suficiente cobertura legislativa y, por tanto, el cumplimiento de las exigencias inherentes al principio de legalidad para la limitación de derechos fundamentales.

También la STS de 4 de junio de 2003 había declarado, como adelantábamos, que la "toma de muestra de saliva, ceñida a la mera identificación del acusado, no afecta a ningún derecho fundamental, ni a la integridad física ni a la intimidad".

H) Relación con el derecho a no autoincriminarse

Recuerda la STS de 22.2.2010 que la prueba de ADN, incluso con anterioridad a la reforma operada por la LO 15/2003, 25 de noviembre, que acabó con la situación de anomia legislativa, no implica, desde luego, una exigencia de autoincriminación. Y ello porque en palabras del TC, *"…las pruebas de detección discutidas —se está refiriendo a las pruebas de precisión alcoholométrica—, ya consistan en la expiración de aire, ya en la extracción de sangre, en el análisis de orina o en un examen médico, no constituyen actuaciones encaminadas a obtener del sujeto el reconocimiento de determinados hechos o su interpretación o valoración de los mismos, sino simples pericias de resultado incierto que, con independencia de que su mecánica concreta no requiera solo un comportamiento exclusivamente pasivo, no pueden catalogarse como obligaciones de autoincriminarse, es decir, como aportaciones o contribuciones del sujeto que sostengan o puedan sostener directamente"* (STC 161/1997, 2 de octubre).

Nos seguirá diciendo la resolución comentada que en el ámbito del proceso penal, el imperio del art. 24.2 de la CE, al reconocer el derecho de todo imputado a no declarar contra sí mismo, impide al órgano jurisdiccional, en aquellos casos en los que el imputado se niega a declarar, interpretar el ejercicio de este derecho como una causa que exonere al Ministerio Fiscal del desafío probatorio que asume desde el inicio de las investigaciones.

Incluso insistirá en que más allá de la discutible calificación por algunos de ese silencio o de las explicaciones inverosímiles como *indicios endoprocesales*, lo cierto es que su adecuada ponderación es obligada, no como indicio o contraindicio, sino como elemento de respaldo de la inferencia probatoria obtenida por el Tribunal a partir de los verdaderos indicios. Reiterando la doctrina expuesta en la Sentencia 1736/2000 de 15 de noviembre, la participación criminal no puede deducirse de la falta de explicaciones verosímiles por parte de quien está amparado por la presunción de inocencia, sino del resultado de un proceso lógico cuyo punto de arranque se sitúa en el conjunto de hechos base llamados indicios, con capacidad —ellos mismos, y por sí mismos— de conducción por vía deductiva y de modo lógico, a una conclusión llamada hecho consecuencia.

l) *Valoración judicial de la negativa a someterse las pruebas*

La misma STS de 22.2.20010 nos dirá que la valoración jurisdiccional de la negativa del acusado a someterse voluntariamente a la extracción de muestras de contraste, ha sido también objeto de tratamiento en la jurisprudencia de esta Sala. Paradójicamente, es en el ámbito de la jurisdicción civil donde las consecuencias de la negativa del demandado a someterse a esas pruebas se contemplan con mayor rigor. De hecho, en materia de acciones de filiación, el art. 767.4 de la LEC llega a afirmar que *"…la negativa injustificada a someterse a la prueba biológica de paternidad o maternidad permitirá al tribunal declarar la filiación reclamada, siempre que existan otros indicios de la paternidad o maternidad y la prueba de ésta no se haya obtenido por otros medios".*

En el ámbito penal, la STS 1697/1994, 4 de octubre, valoró la negativa a someterse a la prueba de ADN, en unión de otros elementos indiciarios, como una actividad probatoria *"…apta para enervar la verdad interina de inculpabilidad en que la presunción 'uris tantum' de inocencia consiste".* En línea similar, la STS 107/2003, 4 de febrero, recordó que *"…cuando la negativa a someterse a la prueba del ADN, carece de justificación o explicación suficiente, teniendo en cuenta que se trata de una prueba que no reporta ningún perjuicio físico y que tiene un efecto ambivalente, es decir puede ser inculpatorio o totalmente exculpatorio, nada impide valorar racional y lógicamente esta actitud procesal como un elemento que, por sí sólo, no tiene virtualidad probatoria, pero que conectado con el resto de la prueba puede reforzar las conclusiones obtenidas por el órgano juzgador".* Puede también traerse a colación la sentencia del Tribunal Europeo de Derechos Humanos de 17 de diciembre de 1996 (*caso Saunders versus Reino Unido*), que en su parágrafo 69 afirma que el derecho a guardar silencio no se extiende al uso, en un procedimiento penal, de datos que se hayan podido obtener del acusado recurriendo a poderes coercitivos y cita, entre otras, las tomas de aliento, de sangre y de orina.

J) Recurso de revisión

La STS, dictada en recurso de revisión, número 792/2009, de 16 de julio, permitió anular la sentencia condenatoria previa sobre el presupuesto de la prueba pericial del ADN, no obstante venir respaldada la condena por pruebas tan contundentes como el reconocimiento expreso del autor por parte de la víctima. Los resultados de las nuevas pruebas genéticas revelaron datos nuevos y posteriores a la sentencia, lo que unido a que la prueba de ADN tiene un carácter técnico e identificador de superior valor a las pruebas en que la sentencia condenatoria se basó, en concreto la declaración de la víctima que no sólo reconoció en rueda al procesado, reconocimiento ratificado en el juicio oral, sino que también reconoció a presencia judicial la voz de su agresor, permitieron entender que esa nuevas pruebas revelaban de modo inequívoco la inocencia del acusado. Por ello, como el Ministerio Fiscal señalaba en su informe apoyando el recurso, "no obstante reconocer el valor y respeto que merecen esas pruebas personales que sirvieron para la condena, nos encontramos ante hechos nuevos como son las pruebas de ADN, realizadas sobre los perfiles genéticos hallados con unas técnicas más precisas y avanzadas que permiten una mayor certeza individualizadora e identificadora y que excluyen la participación del acusado, y cuyo valor técnico y demostrativo es de tal contundencia que por sí solos evidencian con certeza su inocencia".

En el mismo sentido son de ver SSTS de 5.7.97 y 8.6.2005 que anularon, sobre el mismo presupuesto de la prueba pericial del ADN, sentencias condenatorias que descansaban en la declaración de la víctima.

K) Presunción de veracidad de los archivos de ADN almacenados en la base de datos y posibilidad de prueba en contrario

La STS de 26 de julio de 2011 se pronuncia sobre el tema exponiendo que como se declaró en STS 827/2011, de 14 de julio, la metodología del análisis del ADN, a partir de la creación de la base de datos policial sobre identificadores genéticos, puede entenderse perfectamente ajustada a las exigencias impuestas por su propio significado científico, cuando el perfil genético de contraste se consigue a partir de los datos y ficheros que obran en ese registro, sin necesidad de someter la conclusión así obtenida a un segundo test de fiabilidad, actuando después sobre las muestras de saliva del procesado.

Es obvio, dirá la resolución precitada, que ningún obstáculo puede oponerse a la práctica convergente de ambos contrastes, pero también lo es que la identificación genética que obra en la base de datos, puesta en relación con los restos biológicos dubitados, normalmente hallados en el lugar de los hechos, *permite ya una conclusión sobre esa coincidencia genética* que luego habrá de ser objeto de valoración judicial.

Pero de la misma manera, enfatizará la sentencia, es indudable también que el imputado puede rechazar de forma expresa la conclusión pericial sobre su propia identificación genética, cuando ésta se logra a partir de los datos preexistentes en el fichero de ADN creado por la LO 10/2007, 8 de octubre. La posibilidad de que entre el perfil genético que obra en el archivo y los datos personales de identificación exista algún error, es una de las causas imaginables —no la única— de impugnación. Sin embargo, ese desacuerdo, para prosperar, deberá expresarse y hacerse valer en momento procesal hábil. No se trata de enfatizar el significado del principio de preclusión que, en el fondo, no es sino un criterio de ordenación de los actos procesales y, por tanto, de inferior rango axiológico frente a otros valores y principios que convergen en el proceso penal. Lo que se persigue es recordar que la destrucción de la presunción *iuris tantum* que acompaña a la información genética que ofrece esa base de datos —así lo autorizan la fiabilidad científica de las técnicas de obtención de los perfiles genéticos a partir de muestras ADN y el régimen jurídico de su acceso, rectificación y cancelación, autorizado por la LO 10/2007, 8 de octubre—, sólo podrá ser posible mediante la práctica de otras pruebas de contraste que, por su propia naturaleza, sólo resultarán idóneas durante la instrucción.

Sobre esta materia ya se pronunció la STS 685/2010, 7 de julio.

L) *Asistencia letrada*

La STS de 7.7.2010 nos recuerda, en expresión obiter dicta, y sin que el tema afectara al fondo de la cuestión debatida, pues la muestra biológica había sido obtenida del lugar de los hechos, que la Disposición adicional tercera de la L010/2007, pese a que deja sin resolver algunas cuestiones todavía pendientes y decididamente abordadas en el derecho comparado, tiene la virtud de clarificar, acogiendo el criterio ya proclamado por esta Sala, el régimen jurídico de la toma de muestras para la obtención del ADN. De acuerdo con su contenido, resultará indispensable distinguir varios supuestos claramente diferenciados.

a) En primer lugar, cuando se trate de la recogida de huellas, vestigios o restos biológicos abandonados en el lugar del delito, la Policía Judicial, por propia iniciativa, podrá recoger tales signos, describiéndolos y adoptando las prevenciones necesarias para su conservación y puesta a disposición judicial. A la misma conclusión habrá de llegarse respecto de las muestras que pudiendo pertenecer a la víctima se hallaren localizadas en objetos personales del acusado.

b) Cuando, por el contrario, se trate de muestras y fluidos cuya obtención requiera un acto de intervención corporal y, por tanto, la colaboración del imputado, el consentimiento de éste actuará como verdadera fuente de legitimación de la injerencia estatal que representa la toma de tales muestras.

En estos casos, si el imputado se hallare detenido, ese consentimiento precisará la asistencia letrada. Esta garantía no será exigible, aun detenido, cuando la toma de muestras se obtenga, no a partir de un acto de intervención que reclame el consentimiento del afectado, sino valiéndose de restos o excrecencias abandonadas por el propio imputado.

c) En aquellas ocasiones en que la policía no cuente con la colaboración del acusado o éste niegue su consentimiento para la práctica de los actos de inspección, reconocimiento o intervención corporal que resulten precisos para la obtención de las muestras, será indispensable la autorización judicial.

La cuestión, resuelta de esta manera por la STS de 7.2010, cuyo contenido hemos transcrito casi literalmente, no obstante, es discutible como veremos en el último apartado del trabajo.

LL) Coercibilidad por el juez

La STS de 7.7.2010, nos dirá que esta resolución habilitante no podrá legitimar la práctica de actos violentos o de compulsión personal, sometida a una reserva legal explícita —hoy por hoy, inexistente— que legitime la intervención, sin que pueda entenderse que la cláusula abierta prevista en el art. 549.1.c) de la LOPJ, colma la exigencia constitucional impuesta para el sacrificio de los derechos afectados. En este sentido, la resolución se aparta por completo de la STEDH del caso SAUNDERS, de 17.12.1996, que habilita y legitima las muestras obtenidas del acusado, en sangre, orina o saliva, recurriendo a poderes coercitivos.

III. DOS CUESTIONES BÁSICAS: TOMA DE MUESTRAS AL DETENIDO Y PRESENCIA LETRADA Y COERCIBILIDAD JUDICIAL

A) *Toma de muestras al detenido con consentimiento informado del mismo prestado sin asistencia letrada*

Sabemos que la cuestión es discutible y que posiblemente se regulará de modo distinto en la nueva LECR. Pero vamos a aproximarnos a su estudio a la luz del derecho vigente. En síntesis, ya adelantamos que puede sostenerse, con respeto a lo dispuesto en la Disposición adicional tercera de la LO 10/2007, que es válida la obtención de muestras biológicas del sospechoso detenido, siempre que se trate de intervenciones corporales leves, como el frotis bucal o la extracción capilar, con el consentimiento informado del mismo y sin presencia letrada. Ello es así, por las siguientes razones que expondremos ordenadamente.

- La Disposición Adicional Tercera de la LO 10/2007, claramente lo permite. Se trata de una Ley orgánica con aptitud para regular derechos fundamentales y su contenido es diáfano. No sabemos por qué su literalidad puede ser obviada. En ella se expresa lo siguiente:

    "Para la investigación de los delitos enumerados en la letra a del apartado 1 del artículo 3, la policía judicial procederá a la toma de muestras y fluidos del sospechoso, detenido o imputado, así como del lugar del delito. La toma de muestras que requieran inspecciones, reconocimientos o intervenciones corporales, sin consentimiento del afectado, requerirá en todo caso autorización judicial mediante auto motivado, de acuerdo con lo establecido en la LECR".

    Desde su lectura es claro que son el consentimiento del interesado y la autorización judicial, cuando no lo hubiera, las habilitaciones que permiten la leve injerencia en los derechos fundamentales afectados para la obtención de las muestras. Para nada se menciona la presencia o asistencia letrada en el primero de los supuestos.

- Ese consentimiento del detenido es informado. Antes de prestarlo, el detenido ha sido informado de sus derechos, los contenidos en el artículo 17.3 CE y en los artículos 520 y concordantes de la LECR. A propósito de los derechos del detenido, el artículo 17.3 CE, garantiza la asistencia de abogado al detenido en diligencias policiales y judiciales, pero "en los términos que la ley establezca". Es decir, se trata de un derecho de configuración legal. Luego, el artículo 520.2.c) LECR, concretando los supuestos legales de asistencia letrada, reserva ésta a "las declaraciones judiciales y policiales y a los reconocimientos de identidad". La obtención de muestras biológicas no invasivas no puede encajar en la categoría de declaración judicial ni en la de reconocimiento de identidad. Por tanto, de los preceptos que regulan la asistencia letrada no puede derivarse la exigencia de la asistencia de abogado para la toma de muestras. Lo dicho no se ve perturbado por el contenido de los artículos 118 o 767 LECR, pues garantizan la asistencia letrada al detenido desde el instante mismo de la detención, pero no modifican el contenido del derecho y su regulación legal. Por otro lado, en los protocolos elaborados por la Comisión Nacional para el uso forense del uso del ADN se entregan modelos técnicos oficiales que recogen plena información sobre los supuestos en que puede obtenerse la muestra, delitos afectados, conservación y análisis de perfiles, depósito, comunicación y cancelación de datos. En tales condiciones, el consentimiento, libre e informado, prestado por el detenido no puede deslegitimarse.

– En la STEDH del caso MARPER, de 4 de diciembre de 2008, interpretando el artículo 8 del CEDH, que podría aparecer como límite y garantía de su realización, se ha considerado lo siguiente:

"El Tribunal recuerda su constante jurisprudencia según la cual los términos 'prevista por la ley' significan **que la medida litigiosa debe tener una base en derecho interno y ser compatible con la preeminencia del derecho**, expresamente mencionada en el preámbulo de la Convención **e inherente al objeto y fin del artículo 8**. La ley dice así ser suficientemente accesible y previsible, es decir **enunciada con la suficiente precisión para permitir al individuo —ayudado si fuera necesario por las oportunas aclaraciones—** regular su conducta. **Para que se la pueda juzgar conforme a estas exigencias, debe proporcionar una protección adecuada contra lo arbitrario y en consecuencia, definir con nitidez suficiente el alcance y las modalidades de ejercicio del poder conferido a las autoridades competentes** (*MALONE c. Reino Unido*, 2 de agosto de 1984, §§ 66-68, serie A no 82, *ROTARU C. Rumanía* [GS], no 28341/95, § 55, TEDH 2000-V, y *AMANN*, antes citado, § 56). El nivel de precisión requerido de la legislación interna —la cual no puede por otra parte hacer frente a cualquier eventualidad— depende en gran medida del contenido del texto considerado, de la materia que se considera que va a cubrir y del número y calidad de sus destinatarios (*HASSAN y TCHAOUCH c. Bulgaria* [GS], no 30985/96, § 84, TEDH 2000-XI, y referencias citadas)".

A su vez, el artículo 8 del CEDH, revisado conforme al protocolo XI, y que regula el derecho a la vida privada y familiar se recoge lo siguiente:

"1. **Toda persona tiene derecho al respeto de su vida privada y familiar**, de su domicilio y de su correspondencia.

2. **No podrá haber injerencia de la autoridad pública en el ejercicio de este derecho salvo cuando esta injerencia esté prevista por la ley y constituya una medida que**, en una sociedad democrática, **sea necesaria para la seguridad nacional, la seguridad pública**, el bienestar económico del país, **la defensa del orden y la prevención de las infracciones penales**, la protección de la salud o de la moral, o la protección de los derechos y las libertades de terceros".

Pues bien, del contenido del artículo 8 CEDH se deriva que los derechos a la vida privada y familiar pueden ser limitados por leyes que establezcan medidas necesarias para la seguridad pública, la defensa del orden y la prevención de delitos. Ello permite calificar la medida estudiada de obtención de muestras biológicas, no obstante sus levísimas injerencias en la integridad física, en cuanto afectaría al perímetro del cuerpo, y en la intimidad personal, pese a su uso no codificante, como necesarias para prevenir y castigar delitos. Y en la interpretación que se ha dado al precepto, la sentencia MARPER asume la adecuación al CEDH de dicha medida si se ha adoptado conforme a una ley nacional, que esté enunciada con suficiente previsión, defina con precisión el alcance de las potestades de las autoridades policiales y judiciales, proteja contra la arbitrariedad y sirva al fin constitucionalmente legítimo del artículo 8 del Convenio de preservar el orden y castigar las infracciones delictivas. Todos esos requisitos son cumplidos por la Disposición adicional tercera, aunque, desde luego, todos ellos en cuanto a claridad y precisión sean susceptibles de redacción más completa y afortunada. En cuanto a la expresión "ayudado si fuera preciso por las oportunas aclaraciones", dicho requisito se ve satisfecho en el derecho interno por el carácter informado del consentimiento y la existencia de los protocolos de actuación, precisos y garantistas, de la Comisión Nacional para el uso forense del ADN. Si quisiera interpretarse la expresión entrecomillada, no como "consejo", "advice" o conseil", sino como necesidad de contar con consejero, o incluso abogado, no puede olvidarse que la redacción condicional del requisito, "ayudado en su caso, o ayudado si fuera necesario", no convertiría en obligatoria, sino en opcional, la asistencia letrada para la realización de la medida, resultando perfectamente legítimo que nuestro derecho interno, de acuerdo con el estatuto del detenido, haya prescindido de esa asistencia. Es decir, podría haberse exigido la presencia y asistencia letrada o no, pero no se ha hecho y esa opción debe respetarse, como se respetaría la contraria si se hubiera optado por ella. Desde luego, la jurisprudencia de TEDH legitima la opción adoptada por el derecho interno.

   – En el ámbito del derecho europeo y comparado nuestro modelo es seguido ampliamente. Así, en el Convenio Europeo de Asistencia judicial hecho en Estrasburgo el 20 de abril de 1959 se señala que es la legislación del país en el que deben practicarse las pruebas la que ha de respetarse para que surtan efectos en derecho. En Inglaterra, la CRIMINAL JUSTICE and PUBLIC ORDER ACT de 1995, permite que "puedan tomarse muestras no invasivas" —mouth scrapes and hair roots—, por la propia Policía, sin asistencia letrada e incluso recurriendo a la fuerza. Además, respecto de cualquier delito, no solo respecto de los delitos graves. En 1997, la CRIMINAL EVIDENCE ACT permitió la obtención de esas muestras por la Policía, sin asistencia letrada, en relación con los delitos sexuales, violentos y robos. La CRIMINAL JUSTICE ACT de 2003 permitió esa obtención de muestras en relación con todos los delitos respecto de cualquier persona detenida en Comisaría. En EEUU, la JUSTICE FOR ALL ACT de 2004 permite la obtención de muestras biológicas por la Policía respecto de toda clase de delitos, todo ello, al igual que en Inglaterra, sin consentimiento del afectado por la medida. La ley inglesa, debe precisarse, distingue entre muestras de carácter íntimo (sangre y pelos púbicos), que únicamente pueden ser tomadas con el consentimiento del afectado y las muestras sin carácter íntimo, que pueden ser tomadas sin su consentimiento. En Holanda, la DUTCH DNA TESTING ACT de 1995 ya permitía, en relación con los delitos sexuales, violentos, o contra la propiedad, si la pena era superior a 4 años obtener esas muestras por la Policía, algo que se ha extendido por Ley de 2001 todos los supuestos que fueran de interés para la investigación criminal. No es necesario el consentimiento del afectado, pero la toma de muestras debe realizarse por médico o especialista, sin que quepa la extracción sanguínea de existir contraindicaciones médicas. En este marco del Derecho comparado, sólo los Códigos penales procesales de Italia, en su artículo 244 bis y Colombia en su artículo 249 contemplan la asistencia letrada en la toma de muestras. Es por ello que no resulta extraño a ese panorama del derecho comprado que nuestra legislación permita la obtención de muestras a la Policía con el presupuesto habilitante del consentimiento del afectado y sin asistencia letrada.

– En el anteproyecto de LECR, aprobado por el Consejo de Ministros el 22.7.2011, figuraba, en esta materia, el artículo 265.2, que señalaba que "cuando la muestra sea tomada mediante frotis bucal" podrá prestar su consentimiento la persona afectada aun cuando estuviere detenida sin necesidad de asistencia letrada.

– Igualmente, el Acuerdo de Pleno de la Sala II del TS, de 3 de julio de 2005, interpretando el artículo 778.3 LECR, concluyó que "no era necesaria ni la información de derechos al detenido, ni la asistencia letrada al mismo, para la extracción de la muestra de ADN acordada por la autoridad judicial en una instrucción penal". Con dicho Acuerdo queda claro que, la asistencia letrada al imputado, que debe soportar la obtención de muestra biológica, no queda integrada en el contenido del artículo 520.2.c) LECR. Ha de resaltarse que, cuando se trata de las diligencias de toma de declaración y reconocimiento de identidad, a las que el precepto únicamente se refiere, la asistencia letrada es necesaria, no sólo en diligencias policiales, sino también judiciales. Es decir, no podría exigirse en unas y excluirse en otras. De esta manera el Acuerdo, desde el momento en que excluye la asistencia letrada en una de las sedes la está excluyendo en la otra, al menos desde la óptica del artículo 520 y del estatuto del detenido (Sobre la configuración legal del derecho a la asistencia letrada, las SSTC 32/2003 y 475/2004 destacan que "dicha asistencia sólo es preceptiva en los casos en que la ley procesal lo requiera, no como exigencia genérica para todos los actos de instrucción en que el imputado o el procesado tengan que estar presentes").

De todo ello, pese al contenido de la STS de 7.7.2010, que olvidando lo establecido en la Disposición adicional tercera exige presencia y asistencia letrada en favor del detenido que presta su consentimiento a la obtención de una muestra no invasiva, entendemos que siempre en relación con esas muestras no invasivas, la previsión legal de la LO 10/2007, en su disposición Adicional tercera, permite la obtención de las mismas con el simple consentimiento del detenido, dada la levísima injerencia en el derecho a la integridad física, en cuanto sólo recae sobre el perímetro del cuerpo, y la nula invasión del derecho a la intimidad personal, pues el ADN que se usa y registra es el no codificante, sin quedar afectada la intimidad corporal, por no recaer sobre parte íntimas del cuerpo la forma de extracción (STC 37/1989), ni el hábeas data informática, por la regulación legal sobre los datos en cuanto a conservación, caducidad, transmisibilidad y archivo de los mismos. El artículo 4.2 de la Recomendación del Comité de Ministros 1/1992 permite incluso al derecho interno la obtención de muestras biológicas sin consentimiento del afectado.

Es cierto que quedaría como soporte de la exigencia de Letrado la doctrina del TS en relación con el consentimiento del detenido prestado en Comisaría con ocasión de entradas y registros en domicilio, pues siendo doctrina consolidada que la ausencia de letrado, en la práctica de la diligencia de entrada y registro, no determina violación del precepto constitucional ni invalida la prueba, también es pacífico, que se garantice la asistencia letrada al menos en el momento de prestar el consentimiento para despejar cualquier duda de *"coacción o intimidación ambiental"* que los agentes de la autoridad pudieran representar de cara al detenido. Ahora bien, esa doctrina que nace del recelo a la actuación policial, no puede mantenerse sobre esa presunción de actuación ilegítima y contraria a la CE de la actuación policial, máxime cuando en la obtención de muestras no resultan afectados de manera relevante derechos fundamentales. Y en cuanto al argumento de "la relevancia de la prueba en el desarrollo del proceso", ya hemos indicado que se trata sólo de obtener fuentes de prueba y que, como dijera la STS 107/2003, 4 de febrero, *"la negativa a someterse a la prueba del ADN, carece de justificación o explicación suficiente, teniendo en cuenta que se trata de una prueba que no reporta ningún perjuicio físico y que tiene un efecto ambivalente, es decir puede ser inculpatorio o totalmente exculpatorio, nada impide valorar racional y lógicamente esta actitud procesal como un elemento que, por sí sólo, no tiene virtualidad probatoria, pero que conectado con el resto de la prueba puede reforzar las conclusiones obtenidas por el órgano juzgador"*. Por otro lado, frente a ese único argumento, derivado de la vieja doctrina sobre la coacción ambiental subsiste la fuerza de toda una ley orgánica, cuyo contenido debería aplicarse por los jueces.

En conclusión, podemos decir que con el vigente contenido de la LO 10/2007, la obtención de muestras biológicas, con el consentimiento informado del detenido, siempre que sean no invasivas, como frotis bucales o extracción capilar, son válidas y legítimas. Sólo las muestras sanguíneas, por su superior injerencia en la integridad física, y las muestras de vello púbico, por su afectación a la intimidad corporal, podrían requerir esa asistencia letrada en la prestación del consentimiento por el detenido.

B) Coercibilidad judicial

El segundo tema que deseamos abordar es el de si el juez puede ordenar coercitivamente la obtención de muestras del imputado. Nuestra respuesta también será positiva, pese a lo expresado obiter dicta por la STS de 22.2.2010. Y ello por las siguientes razones:

- Lo permiten, cuando concurren sus requisitos los artículos 363, párrafo segundo, y 787.3 LECR. La diligencia, desde luego, no deberá poner en peligro la vida, la realizará un especialista médico o técnico habilitado y respetará la dignidad del imputado.

- Según el TC, véase STC 207/96, la medida será idónea, para alcanzar el fin constitucionalmente legítimo perseguido; necesaria, por no existir otras menos gravosas que impongan menor grado de sacrificio en la integridad física e intimidad, y proporcionada, esto es, que el sacrificio que comporte de derechos no resulte desmedido en comparación con la gravedad de los hechos y las sospechas existentes. Es decir, la medida respetará el principio de proporcionalidad, en su triple vertiente constitucional. En sede de proporcionalidad también se respetará la exigencia de que la medida tan sólo se adopte para determinados delitos graves, sirviendo en este punto de referencia el artículo 3 de la LO 10/2007.

- La medida se adoptará mediante auto judicial motivado.

- Si la medida comporta una intervención corporal, que incida en la integridad física, como por ejemplo ocurrirá en la muestra sanguínea, "será encomendada a personal o técnico sanitario y sólo se ejecutará si no existe riesgo para la salud y siempre que no ocasione tarto inhumano o degradante". Véase, en este sentido, la STC 7/1994.

- La posibilidad de compeler al afectado, concurrentes los requisitos proclamados de proporcionalidad y razonabilidad, está prevista en el parágrafo 81, a) y siguientes de la StPO alemana, en el artículo 171 del CPP portugués y en los artículos 345.3 y 349 bis del CPP italiano.

- También permite el ejercicio de "compulsory powers" la sentencia del Tribunal Europeo de Derechos Humanos de 17 de diciembre de 1996 (*caso Saunders versus Reino Unido*), que en su parágrafo 69 afirma que el derecho a guardar silencio no se extiende al uso, en un procedimiento penal, de datos que se hayan podido obtener del acusado recurriendo a poderes coercitivos y cita, entre otras, las tomas de aliento, de sangre y de orina. La sentencia permite la obtención de muestras de sangre, orina y saliva, recurriendo, en su caso, al ejercicio de "compulsory powers".

- En el ámbito doctrinal, ROXIN también lo admite cuando expresa que "el individuo no tiene que colaborar con las autoridades con un comportamiento activo, pero sí que debe soportar injerencias corporales, que puedan contribuir definitivamente al pronunciamiento de su culpabilidad. De ahí que en la medida en que se imponga al sujeto la obligación de tolerar la intervención, claramente se antepone el interés en averiguar la verdad al interés del procesado en mantener en secreto su intimidad corporal y en excluirla como medio de prueba".

De acuerdo con lo expuesto, cumplidos los requisitos señalados, el juez puede ordenar que coercitivamente se obtengan esas muestras biológicas del detenido, lo que en nuestro derecho permiten los artículos 363.2 y 778.3 LECR y art. 549.1.c) de la LOPJ, colmando la exigencia constitucional reseñada, el sacrificio coercitivo de los derechos afectados. La expresión del artículo 363 LECR, apartado segundo in fine, tras haber precisado antes, en el inciso inicial, que el juez podrá acordar dicha medida, y que se refleja en los términos legales *"a tal fin, **podrá decidir la práctica** de aquellos actos de inspección, reconocimiento o intervención corporal que resulten adecuados a los principios de proporcionalidad y razonabilidad"*, sólo puede entenderse en el orden lógico, subsiguiente y gramatical como la facultad otorgada al juez de ordenar tal práctica recurriendo a la coercibilidad.

IV. BIBLIOGRAFÍA

Convenio para la protección de los derechos y libertades fundamentales aprobado por resolución de 5 de abril de 1999.

Convenio europeo de asistencia judicial en materia penal, hecho en Estrasburgo el 20 de abril de 1959.

Recomendación del Comité de Ministros (92) 1, de 10 de febrero de 1992.

Resoluciones del Consejo de Europa relativas al intercambio de resultados de análisis de ADN, de 9 de junio de 1997 y de 25 de julio de 2001 y normas recogidas en el Reglamento de EUROJUST, relativas al tratamiento y a la protección de datos personales, aprobado por el Consejo de Europa el 24 de febrero de 2005.

Convenio de PRÜM, aprobado por Instrumento de Ratificación de 18 de julio de 2006.

Ley Orgánica 10/2007. Ley de Enjuiciamiento Criminal.

Decisión-Marco 2008/615/JAI del Consejo, de 23 de junio de 2008, sobre la profundización de la cooperación transfronteriza, en particular en materia de lucha contra el terrorismo y la delincuencia transfronteriza.

Decisión-Marco 2008/615 JAI, que tiene por objeto intensificar la cooperación transfronteriza, en particular, la que se refiere al intercambio de información entre las autoridades responsables de la prevención y persecución de delitos.

SSTC 37/1989; 7/1994; 207/96; 161/1997; 32/2003 y 475/2004.

STEDH, del caso MARPER, dictada por la Gran Sala, el 4 de diciembre de 2008. STEDH, del caso SAUNDERS, de 17 de diciembre de 1996. También SSTEDH en los casos MALONE c. Reino Unido, 2 de agosto de 1984, §§ 66-68, serie A nº 82; ROTARU C. Rumanía [GS], nº 28341/95, § 55; apartado TEDH 2000-V; AMANN, en el parágrafo § 56 y HASSAN y TCHAOUCH c. Bulgaria [GS], nº 30985/96, § 84, TEDH 2000-XI.

Acuerdos del Pleno no jurisdiccional del TS de 13.7.2005 y de 31.1.2006.

SSTS 19.4.2005; 14.10.2005; 14.2.2006; 20.3.2006; 7.11.2007; 3.12.2008; 6.7.2009; 3.12.2009; 18.2.2010; 22.2.2010; 24.3.2010; 26.3.2010; 28.6.2010; 7.7.2010; 25.11.2010; 25.1.2011 y 26.7.2011.

DOLZ LAGO, M.J., "ADN y derechos fundamentales", publicado en Diario La Ley, número 7774/2012, enero de 2012 y "Problemática de las muestras de ADN a menores y su tratamiento legal", en La Ley Penal, número 54, noviembre de 2008.

SÁNCHEZ MELGAR, J. "La prueba de ADN: pronunciamientos de la jurisprudencia", en Diario La Ley, el 21 de octubre de 2011, 21 de octubre.

ÁLVAREZ DE NEYRA KAPPLER, S. "El análisis de ADN y su aplicación al derecho penal", ED. COMARES, Granada, 2008.

ROXIN, Claus. "Derecho procesal penal", traducción de Gabriela Córdoba y Daniel Pastor revisada por Julio Maier, p. 10, Editores del Puerto, Buenos Aires, 2000.

PROBLEMAS PROCESALES DE LA PRÁCTICA DE LA PRUEBA DE ADN EN ESPAÑA. ESPECIAL CONSIDERACIÓN DE LA NEGATIVA DEL IMPUTADO A LA TOMA DE MUESTRAS

Juan-Salvador Salom Escrivá

Teniente Fiscal de la Fiscalía Provincial de Castellón
Profesor Asociado de Derecho Procesal
Universidad "Jaume I" de Castellón.

Sumario: I. Regulación de la recogida de vestigios y de la toma de muestras de ADN en España: Los artículos 778. 3 y los artículos 326 y 363. 2 de la Ley de Enjuiciamiento Criminal. II. La recogida de vestigios: A) Legitimados para efectuarla: 1. El Juez de Instrucción. 2) Las Policía Judicial. 3) El Ministerio Fiscal. 4) La víctima y terceros. B) Objeto: el ADN no codificante. Delitos investigados. C) La cadena de custodia. III. La toma de muestras de ADN: A) Legitimados para efectuarla. B) Sujetos pasivos de la toma de muestras de ADN: 1. El "sospechoso", el imputado y el acusado. 2. El "sospechoso" desconocido y el identificado. 3. Consentimiento del "sospechoso". Derecho de información. 4) Asistencia letrada. 5) Autorización judicial. 6) Toma de muestras subrepticia o provocada. C) Delitos a los que puede aplicarse. D) Toma de muestras de una generalidad de personas. E) Valoración probatoria. IV. Negativa por el sospechoso a la toma de muestras: A) Autorización judicial. B) Uso de la fuerza física para obtener la toma de muestras. C) Valoración probatoria de la negativa del imputado a la toma de muestras: 1. Indicio en su contra. 2. Delito de desobediencia. 3. Irrelevancia de la negativa. V. Tabla de jurisprudencia resumida sobre la recogida de vestigios y toma de muestras de ADN. VI. Bibliografía.

I. REGULACIÓN DE LA RECOGIDA DE VESTIGIOS Y DE LA TOMA DE MUESTRAS DE ADN EN ESPAÑA: LOS ARTÍCULOS 778. 3 Y LOS ARTÍCULOS 326. 3 Y 363. 2 DE LA LEY DE ENJUICIAMIENTO CRIMINAL

Hasta el año 2003 no se tenía una regulación específica en la legislación española acerca de la recogida de vestigios, debiéndose acudir a los preceptos genéricos de la Ley de Enjuiciamiento Criminal recogidos bajo el título V de libro II de la misma, bajo la rúbrica "De la comprobación del delito y averiguación del delincuente", en particular a lo establecido en los arts. 358 y 363. 1 de la misma[1].

Solamente en base al art. 778. 3 de dicha Ley Procesal Penal podía considerarse que había una mención expresa al respecto, al señalar dicho precepto que el Juez podía acordar, cuando lo considerase necesario, que por el médico forense u otro perito se procediera a la obtención de muestras o de vestigios cuyo análisis pudiera facilitar la mejor calificación de los hechos[2].

Ante esta falta de previsión legal expresa —salvo lo expuesto— y por la necesidad de que existiese al menos alguna norma que diera cobertura a la recogida de vestigios y toma de muestras de ADN con carácter general, se aprovechó la reforma que se efectuaba en el Código Penal y por Ley Orgánica 15/2003 de 25 de noviembre para introducir dos nuevos párrafos, el 3º del art. 326 y el 2º del 363 en la Ley de Enjuiciamiento Criminal.

De conformidad con el art. 326. 3º de dicha Ley "Cuando se pusiera de manifiesto la existencia de huellas o vestigios cuyo análisis biológico pudiera contribuir al esclarecimiento del hecho investigado, el Juez de Instrucción adoptará u ordenará a la Policía Judicial o al Médico Forense que adopte las medidas necesarias para que la recogida, custodia y examen de aquellas muestras se verifique e condiciones que garanticen su autenticidad, sin perjuicio de lo establecido en el artículo 282"[3].

---

[1]   La redacción de estos preceptos deriva de la original de 1882 que se ha venido manteniendo hasta la actualidad. En ellos, la Ley de Enjuiciamiento Criminal considera que estas diligencias deben practicarse de manera restrictiva, al disponer que los Juzgados y Tribunales ordenarán la práctica de análisis químicos "únicamente en los casos en que se consideren absolutamente indispensables para la necesaria investigación judicial y la recta administración de justicia". En la práctica diaria de los tribunales se han superado estas restricciones y dichos análisis y diligencias derivadas se vienen realizando cada vez que se consideran necesarios.

[2]   El precepto no hace referencia a la Policía Judicial y solo se refiere a las diligencias previas del procedimiento abreviado, es decir, está incluido en la regulación de dicho procedimiento cuya competencia objetiva alcanza a los delitos castigados con penas privativas de libertad de hasta nueve años.

[3]   El art. 282 de la Ley de Enjuiciamiento Criminal establece las obligaciones de los miembros de la Policía Judicial que se extienden a la averiguación de los delitos públicos

Por su parte, el art. 362. 2 de la Ley de Enjuiciamiento Criminal prevé que "Siempre que concurran acreditadas razones que lo justifiquen, el Juez de Instrucción podrá acordar, en resolución motivada, la obtención de muestras biológicas del sospechoso que resulten indispensables para la determinación de su perfil de ADN. A tal fin, podrá decidir la práctica de aquellos actos de inspección, reconocimiento o intervención corporal que resulten adecuados a los principios de proporcionalidad y razonabilidad".

La regulación, como puede verse, es mínima e insuficiente. De este modo deja de prever numerosas situaciones que pueden plantearse como las de la necesidad o no de asistencia letrada a imputado en el momento de solicitarse su conformidad a la toma de muestras de ADN, la del derecho de información del mismo acerca del alcance y finalidad de la toma, las consecuencias de la negativa del imputado o sospechoso a la toma de muestras de ADN, la posibilidad o no del uso de la coacción física, etc. que son completadas por la jurisprudencia aunque, precisamente por ello, sometidas a los vaivenes propios de la misma. En todo caso, mejor es esta situación que la anterior ya que al menos, actualmente, contamos con esos dos preceptos específicos que dan un mínimo de cobertura legal a la recogida de vestigios y toma de muestras.

II. LA RECOGIDA DE VESTIGIOS Y MUESTRAS

A) Legitimados para efectuarla

1. El Juez de Instrucción

Ya se ha dicho que el art. 326. 3 de la Ley de Enjuiciamiento Criminal en relación con los párrafos 1 y 2 del mismo permite al Juez de Instrucción adop-

---

cometidos en su territorio o demarcación y a "practicar, según sus atribuciones, las diligencias necesarias para comprobarlos y descubrir a los delincuentes y recoger todos los efectos, instrumentos o pruebas del delito de cuya desaparición hubiere peligro, poniéndolos a disposición de la autoridad judicial". Es decir, este precepto posibilita que la Policía Judicial puede proceder a la recogida de vestigios de ADN en el ejercicio de sus funciones por razones de urgencia.

tar u ordenar a la Policía Judicial o al Médico Forense la recogida, custodia y examen de aquellas muestras que se encuentren en el lugar de los hechos.

No plantea problema específico alguno. Ni siquiera se requiere una resolución motivada sino que bastará una providencia para acordar dicha recogida, pues como señala Romeo Casabona[4] los vestigios son de origen desconocido, con lo que la resolución del juez no va dirigida a persona determinada alguna, lo que de momento no hace necesaria la motivación. La motivación es realmente de carácter legal y aparece reflejada en el párrafo primero del art. 326 al concretar que se deben recoger y conservar para el juicio oral los vestigios o pruebas materiales de la perpetración del delito, por lo que será siempre necesaria cuando haya un imputado o sospechoso concreto.

El auto del Juez debe dictarse antes de procederse a la toma de muestras, no antes, pues no tiene efectos retroactivos (STS 634/2010 de 28 de junio).

Ni la doctrina ni la jurisprudencia cuestionan esta legitimación judicial. Como señala la STS 1027/2010 de 25 de noviembre, "de los arts. 326, 363 y 282 las siguientes reglas: a) prioridad del juez en garantía de la medida, que interviene en casos normales y b) posibilidad de actuación de la policía judicial "en supuestos de peligro de desaparición de la muestra[5]", añadiendo la STS 968/2006 de 11 de octubre que la aplicación del art. 326 de la Ley de Enjuiciamiento Criminal requiere "a) Concurrencia de razones acreditadas que lo justifiquen, lo que debe conectarse con la importancia del delito que se está investigando, obviamente en la delincuencia menor o de bagatela, no sería admisible la utilización de esta prueba. b) Necesidad de la prueba en orden a concretar la intervención del sospechoso en el delito que se está investigando. El texto se refiere a la indispensabilidad de tal prueba. c) Decisión del Juez, o lo que es lo mismo control judicial a la hora de acordar la prueba y d) Como toda decisión judicial, debe venir sustentada por la imprescindible motivación, que verifique el juicio de ponderación entre la intromisión en la intimidad personal que supone la obtención de muestras biológicas del

---

4   Romeo Casabona, en "Los perfiles de ADN en el proceso penal: novedades y carencias del Derecho Español", p. 447. Ed. Consejo General del Poder Judicial, Estudios de Derecho Judicial nº 58. 2004.
5   En el mismo sentido se manifiesta el Auto del TS nº 1329/2012 de 31 de mayo.

individuo concernido y la necesidad de investigar un hecho grave y además la necesidad/imprescindibilidad de tal prueba. Por tanto, respeto a los principios de proporcionalidad y razonabilidad. En definitiva, de forma semejante a las intervenciones telefónicas, se está en presencia de una técnica de investigación definida por las coordenadas de judicialidad, excepcionalidad y proporcionalidad".

En todo caso, como señala la SAP de Burgos, Sección 1ª, nº 5/2008 de 23 de enero, "En la práctica de estas pruebas de ADN, tiene particular relieve la toma de la muestra indubitada, de modo que en ese acto procesal queden precisados el objeto recogido, el lugar donde éste se encontraba, y demás circunstancias necesarias para dejar acreditada la pertenencia a la persona a la que se atribuyen, dato esencial para que la muestra obtenida pueda ser considerada, con las garantías debidas, como una verdadera y propia muestra indubitada."

2. La Policía Judicial

Ningún problema plantea que la Policía Judicial recoja los vestigios hallados en el lugar de los hechos delictivos, en sus proximidades o de un sospechoso de participación en el mismo cuando sea ordenado directamente por el Juez de Instrucción. El art. 326. 3 de la Ley de Enjuiciamiento Criminal prevé expresamente esta posibilidad.

Mayor discusión ha suscitado el que la Policía Judicial recoja vestigios de los que se espera obtener ADN por propia iniciativa, sin previa orden judicial. Sobre este tema hay que resaltar que el precepto anteriormente citado excluye de la necesidad de autorización judicial la recogida de vestigios por la Policía cuando la misma se realice por razones de urgencia o puedan desaparecer dichos vestigios, tal como se deriva de la referencia que el art. 326. 3 hace al art. 282 de la misma. Y ello sin necesidad de consentimiento del sospechoso, caso de ser conocido —evidentemente con mayor motivo caso de ser desconocido el mismo— pues no se trata de una actividad invasiva de su cuerpo ni afecta a derechos fundamentales, aparte de que la investigación criminal no puede depender de la colaboración del sospechoso o imputado. Además, la Disposición Adicional Tercera de la LO 10/2007 permite a la Policía Judicial proceder a la toma de muestras o fluidos del sospechoso y del lugar del delito.

Tratando de rellenar, al menos parcialmente, esta insuficiencia legal, el Acuerdo del Pleno de la Sala Segunda del Tribunal Supremo de 13 de julio de 2005 expresaba que el art. 778. 3 de la Ley de Enjuiciamiento Criminal constituía habilitación legal suficiente para la extracción de muestras de ADN. Por su parte, el Acuerdo del Pleno de la Sala Segunda del Tribunal Supremo de 31 de enero de 2006 establece que "La Policía Judicial puede recoger restos genéticos o muestras biológicas abandonadas por el sospechoso sin necesidad de autorización judicial", terminando de este modo con los distintos criterios jurisprudenciales mantenidos[6].

En este sentido, la STS 685/2010 de 7 de julio señala que "el acuerdo del Pleno no jurisdiccional que tuvo lugar el 31 de enero 2006, proclamó que "la Policía Judicial puede recoger restos genéticos o muestras biológicas abandonadas por el sospechoso sin necesidad de autorización judicial...tesis que era plenamente congruente con el art. 126 de la CE, que impone a la Policía Judicial la averiguación del delito y el descubrimiento del delincuente, esto es, le atribuye la práctica de los actos de investigación pertinentes para el descubrimiento del hecho punible y de su autoría. Y precisamente para la efectividad de este cometido está facultada para la recogida de efectos, instrumentos o pruebas que acrediten su perpetración, como expresamente se recoge en el art. 282 de la Ley de Enjuiciamiento Criminal, que faculta a la Policía Judicial para recoger los efectos, instrumentos o pruebas del delito

---

[6]   Resulta llamativo que estos "Acuerdos" del Pleno No Jurisdiccional de la Sala Segunda del Tribunal Supremo —que también hemos visto imitados en la Audiencia Provincial de Castellón— no tienen reconocimiento explícito en la Ley Orgánica del Poder Judicial ni en la Ley de Enjuiciamiento Criminal, por lo que su valor es discutible. No se duda de que lo que se pretende es acabar con diferencias de criterio al resolver asuntos similares entre distintos tribunales o entre distintas salas o secciones de un mismo tribunal, pero nos resulta dudoso que los miembros de un tribunal puedan quedar vinculados en sus actuaciones futuras por este tipo de acuerdos que vendrían a poner un límite a la interpretación y aplicación de las leyes que competen a todo juez y magistrado, límites que solo pueden ser impuestos por la ley y no por acuerdos de esta naturaleza. Por ello los magistrados y jueces no pueden quedar vinculados en base a unos acuerdos de futura actuación posterior, quedando limitado el valor de estos acuerdos, en mi opinión, al que le quieran reconocer los propios jueces y magistrados. Aparte de que la jurisprudencia no es fuente de derecho penal. Piénsese que bastaría que los tribunales que adoptasen esos acuerdos cambiasen de criterio para que en la práctica funcionasen como verdaderos legisladores.

de cuya desaparición hubiere peligro, poniéndolos a disposición de la Autoridad Judicial". Se trata, en definitiva, de actos de investigación policial que los arts. 282 y 770.3 de la Ley citada atribuyen a la Policía Judicial y que el art 11.1.g de la LO. 2/1986 de 13 de marzo, otorga a los Cuerpos y Fuerzas de Seguridad del Estado. En suma, el descubrimiento y recogida de objetos para su ulterior examen en busca de huellas, perfiles genéticos, restos de sangre u otras actuaciones de similar naturaleza, son tareas que exigen una especialización técnica de la que gozan los funcionarios de la Policía científica a los que compete la realización de tales investigaciones, sin perjuicio de que las conclusiones de las mismas habrán de acceder al Juzgador y al Tribunal sentenciador para que, sometidas a contradicción puedan alcanzar el valor de pruebas". En idéntico sentido se manifiestan las SSTS 1190/2009 de 3 de diciembre y 949/2006 de 4 de octubre[7] y el ATS nº 576/2012 de 22 de marzo, concretando la STSJ del País Vasco, Sección 1ª, de 7 de julio de 2011 que la Policía puede recoger muestras en el lugar de los hechos caso de peligro de desaparición o degradación sin necesidad de orden judicial[8].

Por su parte, las SSTS 634/2010 de 28 de junio, 949/2006 de 4 de octubre y 179/2006 de 14 de febrero consideran como irregularidad no invalidante de la prueba la toma de muestras por la policía sin haber razones de urgencia, aún cuando hubiera debido ser autorizada previamente por el juez, constituyendo "una infracción procesal que no viciaría de nulidad la diligencia[9]". Y la STS 1190/2009 de 3 de diciembre considera irrelevante el que no se levantara acta de la diligencia de ocupación del objeto —una lata— sobre el que se obtuvieron las muestras de ADN, "toda vez que la prueba del hecho no radica en el acta de ocupación, sino en el testimonio prestado por los funcionarios en el juicio oral con todas las garantías relatando las circunstancias y resultado del registro practicado", siendo necesaria la presencia del

---

[7]   Señala esta última sentencia que "la intervención del juez, salvo en supuestos de afectación de derechos fundamentales, no debe impedir la posibilidad de actuación de la policía, en el ámbito de la investigación y averiguación de los delitos en los que posee espacios de actuación autónoma"

[8]   En igual sentido, la STSJ de Madrid, Sección 1ª, 10/2007 de 11 de julio y SAP de Castellón, Sección 2ª, nº 136/2011 de 23 de marzo.

[9]   En el mismo sentido, ATS nº 1329/2012 de 31 de mayo y SAP de Burgos, Sección 1ª, nº 291/2009 de 22 de diciembre.

secretario judicial si se trata de hacer valer la diligencia de toma de muestras como prueba preconstituida pero no para la validez de la diligencia policial como acto de investigación[10], añadiendo la SAN, Sala de lo Penal, Sección 1ª, de 13 de marzo de 2007 que "El que se documente la recogida de los vestigios, arrojados por los acusados, a través de una diligencia de exposición, en lugar de un acta de recogida, que es lo que reclama la defensa, carece de trascendencia, porque lo que resulta relevante es que la persona que realiza la recogida comparezca a ratificarla en el acto del juicio oral", añadiendo el ATS nº 576/2012 de 22 de marzo que "en cuanto a la recogida de muestras en el lugar del delito, es claro que ninguna presencia judicial se requiere para ello[11]".

Finalmente, la Sentencia 13/2014, de 30 de enero de 2014 y la STC 199/2013 de 5 de diciembre, ambas del Pleno del Tribunal Constitucional consideran que no se lesiona el derecho del demandante a su intimidad personal por la recogida de muestras por parte de las fuerzas de seguridad, aunque no fuera ordenada judicialmente, fundamentando sus resoluciones

---

[10]   Con esta nueva doctrina se deja sin efecto la establecida en la STS 501/2005 de 19 de abril, que consideraba que si la policía procedía a la toma de muestras sin existir razones de urgencia ni autorización judicial y no se documentaba en el atestado policial mediante diligencia o acta dicha toma de muestras, la misma carecía de validez probatoria. El Acuerdo del Pleno No Jurisdiccional de la Sala 2ª del Tribunal Supremo de 31 de enero de 2006 ya reconocía, a efectos de unificación de criterios la facultad de las fuerzas de seguridad de recoger restos genéticos o muestras biológicas abandonadas por el sospechoso sin necesidad de autorización judicial. Id. SSTS 179/2006 de 14 de febrero y 701/2006 de 27 de junio.

[11]   En este sentido se pronuncia el art. 287 del Borrador de 2012 de Código Procesal Penal preparado por el Ministerio de Justicia en España, cuyo art. 287 señala que 1. Cuando se ponga de manifiesto la existencia de huellas o vestigios cuyo análisis biológico pudiera contribuir al esclarecimiento del hecho investigado, la Policía Judicial, de oficio o en ejecución de las instrucciones generales o particulares que le hubieran sido transmitidas por el Fiscal, adoptará las medidas necesarias para que la recogida, custodia y examen de aquellas muestras se verifique en condiciones que garanticen su autenticidad. 2. La diligencia a que se refiere el apartado anterior se llevará a cabo por miembros de las unidades de policía científica, por el médico forense o por otro personal especializado. 3. Los datos identificativos extraídos de muestras que hubieran sido obtenidos en el lugar del hecho serán contrastados por la Policía Judicial con los datos obrantes en la base oficial sobre identificadores obtenidos a partir de ADN".

"En primer lugar por la escasa, cuando no nula, incidencia material en la intimidad personal del demandante, que habría consistido en el riesgo de que el análisis de ADN fuese más allá de la mera identificación neutra, dada la naturaleza meramente identificativa del perfil genético obtenido a partir de los sectores no codificantes del ADN. Se pone así en evidencia que la lesión contra la que se pretende reaccionar derivaría de la conservación y utilización futura de perfiles del ADN obtenido a partir de la muestra tomada, pero no de la comparación neutral y exclusivamente identificativa del perfil de ADN del demandante con el extraído de los vestigios del delito investigado", si bien podría admitirse "que el peligro de futuros usos desviados del perfil de ADN del demandante podría eventualmente constituir una injerencia en la intimidad personal por el mero riesgo", pero que no puede ser analizado si el mismo no se materializa en su utilización indebida, por lo que "la limitada incidencia que el análisis de ADN que se pretendía realizar y efectivamente se llevó a cabo tuvo en el derecho a la intimidad del demandante tolera en el caso concretamente analizado la omisión de la autorización judicial en un ámbito en el que, como hemos ya advertido, no constituye una exigencia constitucional directa".

Ambas sentencias justifican asimismo la no necesidad de autorización judicial por parte de las fuerzas de seguridad en estos casos "porque la actuación pericial, al ceñirse a las regiones de ADN no codificante, se ajustó a los estándares proporcionados por la normativa nacional e internacional reguladora del uso forense del ADN, con lo que se asegura que no se va más allá de la identificación neutral del sujeto[12]" y en la urgencia del caso. "Así, la eventual

---

[12]   Como señala la citada STC, Pleno, 13/2014 de 30 de enero, "Tal normativa estaba constituida a la sazón por la Resolución del Consejo, de 25 de junio de 2001, relativa al intercambio de resultados de análisis de ADN (2001/C 187/01) —actualizada luego por la Resolución del Consejo de 30 de noviembre de 2009—, por la cual se insta a los Estados miembros a que limiten los resultados de análisis de ADN a las zonas cromosómicas que no contengan ningún factor de expresión de información genética, es decir, a las zonas cromosómicas que no contengan información sobre características hereditarias específicas. En el correspondiente anexo se especifican y enumeran los marcadores de ADN respecto de los que no se tiene constancia de que contengan información sobre características hereditarias específicas, recomendando a los Estados miembros que estén vigilantes a los avances científicos y preparados para borrar los resultados de análisis de ADN si dichos resultados contienen información sobre características

eficacia probatoria de los restos biológicos contenidos en el cigarrillo requería su rápida recogida, su urgente remisión a los laboratorios adecuados para su conservación y su pronto análisis, evitando todo riesgo de degradación de la muestra, contribuyendo a asegurar la cadena de custodia y minorando las posibilidades de contaminación de la muestra mediante el tratamiento de la misma siguiendo los protocolos ordinarios de actuación", aparte de que en supuestos de urgencia no se prevé la exigencia de resolución judicial habilitante de la recogida de muestras con carácter necesario, justificando el TC que la aportación al proceso del resultado del análisis comparativo del ADN desvanece la merma del control judicial, pues a partir de ese momento "La autoridad judicial se encontraba en disposición de realizar por sí el juicio de ponderación sobre la diligencia pericial efectuada, así como de acordar la práctica de un nuevo análisis o de completar el ya realizado, bien por propia iniciativa o bien a solicitud de la representación procesal del imputado".

En resumen, la Policía Judicial puede recoger vestigios de ADN sin necesidad de autorización judicial en el lugar de los hechos y en sus proximidades asi como en casos de urgencia, en particular, cuando el vestigio corra el riesgo de desaparecer o perder su virtualidad identificativa. Las recogidas de vestigios por la Policía Judicial a que se refieren las SSTC del Pleno del TC 13/2014, de 30 de enero de 2014 y la STC 199/2013 de 5 de diciembre, ya citadas —un esputo expulsado por el imputado detenido cuando estaba en su celda y recogida de una colilla de cigarrillo arrojada por el imputado que estaba detenido por otra causa— se consideraron legales y válidas pese a no existir auto judicial previo que habilitase para ello.

En todo caso, la prudencia aconseja, si las circunstancias del caso lo permiten, solicitar autorización judicial previa para la recogida de vestigios para evitar futuras impugnaciones por las defensas de los imputados.

---

hereditarias específicas. En el ámbito internacional, el Tratado entre el Reino de Bélgica, la República Federal de Alemania, el Reino de España, la República Francesa, el Gran Ducado de Luxemburgo, el Reino de los Países Bajos y la República de Austria relativo a la profundización de la cooperación transfronteriza, en particular en materia de lucha contra el terrorismo, la delincuencia transfronteriza y la migración ilegal, hecho en Prüm el 27 de mayo de 2005 ("BOE" núm. 307, de 25 de diciembre de 2006), obliga a los Estados parte a servirse "exclusivamente de perfiles de ADN obtenidos a partir de la parte no codificante del ADN".

Por último, conviene señalar que la toma de muestras de ADN mediante frotis bucal (saliva no afecta a ningún derecho fundamental cuando se hace a efectos meramente identificativos (SSTS. 709/2013 de 10 de octubre, 803/2003, 949/2006 y 1311/2005), salvo levemente al derecho a la intimidad el cual puede verse limitado en aras a la investigación penal, incluso sin autorización judicial (registros o cacheos corporales policiales).

3. El Ministerio Fiscal

En el curso de las diligencias de investigación penal seguidas por el Ministerio Fiscal cuando aún no hay causa judicial en curso, el Fiscal puede proceder a la recogida de vestigios. En efecto, tal como señala la Circular de la Fiscalía General del estado 2/2012 de 26 de diciembre, "Las dudas en torno a si puede el Fiscal acordar por sí la práctica de tal diligencia deben entenderse solucionadas de raíz tras la entrada en vigor de la LO 10/2007, que ha relativizado el cuasi monopolio jurisdiccional que parecía establecerse en el art. 326 LECrim, en tanto su Disposición Adicional Tercera establece que *para la investigación de los delitos…la policía judicial procederá a la toma de muestras y fluidos… del lugar del delito.* Por tanto, si la Policía está legitimada para recoger tales restos sin necesidad de autorización judicial, tanto más lo estará el Fiscal.

Cabe, consiguientemente afirmar que el Fiscal puede acordar por sí la recogida de restos biológicos sin necesidad de autorización judicial".

Si existe una investigación judicial en curso, la actuación del Juez de Instrucción no impide que el Fiscal pueda proceder a dicha recogida de vestigios y aportarlos al proceso penal incoado si el Juez no lo ha acordado. Mayores problemas presentará en este caso la prueba de la legalidad de la cadena de custodia.

4. La víctima y terceros

Es evidente que tanto la víctima del delito como los terceros ajenos al mismo puedan recoger vestigios de los que pueda analizarse el ADN. Cuestión distinta es que se observe la cadena de custodia, lo que deberá ser posteriormente valorado, pero de lo que no hay duda alguna es de que la víctima puede recoger vestigios de los que pueda analizarse su ADN y, en muchas ocasiones será la persona que más fácilmente tenga acceso a dichos indicios por haber sufrido el delito y poder saber dónde puede haber restos que puedan ser analizados. Lo mismo es predicable respecto del tercero ajeno a los hechos[13], pues "no es el Juez el único que puede recoger pruebas o vestigios materiales del delito. Ordenara hacerlo si está efectuando una inspección ocular (supuesto del artículo 326 de la Ley de Enjuiciamiento Criminal), pero puede hacerlo la policía por su propia autoridad (artículo 770.3ª de la misma y ATS nº 576/2012 de 22 de marzo), o quien las tenga a su alcance para ponerlas a disposición de la autoridad, aunque en este caso puede ser necesaria su declaración testifical para explicar las circunstancias de la recogida y custodia" (STS 1367/2011 de 20 de diciembre[14]).

B) Objeto: el ADN no codificante. Delitos investigados

Respecto del primer punto, el análisis del ADN debe circunscribirse, en el curso de una investigación criminal, al ADN no codificante, es decir, al que proporciona datos de identidad de la persona pero no del resto de la carga genética de la misma, lo que resulta lógico habida cuenta de las finalidades de una investigación penal, ya que "en la investigación policial, se han de ceñir los análisis a desvelar el ADN no codificante con exclusivos fines identificadores, a diferencia de los análisis realizados en el ámbito de la medicina con objetivos investigadores o terapéuticos" (SSTS 607/2012 de 9 de julio y 949/2006 de 4 de octubre), por lo que si se incluyen en la base de datos policial otros no necesarios para las labores de investigación policial ello dará lugar a una irregularidad administrativa a resolver con la aplicación de la Ley de Protección de Datos de 13 de diciembre de 1999 (STS 1062/2007 de 27 de noviembre), constituyendo el hipotético incumpli-

---

13   Por ejemplo, en el caso de una agresión sexual la víctima puede aportar la ropa interior o, en el caso de un tercero que presencia los hechos, puede aportar asimismo objetos de los autores de los mismos que puedan ser analizados.

14   Señala esta sentencia que, en el caso que juzga —delito contra la libertad sexual— "no se rompió la cadena de custodia, pues la víctima entregó las bragas que llevaba a su abogado, quien las entregó en el Juzgado que instruía la denuncia. Se conoce quien tuvo en su poder la prenda desde el primer momento: primero la víctima, luego su abogado, a continuación el Juzgado, hasta llegar al laboratorio donde se efectuó la pericia. No consta momento en que no se sepa quién tiene la prenda".

miento del registro de la base de datos policial una irregularidad administrativa que al no llevar consigo vulneración de algún derecho fundamental no conlleva la nulidad absoluta del análisis practicado (STS 949/2006 de 4 de octubre)[15], ajustándose "al ceñirse a las regiones de ADN no codificante, a los estándares proporcionados por la normativa nacional e internacional reguladora del uso forense del ADN, con lo que se asegura que no se va más allá de la identificación neutral del sujeto" (SSTC del Pleno del tribunal Constitucional 13/2014, de 30 de enero y STC 199/2013 de 5 de diciembre) .

Por otra parte, aún cuando el conocimiento del ADN codificante pudiera ser útil para determinar la mayor o menor imputabilidad del imputado, el sacrificio que supondría para el derecho a la intimidad del mismo sería desproporcionado con el resultado a obtener. Por ello, los arts. 1 y 3 de la Ley Orgánica 10/2007, reguladora de la base de datos policial sobre identificadores obtenidos a partir del ADN solo permiten la inscripción en dicha base de datos del ADN no codificante —de "identificadores obtenidos a partir del ADN habla el art. 3— y el art. 4 de la misma expresa que solo podrán inscribirse en dicha base de datos policial "Los identificadores obtenidos a partir del ADN, en el marco de una investigación criminal que proporcionen, exclusivamente, información genética reveladora de la identidad de la persona y de su sexo". Además, el art. 363. 2 de nuestra Ley Procesal Penal establece la posibilidad la obtención de muestras biológicas del sospechoso que resulten indispensables "para la determinación de su perfil de ADN", es decir, para su identificación.

En todo caso, tal como señala la STS 709/2013, el imputado puede rechazar de forma expresa la conclusión pericial sobre su propia identificación genética, cuando ésta se logra a partir de los datos preexistentes en el fichero de ADN creado por la LO 10/2007, 8 de octubre, siendo una de las causas de impugnación la posibilidad de que entre el perfil genético que obra en el archivo y los datos personales de identificación exista algún error, debiéndose hacer valer dicha oposición "en momento procesal hábil", "pudiendo en consecuencia la defensa del imputado solicitar se traiga al proceso el expe-

---

15 En este sentido, el Borrador de Código Procesal Penal de 2012, elaborado por el Ministerio de Justicia en España establece que "Sólo podrán inscribirse en la base de datos policial los identificadores obtenidos a partir del ADN que proporcionen, exclusivamente, información genética reveladora de la identidad de la persona y de su sexo".

diente de incorporación de su reseña genética a esa Base de Datos de ADN de interés criminal (ADNIC). La presunción de veracidad existe, pero es un presunción 'iuris tantum', de forma que el imputado puede acreditar en el procedimiento la ilicitud del acceso de esa reseña genética indubitada a la indicada Base de datos —por ejemplo por no existir asistencia letrada en el consentimiento del imputado o por no existir, en su defecto, autorización judicial".

Por otra parte, no hay una lista de delitos respecto de los que se admita la práctica de análisis de ADN para su investigación. En el caso de la recogida de vestigios, puede realizarse en cualquier delito investigado, sea grave o menos grave. La Ley de Enjuiciamiento Criminal no establece limitación alguna respecto del uso de este medio de investigación. En cambio, para acceder a la base de datos policial regulada en la ya citada Ley orgánica 10/2007 sí que se establece en su artículo 3 la exigencia de que se trate de "delitos graves y, en todo caso, los que afecten a la vida, la libertad, la indemnidad o la libertad sexual, la integridad de las personas, el patrimonio siempre que fuesen realizados con fuerza en las cosas, o violencia o intimidación en las personas, así como en los casos de la delincuencia organizada". El Pleno del TC, en sentencia 13/2014 de 25 de febrero considera como suficientemente graves para justificar la recogida de vestigios y toma de muestras de ADN los delitos "graves" relacionados con la violencia callejera o daños terroristas (STC, Pleno, 199/2013 de 5 de diciembre).

Pero ello, como decimos, no excluye la analítica del ADN como medio de investigación criminal en cualquier tipo de delitos. De una parte, ningún precepto lo excluye. De otra, el que solo tengan acceso a la base de datos policial los identificadores de ADN respecto de ese tipo de delitos no impide su apreciación y práctica también en el resto. Únicamente en el caso de los delitos no comprendidos en el art. 3 de la LO 10/2007 no se anotarían sus resultados en la base de datos. Nada más. No puede realizarse un listado de delitos en los que se debe considerar legítima la recogida de vestigios y muestras de ADN. Hay delitos cuya relevancia y alarma social son superiores a otros pese a que estén castigados con menor pena. No parece haber duda que cabe en los delitos considerados en el vigente Código penal como graves, castigados con pena superior a los cinco años de privación de libertad (Art. 33. 2 a) CP). Respecto de los castigados con pena inferior habría que analizar con prudencia la posibilidad de práctica de la recogida de vestigios o muestras de ADN, pero sin que pueda descartarse en absoluto. A título meramente ejemplificativo, no parece haber duda en cuanto a los casos de robos con violencia en las personas, los cometidos en casa habitada o robos con fuerza, e incluso hurtos cuando son cometidos por grupos organizados. De "delitos de cierta gravedad" habla la decisión de inadmisión del Tribunal Europeo de Derechos Humanos de 7 de diciembre de 2006, caso Van der Velden contra los Países Bajos.

La información genética de los ficheros incorporados a la base de datos policial es de presunción de autenticidad "iuris tantum", sin que sea necesario realizar un segundo test de fiabilidad (STS 880/2011 de 26 de julio). Por su parte, la STS 968/2006 de 11 de octubre considera inapropiada la práctica de la prueba de ADN para el caso de la delincuencia menor, aunque se trata de una interpretación, no existiendo, como se ha dicho, ningún precepto penal que la excluya.

C) La cadena de custodia

Lógicamente, si se trata de identificar al autor de un hecho delictivo, la recogida de vestigios debe observar escrupulosamente la cadena de custodia desde su recogida hasta su análisis final, de modo que no pueda surgir duda alguna de que los vestigios analizados pertenecen al sospechoso y del curso que han seguido hasta el análisis final, acreditándose la falta de contaminación de la muestra por otros elementos que pudieran afectarla. De hecho, buena parte de las impugnaciones de los análisis de ADN proceden de alegaciones respecto del incumplimiento de la cadena de custodia, siendo uno de los motivos más alegados por los abogados defensores.

Según la STS 607/2012 de 9 de julio "La cadena de custodia es una figura tomada de la realidad a la que se tiñe de valor jurídico, con el fin de identificar plenamente el objeto intervenido, pues al tener que pasar por distintos lugares para que se verifiquen los correspondientes exámenes, es necesario tener la seguridad de que lo que se traslada y analiza es lo mismo en todo momento, desde que se recoge en el lugar del delito hasta el momento final en que se estudia, y en su caso, se destruye". En idéntico sentido se manifiesta la STS 1190/2009 de 3 de diciembre.

La estimación de una alegación de este tipo y, en consecuencia, la acreditación del incumplimiento de la cadena de custodia, suele tener consecuencias desastrosas en el proceso puesto que lleva a la nulidad de la prueba del ADN y a la imposibilidad de su valoración. De ahí que todos los intervinientes en la recogida de vestigios deban poner especial interés en anotar cualquier incidencia que surja desde el principio y adoptar las medidas necesarias para que consten todos los datos identificativos del vestigio, sus posibles modificaciones y los sucesivos traslados y personas transmisoras y receptoras de los mismos hasta el análisis final.

Por ello, las fuerzas de seguridad deben insistir en hacer constar expresamente y con la mayor amplitud posible en el atestado mediante diligencia debidamente firmada por los instructores de mismo o por acta, igualmente firmada, la recogida del vestigio del que se espera extraer el ADN con todos los datos identificativos del mismo, la diligencia de entrega a un tercero para su traslado al laboratorio oficialmente reconocido, quién deberá asimismo firmar y diligenciar la recepción y dónde asimismo deberán observarse y anotarse todas las incidencias del vestigio. Cualquier precaución es poca al respecto. Así, la SAP de Badajoz, Sección 1ª nº 83/2006 de 2 de junio considera rota la cadena de custodia en el caso de recogida en el lugar de los hechos de unos guantes durante la práctica de la inspección ocular policial, cuya recogida no se hizo constar por error en el atestado policial y que sin comunicarlo al Juzgado la Policía remitió los mismos al laboratorio de análisis biológicos, acordando la nulidad de la prueba practicada.

En este sentido, el art. 6 de la LO 10/2007 de 8 de octubre establece que la remisión de los datos identificativos obtenidos a partir del ADN para su inscripción en la base de datos policial se efectuará por la propia Policía Judicial, adoptándose para ello todas las garantías legales que "aseguren su traslado, conservación y custodia".

Por su parte, la STS 1027/2010 de 25 de noviembre considera que no se rompe la cadena de custodia "aunque no se halla perfectamente documentada y existe un error, perfectamente detectado y corregido en relación a una fecha, lo cierto es que no es posible oponer ninguna tacha, según se desprende del contenido de la diligencia en la que se refleja la cadena de custodia, y aunque no firmaran cada uno de los intervinientes (sólo el autor de la diligencia), todos ellos depusieron en juicio y garantizaron con sus firmes testimonios la regularidad de tal cadena de custodia". Tampoco se rompe en el caso de entrega de una prenda íntima por el padre de la víctima de una agresión sexual dos días después de los hechos al médico forense en vez de a la Guardia Civil o al Cuerpo Nacional de Policía, pues dicha prenda no fue hallada en el lugar de los hechos, en cuyo caso era función de la policía judicial (STS 240/2010 de 24 de marzo), añadiendo la STS 949/2006 de 4 de octubre que si bien hubo una "mala praxis" policial "al no documentar la recogida de las muestras —colillas y vaso— hasta que se recibieron los análisis del laboratorio dando positivo con las recogidas en el lugar de los hechos objeto de enjuiciamiento, lo que ocurrió varios meses más tarde" ello se subsana por el hecho de que "al plenario comparecieron, sometiéndose a los principios constitucionales de publicidad, oralidad, contradicción e inmediación tanto los funcionarios que las recogieron como los que las remitieron al laboratorio como quienes efectuaron los análisis, declarando también la perito de la defensa"[16], observándose la cadena de custodia en el caso de recoger una colilla arrojada por el sospechoso de un cigarro que se había fumado sin ser perdida de vista por los agentes policiales actuantes (STSJ Madrid, Sección 1ª, 10/2007 de 11 de julio)[17].

En todo caso, lo importante es que se constate la identidad entre lo hallado y lo analizado, por lo que se entenderá cumplida la misma aunque no conste si las prendas se conservaron individualizadas, aunque sí lo estuvieran el resto de muestras, siempre y cuando no haya duda de que las muestras recogidas coinciden con las analizadas (ATS nº 576/20912 de 22 de marzo), no suponiendo ruptura de la cadena de custodia el hecho de que las muestras analizadas y los oficios acompañantes se remitiesen inicialmente a un Juzgado distinto del de la causa, si "en las actuaciones judiciales y policiales se identifica la causa, y no se albergan dudas de la procedencia del tales muestras en relación con las diligencias" (ATS nº 434/2012 de 1 de marzo[18]).

---

[16]   En el mismo sentido se manifiesta la SAN, Sala de lo Penal, Sección 2ª, de 30 de noviembre de 2005.

[17]   Id. SAP de Burgos, Sección 1ª, nº 291/2009 de 22 de diciembre.

[18]   Por su parte, señala la SAP nº 15/2012 de 25 de enero de 2012 de la Sección 1ª de la AP de Madrid que "La ausencia la prueba pericial sobre el resultado del análisis de las torundas con las que se frotaron determinadas zonas de cinco guantes, una camiseta, una brida de color negro y un rollo de cinta aislante de color gris para tratar de obtener restos biológicos, y que fueron remitidas al laboratorio de ADN de la Comisaría General de Policía Científica, no supone la rotura de la cadena de custodia, sino la falta prueba sobre el citado resultado, que debe entenderse como negativo en beneficio de los imputados".

La prueba de la regularidad de la cadena de custodia es una cuestión de hecho que no puede ser reexaminada por el Tribunal Constitucional "mas que respecto a la regularidad y suficiencia de los medios de prueba que condujeron a dar por acreditado el hecho" pues "el derecho fundamental a la presunción de inocencia no puede ser invocado con éxito para cubrir cada episodio, vicisitud, hecho o elemento debatido en el proceso penal, o parcialmente integrante de la resolución final que le ponga término", ya que "Los límites de nuestro control no permiten desmenuzar o dilucidar cada elemento probatorio, sino que debe realizarse un examen general y contextualizado de la valoración probatoria para puntualizar en cada caso si ese derecho fue o no respetado, concretamente en la decisión judicial condenatoria, pero tomando en cuenta el conjunto de la actividad probatoria" (STC, Pleno, 13/2014 de 30 de enero).

III. LA TOMA DE MUESTRAS DE ADN: A). DERECHOS QUE PUEDEN SER AFECTADOS

Lo son el derecho a la libertad, reconocido en el art. 17 de la Constitución Española, el derecho a la intimidad reconocido en el art. 18, y el de la integridad física, que lo está en el art. 15 C. E.

Sin embargo, con carácter general el derecho a la intimidad escasamente podrá verse afectado por cuanto el ADN a obtener para la investigación penal es únicamente, como se ha dicho, el no codificante, que es el que interesa a los fines de la investigación penal, no aporta datos acerca del patrón genético del afectado salvo en cuanto a su identificación. Aparte de que la Ley Orgánica 15/1999 de 13 de diciembre, de Protección de Datos otorga la suficiente protección para evitar la publicidad de los mismos.

La STC, Pleno, 13/2014 de 30 de enero, considera legítimo el hecho de haberse procedido por la policía, sin consentimiento del imputado ni autorización judicial, a extraer el ADN de una muestra biológica obtenida de un cigarrillo arrojado en el calabozo por el detenido, pues si bien, en principio el análisis de la muestra biológica del demandante de amparo supone una injerencia en el derecho a la privacidad por los riesgos potenciales que de tal análisis pudieran derivarse —en este sentido asimismo, STC, Pleno, 199/2013 de 5 de diciembre—, ello ha de ponerse en consonancia con las SSTEDH de

4 de diciembre de 2008, caso Harper contra Reino Unido y Decisión de in-admisión de 7 de diciembre de 2006, caso Van del Velden contra los Países Bajos- que distinguen los riesgos potenciales que de tal análisis pudieran derivarse —conservación de muestras biológicas y perfiles de ADN para la identificación de los autores de futuros hechos delictivos— de aquellos otros casos en los cuales "la extracción inicial está destinada a vincular a una persona determinada con un delito concreto que se sospecha que ha cometido", dirigiéndose "el reproche del Tribunal Europeo de Derechos Humanos a la conservación indefinida por las autoridades policiales de muestras biológicas y perfiles de ADN de personas no condenadas con la finalidad de identificar a los autores de futuros hechos delictivos, pero no a la identificación de los autores de hechos delictivos a través del contraste del ADN obtenido a partir de muestras biológicas del sospechoso "con vestigios anteriores conservados en la base de datos".

En este sentido, la Ley Orgánica 10/2007, reguladora de la base de datos policial sobre identificadores obtenidos a partir del ADN establece en su artículo 7 que los datos contenidos en la misma "sólo podrán utilizarse por las Unidades de Policía Judicial de las Fuerzas y Cuerpos de Seguridad del Estado…así como por las Autoridades Judiciales y Fiscales, en la investigación de los delitos enumerados en la letra a) del apartado primero del art. 3 de esta Ley", señalándose asimismo —art. 9— que dichos datos se conservarán como máximo durante el tiempo señalado por la ley para la prescripción del delito o, si ha habido condena, transcurrido el tiempo necesario para la cancelación de los antecedentes penales. No se considera legítima el almacenamiento y conservación indefinida por las autoridades policiales de muestras biológicas y perfiles de ADN de personas no condenadas con la finalidad de identificar a los autores de futuros hechos delictivos, pero no a la identificación de los autores de hechos delictivos a través del contraste del ADN obtenido a partir de muestras biológicas del sospechoso con vestigios anteriores conservados en la base de datos (STEDH de 4 de diciembre de 2008, caso S. y Harper contra Reino Unido).

En lo que se refiere a la afectación del derecho a la integridad física, éste puede verse afectado en aquellas intervenciones corporales para la extracción de la muestra de ADN que supongan una intervención invasiva en el cuerpo del afectado como sería la extracción de sangre, una punción o actuaciones similares, casos que requerirían, en defecto del consentimiento del afectado, de resolución judicial autorizante. No obstante, habida cuenta de que las técnicas actuales permiten la toma de muestras de ADN mediante actuaciones no invasivas como la toma de saliva mediante un hisopo o un pelo, es evidente que en este tipo de intervenciones el derecho a la integridad física no se ve afectado o lo es en mínima parte.

La STS 151/2010 de 22 de febrero considera que la toma de muestras de ADN no supone autoincriminación por parte del imputado ni conllevan vulneración del derecho a la integridad física, aún cuando en ocasiones la obtención de muestras corporales pueda implicar una afectación leve de esa incolumidad, existiendo cobertura legal suficiente en los arts. 363. 2 y 326. 3 de la Ley de Enjuiciamiento Criminal.

A) *Legitimados para efectuarla*

Como ya se ha expuesto, el artículo 362. 2 de la Ley de Enjuiciamiento Criminal prevé que el Juez de Instrucción pueda acordar, en resolución motivada, la obtención de muestras biológicas del sospechoso que resulten indispensables para la determinación de su perfil de ADN con observancia de los principios de proporcionalidad y razonabilidad.

Por tanto es claro que el Juez de Instrucción puede ordenar la toma de muestras —podría en las más simples tomarlas el propio juez u ordenar a la policía que las tomaran por sí mismos si lo considerase oportuno—, aunque el proceder lógico y habitual es el de ordenar la práctica de las mismas por parte de los médicos forenses, facultativos u otros peritos.

Deberá observarse escrupulosamente por el juez el principio de proporcionalidad y, en consecuencia, acordar la práctica de la prueba sopesando la gravedad del delito investigado y la posibilidad de obtener el mismo resultado utilizando otros medios de investigación que impliquen menores sacrificios para los derechos fundamentales afectados de modo que la misma se acuerde cuando el resultado que se pretende obtener no pueda obtenerse por otros medios menos enérgicos.

En este sentido, como se ha dicho, la Disposición Adicional Tercera de la LO 10/2007 permite a la policía judicial y para la investigación de los delitos enumerados en el apartado 1 del art. 3 de la misma, ya expuestos, proceder a la "toma de muestras y fluidos del sospechoso, detenido o imputado, así como del lugar del delito" si bien requerirá autorización del juez la toma de muestras que requieran inspecciones, reconocimientos o intervenciones corporales sin consentimiento del afectado.

Así, la STS 685/2010 de 7 de julio establece que "Este precepto, pese a que deja sin resolver algunas cuestiones todavía pendientes y decididamente abordadas en el derecho comparado, tiene la virtud de clarificar, acogiendo el criterio ya proclamado por esta Sala, el régimen jurídico de la toma de muestras para la obtención del ADN. De acuerdo con su contenido, resultará indispensable distinguir varios supuestos claramente diferenciados:

a) En primer lugar, cuando se trate de la recogida de huellas, vestigios o restos biológicos abandonados en el lugar del delito, la Policía Judicial, por propia iniciativa, podrá recoger tales signos, describiéndolos y adoptando las prevenciones necesarias para su conservación y puesta a disposición judicial. A la misma conclusión habrá de llegarse respecto de las muestras que pudiendo pertenecer a la víctima se hallaren localizadas en objetos personales del acusado.

b) Cuando, por el contrario, se trate de muestras y fluidos cuya obtención requiera un acto de intervención corporal y, por tanto, la colaboración del imputado, el consentimiento de éste actuará como verdadera fuente de legitimación de la injerencia estatal que representa la toma de tales muestras. En estos casos, si el imputado se hallare detenido, ese consentimiento precisará la asistencia letrada. Esta garantía no será exigible, aun detenido, cuando la toma de muestras se obtenga, no a partir de un acto de intervención que reclame el consentimiento del afectado, sino valiéndose de restos o excrecencias abandonadas por el propio imputado[19].

c) En aquellas ocasiones en que la policía no cuente con la colaboración del acusado o éste niegue su consentimiento para la práctica de los actos de inspección, reconocimiento o intervención corporal que resulten precisos para la obtención de las muestras, será indispensable la autorización judicial. Esta resolución habilitante no podrá legitimar la práctica de actos violentos o de compulsión personal, sometida a una reserva legal explícita —hoy por hoy,

---

[19]   El art. 288 del Borrador de 2012 de Código Procesal Penal elaborado por el Ministerio de Justicia español autoriza expresamente a la Policía Judicial intervenir las muestras abandonadas por el propio afectado, estableciendo la prohibición de obtención de muestras del sospechoso mediante engaño.

inexistente— que legitime la intervención, sin que pueda entenderse que la cláusula abierta prevista en el art. 549.1.c) de la LOPJ, colma la exigencia constitucional impuesta para el sacrificio de los derechos afectados". En idéntico sentido, las SSTS 949/2006 de 4 de octubre y 179/2006 de 14 de febrero).

Por otro lado, el ATS nº 1329/2012 de 31 de mayo considera plenamente legitimada a la Policía para la toma de un frotis bucal del imputado tras su detención en base a lo establecido en la Disposición Adicional Tercera de la LO 10/2007, tanto del sospechoso directamente como del lugar del delito.

También el propio sospechoso, imputado o acusado puede proceder a la entrega de muestras que puedan servir para determinar el ADN si consiente y accede a ello, lógicamente con la necesaria supervisión por el personal facultativo y control judicial[20].

Además, la defensa, caso de no conformarse con la prueba practicada de ADN puede proponer una contraprueba, "constituyendo una motivación irracional denegar la prueba por el hecho de que ya se haya practicado una anterior, fuera del proceso, que se encontraba impugnada cuando era la propia defensa la que la pedía y su resultado podía ser determinante de la absolución", constituyendo una vulneración del derecho constitucional de defensa denegar la prueba con la que se pretende invalidar el resultado de un dictamen anterior" (STS 948/2013 de 10 de diciembre).

---

[20]   Resumiendo los requisitos que proporcionan una justificación constitucional objetiva y razonable a la injerencia en el derecho a la intimidad a que dá lugar la recogida de muestras de ADN, la STC 13/2014 de 4 de enero concreta los siguientes: la existencia de un fin constitucionalmente legítimo; que la medida limitativa del derecho esté prevista en la ley (principio de legalidad); que como regla general se acuerde mediante una resolución judicial motivada (si bien reconociendo que debido a la falta de reserva constitucional a favor del Juez, la ley puede autorizar a la policía judicial la práctica de inspecciones, reconocimientos e incluso de intervenciones corporales leves, siempre y cuando se respeten los principios de proporcionalidad y razonabilidad) y, finalmente, la estricta observancia del principio de proporcionalidad, concretado, a su vez, en las tres siguientes condiciones: "si tal medida es susceptible de conseguir el objetivo propuesto (juicio de idoneidad); si, además, es necesaria, en el sentido de que no exista otra medida más moderada para la consecución de tal propósito con igual eficacia (juicio de necesidad); y, finalmente, si la misma es ponderada o equilibrada, por derivarse de ella más beneficios o ventajas para el interés general que perjuicios sobre otros bienes o valores en conflicto (juicio de proporcionalidad en sentido estricto)" (STC 199/2013, de 5 de diciembre, FJ 7).

B) Sujetos pasivos de la toma de muestras de ADN

1. El "sospechoso", el imputado y el acusado

Las tomas de muestras pueden realizarse del sospechoso, imputado o acusado. En este sentido, el art. 362. 2 de la Ley de Enjuiciamiento Criminal prevé que el Juez de Instrucción pueda acordar, en resolución motivada, la obtención de muestras biológicas del sospechoso que resulten indispensables para la determinación de su perfil de ADN.

No hay problemas especiales para determinar quién ostenta la condición de imputado —toda persona a quién se impute un acto punible— o acusado —aquel contra quién se dirige una acusación— si bien la ley introduce en nuestro derecho procesal penal al "sospechoso".

La figura y posición jurídica del "sospechoso" son desconocidos en la Ley de Enjuiciamiento Criminal. En consecuencia, se carece de un concepto y de un estatuto legal del sospechoso que más bien pertenece al ámbito policial que al judicial. En un proceso penal no puede haber sospechosos sino imputados. El "sospechoso" carece de derechos y obligaciones en el campo jurisdiccional pues, como decimos, dicha figura no está reconocida. De ahí que el proceso penal no pueda dirigirse nunca contra un sospechoso sino contra un imputado o acusado.

No obstante, el artículo 5. 2. 3º de la Ley 50/1981 que regula el Estatuto Orgánico del Ministerio Fiscal sí que reconoce expresamente la figura del sospechoso. Dicho precepto regula las diligencias de investigación del Ministerio Fiscal, diligencias de carácter administrativo que el Fiscal realiza cuando se denuncian hechos delictivos ante él o de oficio para su averiguación y antes de que se haya incoado procedimiento judicial alguno por esos mismos hechos. Dicho precepto establece que "A tal fin, el fiscal recibirá declaración al sospechoso, quien habrá de estar asistido de letrado y podrá tomar conocimiento del contenido de las diligencias practicadas[21]".

---

[21]   Derechos lógicos puesto que cuando el Fiscal recibe declaración al "sospechoso" a que se refiere el art. 5 de su estatuto orgánico, realmente la recibe a un "denunciado" o a una persona contra la que se dirigen las diligencias de investigación de la Fiscalía, por lo que se le dá la oportunidad de ejercitar su derecho de defensa.

Sin embargo, el concepto de sospechoso a efectos de la toma de muestras del ADN no es idéntico al que se refiere el art. 5 del Estatuto Orgánico del Ministerio Fiscal. En este último se dirige una imputación a una determinada persona, de ahí que se le imponga la asistencia letrada. El caso de la toma de muestras es distinto, pues aún no hay una imputación contra el sospechoso, del que únicamente se vislumbra su posible participación en el delito investigado. Del resultado de la toma de muestras, en unión de otras pruebas, puede derivar no solo la participación del sospechoso en los hechos, convirtiéndolo en imputado sino su inocencia. La ley no dice nada acerca de si el sospechoso ha de estar asistido por abogado en la toma de muestras.

La cualidad de "sospechoso" puede ser atribuida tanto por el juez como por la policía, pudiendo ésta proceder a la toma de muestras si el "sospechoso" consiente. Caso de negarse esa cualidad de "sospechoso" habrá de ser apreciada por el juez[22].

2. El "sospechoso" desconocido y el identificado

Ningún por problema especial presenta la recogida de vestigios del ADN del sospechoso desconocido. En este caso nos encontramos realmente ante una recogida de vestigios que no requiere consentimiento alguno —ya que a nadie se podría solicitar— y ni siquiera autorización judicial, siendo labor propia de la policía judicial, tal como disponen los arts. 326. 3 de la Ley de Enjuiciamiento Criminal y la Disposición Adicional Tercera de la LO 10/2007.

Si el sospechoso está identificado, la toma de muestras requiere mayores requisitos y aquí es dónde se advierte la escasa e incompleta regulación de estas diligencias de investigación en la legalidad vigente que a continuación se reseñan.

---

[22]   En este sentido se manifiesta López Barja de Quiroga, Jacobo, en "La prueba en el proceso penal obtenida mediante el análisis del ADN". Ed. Consejo General del Poder Judicial, Cuadernos de Derecho Judicial nº 6, 2004, p. 225 quién añade acertadamente que la sospecha deberá estar fundada en acreditadas razones que la justifiquen, aunque en este caso estaríamos ya más en los indicios que en una mera sospecha. Asimismo este autor rechaza el que se considere indicio en contra del imputado su negativa a la toma de muestras (ob. cit., p. 231).

3. Consentimiento del "sospechoso". Derecho de información

Si el sospechoso consiente libremente en la toma de muestras de su ADN, ningún problema se plantea al respecto. Si se niega a la toma de muestras es cuando se suscitan los problemas que a continuación se mencionan.

Baste mencionar aquí que el sospechoso —con mayor motivo si es el imputado o acusado— deberá ser necesariamente informado acerca de la finalidad y objeto de la toma de muestras para cuya realización se solicita su consentimiento en el caso de que suponga una actividad sobre su cuerpo más o menos invasiva de su intimidad.

La ley no regula ni la manera ni el contenido de esta información que debe facilitarse previamente al sospechoso o imputado pero evidentemente deberá ser completa y en lenguaje claro y expresivo de cuál es la finalidad y resultados que podrían obtenerse de la analítica de su ADN. La SAP de Tarragona, Sección 4ª, nº 335/2012 de 24 de julio considera acreditada dicha información pese a no constar expresamente en la causa —y ser negada por el inculpado— cuando la toma de muestras se acordó por auto judicial y la toma se realizó por el médico forense en presencia del secretario judicial, quién hizo constar en el acta la razón y finalidades de la investigación —el identificar el ADN y compararlo con el hallado en el lugar de los hechos— por estimar que con ello "se sugiere de forma suficientemente concluyente que el acusado, quien reconoce de forma explícita la realidad de la diligencia, fue informado de las razones de la misma".

Lo que no requiere consentimiento, según el art. 3. 1 b) 2 de la LO 10/2007 es la inscripción en la base de datos policial de los identificadores obtenidos a partir del ADN, hallados u obtenidos del sospechoso en el marco de una investigación criminal y cuando se trate de los delitos enumerados en el apartado 1 a) de dicho texto legal, ya expuestos, aún cuando el afectado será informado de los derechos que le asisten respecto de la inclusión en dicha base.

El consentimiento del sospechoso o imputado no es necesario cuando la toma de muestras no requiera intervención alguna sobre su propio cuerpo para obtenerla[23], ni tampoco se precisa en estos casos de autorización

---

[23]   Por ejemplo, recogida de colillas, vasos, latas u otros objetos manipulados por el sospechoso y abandonados por éste. Respeto de las colillas arrojadas, son consideradas por

judicial (SSTS 949/2006 de 4 de octubre y 179/2006 de 14 de febrero y STSJ Madrid, Sección 1ª, 10/2007 de 11 de julio), autorización a la que habría que acudir en caso contrario, por lo que para recoger muestras de ADN de un bolso abandonado en una papelera, no se precisa autorización judicial ya que no supone ninguna intervención corporal (SAN, Sala de lo Penal, Sección 2ª nº 21/2008 de 3 de junio), convirtiéndose la bolsa abandonada en la papelera en "res nullius".

Por otro lado, dicho consentimiento ha de ser libre y no viciado pero si se alega vicio del consentimiento para con seguir la nulidad de la toma de muestras y su análisis posterior, debe acreditarse por quién lo alega, debiendo haber recurrido en su caso la resolución desestimatoria de la nulidad o formulado la correspondiente protesta. La SAP de Cuenca, sección 1ª, nº 9/2007 de 17 de mayo, especifica que "Incluso en la hipótesis de no haberse informado al acusado del objeto de la extracción, debe tenerse en cuenta que no se vulnera ningún derecho fundamental del acusado, ya que tal prueba tiene carácter pericial" y, en consecuencia se ignora su resultado favorable o desfavorable respecto del imputado al tomársele la muestra[24].

Finalmente, la SAP de Baleares, Sección Segunda, nº 26/2012 de 12 de marzo considera acreditado el que la Policía recabó el consentimiento del inculpado para a la toma de muestras, pese a que en el acta de la toma no consta expresamente dicho consentimiento, en base a la discutible interpretación de que la referencia que se hacía en dicha acta se hace a la normativa representada por la ley orgánica 10/2007, de 8 de octubre, reguladora de la base de datos policial sobre identificadores obtenidos a partir del ADN que autoriza a la Policía a la obtención de restos biológicos que precisen de intervenciones corporales en el imputado cuando éste consiente en ello, "nos lleva a pensar que la fuerza actuante recabó dicho consentimiento[25]".

---

la jurisprudencia como "res nullius" y en consecuencia "accesibles a las fuerzas policiales pudiendo constituir instrumento de investigación del delito" (STS 949/2006 de 4 de octubre).

[24]   En sentido contrario se manifiesta la SAP de Badajoz, Sección 1ª, nº 57/2006 de 18 de abril.

[25]   En la práctica policial se utilizan formularios previamente confeccionados, de gran extensión, para la toma de muestras de ADN y prestación del consentimiento "informado", en los que se dá cuenta al sospechoso o imputado de las circunstancias de la toma de

El sometimiento a la toma de muestras no supone vulneración del derecho a no declarar contra sí mismo "pues podría incluso beneficiarles —a los imputados— al favorecer su exclusión de una eventual lista de sospechosos" (decisión de inadmisión del TEDH de 7 de diciembre de 2006, caso Van der Velden contra os Países Bajos).

4. Asistencia letrada

Se suscita la cuestión de si el sospechoso o imputado debe estar asistido de abogado en el momento de solicitarse su consentimiento para la toma de muestras de ADN de modo que se garantice la libertad de dicho consentimiento y el conocimiento del afectado del alcance y consecuencias que pueden derivar del mismo.

La Ley de Enjuiciamiento Criminal nada dice al respecto. Podría pensarse que es necesaria la presencia del abogado para garantizar, como se ha dicho, la exactitud y realidad de la información facilitada y la ausencia de vicios del consentimiento pero en supuestos similares —la práctica de la prueba de alcoholemia, el consentimiento para la realización de un registro domiciliario o para la apertura de paquetes y correspondencia— no requieren la presencia de abogado, incluso aunque el sospechoso o imputados estén detenidos, por lo que entendemos que tampoco lo será necesario en el momento de pronunciarse sobre si presta su consentimiento para la toma de muestras[26], si bien, aunque no sea necesaria la presencia del abogado sí que será conveniente su presencia en el acto de interesar su consentimiento para la toma de muestras. Ello evitaría posibles impugnaciones posteriores por parte de las defensas —tan frecuentes en el caso de consentimientos ante la policía en casos de registros domiciliarios o apertura de paquetes postales— máxime

---

la muestra, la utilización prevista de la misma, el uso y cesión de los datos del ADN, laboratorios acreditados a los que las muestras serán remitidas, conservación de los identificadores en la base de datos de la Ley orgánica 10/2007, el derecho de cancelación y necesidad de asistencia letrada en la prestación del consentimiento caso de hallarse detenido el sospechoso de quien s e obtiene la muestra.

[26] En sentido contrario se pronuncia Sierra Fernández, José, en "El ADN en la fase de instrucción del proceso penal". Revista de Jurisprudencia "El Derecho", nº 2. 2007, aunque sin especificar precepto legal alguno en su apoyo, que considera necesaria la presencia del letrado por las consecuencias y trascendencia de la toma de muestras.

si el consentimiento se presta ante la policía[27]. En todo caso, la Ley de Enjuiciamiento Criminal no lo exige y el artículo 333 de la misma que pudiera esgrimirse en apoyo de esta asistencia letrada está pensado para la inspección ocular y no es extensible a este supuesto.

Es claro que deberá documentarse fehacientemente por la Policía Judicial o por el Juzgado mediante diligencia o acta la prestación de ese consentimiento. Sin embargo, es aconsejable la presencia de letrado en el acto de prestar el consentimiento al efecto de evitar probables impugnaciones posteriores para el caso de que la prueba dé resultados que supongan la presencia del imputado en el lugar de los hechos, debiéndose hacer constar expresamente su presencia en el acto de prestación del consentimiento.

La confusión en esta materia es grande ante la falta de regulación expresa. La STS 685/2010 de 7 de julio solo exige la asistencia letrada para la toma de muestras del imputado cuando el mismo esté detenido y en el mismo sentido se manifiesta la STS 709/2013 de 10 de octubre. Se trata de una razonable y lógica interpretación jurisprudencial que no tiene, sin embargo, apoyo explícito en la ley, pero que evitará, como se ha dicho, posteriores impugnaciones alegando falta de consentimiento válido para la toma de muestras. Asimismo, la STSJ de la Comunidad Valenciana, Sección 1ª, de 19 de julio de 2007 considera válida la toma de muestras del imputado si éste prestó su consentimiento aunque no estuviese en ese momento asistido de letrado[28]. En idéntica línea se manifiesta la SAP de Tarragona, Sección 4ª, nº 335/2012 de 24 de julio, la que tras manifestar la zona de penumbra en la que se encuentra la regulación de la práctica de la toma de muestras, considera que no es necesaria la asistencia letrada en la práctica de dicha diligencia, pronunciándose en sentido contrario la SAP de Jaén, Sección 2ª, nº 242/2012 de 11 de julio para la que se requiere necesariamente la presencia de letrado para la "obtención de las muestras de saliva u otros fluidos del imputado detenido, cuando éstos sean necesarios para la definición de su perfil genético".

---

[27]   En este sentido se manifiesta Soriano Soriano, José Ramón, en "La prueba pericial de ADN: problemas procesales. Esquema general". Ed. Consejo General del Poder Judicial, Estudios de Derecho Judicial nº 120, 2007, p. 594.

[28]   En sentido contrario se manifiesta la SAP de Badajoz, Sección 1ª, nº 57/2006 de 18 de abril que considera que para que pueda valorarse como incriminatoria la toma de muestras se requiere la presencia de letrado en el momento mismo de la toma.

La STS 709/2013 de 10 de octubre especifica concretamente el alcance de la asistencia letrada en orden a la recogida de muestras de ADN del imputado, señalando que "La asistencia letrada al detenido se limita legalmente a los interrogatorios y reconocimientos de identidad, entendiéndose estos últimos como reconocimientos en rueda y no como las identificaciones policiales derivadas por ejemplo de la huella dactilar. Extender esta asistencia letrada a la reseña dactilar o fotográfica seria tan improcedente como a la reseña genética.

La toma de muestras de ADN no es un interrogatorio ni reconocimiento de identidad.

La toma de muestras de ADN solo constituye un elemento objetivo para la práctica de una prueba pericial, resultando ser una diligencia de investigación en cuya práctica no está prevista la asistencia letrada, sino el consentimiento informado del afectado y en caso de negativa la autorización judicial".

En definitiva, no es necesaria la asistencia letrada al imputado no detenido cuando se le pide su consentimiento para la recogida de muestras de ADN. Sí lo será si está detenido, por lo que si no se acredita que la información de derechos en orden a la prestación del consentimiento del imputado comprendió la debida información del alcance y finalidad de la recogida de muestras de ADN "es cuestionable...aunque para estimar vulneración del derecho a la presunción de inocencia, y la conclusión de que esta se haya o no producido, dependerá de lo que resulte de la valoración de la totalidad de los elementos integrantes del cuadro probatorio" (STS 974/2013 de 12 de diciembre).

Asimismo el imputado tiene derecho a ser asistido por medio de un intérprete al ser informado del fin pretendido con la recogida de muestras de ADN, si bien su ausencia no determina la nulidad de la prueba si no se acredita que se ha producido efectiva indefensión, ya que lo que determina la existencia de dicha indefensión no es la presencia o no de intérprete sino el "conocimiento real por el interesado de la lengua en que el proceso se siga de tal modo que está imposibilitado de conocer de lo que se le acusa, de comprender lo que se diga, y de expresarse él mismo en forma que pueda ser comprendido sin dudas, bien entendido que la mera condición de extranjero no conlleva la necesidad de interprete si el acusado comprende y maneja con fluidez y soltura más que suficiente nuestro idioma" (STS 709/2013 de 10 de octubre).

5. Autorización judicial

En el caso de que el sospechoso o imputado se niegue a prestar su consentimiento para la toma de muestras de su ADN, tal como establece el art. 363. 2 de la Ley de Enjuiciamiento Criminal, el juez de instrucción podrá acordar mediante resolución motivada —providencia razonada o, mejor, por auto— la toma de las muestras, ordenando "la práctica de aquellos actos de inspección, reconocimiento o intervención corporal que resulten adecuados a los principios de proporcionalidad y razonabilidad"

Por tanto, la autorización judicial suple la falta de voluntad del imputado o sospechoso para la toma de muestras. Si esa negativa sigue firme se plantea el problema de su realización mediante el ejercicio de la fuerza física a que después se aludirá.

Deberán observarse los principios de necesidad, proporcionalidad e idoneidad. Si se procede a la toma de muestras de ADN del sospechoso contra la voluntad del mismo, la sanción es la nulidad radical de la prueba así obtenida (STS 179/2006 de 14 de febrero) y como señala la SAN, Sala de lo Penal, Sección 2ª, de 30 de noviembre de 2005 "La prueba del ADN no puede ser admitida como válida cuando la decisión de la intervención corporal sobre el sujeto pasivo, el que la va a sufrir, no preste su consentimiento y no esté amparada por una resolución judicial, debidamente razonada y escrupulosamente proporcional a la naturaleza del delito perseguido y a los medios disponibles para la investigación, conforme a lo anteriormente expuesto", lo que supone que sea idónea, necesaria y proporcionada en relación a las posibilidades de averiguación del delito investigado.

6. Toma de muestras subrepticia y provocada

Nos referimos aquí a la recogida de muestras de ADN no propiamente del cuerpo del imputado o sospechoso sino de aquellos lugares dónde el mismo ha dejado huellas o vestigios que pueden ser analizados. Es el caso, por ejemplo, de la recogida de vasos en que el imputado ha bebido en Comisaría, de restos de saliva arrojada por el mismo —toma de muestras subrepticia, respecto de la que el imputado no tiene ninguna noticia— y de aquellos que la policía judicial obtiene, sin saberlo el sospechoso, ofreciéndole objetos sobre los que el mismo puede dejar huellas de su

ADN como la oferta de bebida o tabaco con ese propósito —toma provocada—.

En el primero de los casos, en que se aprovecha que el sospechoso ha dejado huellas de su ADN en objetos que han estado en su posesión o arrojado al suelo —como saliva— no hay duda en cuanto a su validez, pues no se engaña ni se incita al sospechoso a que deje muestras de su ADN para analizarlo posteriormente sino que se aprovecha el que ha dejado con ese fin. Se trata de un medio de investigación legítimo que puede recoger la Policía Judicial sin necesidad de autorización judicial. En este sentido se manifiesta por la STS nº 1311/2005 de 14 de octubre que "no nos encontramos ante la obtención de muestras corporales realizada de forma directa sobre el sospechoso, sino ante una toma subrepticia derivada de un acto voluntario de expulsión de materia orgánica realizada por el sujeto objeto de investigación, sin intervención de métodos o prácticas incisivas sobre la integridad corporal…y en estos casos, no entra en juego la doctrina consolidada de la necesaria intervención judicial para autorizar, en determinados casos, una posible intervención banal y no agresiva. La toma de muestras para el control, se lleva a cabo por razones de puro azar y a la vista de un suceso totalmente imprevisible. Los restos de saliva escupidos se convierten así en un objeto procedente del cuerpo del sospechoso pero obtenido de forma totalmente inesperada", por lo que la recogida por la policía de dos colillas dejadas por el imputado en Comisaría para la toma de muestras de ADN no necesita autorización judicial ni precisa consentimiento del imputado (SAP Vizcaya, Sección 1ª, nº 546/2007 de 23 de noviembre).

Mayores dificultades presenta el segundo de los supuestos, en los que el sospechoso o imputado deja sus huellas de ADN a consecuencia de una previa actividad realizada por la policía o el Juzgado destinada expresamente a ese fin. En estos casos entendemos que la prueba de ADN devendría nula, pues, pudiendo no se informó al sospechoso, a sabiendas, de que con las actuaciones que se practicaban —una invitación a beber o a fumar, como se ha dicho— se pretendía realmente tomar dichas muestras. Como regla general puede decirse que ello supondría un fraude a la ley, evitando solicitar el consentimiento del sospechoso ante el temor de que el mismo no lo prestase. Sin embargo el tema no es tan sencillo como pudiera parecer. Piénsese en el caso de un delito muy grave de quién estando detenido y a punto de ser puesto en libertad por el transcurso de los plazos máximos legales y, dada su residencia habitual en el extranjero, va a ser imposible conseguir la colaboración posterior para la toma de muestras. Pero incluso en estos casos se podría conseguir el mismo fin simplemente con una autorización judicial que podría solicitarse por vía de urgencia[29].

Ahora bien, si se trata de ADN obtenido para otra causa o con otros fines como los terapéuticos, no parece haber problemas en incorporarlos al proceso actual, pudiendo ser libremente valorado si la toma de muestras reunió los requisitos legales (SSTS 880/2011 de 26 de julio, 680/2011 de 22 de junio y STS 1190/2009 de 3 de diciembre).

C) Delitos a los que puede aplicarse

La toma de muestras para el análisis de del ADN no codificante y a afectos identificadores, requiere una investigación criminal en curso, si bien, como ya se ha dicho, no hay una lista de delitos respecto de los que se admita la práctica de análisis de ADN para su investigación, por lo que en principio será posible realizarla en todo tipo de delitos, siempre y cuando se respeten los principios de proporcionalidad y razonabilidad a que se refiere le art. 363. 2 de la Ley de Enjuiciamiento Criminal[30].

Pero ello, como decimos, no excluye la analítica del ADN como medio de investigación criminal en cualquier tipo de delitos. De una parte, ningún precepto lo excluye. No se distingue entre la mayor o menor gravedad de los delitos investigados ni en la naturaleza de los mismos. Y el que solo tengan acceso a la base de datos policial los identificadores de ADN respecto de ese tipo de delitos no impide su apreciación y práctica también en el resto. En este sentido, la SAP de Jaén, Sección 1ª, nº 242/2012 de 11 de julio considera proporcional la autorización judicial para la toma de muestras de ADN del inculpado, que se había negado a ello, en un delito contra la fauna "al cazar

---

[29]   Sería una prueba obtenida de mala fé, y por tanto, nula, señala Soriano Soriano, en ob. cit., p. 595.

[30]   No obstante, para acceder a la base de datos policial regulada en la ya citada Ley orgánica 10/2007 sí que se requiere en su artículo 3 que se trate de "delitos graves" o "que afecten a la vida, la libertad, la indemnidad o la libertad sexual, la integridad de las personas, el patrimonio siempre que fuesen realizados con fuerza en las cosas, o violencia o intimidación en las personas, asi como en los casos de la delincuencia organizada".

y comerciar con los restos de especies que podrían ser incluso amenazadas, como el ciervo (art. 334 CP) o incluso contra la salud pública al ofrecer en el mercado carne sin cumplir con los controles sanitarios (art. 363 CP), que en este caso prevé una pena de entre uno y cuatro años de prisión, además de la tenencia ilícita de armas y la desobediencia grave a los agentes de la autoridad".

D) Toma de muestras de una generalidad de personas

Pueden suscitarse ocasiones en los que es conveniente para el éxito de la investigación criminal proceder a la toma de muestras de fluidos o partes corporales para el análisis de ADN respecto de una pluralidad de personas, por ejemplo de una pequeña población o de un grupo de personas relacionadas con el lugar de los hechos. Este supuesto solo se planteará en delitos especialmente graves, ya que en los demás no se observarían los principios de proporcionalidad ni de razonabilidad a que se refiere el art. 363. 2 de la Ley de Enjuiciamiento Criminal.

Puede ocurrir que aquellas personas respecto de las que hay que recoger muestras sean todas sospechosas de la comisión del delito, caso en el que se observará lo expuesto anteriormente. Para el caso de que no lo fueran y se interesara la práctica de la toma de muestra a las mismas como un medio más de investigación criminal, habrá que contarse necesariamente con el consentimiento de las mismas y su falta no podrá ser suplida por una autorización judicial, dado que dichas personas no son ni imputadas ni sospechosas del delito, por más que lo que se quiera es averiguar si alguna de ellas puede llegar a serlo tras la práctica de la analítica del ADN[31]. No parece admisible una toma de muestras indiscriminada de un grupo de población ya que no se guardaría la proporcionalidad exigible. No habrá problema si los afectados aceptan la toma de muestras.

---

[31] Sostiene Romeo Casabona, en ob. cit., p. 441, que es perfectamente admisible la práctica de pruebas de perfiles de ADN a un conjunto de individuos siempre y cuando se observen los principios de proporcionalidad y motivación singularizada, si bien excluyendo el uso de la fuerza. Se trata de una laguna mas de nuestra escasa regulación de la prueba de perfiles de ADN.

Es evidente la insuficiencia de la regulación legal. El art. 363. 2 de la Ley de Enjuiciamiento Criminal se refiere al sospechoso como sujeto pasivo de la toma de muestras. No menciona el caso de haber de tomarse de terceros. Extender a toda una población o a un grupo generalizado de personas la toma de muestras no tiene base legal. Únicamente cabría pensar en que se observaría el principio de proporcionalidad y razonabilidad en el caso de que se tratase de delitos graves y el círculo de afectados por la toma de muestras no fuese indiscriminado sino a un grupo localizado o reducido de la población determinado por la concurrencia de ciertas características como la edad entre ciertos límites, aspecto físico u otros[32].

E) Valoración de la prueba pericial de ADN

Es libre por parte del tribunal sentenciador, de conformidad con lo dispuesto en el art. 741 de la Ley de Enjuiciamiento Criminal. Su naturaleza será la de una prueba preconstituida[33] que puede ser de difícil reproducción en el juicio oral, en el que deberán declarar los peritos que realizaron los análisis. En todo caso, lo que va a probar esta pericia es la presencia del ADN del sospechoso o imputado en el lugar de los hechos no su autoría o participación en ellos, que deberá ser acreditada mediante otro elementos probatorios (STS 949/2006 de 4 de octubre). Por sí sola, la prueba de ADN es insuficiente para fundar una condena. Así, la STS 607/2012 de 9 de julio, tras resaltar que "la valoración de este tipo de pruebas es libre", añade que las mismas "tienen un alto valor convictivo —sic— en función de su fiabilidad. Participa de la naturaleza de prueba indirecta, pues no acredita por sí misma el juicio de autoría, pero de su resultado se infieren datos sustanciales para el esclarecimiento de la participación del acusado, ya que acreditan la plena identificación del mismo en el lugar de los hechos de forma indubitada, o su directa relación con el objeto del proceso, lo que constituye un punto sustancial de partida para la valoración del resto del patrimonio probatorio[34]".

---

[32] El Borrador de Código Procesal Penal de 2012, elaborado por el Ministerio de Justicia español, en su art. 289 autoriza la extracción de muestras de ADN de personas que no han sido encausadas "cuando las circunstancias de la investigación así lo aconsejen".
[33] En este sentido se manifiesta Romeo Casabona en ob. cit., pp. 422 y 423
[34] Id., STS 949/2006 de 4 de octubre.

En esta línea, la STS 685/2010 de 7 de julio señala que "esta prueba, por su propia naturaleza, no puede ser considerada como suficiente para la condena de una persona como autora de un delito. Se trata de un indicio que ha de ser completado con el conjunto de circunstancias concurrentes y sólo tras un juicio lógico inductivo sólidamente construido —razona la defensa— podrá estimarse desvirtuada la presunción de inocencia. De ahí que cuando la prueba de ADN sea la única existente y sea factible establecer conclusiones alternativas plausibles, basadas en la incertidumbre o en la indeterminación, el proceso valorativo deberá decantarse por la una solución absolutoria".

En todo caso, quién pretenda la falta de validez o la irregularidad de la prueba de ADN debe probarla, no bastando con la genérica impugnación en el escrito de conclusiones provisionales sino que deberá especificar las razones concretas de dicha impugnación, ya que lo contrario afectaría a la buena fe procesal, debiendo ser quién aduce la irregularidad el que debe probarla, pues "las actuaciones efectuadas en el curso de una investigación judicial deben reputarse legalmente efectuadas" (STS 680/2011 de 22 de junio). Por ello, si se impugna la identificación del acusado en base a la prueba de su perfil genético obtenida en otro proceso y que constaba en la base de datos de ADN creado por la Ley Orgánica 10/2007 de 8 de octubre, dicha impugnación debe efectuarse en un momento procesal hábil, por lo que si se pretende es la práctica de otras pruebas de contraste, "por su propia naturaleza solo resultarán idóneas durante la instrucción" (STS 880/2011 de 26 de julio) ya que "si, conocido el origen de un medio de prueba propuesto en un procedimiento, no se promueve dicho debate, no podrá suscitarse en ulteriores instancias la cuestión de la falta de constancia en ese procedimiento de las circunstancias concurrentes en otro relativas al modo de obtención de las fuentes de aquella prueba" (STS 1190/2009 de 3 de diciembre), añadiendo la SAP Málaga, Sección 9ª, nº 447/2010 de 15 de septiembre que si lo que se pretende es impugnar la prueba del ADN alegando la escasa fiabilidad de los aparatos técnicos utilizados, debe realizarse en la fase de instrucción y no en los escritos de defensa, máxime si media un plazo de más de un año entre la realización de las pruebas y la petición de la defensa.

La aparición en la muestra, junto a un perfil genético de ADN de cuyo análisis se identifica plenamente a una determinada persona de indicios del perfil genético de otra persona distinta que, por su escasa cantidad, no permite llegar a su identificación, no impide apreciar las perfectamente identificadas (STS 158/2012 de 26 de abril), por lo que si aparecen muestras de dos personas, unas claras y determinantes y otras insuficientes, no por ello dejan de producir efectos probatorios las plenamente identificantes sin que la posible presencia de un tercero no identificado las invalide (STS 140/2012 de 7 de marzo).

La diligencia de toma de muestras carece por sí misma de valor probatorio "aunque se reflejen documentalmente en un atestado policial, por lo que los elementos probatorios que de ellas pudiesen derivarse deben incorporarse al juicio oral, mediante un medio probatorio aceptable en derecho: por ejemplo, la declaración testifical de los agentes intervinientes debidamente practicada en juicio con las garantías de la contradicción y la inmediación" (STS 1190/2009 de 3 de diciembre).

La existencia de nuevas técnicas de análisis y de laboratorios hacen innecesaria que el informe pericial sea prestado por dos peritos en el procedimiento ordinario, bastando con uno sólo, "quedando abierta la contradicción, que pueda realizarse sobre las conclusiones periciales establecidas...pues ante un dictamen pericial procedente de un laboratorio que cubre todas las exigencias legales sobre las pericias, tanto en el procedimiento ordinario como en el abreviado" (STS 1062/2007 de 27 de noviembre), criterio que se mantiene asimismo en SAN, Sala de lo Penal, Sección 1ª nº 17/2007 de 13 de marzo que añade que "no por ello menos fiable, porque no recoge una opinión técnica, de la que quepa discrepar, sino unos datos analíticos objetivados, y por eso no pierde fiabilidad por el hecho de haber sido realizado por un perito".

Si existen en la causa dos informes periciales contradictorios en cuanto a la coincidencia del ADN con el del acusado, emitidos por los mismos peritos, el tribunal puede elegir el que crea más acertado, aún cuando sea el que perjudique al acusado, no siendo revisable esta valoración en casación, salvo que el error de hecho del tribunal de instancia se acredite mediante un documento autosuficiente y no resulte contradicho por otras pruebas (STS 949/2006 de 4 de octubre), no siendo motivo de nulidad la tardanza en la remisión del acta policial de la toma de muestras a las actuaciones judiciales (STSJ de la Comunidad Valenciana, Sección 1ª, de 19 de julio de 2007).

Finalmente hay que resaltar que el resultado de la prueba de ADN ha de ser concluyente, por lo que si en una gorra hallada en el lugar del robo se identifica el ADN del imputado así como otros tres pelos cuyo ADN no pertenece al mismo, procede la absolución ante la posibilidad de que dicha gorra fuese compartida por otras personas tal como manifestaba el imputado (SAP Salamanca, Sección 1ª, nº 102/2011 d 6 de octubre)

IV. NEGATIVA POR EL SOSPECHOSO A LA TOMA DE MUESTRAS

A) *Autorización judicial*

Ante el requerimiento policial el sospechoso o imputado puede negarse a la toma de muestras. En este caso es necesaria una resolución judicial autorizando dicha toma. El art. 363. 2 de la Ley de Enjuiciamiento Criminal exige del Juez para conceder dicha autorización que concurran "acreditadas razones que lo justifiquen" lo que viene a significar que la toma de muestras de ADN es un medio de investigación de carácter subsidiario y que, si puede obtenerse el mismo resultado por otras diligencias de investigación, ha de acudirse a ellas.

Esa "justificación" se traduce en la posibilidad o probabilidad de determinar la presencia del imputado o sospechoso en determinado lugar por medio de la toma de muestras de ADN, lo que, dado que la finalidad dicha prueba es precisamente esa, la justificación va implícita en la petición que se efectúa al Juez para que autorice dicha toma. Lo mismo ocurre con que esa justificación resulte "acreditada". En la práctica se interesa la autorización judicial mediante escrito policial fundado en el que se exponen las razones de la petición y de la finalidad que se espera obtener.

El Juez resuelve mediante resolución fundada que explique las razones que le llevan a conceder o no la autorización y la finalidad perseguida, normalmente por auto y aunque nada impide que pudiera autorizarse por providencia fundada, es preferible que se autorice por auto para evitar posteriores impugnaciones. Asimismo el juez debe observar la concurrencia de los principios de los principios de proporcionalidad y razonabilidad, lo que deberá resolverse, más por la mayor o menor gravedad del delito, por la naturaleza y complejidad del caso[35]. No habrá proporcionalidad en la toma de muestras para identificar al autor de una falta.

---

[35]   Piénsese por ejemplo en la toma de muestras de ADN para identificar al autor o autores de una multiplicidad de delitos de hurto, delito cuya pena en el Código Penal español no supera los dieciocho meses de prisión en su tipo básico del artículo 234.

Se trata de un requisito imprescindible, de manera que si el imputado se opone a la toma de muestras de su propio cuerpo y no se solicita la autorización judicial habilitante para ello, la toma de muestras que efectúe la Policía quedará afectada de nulidad radical (STSJ de Madrid, sección 1ª, 10/2007 de 11 de julio y SAP Castellón, Sección 2ª, nº 136/2011 de 23 de marzo)

B) Uso de la fuerza física para obtener la toma de muestras

Es el principal problema que se plantea en el caso de negativa del sospechoso o imputado a la toma de muestras de su ADN pese a que existe una resolución judicial que la acuerda. La doctrina suele mostrarse casi unánime en proscribir la posibilidad del uso de la fuerza física para conseguir la toma de muestras a la que se niega el afectado, pese a haber una resolución judicial que la ordena[36].

Los derechos afectados —libertad, intimidad e integridad física— actúan de límite frente a la imposición coactiva de la toma de muestras ordenada por la autorización judicial. Ahora bien, entendemos que no siempre ha de ser así. En aquellos casos en los que la toma de muestras no suponga una grave afectación del derecho a la intimidad del sospechoso o imputado —por ejemplo, obtener un pelo o una muestra de su saliva mediante un hisopo— y si el delito es grave[37] creemos proporcionada y adecuada la utilización de la fuerza física para conseguir la toma de muestras de ADN. En primer lugar se ordena en una resolución judicial fundada y éstas están para cumplirlas, no pudiendo quedar al arbitrio del imputado el aceptar la toma de muestras cuando el juez la ordena. No se advierte la diferencia en el caso de la toma de impresiones dactilares de un imputado en que no se discute que puede usarse la fuerza física si el mismo no se somete a la misma de la toma de muestras mediante un hisopo o arrancarle un pelo. Por lo tanto, en el caso de que la toma de muestra son requiera una intervención invasiva del cuerpo del sospechoso o imputado y su afectación sea mínima, creemos perfectamente adecuada y proporcionado el uso de la fuerza física. En aquellos supuestos en los que se tratase de delitos especialmente graves y siempre que no su-

---

[36]   Por ejemplo, Soriano Soriano, José R., en ob. cit., p. 594.
[37]   Recordemos que con arreglo al artículo 33 del Código Penal son delitos graves los castigados con pena de prisión superior a cinco años, entre otras penas de otra naturaleza.

pongan un riesgo para la salud del imputado cabría la posibilidad de acudir, por tanto, al uso de la fuerza física para proceder a la toma de muestras de ADN acordada judicialmente siempre que respete su dignidad personal y no implique su práctica un trato humillante o degradante, lo que sería de aplicación principalmente a tomas de muestras poco invasivas como arrancar un pelo o tomar saliva con un hisopo. En todo caso se aprecia en esta materia la ya citada insuficiencia de la regulación legal que debe ser completada por interpretaciones doctrinales y jurisprudenciales y por ello, sujeta a cambios frente a la seguridad de la regulación legal.

Lo que resultaría total y absolutamente desproporcionado y una burla a la víctima es que un asesinato quedara sin resolver por la oposición del imputado a que se le tomase una muestra de su saliva o se le arrancase un pelo mediante el uso de la fuerza.

No compartimos las opiniones de parte de la doctrina que considera que el imputado no tiene obligación alguna de colaborar con la investigación, pues no se trata de exigirle colaboración alguna sino de someterse a una diligencia de investigación acordada judicialmente en un proceso penal. El resultado de la analítica del ADN de la toma de muestras puede tanto perjudicar como favorecer al imputado, como sería en este último caso si se determinase que el ADN utilizado no es del imputado o no sirve a efectos identificativos. Lo mismo ocurre con la prueba de alcoholemia y con la obligación de someterse a los cacheos a que se refiere el art. 19 de la Ley Orgánica 1/1992 de 21 de febrero de Seguridad Ciudadana[38].

En este sentido se manifiesta la STS 709/2013 de 10 de octubre al manifestar respecto de la recogida de muestras de ADN que "No se puede afirmar que sea una diligencia netamente incriminatoria, extremo sobre el que hay unánime acuerdo jurisprudencial (STS. 151/2010 de 22.12). De ahí que si es ambivalente y puede también favorecer al detenido no debería extremarse las garantías derivadas de la asistencia letrada, la cual podría incluso aconsejar la no prestación del consentimiento en contra del propio detenido y de las expectativas de ser descartado en la investigación penal".

En el caso de que la toma de muestras de ADN requiriese la utilización de técnicas que supusiesen una mayor intervención en el cuerpo del impu-

---

[38]   En idéntico sentido se manifiesta Romeo Casabona en ob. cit., p. , 437

tado como la extracción de sangre —autorizada no obstante por la legislación procesal penal alemana— o una punción o similares entendemos que no se justifica el uso de la fuerza física para conseguir el cumplimiento de la resolución judicial que autoriza la toma de muestras, dado que la coacción física que habría que utilizar supondría, aparte de un riesgo para su salud por la resistencia del imputado, una grave situación de humillación del mismo incompatible con el respeto a sus derechos a la intimidad e integridad[39].

Habrá que determinar, pues, caso por caso, la concurrencia de los requisitos de proporcionalidad y de razonabilidad para decidir si cabe la utilización de la fuerza física.

La jurisprudencia se muestra en general contraria al uso de la fuerza física para la toma de muestras. Así, la STS 685/2010 de 7 de julio establece que "En aquellas ocasiones en que la policía no cuente con la colaboración del acusado o éste niegue su consentimiento para la práctica de los actos de inspección, reconocimiento o intervención corporal que resulten precisos para la obtención de las muestras, será indispensable la autorización judicial. Esta resolución habilitante no podrá legitimar la práctica de actos violentos o de compulsión personal, sometida a una reserva legal explícita —hoy por hoy, inexistente— que legitime la intervención, sin que pueda entenderse que la cláusula abierta prevista en el art. 549.1.c) de la LOPJ, colma la exigencia constitucional impuesta para el sacrificio de los derechos afectados". En idéntico sentido se manifiesta la STS 709/2013 de 10 de octubre. El resultado de esta interpretación ha sido el descenso en los consentimientos prestados por los imputados estimado en un ochenta por ciento. Es evidente que es más que necesaria una regulación legal completa de la toma de muestras de ADN, su procedimiento y efectos.

Por el contrario, el AAP de Segovia, Sección 1ª, nº 96/2007 de 11 de julio, resolviendo un recurso de apelación contra la denegación del uso de la fuerza para la toma de una muestra —un pelo o una muestra de saliva indistin-

---

[39]   En sentido contrario, Romeo Casabona —ob. cit., p. 453— considera que ante la falta de previsión legal expresa al respecto no cabrá acudir al uso de la fuerza física para la imposición coactiva de lo ordenado en la resolución judicial, lo que requeriría una disposición legal explícita que la autorizase.

tamente— del imputado en un caso de homicidio, considera, conforme a la tesis mantenida por el Ministerio Fiscal, que cabe el uso de la fuerza para la toma de muestras de ADN siempre que concurran los necesarios requisitos de idoneidad, adecuación, proporcionalidad y necesidad.

C) *Valoración probatoria de la negativa del imputado a la toma de muestras*

1. Indicio en su contra

Es la postura doctrinal más extendida. Si el imputado no quiere someterse a la toma de muestras de ADN pese a estar acordado por auto judicial, su conducta de oposición debe entenderse como un indicio de su presencia en el lugar de los hechos. Y ello es lógico, pues si se imputa un delito a una persona determinada o alguien es sospechoso de su participación en el hecho, es lógico y es de sentido común el pensar que si no estaba presente en dicho lugar al ocurrir los hechos se preste voluntariamente a la toma de muestras. Ello le favorecería de manera clara. Lo contrario sucederá si tuvo participación en los hechos o se encontraba en dicho lugar en su ocurrencia. En este caso tratará de enmascarar y ocultar su presencia oponiéndose a dicha toma de muestras puesto que espera que den resultado positivo que le incrimine.

El imputado puede decidir libremente sobre el decir la verdad o no y someterse o no a la toma de muestras de ADN pero si ejercita esa opción negativa tras advertírsele de las consecuencias procesales y penales de la misma constituye un indicio en su contra. En este sentido, con matizaciones, se manifiesta la STS 151/2010 de 22 de febrero, que considera que dicha negativa puede ser valorada por el tribunal sentenciador, pero como "elemento de inferencia más que como indicio", pues "Más allá de la discutible calificación por algunos de ese silencio o de las explicaciones inverosímiles como indicios endoprocesales, lo cierto es que su adecuada ponderación es obligada, no como indicio o contraindicio, sino como elemento de respaldo de la inferencia probatoria obtenida por el Tribunal a partir de los verdaderos indicios…la participación criminal no puede deducirse de la falta de explicaciones verosímiles por parte de quien está amparado por la presunción de inocencia, sino del resultado de un proceso lógico cuyo punto de arranque se sitúa en el conjunto de hechos base llamados indicios, con capacidad —ellos mismos, y por sí mismos— de conducción por vía deductiva y de modo lógico, a una conclusión llamada hecho consecuencia...por lo que la negativa del acusado a someterse a las pruebas de ADN no es un indicio más a sumar a los verdaderos indicios, pero sí puede ser valorada por el órgano decisorio como un elemento que avala la lógica de la inferencia sobre la que se apoya la conclusión de que el recurrente es autor de los delitos imputados". Como puede verse, la redacción no es precisamente un modelo de claridad ni de sintaxis.

En este sentido se pronuncian López-Fragoso[40], Romeo Casabona[41], Sierra Fernández[42] y Soriano Soriano[43].

Este indicio, en conjunción con otros puede llevar a la convicción judicial de dictar sentencia condenatoria. En todo caso, como observa López Barja de Quiroga es de resaltar la facilidad existente para preconstituir pruebas falsas, bastando con dejar restos de los que se pueda obtener una muestra de ADN para implicar a una determinada persona en los hechos. Y la STS 949/2006 de 4 de octubre considera que pueden determinar su participación cuando la prueba de ADN es la única existente y no se ofrecen por el imputado explicaciones alternativas plausibles acerca de cómo pudieron aparecer sus huellas genéticas en el lugar de los hechos. En el mismo sentido, la STSJ de Madrid, sección 1ª 10/2007 de 11 de julio señala que "parece lógico que la negativa injustificada a someterse a la prueba del ADN tenga alguna consecuencia, considerándose como indicio complementario"[44].

Por su parte, la STEDH de 8 de febrero de 1996 (Caso Murray) considera que si la negativa a someterse a la prueba del ADN por el imputado carece de justificación o explicación suficiente, y dado que tiene un efecto lo mismo puede ser incriminatorio o exculpatorio, puede valorarse racional y lógicamente esta actitud procesal como un elemento que en relación con el resto de las pruebas practicadas puede reforzar las conclusiones obtenidas por tribunal.

---

[40]   López-Fragoso Álvarez, Tomás, en "Principios y límites de las pruebas de ADN en el proceso penal", pp. 164 y 165. Ed. Consejo General del Poder Judicial. Estudios de Derecho Judicial nº 36. 2001
[41]   Romeo Casabona, Carlos Mª, en "ob. cit., p. 450.
[42]   Sierra Fernández, José, en ob. cit., pp. 1 y ss.
[43]   Soriano Soriano, José R., en ob. cit., p. 594.
[44]   En idéntico sentido se pronuncia la STSJ de Madrid, Sección 1ª, 11/2004 de 5 de abril.

2. Delito de desobediencia

También es doctrina mayoritaria doctrinal y jurisprudencial el considerar que la negativa del imputado o del sospechoso a la toma de muestras de ADN puede constituir un delito de desobediencia.

En todo caso, la negativa debe entenderse, a nuestro criterio, además de indicio en contra del imputado como delito de desobediencia, pues la aparición del indicio en su contra es una consecuencia procesal derivada de su postura de obstrucción y la consecuencia lógica de quién se niegue a la toma de muestras de ADN es el entender que trata de ocultar su presencia en el lugar de los hechos y la lógica más elemental lleva asimismo a la conclusión que quién no ha estado en dicho lugar sea precisamente el más interesado en someterse a la prueba de ADN para desvanecer las sospechas o indicios que pueda haber contra él. Por otra parte, la incoación de una causa penal por delito de desobediencia deriva de ser dicha negativa una oposición al cumplimiento de lo expresamente ordenado por la resolución judicial.

De todos modos, la escasa penalidad establecida en el artículo 556 del Código Penal español para el delito de desobediencia —de seis meses a un año de prisión- no va a servir precisamente de estímulo para que se acepte la toma de muestras—. Mucho tiene que ganar un imputado por asesinato u homicidio —que se arriesga a que se le impongan penas de quince o veinte años de prisión o más- negándose a la toma de muestras si espera que la prueba de ADN resulte positiva y muy poco tiene que perder si la sanción que se le impone por desobedecer la resolución judicial no puede superar el año de prisión—. Es una sanción simbólica frente a lo que puede evitar con su negativa. El efecto intimidante que puede tener sobre el imputado es nulo. En este mismo sentido se pronuncia Romeo Casabona[45].

En sentido contrario a considerar que la negativa del imputado a la toma de muestras pudiera constituir un delito de desobediencia se pronuncia Sierra Fernández[46], ante la inexistencia de un tipo concreto que sancione esta

---

[45]   Romeo Casabona, Carlos Mª, en ob. cit., p. 446.

[46]   Sierra Fernández, José, en "El ADN en la fase de instrucción del proceso penal". Revista de Jurisprudencia "El Derecho", nº 2. 2007.

conducta. No obstante, aunque no hay un tipo específico como el artículo 383 del Código Penal respecto de la negativa a la práctica de la prueba de alcoholemia, el delito de desobediencia del artículo 556 del Código Penal es sobradamente suficiente para sancionar esta conducta, que supone un claro desafío al cumplimiento de una resolución judicial.

Por último, según la SAP de Jaén, sección 1ª, nº 242/2012 de 11 de julio "La toma de muestras no supone que resulte "afectado el derecho a presunción de inocencia, en su manifestación de derecho a no declarar contra sí mismo y no confesarse culpable, lo que ha sido señalado de forma constante por la jurisprudencia del tribunal constitucional".

3. Irrelevancia de la negativa

Es una postura minoritaria en la doctrina y en la jurisprudencia. Según sus valedores, dado que consideran que la prestación del consentimiento por el imputado o sospechoso para la toma de muestras de ADN es un acto de colaboración con la investigación penal al que no está obligado, su negativa no debe conllevar consecuencia desfavorable alguna para quién se niega a dicha toma de muestras por cuanto con su negativa es simplemente ejercicio de su derecho de defensa. Por tanto ni cabe contra el mismo proceder por un delito de desobediencia ni puede extraerse de su conducta un indicio de su presencia en el lugar de los hechos.

En este sentido se manifiesta la SAP de Navarra, Sección 1ª, nº 132/2010 de 27 de julio que considera que "esa falta de colaboración activa, no viniendo impuesta específicamente en ningún precepto concreto, no puede constituir la comisión de un delito de desobediencia, no estando prevista específicamente como tal delito dicha negativa, la cual ha de ser valorada en relación con el derecho a la no autoincriminación del imputado que pudiere verse afectado mediante la imposición de esa colaboración activa" (Id. SAP Gerona, Sección 3ª, de 4 de mayo de 2009).

Creemos que esta postura no es sostenible por cuanto, como ya se ha comentado, el consentimiento para la toma de muestras no supone colaboración alguna con la investigación. Simplemente se somete a una diligencia acordada judicialmente y cuyo resultado puede incluso favorecerle y exculparle. Si considera que no le va a favorecer porque estuvo en el lugar de los hechos y teme que la analítica dé positivo, es claro, a nuestro criterio, que dicha negativa debe ser valorada precisamente como un indicio en su contra que en conjunción con otros puede dar lugar a su condena. Aparte de que el delito de desobediencia tipificado en el art. 556 del Código Penal, por su amplitud, presta la necesaria y suficiente cobertura legal para castigar esa conducta. No se requiere un tipo penal especialmente previsto para esta negativa. De seguirse este último criterio habría que crear simultáneamente a las normas que imponen el cumplimiento de las resoluciones judiciales un tipo penal para reprimir su incumplimiento caso por caso. En todo caso, sería preferible su tipificación específica para evitar interpretaciones contradictorias.

V. TABLA DE JURISPRUDENCIA RESUMIDA SOBRE LA RECOGIDA DE VESTIGIOS Y TOMA DE MUESTRAS DE ADN

SENTENCIAS Y AUTOS DEL TRIBUNAL SUPREMO Y CONSTITUCIONAL

STS y ATS	Contenido
STC, Pleno, 13/2014 de 30-1-2014	Derecho a la intimidad. Almacenamiento de muestras de ADN. No necesidad de autorización judicial. Requisitos para la obtención de muestras de ADN. Cadena de custodia: cuestión de hecho.
STC, Pleno, 199/2013 de 5-12-2013	Derecho a la intimidad. Almacenamiento de muestras de ADN. No necesidad de autorización judicial.
STS 974/2013 de 12-12-2013	Prueba de ADN. Recogida irregular de muestras. Falta de asesoramiento de letrado.
STS 948/2013 de 10-12-2013	Indebida denegación de práctica de prueba de ADN de contraste propuesta en tiempo y forma por la defensa. Alcance. Reposición de actuaciones a la primera instancia para su práctica.
STS 709/2013 de 9-10-2013	Vulneración derecho intimidad. Base de datos policial LO 10/2007. Forma obtención muestra ADN. Consentimiento acusado. Asistencia letrada si está detenido.
STS 607/2012 de 9-7-2012	Cadena de custodia. Art. 326 LECr. ADN no codificante. Otros indicios. Valor de la prueba de ADN. Concepto de prueba genética

STS 618/2012 de 4-7-2012	ADN en parabrisas de vehículo
ATS 1329/2012 de 31-5-2012	Legitimados para recoger la muestra de ADN. Art. 326 LECr. La recogida de muestras por la Policía sin razones de urgencia no invalida la prueba.
STS 158/2012 de 26-4-2012	Huellas de ADN de otra persona. Sitios de dónde se recogen muestras. El hallazgo de otros indicios de huellas genéticas no invalida las que están claras, que siguen produciendo efectos
ATS nº 576/2012 de 22-3-2012	Cadena de custodia. Legitimados para la recogida de muestras. Lo está la Policía Judicial
STS 140/2012 de 7-3-2012	ADN no identificado y ADN identificado
ATS nº 434/2012 de 1-3-2012	Ruptura de la cadena de custodia. No la hay si son identificables las muestras pes e a remitirse a un Juzgado diferente.
STS 1367/2011 de 20-12-2011	Legitimados para recoger la muestra de ADN. Art. 326 LECr. Cadena de custodia
STS 880/2011 de 26-7-2011	Prueba de ADN obtenida en otro proceso. Presunción iuris tantum del Registro de ADN. Impugnabilidad del Registro. La prueba de ADN de la base de datos no requiere un segundo test. Huellas de ADN anónimas que no se identifican con la base de datos de la Guardia Civil sino con las de otro proceso que se llevaron a dicha base de datos.
STS 680/2011 de 22-6-2011	ADN obtenido en otro proceso. Impugnación de la prueba de ADN en momento hábil (La instrucción). Quién aduce la irregularidad de la prueba de ADN debe probarla. Las irregularidades de las bases de datos deben denunciarse y corregirse por la Ley de 1999. Deben especificarse las irregularidades alegadas
STS 1027/2010 de 25-11-2010	Recogida de muestras de ADN en un vaso. Cadena de custodia. Toma de muestras por Juez y Policía. Prueba de ADN postergada por el Juez de Guardia que se acuerda por el de la causa después: es válida si se recogieron antes las muestras por la Policía.
STS 685/2010 de 7-7-2010	Negativa del imputado a la prueba de ADN. Asistencia letrada. Cadena de custodia. Juicio de inferencia

STS 634/2010 de 28-6-2010	Cadena de custodia. Autorización para la toma de muestras de ADN por el Juez si no hay urgencia pero si lo toma la Policía es irregularidad no invalidante. El auto para obtener ADN debe dictarse antes de la toma de muestras
STS 240/2010 de 24-3-2010	Cadena de custodia: se respeta (Se entrega al forense y no a la Policía). Si las bragas se hallan en el lugar de los hechos, a la Policía (art. 326 LECr.)
STS 151/2010 de 22-2-2010	Negativa a la prueba de ADN: valoración. No es indicio. "Es elemento de inferencia". La prueba de ADN no supone autoincriminación. Ni vulnera la integridad física si se prevé en la Ley y lo está: arts. 326 y 363 LECr.
STS 1190/2009 de 3-12-2009	Cadena de custodia: concepto. Recogida de vestigios por la Policía. No se precisa acta por el secretario de la diligencia de ocupación del vestigio salvo prueba preconstituida. Se suple por testigos. Pruebas provenientes de otro proceso. Toma de muestras.
STS 1062/2007 de 27-11-2007	Pericial de ADN por un solo perito: es válida. Toma de muestras: el ADN es el no codificante. Si salen otros datos se aplica la Ley de Protección de Datos. Ley de Protección de Datos. Pericia contradictoria
STS 968/2006 de 11-10-2006	Art. 326 LECr. Requisitos. Negativa del imputado a la toma de muestras. Autorización judicial
STS 949/2006 de 4-10-2006 (Se separa de la STS 501/2005 de 19-4)	Cadena de custodia: mala praxis policial. La Policía puede recoger vestigios. Art. 326 LECr. Toma de muestras por la Policía no urgente: irregular, no nula. El objeto del análisis es el ADN no codificante. La Ley de Protección de Datos protege la intimidad. No se requiere el consentimiento del afectado respecto de la toma de ADN: La Ley de Protección de Datos lo excepciona. El incumplimiento del registro no acarrea la nulidad. Toma de muestras: no se requiere consentimiento si no es invasiva. Informes contradictorios policiales de ADN: se puede elegir. Valor de la prueba de ADN. EL ADN solo basta para condenar si no hay una explicación alternativa.
STS 701/2006 de 27-6-2006	ADN en pañuelo de papel

STS 179/2006 de 14-2-2006	Si el sujeto se opone a la toma de ADN se requiere autorización judicial. Recogida no urgente por la Policía: es válida. Se garantiza la intimidad por la legislación vigente de protección de datos. La recogida de vestigios no requiere consentimiento del afectado. Recogida de vestigios: art. 326 LECr. Recogida de muestras: art. 363 LECr.
STS 1311/2005 de 14-10-2005	Toma de ADN de esputos de saliva. N requiere autorización judicial recoger un escupitajo. Vulneración de la ley de protección de datos: irregularidad, no nulidad.
STS 501/2005 de 19-4-2005	Los vestigios los manda recoger el Juez salvo casos de urgencia, en que es la Policía. Las muestras las recoge el Juez. Requisitos de la toma de muestras indubitadas. Toma de muestras sin documentar: no es válida. Intervención de las partes en la toma de muestras. Debe constar en el atestado la toma de ADN

SENTENCIAS DE LA AUDIENCIA NACIONAL

SAN - Sección 2ª- 21/2008 de 3-6-2008	No basta la comparación con el ADN de las bases de datos (El acusado se niega). ADN en el bolso abandonado en papelera: es "res nullius". No requiere autorización judicial
SAN - Sección 1ª- 17/2007 de 13-3-2007	No hacen falta dos peritos de ADN si son oficiales. Es fiable. Vale tanto el acta como la diligencia para acreditar la toma de muestras. Si se duda de la cadena de custodia pueden realizarse pruebas de contraste
SAN - Sección 2ª- 39/2005 de 3011-2005	Se afecta a la intimidad si se utiliza el ADN para otros fines distintos de la investigación. ADN recogido en colillas en el suelo y en un vaso. No precisan autorización judicial ni consentimiento del dueño. Art. 282 LECr. La Policía puede recoger ADN. Negativa a la toma de muestras de ADN: el uso de la fuerza requiere autorización judicial. TEDH: valor de la negativa a la toma de muestras. No documentar la Policía la recogida de muestras no lleva a la nulidad. Recogida de huellas dactilares y balas: no requiere autorización judicial

SENTENCIAS DE LOS TRIBUNALES SUPERIORES DE JUSTICIA

| STSJ - Sección 1ª- País Vasco de 7-7-2011 | Recogida de vestigios: art. 326 LECr. Recogida de muestras: art. 363 LECr. Arts. 326 y 282 LECr. |

ATSJ - Sección 1ª - Comunidad Valenciana de 19-7-2007	Toma de muestras de ADN: consentimiento sin letrado. Tardanza en remitir los resultados de la prueba de ADN al proceso no invalida la prueba. Arts. 326 y 282 LECr. Información al imputado de la finalidad de la toma de muestras. El consentimiento no requiere letrado
STSJ - Sección 1ª - Madrid de 11-7-2007	Cadena de custodia. Recogida de colilla tirada por sospechoso seguido por la Policía. Indicio condenatorio el no someterse a la toma de muestras de ADN. Resumen de la doctrina constitucional de proporcionalidad.
STSJ - Sección 1ª - Madrid de 5-4-2004	Negativa a la prueba de ADN. Indicio incriminatorio. La oposición del acusado impide el contraste

SENTENCIAS DE LAS AUDIENCIAS PROVINCIALES

SAP 335/2012 - Sección 4ª Tarragona de 24-7-2012	Derecho de información. Se supone cumplido cuando la toma de muestras se ordena por auto y se realiza ante el Secretario judicial
SAP 232/2012 - Sección 2ª Jaén de 11-7-2012	Es proporcional acordar judicialmente la toma de muestras de ADN en un delito contra la fauna. La toma de muestras requiere asistencia letrada. No supone infracción del derecho a no declarar contra sí mismo.
SAP 26/2012 - Sección 2ª Baleares de 13-3-2012	La práctica de la toma de muestras autorizada por una auto y en presencia del secretario judicial aunque no conste el consentimiento expreso supone consentimiento del imputado
SAP 15/2012 - Sección 1ª Madrid de 25-1-2012	Ruptura de la cadena de custodia
SAP 102/2011 - Sección 1ª Salamanca de 6-10-2011	ADN de gorra compartida. ADN de otros. No sirve si hay huellas de pelo del acusado pues puede ser de otro. Robo con fuerza
SAP 725/2011 - Sección 10ª Barcelona de 29-7-2011	ADN de capucha. El acusado dice que la Policía le obligó a ponérsela. No es creíble
SAP 136/2011 - Sección 2ª Castellón de 23-3-2011	Autorización judicial cuando se opone el acusado. Ausencia de consentimiento del acusado en la toma de muestras. Toma de muestras: distinción. No siempre por el Juez de Instrucción. Contrapericia. La recogida se sangre en el lugar de los hechos no requiere autorización judicial

SAP 447/2010 - Sección 9ª Málaga de 15-9-2010	Cadena de custodia: se respeta. Denegación de prueba sobre calibración de detectores de ADN en el escrito de defensa: es propio de la fase de instrucción, no del juicio
SAP 132/2010 - Sección 1ª Navarra de 27-7-2010	Le negativa a la prueba de ADN no es desobediencia. No tiene que colaborar con la acusación
SAP 291/2009 - Sección 1ª Burgos de 22-12-2009	Recogida de vestigios de ADN por la Policía: valor. Cadena de custodia
SAP 5/2008 - Sección 1ª Burgos de 23-1-2008	Salvo urgencia, el Juez debe recoger el ADN. Cuidado al tomar la muestra de ADN. ADN en botas
SAP 546/2007 - Sección 1ª Vizcaya de 23-11-2007	Recogida de muestras de ADN: colillas en Comisaría. No precisa consentimiento del acusado. Legitimados para recoger muestras
SAP 96/2007 - Sección 1ª Segovia de 11-7-2007	Toma de muestras de ADN contra la voluntad del imputado. Uso de la fuerza para la toma de muestras. Doctrina dividida. Necesidad, proporcionalidad e idoneidad. Se acuerda la extracción forzosa de un pelo. Recurso del M. Fiscal
SAP 9/2007 - Sección 1ª Cuenca de 17-5-2007	Toma de sangre para ADN: consentimiento no viciado. No supone autoincriminación. Aunque no se le informe, no es nula
SAP 83/2006 - Sección 1ª Badajoz de 2-6-2006	ADN en guantes, nulo: no se hizo constar en el acta de inspección ocular ni se pusieron los guantes a disposición del Juez que aparecen 11 días después. Ruptura de la cadena de custodia: aparecidos los guantes la policía los manda al laboratorio y no al juez
SAP57/2006 - Sección 1ª Badajoz de 18-4-2006	Se le debe advertir de su derecho a no autoinculparse. Y letrado si se quiere que se valore. Precisa autorización judicial

VI. BIBLIOGRAFÍA SELECCIONADA

CALDERÓN CEREZO, Ángel. "Derecho a la intimidad personal: intervención de las comunicaciones, entrada y registro en lugar cerrado. Nuevas tecnologías. Intervenciones corporales". Cuadernos Digitales de Formación, nº 27. Ed. Consejo General del Poder Judicial. 2008
DÍAZ CABIALE, José A. "Cacheos superficiales, intervenciones corporales y el cuerpo humano como objeto de recogida de muestras para análisis periciales (ADN, sangre, etc.). Cuadernos de Derecho Judicial, nº 12. Ed. Consejo General del Poder Judicial. 1996

LÓPEZ BARJA DE QUIROGA, Jacobo. "La prueba en el proceso penal obtenida mediante el análisis de ADN". Cuadernos de derecho Judicial, nº 6. Ed. Consejo General del Poder Judicial. 2004

LÓPEZ-FRAGOSO ÁLVAREZ, Tomás. "Principios y límites de las pruebas de ADN en el proceso penal". Estudios de Derecho Judicial, nº 36. Ed. Consejo General del Poder Judicial. 2001

ROMEO CASABONA, José María. "Los perfiles de ADN en el proceso penal: novedades y carencias del Derecho Español". Estudios de Derecho Judicial, nº 58. Ed. Consejo General del Poder Judicial. 2004

SIERRA FERNÁNDEZ, José. "El ADN en la fase de instrucción del proceso penal". Revista de Jurisprudencia "El Derecho", nº 2. 2007.

SORIANO SORIANO, José Ramón. "La prueba pericial de ADN: problemas procesales. Esquema general". Estudios de Derecho Judicial, nº 120. Ed. Consejo General del Poder Judicial. 2007

TOMA DE MUESTRAS DE ADN ABANDONADAS: ANÁLISIS JURISPRUDENCIAL

PROF. DRA. ANDREA PLANCHADELL GARGALLO
Profesora Titular de Derecho Procesal
Universitat Jaume I de Castellón

Sumario: I. Introducción. II. Breve referencia a la licitud de la prueba como condición previa. III. La recogida de muestras. IV. La recogida subrepticia de muestras. V. Análisis del Acuerdo no jurisdiccional del Pleno del Tribunal Supremo.

I. INTRODUCCIÓN

Desde que en el año 1984 en la Universidad de Leicester (Inglaterra) las investigaciones del Profesor Alec Jeffreys permitieron la identificación genética de un individuo y su condena en un proceso penal[1], la utilización de esta técnica científica ha sufrido un avance imparable permitiendo resolver un número no desdeñable de casos que de otra forma hubieran quedado sin resolverse o se habrían resuelto de manera diferente. Pero la utilidad de los análisis del perfil de ADN no sólo ha servido para poder acreditar la participación de un sujeto en un hecho delictivo, sino también para —reconociendo el error judicial— dejar en libertad a sujetos que estaban cumpliendo condena por la comisión de un hecho delictivo cuya inocencia viene determinada

---

[1] V., sobre los orígenes, ETXEBERRÍA GURIDI, J.F., *Los análisis de ADN y su aplicación al proceso penal*, Ed. Comares, Granada 2000, pp. 9 y ss.; CABEZUDO BAJO, M.J., *Fiabilidad y licitud de la prueba de ADN en la UE y en España*, en PÉREZ GIL, J., (Coord.), "El proceso penal en la sociedad de la información. Las nuevas tecnologías para investigar y probar el delito", Ed. La Ley, Madrid 2012, p. 384 y ss.; ÁLVAREZ DE NEYRA KAPPLER, S., *La prueba de ADN en el proceso penal*, Ed. Comares, Granada 2008, pp. 16 y ss.

a posteriori (en ocasiones muchos años después, e incluso tarde, para cualquier tipo de compensación)[2].

Pese a su importancia y trascendencia para los fines del proceso penal, principalmente por su alto componente técnico y su alta fiabilidad, lo cierto es que tampoco los resultados de ADN, a efectos probatorios, son infalibles, sino que supone introducir "cálculos de probabilidad en el ámbito de la valoración de las pruebas"[3].

En lo que a nosotros nos interesa, el análisis de los perfiles de ADN cumple una importantísima función como instrumento de investigación en tanto que permite la investigación de los delitos y, si hay una coincidencia, la ave-

---

[2]   Así, por ejemplo, en nuestro país esto ha ocurrido en el año 2008 con Rafael Ricardi liberado tras trece años en prisión por un delito de violación o recientemente la tardía absolución de Antonio Guile, quien falleció en prisión. Basta con hacer una búsqueda en Internet para encontrar con multitud de noticias en este sentido, así como con organizaciones que han hecho de la revisión de casos dudosos su leitmotiv, por ejemplo *Innocent Project*. Ni que decir tiene que esta realidad nos ha permitido disfrutar de muy buenas películas y series de televisión.

[3]   CABEZUDO BAJO, M.J., *Fiabilidad y licitud de la prueba de ADN en la UE y en España*, en PÉREZ GIL, J., (Coord.), "El proceso penal en la sociedad de la información" cit., p. 383; ROMEO CASABONA/ROMEO MALANDA, *Los identificadores de ADN en el sistema de justicia penal*, Ed. Aranzadi, Cizur Menor 2010, pp. 30 y ss., y 37 y ss.; ROMERO CASABONA, C.M., *Los perfiles de ADN en el proceso penal: Novedades y carencias del derecho español*, Estudios de Derecho Judicial "Las reformas procesales", núm. 58, Consejo General del Poder Judicial, Madrid 2004, p. 415; ÁLVAREZ DE NEYRA KAPPLER, S., *La prueba de ADN en el proceso penal*, cit., pp. 48 y 49; MUÑOZ ARANGUREN, A., *La valoración judicial de la prueba de ADN: Estadística y verdad procesal. A propósito de la STS núm. 607/2012, de 9 de julio de 2012*, Revista Derecho y Proceso Penal 2013, núm., 30, pp. 277 y ss, quien explica, para poner de manifiesto cómo juegan dichas probabilidades la *falacia del fiscal y de la defensa* establecida por THOMSON/SHUMANN, *Interpretation of Statitical Evidence in Criminal Trials: The Prosecutor's Fallacy and the Defense Attorney's Fallacy*, Law and Human Behaviour II (3), p. 167.
Probabilidad cuantificable mediante el teorema de Bayes, v., CARRACEDO ÁLVAREZ, A., *Valoración e interpretación de la prueba pericial sobre ADN ante los Tribunales*, http://www.cej.justiica.es/pdf/publicaciones/fiscales/FISCAL39.pdf; FINKELSTEIN/FAIRLEY, *A Bayesian approach to identification evidence*, LHR 1970, vol. 3, núm. 3, *passim*; ROMEO CASABONA/ROMEO MALANDA, *Los identificadores de ADN en el sistema de justicia penal*, cit., pp. 40 y ss.; MUÑOZ ARANGUREN, A., *La valoración judicial de la prueba de ADN: Estadística y verdad procesal. A propósito de la STS núm. 607/2012, de 9 de julio de 2012*, Revista Derecho y Proceso Penal 2013, núm., 30, pp. 287 y ss.

riguación del presunto responsable del hecho delictivo; pero también —es evidente— a efectos probatorios, ya que nos proporciona una prueba científica que puede ser determinante —en tanto que arroja un resultado fiable en una muy alta probabilidad— para condenar o absolver a un sujeto[4]. En este sentido, es evidente que la ciencia forense y la ciencia procesal deben ir de la mano, no pudiendo quedarse ésta última "atrás", pero al mismo tiempo, y dado que ya nos es sobradamente conocido que la verdad no se puede alcanzar a cualquier precio, el uso de este útil instrumento debe estar muy bien regulado, especialmente en lo que se refiere a los límites que no pueden traspasarse, atendiendo al principio de proporcionalidad.

Al respecto algo se ha hecho en el ordenamiento jurídico español, así la Ley Orgánica 15/2003, de 25 de noviembre, de modificación del Código Penal, reformó la Ley de Enjuiciamiento Criminal para proporcionar cobertura jurídica a determinadas prácticas de investigación, dando una nueva redacción a los arts. 326 y 363 LECRIM, regulando la posibilidad de obtener el ADN a partir de muestras biológicas provenientes de pruebas halladas en el lugar del delito o extraídas de sospechosos, pudiendo dichos perfiles ser incorporados a una base de datos para su empleo en esa concreta investigación. No obstante, quedaron fuera de dicha reforma aspectos importantes, como por ejemplo, la posibilidad de crear una base de datos en la que, de manera centralizada e integral, se almacenase el conjunto de los perfiles de ADN obtenidos, a fin de que pudiesen ser utilizados, posteriormente, en investigaciones distintas o futuras, incluso sin el consentimiento expreso del titular de los datos. Parte de estos vacíos legales son subsanados con la aprobación de la Ley Orgánica 10/2007, de 8 de octubre, reguladora de la base de datos policial sobre identificadores obtenidos a partir del ADN, en la que se prevé la creación de una base de datos —dependiente del Ministerio de Interior y a través de la Secretaría de Estado de Seguridad— en la que, de manera única, se integren los ficheros de las Fuerzas y Cuerpos de Seguridad del Estado en los que se almacenan los datos identificativos obtenidos a partir de los análisis de ADN que se hayan realizado en el marco de una investigación criminal, o en los procedimientos de identificación de cadáveres o de averiguación de

---

4   MUÑOZ ARANGUREN, A., *La valoración judicial de la prueba de ADN: Estadística y verdad procesal. A propósito de la STS núm. 607/2012, de 9 de julio de 2012*, Revista Derecho y Proceso Penal 2013, núm., 30, p. 280, sobre los requisitos de la prueba científica.

personas desaparecidas, lo que permitirá la utilización presente y futura de la información en ella contenida y la conservación de los datos[5]. Igualmente el RD 1977/2008, de 28 de noviembre, por el que se regula la composición y funciones de la Comisión Nacional para el uso forense del ADN, respecto a la fiabilidad de los análisis. En el marco europeo es determinante la Decisión 2008/615, de 23 de junio de 2008, sobre la profundización de la cooperación transfronteriza, en particular en materia de lucha contra el terrorismo y la delincuencia transfronteriza; la Decisión Marco 2008/977, de 27 de noviembre de 2008, relativa a la protección de datos personales tratados en el marco de la cooperación policial y judicial en materia penal; la Decisión Marco 2009/905, de 30 de noviembre de 2009, sobre acreditación de prestadores de servicios forenses que llevan a cabo actividades de laboratorio y la Resolución del Consejo de 30 de noviembre de 2009, relativa al intercambio de resultados de ADN, la Directiva sobre la Orden de Investigación Europea, publicada en el DOUE de 24 de junio de 2010[6].

Realmente su utilidad y virtualidad en el proceso penal va a depender, por tanto, de que la prueba se haya obtenido de manera fiable y de que la muestra se haya obtenido de manera lícita, para lo cual se tiene que atender a la obtención de la muestra, el análisis del perfil en el laboratorio y el tratamiento del dato obtenido en la base de datos[7]. Si bien son muchas las dudas y cuestiones que entorno a este instrumento se plantean, y sobre los

---

[5]   La primera base de datos de ADN, como apuntan SARRION ESTEVE/CABEZUDO BAJO, *El intercambio de perfiles de ADN en la Unión Europea y la armonización de su nivel de protección: El plazo de cancelación de los perfiles en la base de datos de ADN*, en PÉREZ GIL, J., (Coord.), "El proceso penal en la sociedad de la información" cit., p. 44, se crea en el Reino Unido en 1995, procediéndose en 1997 a su creación por Países Bajos y Austria, introduciéndose en 1998 en Alemania y, a nivel federal, en Estados Unidos. La primera base internacional se crea en 2002 en Interpol. El Tratado de Prüm, firmado en el año 2005, por varios estados miembros de la Unión Europea, tiene como finalidad facilitar el intercambio internacional de perfiles de ADN, incorporado al derecho de la Unión a través de la Decisión 2008/615, del Consejo, de 23 de junio de 2008 (Decisión Prüm) y la Decisión 2008/616, del Consejo, de 23 de junio.

[6]   V., sobre la normativa europea, CABEZUDO BAJO, M.J., *Fiabilidad y licitud de la prueba de ADN en la UE y en España*, en PÉREZ GIL, J., (Coord.), "El proceso penal en la sociedad de la información" cit., pp. 393 y ss.

[7]   CABEZUDO BAJO, M.J., *Fiabilidad y licitud de la prueba de ADN en la UE y en España*, en PÉREZ GIL, J., (Coord.), "El proceso penal en la sociedad de la información" cit., pp. 383

que mucho se ha escrito y seguirá escribiendo, a lo largo de estas páginas vamos a ocuparnos, partiendo principalmente de la jurisprudencia española, de si podemos considerar que estamos ante una obtención fiable y lícita en aquéllos casos en que la muestra se obtiene por "haber sido abandonada por un sujeto".

II. BREVE REFERENCIA A LA LICITUD DE LA PRUEBA COMO CONDICIÓN PREVIA

No es la intención de estas páginas llevar a cabo un exhaustivo estudio del tema de la prueba ilícita; cuestión ésta que ha hemos tenido ocasión de analizar en otra obra y que ha sido objeto también de importantes aportaciones doctrinales[8]. En este epígrafe únicamente queremos llamar la atención sobre la relación directa que existe entre la licitud en la obtención de la prueba referida a la muestra biológica y su valoración por el tribunal, como ocurre en cualquier otro medio de prueba de características similares.

La valoración de los resultados de ADN dependerá, al igual que con cualquier otro medio de prueba, de que se haya obtenido de manera lícita, exigencia que debe extenderse en las tres fases en que la obtención de esta prueba se divide: Obtención de las muestras, análisis del perfil de ADN en laboratorios y tratamiento del dato obtenido en la base de datos[9].

---

y 393 y ss.; ROMEO CASABONA/ROMENO MALANDA, *Los identificadores del ADN en el Sistema de Justicia Penal*, cit., pp. 49 y ss.

[8]   PLANCHADELL GARGALLO, A., *Las ocho sentencias más importantes de la jurisprudencia española en materia de prueba prohibida: un breve comentario*, en GÓMEZ COLOMER (Ed.), Temas dogmáticos y probatorios de relevancia en el proceso penal del siglo XXI, Ed. Rubinzal, Buenos Aires 2010. Igualmente, las obras colectivas, GOMEZ COLOMER (Dir.), *Prueba y Proceso Penal (Análisis especial de la prueba prohibida en el sistema español y en el derecho comparado)*, Ed. Tirant lo Blanch, Valencia 2010; GÓMEZ COLOMER (Ed.), *Temas dogmáticos y probatorios de relevancia en el proceso penal del siglo XXI*, Ed. Rubinzal, Buenos Aires 2010.

[9]   ETXEBERRÍA GURIDI, J.F., *Los análisis de ADN y su aplicación al proceso penal*, cit., pp. 290 y ss.; CABEZUDO BAJO, M.J., *Fiabilidad y licitud de la prueba de ADN en la UE y en España*, en PÉREZ GIL, J., (Coord.), "El proceso penal en la sociedad de la información" cit., pp. 383 y 398 y ss.

En la obtención de la prueba deben utilizarse los métodos científicos y tecnológicos adecuados y obtenerse con pleno respeto a los derechos fundamentales de la persona, si bien este aspecto será objeto de análisis en los siguientes epígrafes. En general se alega que los derechos fundamentales que pueden verse afectados son[10]: La libertad deambulatoria, el derecho a la intimidad (tanto corporal como genética), el derecho a la salud, el derecho a la dignidad personal o el derecho a no declarar contra sí mismo y no confesarse culpable y, obviamente, el derecho a un proceso con todas las garantías y a la presunción de inocencia.

Una vez recogida la muestra, es fundamental el respeto a la cadena de custodia hasta que llegue al laboratorio en que deba ser analizada, de forma que se preserve la calidad de la muestra, evitando su contaminación.

El análisis de la muestra deberá hacerse en laboratorios acreditados[11] y por personal especialmente cualificado para ello, garantizando así la objetividad y validez del resultado. Extraído el perfil se introduce en una base de

---

[10]   ETXEBERRÍA GURIDI, J.F., *Los análisis de ADN y su aplicación al proceso penal*, cit., pp. 189 y ss.; ROMEO CASABONA/ROMENO MALANDA, *Los identificadores del ADN en el Sistema de Justicia Penal*, cit., pp. 51 y ss.; ÁLVAREZ DE NEYRA KAPPLER, S., *La prueba de ADN en el proceso penal*, cit., pp. 96 y ss.; PÉREZ MARÍN, M.A., *Inspecciones, registros e intervenciones corporales. Las prueba de ADN y otros métodos de investigación en el proceso penal*, Ed. Tirant lo Blanch, Valencia 2008, pp. 39 y ss.
V., también, entre otras, las SS TC 207/1996, de 16 de diciembre; 7/1994, de 17 de enero; 120/1990, de 27 de junio.

[11]   Se trata de proceder a un análisis científico de la muestra, extrayendo el perfil de ADN correspondiente a la misma para acreditar —tras la correspondiente comparación— que dicho perfil es coincidente con la muestra extraída a un sujeto, que está siendo investigado. El resultado de dicha comparación debe plasmarse en un dictamen pericial en el que, además, debe hacerse hincapié en la probabilidad de dicha coincidencia. No obstante, matiza ETXEBERRÍA GURIDI, J.F., *Los análisis de ADN y su aplicación al proceso penal*, cit., p. 15, que si bien es evidente que en ella confluyen características de la prueba pericial, no agota esta cuestión, pues de lo contrario no sería necesaria mayor regulación que la de este medio de prueba y los problemas prácticos y las reformas legales ponen de manifiesto que no es así. En sentido parecido, v., ROMERO CASABONA, C.M., *Los perfiles de ADN en el proceso penal: Novedades y carencias del derecho español*, Estudios de Derecho Judicial "Las reformas procesales", cit., p. 444; ALONSO ALONSO, A., *Una década de perfiles de ADN en la investigación penal y civil en España: La necesidad de una regulación legal*, en "Genética y Derecho", Cuadernos de Derecho Judicial, núm. 6, Consejo General del Poder Judicial, Madrid 2004, pp. 73 y ss.

datos policial, cuyo mayor problema se centra en el respeto a la protección de datos y el uso que de los perfiles almacenados se puede dar[12].

Los mayores problemas de licitud en la prueba de ADN creemos que se produce en dos momentos: La obtención física de la muestra del imputado en el proceso penal o del lugar en que dicha muestra se encuentre, y la cadena de custodia. Obtenida la prueba de manera lícita, podrá ser objeto de libre valoración por el Tribunal. No debemos olvidar que, una vez en juicio oral, las pruebas de ADN serán difícilmente reproducibles, por lo que, sin perjuicio de su ratificación en el juicio oral, se acudirá a la prueba anticipada o a la prueba preconstituida.

III. LA RECOGIDA DE MUESTRAS

El análisis del ADN a efectos del proceso penal supone comparar dos tipos de muestras biológicas, previa obtención y análisis de las mismas: La muestra recogida en el lugar en que se ha producido el delito, del cuerpo de la víctima o de terceras personas (muestra dubitada, en tanto que no hay seguridad en el momento en que se produce la recogida respecto a quién pertenecen) y la muestra del cuerpo del imputado (muestra indubitada). Partiendo de cuáles son los dos elementos de comparación es evidente que la virtualidad probatoria del análisis de ADN exige analizar para cada una de estas muestras qué procedimiento se ha seguido para su obtención, cómo se ha llevado a cabo el traslado de las mismas para su análisis y cómo se ha realizado el análisis de las mismas.

A) La muestra dubitada: Respecto al primero de los elementos a tratar, la obtención en sí de la muestra debe distinguirse claramente entre la muestra dubitada e indubitada, siendo los problemas que en cada caso se plantean diferentes y de una amplitud tal que no podemos entrar a analizar cada uno

---

[12]   PÉREZ GIL, J./GONZÁLEZ LÓPEZ, J.J., *Cesión de datos personales para la investigación penal. Una propuesta para su inmediata inclusión en la Ley de Enjuiciamiento Criminal*, La Ley, jueves 13 de mayo de 2010, *passim*; MORENO VERDEJO, J., *Algunas reflexiones sobre la Ley Orgánica 10/2007, reguladora de la base de datos policial de ADN*, Revista de derecho Procesal 2009, núm. 2, pp. 110 y ss.

de ellos en estas páginas. Respecto a la obtención de las muestras dubitadas la clave para su validez será:

1) ¿A quién corresponde proceder a tomar dicha muestra? Principalmente se trata de responder a si lo puede hacer la Policía sin autorización judicial, si requiere necesariamente la misma o si debe realizarse por el propio órgano jurisdiccional.

Cuando se trata de la obtención de muestras que se encuentran en el lugar del delito, se entiende en general que dado que no se trata de obtener la muestra de una persona concreta, no sería necesario motivar la decisión de la recogida, pues no hay afección directa y real a los derechos fundamentales de una persona, hasta que no logre identificarse la misma[13], pudiendo llevarse a cabo por la Policía sin intervención de la autoridad judicial, si bien será fundamental el respeto a la cadena de custodia.

2) Si la muestra debe obtenerse de la víctima o de una tercera persona, ¿es necesario su consentimiento? Ante la negativa a prestarlo, ¿se le puede obligar a colaborar con la investigación tomando la muestra contra su voluntad?

Cuando la muestra debe obtenerse sobre el cuerpo de una persona es evidente que —como en cualquier injerencia corporal— si ésta no presta su consentimiento será necesaria la autorización judicial, motivada, y que se practique en la forma legalmente prevista[14]. Tratándose de la víctima pare-

---

[13] ROMERO CASABONA, C.M., *Los perfiles de ADN en el proceso penal: Novedades y carencias del derecho español*, en "Las reformas procesales", CGPJ, Estudios del Derecho Judicial núm. 58, p. 447; MARTÍN PASTOR, J., *Dos cuestiones controvertidas sobre la prueba de ADN: La recogida por la Policía de muestras biológicas para la práctica de la prueba pericial de ADN en el proceso penal y el régimen del sometimiento del sujeto pasivo de las medidas de inspección, registro o intervención corporal*, en PÉREZ GIL, J., "El proceso penal en la sociedad de la información", cit., p. 414; IDEM, *La recogida por la Policía Judicial de muestras biológicas para la práctica de la prueba pericial de ADN en el proceso penal y el régimen del sometimiento del sujeto pasivo de las medidas de inspección, registro e intervención corporal*, La Ley Penal núm. 89, Sección de Estudios, Enero 2012, p. 2. V., también la S TS de 7 de julio de 2010 (RJ 685).

[14] SS TC de 13 de octubre de 1992; 303/1993, de 25 de octubre; SS TS de 14 de abril de 1997 (RJ 179); de 25 de junio de 2001 (RJ 1244); de 7 de julio de 2010 (RJ 685). Véase, la Orden Ministerial de 8 de noviembre de 1996, por la que se aprueban las normas para la

ce desproporcionado obligarle a someterse a la misma de manera forzosa[15], siendo además una cuestión a la que con las reformas legales en la materia no se ha hecho referencia alguna.

La necesaria habilitación legal en cualquiera de los dos casos se cumple desde el año 2007 con la reforma de los arts. 326 y ss. LECRIM. No obstante, la previsión legal no es suficiente para la validez de la recogida, sino que en la misma deben respetarse ciertas garantías[16]: Monopolio jurisdiccional para la realización de la inspección ocupar (que es la diligencia a través de la que tradicionalmente se ha realizado la recogida de muestra), la diligencia debe extenderse por escrito y firmarse por el juez (fiscal, si acudiere), el Secretario y demás personas presentes.

¿Quién puede proceder a tomar la muestra? Siguiendo la regulación de los arts. 326 y ss. LECRIM podemos concluir[17] que la recogida de muestra puede realizarse por los agentes de la policía judicial por razones de urgencia o necesidad, formando parte de su competencia a prevención[18]; de forma que si no concurren estas razones, se deberá realizar conforme a las garantías de la inspección ocular. La muestra tomada por la Policía, ¿debe ser posteriormente controlada por el Tribunal? En este sentido la Ley establece una clara distinción: Cuando se trata de la toma de muestras en la escena del crimen,

---

preparación y recogida, almacenamiento y envío de muestras objeto de análisis por el Instituto de Toxicología.

[15] MORENO VERDEJO, J., *ADN y proceso penal…*, cit., p. 1820 y ss., entiende que sí podría obligarse a la víctima a someterse a una prueba esta prueba: 1º) Porque el art. 778.3 permitiría llegar a esta conclusión, aunque el art. 363 no establezca nada al respecto; 2º) Porque entiende que la víctima tiene ciertos deberes con la Administración de Justicia; 3º) Porque esta prueba puede ser decisiva, tanto para la condena del culpable como para la absolución de un inocente.

[16] ÁLVAREZ DE NEYRA KAPPLER, S., *La prueba de ADN en el proceso penal*, cit., p. 37; PÉREZ MARÍN, M.A., *Inspecciones, registros e intervenciones corporales. Las pruebas de ADN y otros métodos de investigación en el proceso penal*, Ed. Tirant lo Blanch, Valencia 2008, pp. 14 y ss. y 44 y ss. V., en la jurisprudencia, SS TS de 24 de febrero de 1995 (RJ 1419), 23 de mayo de 1997 (RJ 4292), 13 de mayo de 1998 (RJ 8278).

[17] LÓPEZ-FRAGOSO ÁLVAREZ, T., *Principios y límites de las pruebas en el proceso penal*, en "Genética y Derecho, Estudios de Derecho Judicial, CGPJ, Madrid 2001, pp. 174 y ss.

[18] A tenor de lo establecido en el art. 326 es evidente que la muestra podrá ser tomada por el Juez, por la Policía Judicial o por un médico forense, siguiendo —estos últimos— las instrucciones del órgano jurisdiccional.

se podrá hacer por la Policía dentro del ejercicio normal de sus funciones de investigación, sin que, por tanto, sea necesaria orden judicial habilitante.

A la luz de lo dicho hasta ahora, por tanto, debe tenerse en cuenta que si hubiera peligro de desaparición de la muestra, la Policía la puede recoger por sí misma, poniéndola posteriormente a disposición judicial; si bien, no concurriendo motivos para temer su desaparición, deberá ser el juez quien ordene la recogida a la Policía o al médico forense, o hacerlo por sí mismo[19].

B) La muestra indubitada: Respecto a la muestra obtenida del propio imputado es evidente que la cuestión a dilucidar es si puede obtenerse la misma pese a la negativa del imputado, y de ser la respuesta positiva, qué condiciones deben cumplirse. Estamos nuevamente aquí ante el espinoso tema de la ponderación que debe realizarse a lo largo de todo proceso penal entre dos intereses contrapuestos: Los derechos fundamentales del imputado y el interés público en la persecución del delito.

Precisamente la respuesta a esta cuestión, ya resuelta para otras actuaciones de injerencia en los derechos fundamentales del imputado, debe analizarse a la luz del principio de proporcionalidad[20]: Necesaria previsión

---

[19]   ROMERO CASABONA, C.M., *Los perfiles de ADN en el proceso penal: Novedades y carencias del derecho español*, en "Las reformas procesales", CGPJ, Estudios del Derecho Judicial núm. 58, p. 448; MORENO VERDEJO, J., *ADN y proceso penal: Análisis de la reforma operada por la LO 15/2003 de 25 de noviembre*, en "Estudios Jurídicos", Ministerio de Justicia 2004, p. 1813.
   En nuestro Tribunal Supremo no hemos encontrado siempre una jurisprudencia uniforme al respecto, v., S TS de 14 de abril de 1997 (RJ 5102), que limitaba a la autoridad judicial la recogida de los restos; frente a las S TS de 31 de octubre de 1998 (RJ 1270), que lo permite por la Guardia Civil. Frente a tal disparidad, la Sala de lo Penal del Tribunal Supremo se ve obligada a pronunciarse, a través del Acuerdo del Pleno del 1 de enero de 2006 (RJ 53394) siendo precisamente esta disparidad la que va a ser objeto de nuestros estudio.

[20]   LÓPEZ-FRAGOSO ÁLVAREZ, T., *Principios y límites de las pruebas de ADN*, cit., pp. 135 y ss.; ÁLVAREZ DE NEYRA KAPPLER, S., *La prueba de ADN en el proceso penal*, cit., pp. 51 y 52. En concreto sobre el principio de proporcionalidad, v., GONZALEZ-CUÉLLAR SERRANO, N., *Proporcionalidad y derechos fundamentales en el proceso penal*, Ed. Colex, Madrid 1990, *passim*; ETXEBERRÍA GURIDI, J.F., *Los análisis de ADN y su aplicación al proceso penal*, cit., pp. 71 y ss.; ROMEO CASABONA/ROMENO MALANDA, *Los identificadores del ADN en el Sistema de Justicia Penal*, cit., pp. 77 y ss.; HERRERO TEJEDOR, F., *El tiempo no perdona. Notas acerca de la S TC 207/1996, de 16 de diciembre*, Tribunales de Justicia 1998, *passim*;

legal, jurisdiccionalidad, la gravedad de los delitos investigados[21], y el cumplimiento de la legalidad procesal (existencia de un proceso penal en curso, sospechas fundadas, resolución judicial motivada que justifique la necesidad e idoneidad de la medida.

Cuando se trata de tomar muestras de la persona del imputado, sospechoso o detenido, debe tenerse en cuenta[22]: **1)** Si la toma de muestras no requieren intervención o inspección corporal del sujeto, lo puede hacer la Policía Judicial, sin necesidad de una orden habilitante del juez de instrucción, equiparándose, por tanto, a la recogida de muestras en el lugar del delito; **2)** Si debiera procederse a la intervención o inspección y el afectado no otorgara voluntariamente su consentimiento, es indudable que es necesaria la autorización judicial motivada, que deberá satisfacer las exigencias del principio de proporcionalidad. Como indica Pérez Marín la jurisprudencia ha entendido que el consentimiento del sospechoso es fundamental y determinante[23].

SOLETO MUÑOZ, H., *La identificación del imputado: Rueda, fotos, ADN… De los métodos basados en la percepción de la prueba científica*, Ed. Tirant lo Blanch, Valencia 2009, pp. 102 y ss.

V., SS TC 37/1989, de 15 de febrero; 7/1994, de 17 de enero; 66/1995, de 8 de mayo; 49/1999 de 5 de abril; 207/1996, de 16 de diciembre. V., también la SS TEDH de 24 de abril de 1990 (RA 1), caso *Kruslin contra Francia*; 4 de diciembre de 2008 (RA 104), *caso S y Marper contra Reino Unido*.

[21] ETXEBERRÍA GURIDI, J.F., *Los análisis de ADN y su aplicación al proceso penal*, cit., pp. 107 y ss.

[22] MARTÍN PASTOR, J., *Dos cuestiones controvertidas sobre la prueba de ADN: La recogida por la Policía de muestras biológicas para la práctica de la prueba pericial de ADN en el proceso penal y el régimen del sometimiento del sujeto pasivo de las medidas de inspección, registro o intervención corporal*, en PÉREZ GIL, J., "El proceso penal en la sociedad de la información", cit., pp. 421 y ss.; IDEM, *La recogida por la Policía Judicial de muestras biológicas para la práctica de la prueba pericial de ADN en el proceso penal y el régimen del sometimiento del sujeto pasivo de las medidas de inspección, registro e intervención corporal*, La Ley Penal núm. 89, Sección de Estudios, Enero 2012, p. 3; RAMOS ALONSO, J. V., *La recogida de muestras biológicas en el marco de la investigación criminal*, Diario La Ley núm. 7364, 17 de marzo de 2010.

[23] PÉREZ MARÍN, M.A., *Inspecciones, registros e intervenciones corporales. Las prueba de ADN y otros métodos de investigación en el proceso penal*, pp. 148, se hace primar así la voluntad del sujeto y el derecho a su dignidad.

En la toma de muestras sin consentimiento, la primera cuestión a dilucidar es si el sujeto puede ser obligado, mediante el uso de la fuerza[24] o con-
minándole con la imposición de una sanción, o entender aplicable una *ficta
confessio*. Previamente a la reforma operada en el año 2003 parecía unánime,
en la doctrina y la jurisprudencia, negar la posibilidad de acudir al uso de la
fuerza para tomar una muestra del sospechoso o del imputado[25]; situación
no remediada por la reforma, por lo que siguen siendo los tribunales los que
están marcando la pauta a seguir, reiterando la imposibilidad de la obtención forzosa de las muestras[26].

No obstante, la S TC 37/1989 afirma que se podría obligar al sometimiento
advirtiendo de las consecuencias que puede tener el no cumplimiento, esto es,
la imposición de una sanción por desobediencia y/o la valoración que de dicha
negativa pueda hacerse por el tribunal, atendiendo a los indicios y pruebas ya
existentes, siempre y cuando se le haya advertido de dichas consecuencias[27].

---

[24] V., al respecto, GOYENA HUERTA, J., *Las intervenciones corporales coercitivas*, Actualidad Jurídica Aranzadi núm. 695/2005, pp. 1 y ss, quien entiende que sólo sería posible
cuando la intervención exigiera del obligado no hacer nada, "padecer" la intervención;
ROMEO CASABONA, C.M./ROMEO MALANDA, S., *Los identificadores del ADN en el sistema de justicia penal*, cit., p. 45; MARTÍN PASTOR, J., *Dos cuestiones controvertidas sobre
la prueba de ADN: La recogida por la Policía de muestras biológicas para la práctica de la
prueba pericial de ADN en el proceso penal y el régimen del sometimiento del sujeto pasivo
de las medidas de inspección, registro o intervención corporal*, en PÉREZ GIL, J., "El proceso
penal en la sociedad de la información", cit., p. 426; PÉREZ MARÍN, M.A., *Inspecciones,
registros e intervenciones corporales. Las prueba de ADN y otros métodos de investigación
en el proceso penal*, pp. 142 y ss.; ROMERO CASABONA, C.M., *Los perfiles de ADN en el proceso penal: Novedades y carencias del derecho español*, Estudios de Derecho Judicial "Las
reformas procesales", cit., p. 426; LÓPEZ BARGA DE QUIROGA, J., *La prueba en el proceso
penal obtenida mediante el análisis del ADN*, en "Genética y Derecho", Cuadernos de Derecho Judicial núm. 6, Consejo General del Poder Judicial, Madrid 2004, p. 227; SOLETO
MUÑOZ, H., *La identificación del imputado: Rueda, fotos, ADN… De los métodos basados
en la percepción de la prueba científica*, cit., pp. 118 y ss. V., también, las SS TC 207/1996,
de 16 de diciembre; 25/2005, de 14 de febrero.

[25] S TS de 13 de julio de 1992 (RJ 6394)

[26] SS TC 37/1989, de 15 de febrero; 207/1996, de 16 de diciembre; 107/1985, de 7 de
octubre:"nadie puede ser compelido, con *vis física*, a la verificación de este tipo de análisis"; o SS TS 19 de febrero de 1992 (RJ 1211); S TS de 4 de febrero de 2003 (RJ 107).

[27] V., también la S TEDH de 8 de febrero de 1996/RA 7), caso *Murray contra Reino Unido*; S TC
7/1989, de 19 de enero; 37/1989, de 15 de febrero; SS TS 14 de mayo de 1991 (RJ 3640);
4 de octubre de 1994 (RJ 76184 de febrero de 2003 (RJ 107). No obstante, la S TS de 22

La S TC 207/1996 ha reconocido que la negativa del sujeto, cuando se exigiera algún tipo de colaboración, podría considerarse un indicio racional de que el sujeto ha participado de alguna manera en el hecho delictivo, no pudiendo —obviamente— servir por sí sólo para la condena del sujeto[28]; y ello independientemente de la amenaza de una sanción penal por delito de desobediencia.

Partiendo de la negativa del sujeto a someterse a la diligencia, ¿qué ocurre si realmente el comportamiento del sujeto debe ser únicamente negativo, es decir, no le exige ningún tipo de colaboración? Lo cierto es que debería darse la misma respuesta.

Otra cuestión a dilucidar al respecto es la de la necesaria presencia o no del abogado del sujeto al que se le toma la muestra de ADN, en este sentido parece que esta presencia sólo es necesaria si el sujeto de encuentra detenido, si bien no existe una jurisprudencia uniforme al respecto[29].

---

de febrero de 2010 (RJ 1423), si bien sigue afirmando que puede ser considerada como un indicio de la responsabilidad del sujeto, nadie puede negar que se trata de un indicio con una especial fuerza indiciaria.

[28] No se trata, por tanto, de una *ficta confessio*, y el Tribunal deberá valorar la razonabilidad de los motivos dados para negarse al sometimiento.
Así en la jurisprudencia, v., S TC 107/1985, de 7 de octubre; 37/1989, de 15 de febrero; 161/1997, de 2 de octubre; SS TS de 2 de diciembre de 1986 (RJ 7774); 4 de octubre de 1994 (RJ 7608); de 28 de octubre de 1992 (RJ 2269); 8 de marzo de 1993 (RJ 1991); 28 de marzo de 1994 (RJ 668); 10 de febrero de 2012 ("la negativa a someterse a la prueba de ADN carece de justificación o explicación suficiente, teniendo en cuenta que se trata de una prueba que no reporta ningún perjuicio físico y que tiene un efecto ambivalente, es decir, puede ser inculpatorio o totalmente exculpatorio, nada impide racional y lógicamente esta actitud procesal como un elemento que, por sí solo, no tiene virtualidad probatoria, pero que conectado con el resto de la prueba puede reforzar las conclusiones obtenidas del órgano juzgador". Igualmente, S TEDH de 17 de diciembre de 1996, *caso Saunder versus Reino Unido*. Véase también., GOYENA HUERTA, J., *La negativa del imputado a intervenir en las diligencias de identificación: Consecuencias procesales*, Actualidad Jurídica Aranzadi 1998, núm. 367, pp. 1 y ss.

[29] S TS de 7 de julio de 2010 (RJ 685); de 28 de junio de 2010 (RJ 634) o 7 de noviembre de 2007 (RJ 940). ROMEO CASABONA, C.M/ROMEO MALANDA, S., *Los identificadores del ADN en el sistema de justicia penal*, cit., p. 119; MARTIN PASTOR, J., *La recogida por la Policía Judicial de muestras biológicas para la práctica de la prueba pericial de ADN en el proceso penal y el régimen del sometimiento del sujeto pasivo de las medidas de inspección, registro e intervención corporal*, La Ley Penal núm. 89, Sección de Estudios, Enero 2012, p. 3; DOLZ LAGO, M. J., *ADN y Derechos Fundamentales (Breves notas sobre la problemática*

C) La cadena de custodia[30]: El art. 326 Lecrim se centra en las medidas de garantía de la autenticidad de las muestras obtenidas para preservar la cadena de custodia y evitar, así, la contaminación de la misma; si bien nuestra realidad judicial y policial pone de manifiesto que estamos ante un problema no resuelto.

D) El análisis en sí de la muestra[31]: La R (92) 1 del Consejo de Europa, establecía que el análisis debe realizarse por laboratorios adecuados, con las adecuadas instalaciones y experiencia y la Sociedad Internacional de Homogenética Forense (ISFH), estableció unos mínimos para que el test pudiera ser admitido como prueba[32].

IV. LA RECOGIDA SUBREPTICIA DE MUESTRAS

Dentro de la problemática de la toma de muestras del propio imputado, respecto a la que ya hemos afirmado que es necesario bien su consentimiento libre y consciente, bien la autorización judicial motivada, ocupa un lugar específico —y que va a ser objeto de análisis más pormenorizado— la toma de muestras en el lugar de los hechos o de objetos del imputado, pero sin su conocimiento ni su consentimiento. Es decir, estamos ante supuestos en los que el imputado no es consciente, ignora completamente, que con su conducta está facilitando una muestra. Pero también debemos incluir en estos supuestos, los casos en que muestras del sujeto facilitadas voluntariamente para otros fines, son utilizadas a los fines de la investigación penal.

---

    de la toma de muestras de ADN —frotis bucal— a detenidos e imputados), Diario La Ley núm. 7774, 12 de enero de 2012.

[30]   ROMERO CASABONA, C.M., *Los perfiles de ADN en el proceso penal: Novedades y carencias del derecho español*, Estudios de Derecho Judicial "Las reformas procesales", cit., p. 449; DOLZ LAGO, M.J., *Toma de muestras y cadena de custodia de las prueba de ADN*, La ley 2012, núm. 9638, de 26 de noviembre de 2012, pp. 1 y ss.; SOLETO MUÑOZ, H., *La identificación del imputado: Rueda, fotos, ADN...*, cit., pp. 141 y ss.; ETXEBERRÍA GURIDI, F. J., *Intervenciones corporales y perfiles de ADN tras la LO 15/2003, de 25 de noviembre*, Revista Justicia 2004, pp. 158 y ss.

[31]   ÁLVAREZ DE NEYRA KAPPLER, S., *La prueba de ADN en el proceso penal*, cit., pp. 45 y ss.

[32]   Pueden resumirse en los tres siguientes: Técnica contrastada por la experiencia y teoría científica; aplicación correcta y adecuada a cada caso concreto demostrable con claridad y realizada en un centro homologado.

El gran problema de estos casos es que realmente no es necesaria colaboración alguna por parte del sujeto (restos de ropa, colillas, o restos biológicos como sangre, saliva, semen que se encuentra en el cuerpo o ropas de la víctima, o en otro lugar), por lo que la posibilidad de que su consentimiento convalide la actuación no puede ser tomada en consideración. Es decir, se deben atender aquí tanto a las muestras del acusado que se encuentran "abandonadas" en el lugar de los hechos, como las que pertenecen a la víctima, pero en objetos personales del acusado, que ponen de manifiesto un contacto entre ellos[33].

En estos casos, la habilitación legal la encontramos en el art. 334 LECRIM (completado con el art. 326, que regula la inspección ocular, y el art. 478, por ejemplo, sobre la diligencia de entrada y registro), de forma que se permite la recogida de tales muestras por el propio juez de instrucción, si bien lo normal es que delegue en la policía judicial o médicos forenses, bajo su control, debiendo velar también por el respeto a la cadena de custodia.

¿Puede obtenerse dicha muestra subrepticiamente?

Si el sujeto se niega a facilitar la toma de muestras, se está admitiendo la posibilidad de que la misma se tome subrepticiamente —sin su consentimiento ni conocimiento, pero sin acudir al uso de la fuerza— siempre que se haga en cumplimiento de una orden judicial previa (Disposición Adicional 2ª LO 10/2007, que exige sólo la orden judicial o el consentimiento para los casos en que la muestra se tome directamente sobre el cuerpo de la persona)[34]. Es más, podemos considerar que existe el peligro de que ante la negativa del acusado a facilitar voluntariamente la muestra y ante las dudas de su obten-

---

[33]   ÁLVAREZ DE NEYRA KAPPLER, S., *La prueba de ADN en el proceso penal*, cit., pp. 73 y 74. No obstante, apunta ROMERO CASABONA, C.M., *Los perfiles de ADN en el proceso penal: Novedades y carencias del derecho español*, Estudios de Derecho Judicial "Las reformas procesales", cit., p. 446, que realmente el art. 323, 3º Lecrim no está realmente pensado para ser aplicado a las muestras indubitadas, sino a las obtenidas en el lugar del delito u otro lugar, pero no directamente del sujeto sospechoso o imputado, sino que regula la obtención de las muestras de origen desconocido.

[34]   V., en este sentido, S TS 1270/1998 (RJ 8728). No considera que esté tan claro MORENO VERDEJO, J., *ADN y proceso penal…*, cit., p. 1818.

ción coactiva, se pueda provocar expresamente el engaño del sujeto para su obtención, evitando el tener que solicitar la orden judicial[35].

Precisamente, una de las consecuencias de que el sujeto deba prestar su consentimiento puede llevar a que si no se presta la Policía Judicial, ante la necesidad de obtener información de utilidad para el caso, pueda acudir a otras técnicas para obtener dicha muestras sin que el imputado sea consciente de ello, por ejemplo dándole a beber un refresco y luego analizar los restos dejados en el vaso. Lo cierto es que la legislación no resuelve esta cuestión, pese a que en el momento en que se realizó la reforma legal ya se habían dado situaciones de este tipo, ni tampoco la jurisprudencia lo ha tratado de manera directa[36], si bien podemos decir que en general sí se acepta[37], entendiendo que de su utilización y valoración no se produce vulneración de los derechos fundamentales del sujeto. De esta jurisprudencia se puede deducir que el imputado no tiene por qué conocer las actuaciones que se están desarrollando en el procedimiento preliminar, pero eso tampoco quiere decir que este desconocimiento sea provocado por los investigadores, de ahí que bajo ningún concepto sea lícita la utilización de sustancias químicas o farmacológicas durante el interrogatorio.

Es evidente, por tanto, que la intención del legislador es la de permitir la toma de muestras sin necesidad de consentimiento ni conocimiento del sujeto en estos casos, independientemente de que dicha toma de muestras deba cumplir unos requisitos para su válida utilización en el proceso.

En segundo lugar, la propia jurisprudencia, en la STS 2461/2001, ha avalado la utilización de resultados de análisis de ADN practicados con una finalidad obviamente distinta a la de su utilización en el proceso penal, siempre y cuando se obtuviera de forma legal. No obstante, sigue siendo una cuestión discutida en nuestra doctrina, especialmente en los casos en que esta mues-

---

[35]   MORENO VERDEJO, J., *Algunas reflexiones sobre la Ley Orgánica 1072007, reguladora de la base de datos policial de ADN*, Revista de derecho Procesal 2009, núm. 2, p. 147.

[36]   Como señala GOYENA HUERTA, J., *La negativa del imputado a intervenir en las diligencias de investigación....*, Actualidad Jurídica Aranzadi 1998, núm. 367, p. 5, el "engaño" ha sido muy analizado por la jurisprudencia pero en el marco del agente provocador-delito provocado, no en estas situaciones.

[37]   STC 161/1997, de 2 de octubre; STS de 21 de junio de 1993 (RJ 5276); 20 de diciembre de 1996 (RJ 9038).

tra originaria no se tomara con autorización judicial, lo que puede ser muy probable dado que la finalidad con la que se prestó era totalmente ajena al proceso penal.

V. ANÁLISIS DEL ACUERDO NO JURISDICCIONAL DEL PLENO DEL TRIBUNAL SUPREMO

La cuestión de si se puede proceder a recoger restos genéticos o muestras biológicas abandonadas por el sospechoso sin necesidad de autorización judicial fue resuelta por el Pleno de la Sala Segunda del Tribunal Supremo mediante el Acuerdo del 31 de enero de 2006 (RJ 53394)[38]. Esto supone que al respecto el Acuerdo del Pleno marca un punto de inflexión, que en el fondo es consecuencia de diversas circunstancias: **1º)** La falta de rigor normativo en la materia, ya que si bien la LECRIM se reformó expresamente para dar cabida a la recogida y análisis de las muestras biológicas, deja flecos importantes sin resolver, es decir, se trata de una regulación que ya nace "defectuosa"; **2º)** Esta falta de rigor llevó a una disparidad jurisprudencial importante en respuesta a casos concretos; **3º)** Alguno de estos casos, como el que analizaremos a continuación, produjo una cierta alarma social, que llevó a tener que dar una respuesta contundente al respecto[39].

---

[38]   Como afirma la S AN de 13 de marzo de 2007 (JUR 109706) reconoce expresamente que "La validez de toma de muestras de sospechosos, sin existir autorización judicial, cuando se lleva a cabo sin actuar de forma directa o coercitiva sobre el sospechoso, al existir dos sentencias del Tribunal Supremo en distinto sentido, provocó el Pleno no jurisdiccional de la Sala 2ª del Tribunal Supremo, de 31 de enero de 2006".

[39]   Sobre las tres posibilidades puede verse también, MARTÍN PASTOR, J., *Dos cuestiones controvertidas sobre la prueba de ADN: La recogida por la Policía de muestras biológicas para la práctica de la prueba pericial de ADN en el proceso penal y el régimen del sometimiento del sujeto pasivo de las medidas de inspección, registro o intervención corporal*, en PÉREZ GIL, J., "El proceso penal en la sociedad de la información", cit., pp. 421 y ss.; IDEM, *La recogida por la Policía Judicial de muestras biológicas para la práctica de la prueba pericial de ADN en el proceso penal y el régimen del sometimiento del sujeto pasivo de las medidas de inspección, registro e intervención corporal*, La Ley Penal núm. 89, Sección de Estudios, Enero 2012, p. 6; IDEM, *Controversia jurisprudencia y avances legislativos sobre la prueba de ADN en el proceso penal (en especial, la base de datos policial sobre identificadores obtenidos a partir del ADN, creada por la Ley Orgánica 10/2007, de 25 de noviembre)*, La Ley Penal, núm. 46, Febrero 20, pp. 8 y ss.; ROMEO CASABONA/ROMENO MALANDA, *Los*

A) La Sentencia del Tribunal Supremo de 19 de abril de 2005 (RJ 4190):

Para analizar esta sentencia debemos comenzar haciendo una breve referencia al supuesto fáctico de la misma: El acusado —juntamente con otros sujetos que no fueron identificados— con el rostro cubierto con una capucha, abordó un autobús urbano mientras estaba detenido en Berango (Vizcaya), sin pasajeros en su interior. El grupo hizo bajar al conductor y prendieron fuego al vehículo, tras rociarlo con líquido inflamable (viéndose afectado no sólo el autobús, sino también la marquesina y efectos personales del conductor). Ya en la huida, los individuos abandonaron las capuchas (que realmente eran las mangas de jerséis a la que se habían practicado tres agujeros), que fueron posteriormente recogidas por los agentes de la Ertzaintza, al efectuar el acta de inspección ocular del lugar en que se cometió el delito y sus proximidades.

En una de las prendas —abandonadas por los sospechosos— se encontraron restos biológicos que, tras practicar el correspondiente análisis de ADN, resultaron pertenecer al acusado. Esta atribución se pudo hacer ya que meses después del ataque al autobús, se practicó una detención de diversas personas implicadas en la "kale borroka", entre ellas el acusado. Aprovechando precisamente esa detención, un agente de policía recogió con un hisopo restos biológicos de un esputo perteneciente al sujeto persona que se hallaba recluido en la celda. Analizada esta muestra, resultó coincidente con la obtenida en la manga utilizada como capucha meses antes en el ataque al autobús.

Precisamente, con base en el resultado de esta comparación pericial —que llegó a juicio a través de las declaraciones de los dos funcionarios que la habían efectuado junto con las manifestaciones de otros policías como testigos (uno el que había recogido los restos en la celda y los que encon-

---

identificadores del ADN en el Sistema de Justicia Penal, cit., pp. 95 y ss.; MORENO VERDEJO, J., Algunas reflexiones sobre la Ley Orgánica 1072007, reguladora de la base de datos policial de ADN, Revista de derecho Procesal 2009, núm. 2, pp. 136 y ss.; RAMOS ALONSO, J. V., La recogida de muestras biológicas en el marco de la investigación criminal, Diario La Ley núm. 7364, 17 de marzo de 2010; CORTES BECHIARELLI, E., Muestras biológicas abandonadas por el sospechoso y validez de la prueba de ADN en el proceso penal (o sobre la competencia legislativa de la Sala Segunda del Tribunal Supremo), Revista Penal 2006, núm. 18, pp. 45 y ss.; IDEM, Garantías para la obtención de muestras de ADN (a propósito de la S TS de 19 de abril de 2005), Revista Penal 2006, núm. 16, pp. 36 y ss.

traron las capuchas) el sujeto resultó condenado en primera instancia— entendiéndose que se estaba ante una prueba de cargo esencial; condena que fue recurrida en casación por infracción de ley y de precepto constitucional, basándose en vulneración —entre otros— del derecho a un juicio con todas las garantías y la presunción de inocencia, siendo esta última vulneración la que nos interesa a nosotros.

En el fondo el Tribunal Supremo debe analizar en este caso si existió prueba de cargo suficiente para desvirtuar la presunción de inocencia[40], en concreto si la prueba pericial de ADN, en este supuesto concreto, cumple estos requisitos. Pues bien, el Tribunal Supremo, en su fundamento tercero, comienza reconociendo algo que ya hemos indicado en las páginas introductorias a este trabajo, que esta prueba, que presenta "resultados tan espectaculares en los tiempos actuales en cuanto al importante problema de la determinación de la autoría en muchos procesos penales, ha carecido de regulación específica en nuestras Leyes procesales hasta la reciente LO 5/2003….", para pasar a explicar en qué consiste, es decir, que estamos ante una comparación entre una muestra dubitada (en tanto que en principio no se sabe a quién pertenece) y otra indubitada (que se obtiene, en la forma legalmente prevista, de la persona sospechosa), de forma que si ambas coinciden en sus resultado, puede servir para acreditar la intervención de un sujeto en un hecho delictivo que se esté investigando, siempre y cuando se hayan obtenido y practicado con todas las garantías exigidas por la Constitución y las leyes, pues, como ya hemos dicho, sólo así se podrán tomar en consideración para desvirtuar la presunción de inocencia.

Por tanto, en el caso analizado, ¿se entiende que esta prueba se practicó respetando dichas garantías y, por tanto, fue válida para condenar al acusado?

---

[40] La presunción de inocencia, siguiendo una consolidada doctrina jurisprudencia, sólo puede desvirtuarse cuando concurra: **1º)** Prueba existente (es decir, que la prueba utilizada para condenar exista en las actuaciones procesales practicas); **2º)** Prueba lícita (que dicha prueba de cargo haya sido obtenida y aportada a las actuaciones con observancia de las garantías constitucionales y normas procesales aplicables a dicho medio), debe tratarse de prueba que además se practique en el juicio oral con todas las garantías, respetándose los principios de contradicción, publicidad e igualdad; y **3º)** La prueba debe poder ser considerada como de cargo, es decir, razonablemente suficiente para justificar un pronunciamiento condenatorio. V., por todas, S TC 31/1981, de 28 de julio.

Partiendo de la jurisprudencia del propio Tribunal, concretamente la Sentencia de 14 de abril de 1997 (RJ 3525) en que se afirma que: "En efecto, hay una serie de normas en nuestra LECrim que ordenan que sea el Juez de Instrucción o el que haga sus veces quien recoja los vestigios o pruebas materiales del delito (art. 326) o las armas, instrumentos o efectos de cualquier clase que puedan tener relación con dicho delito y se hallen en el lugar en que éste se cometió, o en sus inmediaciones, o en poder del reo, o en otra parte conocida (art. 334), mandando asimismo que ello se documente en las correspondientes actuaciones procesales (arts. 332 y 336), todo ello con el fin de acreditar la existencia del delito y de sus circunstancias, con validez primero como medio de investigación en la instrucción e incluso después como medio de prueba preconstituida para el juicio oral si aparece practicada con las garantías legalmente exigidas y se trata de extremos que no pueden tener reproducción en el juicio oral. Tal validez como prueba preconstituida sólo la puede tener la actuación policial cuando lo hace en casos de urgencia, es decir, cuando se ve obligada a intervenir de modo perentorio por existir peligro de pérdida o sustracción u otra razón que no permita acudir al Juez para que éste actúe. La intervención de la competente Autoridad Judicial, en principio y por regla general, es obligada en estos casos, no pudiendo ser sustituida por la actuación policial, salvo que existan las mencionadas razones de urgencia".

En este párrafo reproducido, se sientan las bases de lo que será el argumento principal de la sentencia que analizamos, esto es, que este tipo de actuaciones practicadas por la Policía (tal y como se deriva de los arts. 326 y 334, junto con los arts. 332 y 336), tendentes a averiguar y acreditar la existencia del hecho delictivo y su participación en el mismo del acusado, requieren la previa autorización del juez de instrucción para poder ser consideradas como válidas, tanto como medio de investigación, como prueba preconstituida, cuando posteriormente no pueden ser reproducidas en el juicio oral; salvo, eso sí, los supuestos de urgencia, en que por peligro de pérdida o sustracción u otro motivo no pueda esperarse a dicha autorización judicial[41].

---

[41]   La STC 303/1993, de 25 de octubre, establece los requisitos que deben tener estas actuaciones policiales para ser utilizadas como medios de prueba: 1º) Que la Policía se viera forzada a actuar por razones de urgencia o necesidad, es decir, actuando a prevención (art. 284); 2º) No presentes dichas razones de urgencia, sólo pueden proceder

¿Qué puede hacer la Policía Judicial sin autorización judicial? ¿Cuáles son los límites de su actuación no concurriendo razones de urgencia? Conforme a lo previsto en la LECRIM, es el Juez de Instrucción quien debería actuar personalmente en la recogida de las muestras siempre que se quiera utilizar dicha actuación a efectos probatorios[42].

Como ya hemos apuntado en páginas previas, en la práctica de estas pruebas de ADN es especialmente importante la toma de la muestra indubitada, debiendo quedar precisados claramente el objeto recogido, el lugar en que se encontraba, y las circunstancias necesarias para dejar acreditada la pertenencia de la muestra a la persona a la que se atribuye, para que pueda ser considerada, siempre que se respeten las debidas garantías, como una verdadera prueba indubitada.

Pues bien, en el supuesto que nos ocupa encontramos dos cuestiones básicas como fundamento de la decisión del Tribunal Supremo analizada:

1º) La toma de muestras de restos biológicos que se realiza en la celda por el Policía se lleva a cabo sin previa autorización judicial, por lo que debemos preguntarnos si concurren las referidas razones de urgencia que "convalidarían" la toma de muestra. A la vista de los hechos referidos en la sentencia —y así lo entiende el Tribunal Supremo— no se vislumbra razón alguna por la que el Policía no pudiera haberse esperado, asegurando el lugar en que se debía tomar la muestra, a obtener una autorización judicial, tal y como se deriva de los establecido en los arts. 326, con la referencia a la urgencia

---

previa autorización judicial, siendo "el Juez de Instrucción quien, previo cumplimiento de los requisitos de la prueba sumarial anticipada, pueda dotar al acto de investigación sumarial del carácter jurisdiccional de acto probatorio, susceptible por sí solo para poder fundamentar posteriormente una sentencia de condena".

42   Como dice la Sentencia analizada, "obligación que tiene su justificación no en desconfianza alguna hacia la policía, sino en que, salvo las razones de urgencia antes citadas y que en el caso presente no concurrieron, es a la autoridad judicial a quien corresponde la práctica de actuaciones que tienen un verdadero y propio contenido procesal a las que la actuación del secretario como fedatario público (arts. 281 y 473 LOPJ) confiere autenticidad documental". V., también, CORTES BECHIARELLI, E., *Muestras biológicas abandonadas por el sospechoso y validez de la prueba de ADN en el proceso penal (o sobre la competencia legislativa de la Sala Segunda del Tribunal Supremo)*, Revista Penal 2006, núm. 18, p. 45; IDEM, *Garantías para la obtención de muestras de ADN (a propósito de la S TS de 19 de abril de 2005)*, Revista Penal 2006, núm. 16, pp. 39 y ss.

o peligro del art. 282, y 363, que es el que expresamente hace referencia a la necesaria orden judicial, a través de resolución motivada, esto es, un auto habilitante[43].

2º) Además, desde una perspectiva más formal, no consta en las actuaciones informe alguno en que conste la recogida policial de la muestra biológica (únicamente acreditados por la declaración del funcionario que testificó en el juicio oral).

Así, no mediando la previa autorización judicial autorizando la toma de la muestra indubitada por el Policía, y siguiendo la doctrina jurisprudencial consolidada —para otros medios de prueba— no puede darse validez probatoria al análisis de ADN sobre una muestra biológica en cuya obtención no se respetaron las garantías legalmente prescritas, por lo que se vio claramente afectado el derecho a la presunción de inocencia del acusado.

A la vista de todo lo dicho, el Tribunal Supremo en este caso concluyó que: "nos hallamos, como ya hemos anticipado, ante una prueba de cargo que no es razonablemente suficiente para acreditar que efectivamente la recogida del resto biológico del suelo de la celda ocupada por Alexander ocurrió de la forma dicha por el mencionado testigo.

Se trata de un solo testigo cuya declaración, es cierto, ha de valorarla el tribunal de instancia, valoración que ordinariamente, no siempre, ha de prevalecer. Y decimos que no siempre ha de prevalecer porque, como se expuso en el fundamento de derecho 3º de esta misma resolución, ha de existir una razonabilidad en la argumentación de la prueba de cargo que ha de exponer la propia sentencia condenatoria.

En el caso presente un hecho tan esencial en el mecanismo de la prueba pericial de ADN, como lo es el que la muestra indubitada se haya tomado efectivamente, y sin duda alguna —no olvidemos el ejemplo, ya expuesto antes, de la prueba pericial caligráfica, en la que los cuerpos de escritura que ha de hacer el procesado o imputado se han de realizar a presencia judi-

---

[43]   Es cierto que los hechos tuvieron lugar antes de la reforma legal que zanjaría el debate, pero la orden judicial autorizando los actos de intervención ya venía exigida por la antigua redacción del art. 363, con especial referencia a los análisis químicos y a la siempre necesaria concurrencia del principio de proporcionalidad en sentido estricto, esto es, "únicamente en los casos en que se considere absolutamente indispensable".

cial—, de una sustancia realmente procedente del cuerpo del sospechoso; un hecho tan esencial, repetimos, se tiene por probado en la sentencia recurrida por la mera declaración de un testigo, pese a que en el atestado correspondiente no hay mención alguna de tal recogida, con incumplimiento evidente de lo dispuesto en el citado art. 292 LECr, defecto reiteradamente denunciado en la instancia, incluso en el propio acto del juicio oral según consta en el acta correspondiente que tiene la virtud de haber recogido el contenido de los informes finales del Ministerio Fiscal y de las defensas de los acusados.

Por todo lo expuesto hemos de concluir que con la condena de Alexander se violó su derecho a la presunción de inocencia".

B) S TS de 14 de octubre de 2005 (RJ 8072).

En esta sentencia, el Tribunal Supremo utiliza una línea argumental diferente a la comentada anteriormente, nuevamente nos encontramos con supuesto relacionado con la *kale borroka*, en la que se condena a un sujeto que —junto con otros individuos— llevando una camiseta a modo de capucha y unos guantes de látex, se considera probado que colocó un artefacto explosivo en el cajero de una sucursal bancaria. Cuando los agentes acudieron al lugar, realizando una inspección ocular en el lugar del delito y alrededores, encontraron y recogieron unos guantes de látex, un jersey y una camiseta, en la que se encontraron restos genéticos que resultaron pertenecer al acusado. El sujeto fue detenido y estando en una celda de la sede policial arrojó un esputo al suelo de la celda antes de salir para el baño, procediendo el agente que le custodiaba a recoger dicho esputo para que se procediera a su análisis.

Cuestionada la legalidad de la prueba de ADN, que constituye la prueba de cargo, o como dice la sentencia "el soporte más fuerte de la condena", el Tribunal Supremo vuelve a pronunciarse al respecto: La prueba fundamental, reconoce el propio Tribunal, viene constituida por el análisis y comparación de restos genéticos en una prenda recogida en el lugar de los hechos que, según los informes que se reciben, llevaba puesta la persona o una de las personas que incendió el cajero. De hecho, la pertenencia de la prenda al acusado no se discute en el recurso, sino que la muestra que se cuestiona es la recogida en las dependencias policiales, concretamente en la forma en que la misma se realiza. Se plantea también la posible lesión al derecho a la intimidad, si bien en este aspecto no vamos a entrar en estas páginas.

El argumento que, respecto a la toma de muestras, utiliza el recurrente para cuestionar la validez de la misma es que en este caso no se procedió a una toma directa sobre el sospechoso, sino ante una toma subrepticia derivada de un acto involuntario de expulsión, sin intervención de métodos o prácticas invasivas sobre la integridad corporal. Como ya hemos afirmado, el hecho de que para la toma de las muestras no deba acudirse a practicar propiamente intervención alguna, lleva a que no deba aplicarse la consolidada exigencia de autorización judicial[44], se sigue pues el criterio de la segunda de las sentencias comentadas en este epígrafe, que se consagra con el Acuerdo del Tribunal Supremo.

Esta misma línea argumental ya había sido puesta de manifiesto previamente, de manera muy detallada además, por la sentencia de la Audiencia Nacional (Sala de lo Penal, Sección 2ª) de 30 de noviembre de 2005 (RJ 727), que fue parcialmente anulada, como luego comentamos. Esta sentencia, dictada tan sólo meses después que la tratada en el punto anterior, supuso un giro jurisprudencial radical en la materia, que es la que lleva a la emisión del Acuerdo por parte del Pleno del Tribunal Supremo, en un intento de "zanjar" estos problemas de interpretación[45].

Nótese que en ambas sentencias estamos ante supuestos de terrorismo, en este caso dentro de la conocida como *kale borroka*. La condena de la Audiencia Nacional se basa en considerar probado que un grupo de individuos, la noche del 5 de agosto de 2001, lanzaron cócteles molotov contra una su-

---

[44]   "La toma de muestras para el control, se lleva a cabo por razones de puro azar y a la vista de un suceso totalmente imprevisible. Los restos de saliva escupidos se convierten así en un objeto procedente del cuerpo del sospechoso pero obtenido de forma totalmente inesperada. El único problema que puede suscitarse es el relativo a la demostración de que la muestra ha sido producida por el acusado, circunstancia que en absoluto se discute por el propio recurrente, que sólo denuncia la ausencia de intervención judicial" (Fundamento Jurídico Segundo).

[45]   CORTES BECHIARELLI, E., *Muestras biológicas abandonadas por el sospechoso y validez de la prueba de ADN en el proceso penal (o sobre la competencia legislativa de la Sala Segunda del Tribunal Supremo)*, Revista Penal 2006, núm. 18, pp. 46, considera respecto de la línea argumental que en esta sentencia se marca que la "relajación del control judicial del seguimiento de la pesquisa nunca" es "recomendable cuando entre en liza con los derechos fundamentales de los justiciables", y entiende que este giro puede explicarse por el clima social del momento y la situación de la lucha contra el terrorismo en ese momento.

cursal de un banco con la intención de que esto hiciera acudir a la Policía Autónoma Vasca. Si bien los agentes acudieron en un vehículo camuflado los atacantes lo reconocieron, cerraron el paso y comenzaron a lanzar contra el mismo objetes contundentes, rompiendo sus cristales y lanzando dentro del vehículo cócteles molotov, lo que produjo el incendio del vehículo y graves quemaduras en los agentes, para los que fue muy difícil salir del vehículo ("sorprendidos y sin capacidad de defensa"), para lo que requirieron la ayuda de otros compañeros que acudieron en su auxilio.

La defensa de los acusados se basa en la falta de prueba de cargo suficiente para desvirtuar el derecho a la presunción de inocencia, por entender que la prueba de AND, principal prueba de cargo, no fue legalmente obtenida: La toma de muestras no se llevó a cabo con respeto a las garantías constitucionales y no se respetó la cadena de custodia en la remisión de los restos al Laboratorio que efectuó el análisis.

Respecto a esta alegación, entiende el tribunal, tras reiterar la doctrina jurisprudencial sobre la presunción de inocencia y su desvirtuación[46]:

1) En cuanto a la recogida de las muestras, concretamente se trata de mangas, capuchas y otros elementos utilizados por los agresores para ocultar su rostro, distingue el Tribunal entre dos situaciones que deben analizarse desde dos parámetros distintos: La recogida de las muestras en el lugar de los hechos y la recogida de las muestras al estar los sujetos detenidos por otros hechos o seguimientos realizados por los agentes para la obtención de las mismas, que en el caso analizado se realiza en un momento posterior.

a) Respecto a la recogida de las muestras en el lugar de los hechos, la primera cuestión que debe resolver el Tribunal es la referida a si es necesaria para la validez de la toma de muestras la previa autorización judicial. En este sentido, considera que al amparo de los arts. 282 LECRIM, 11 de LOFC, 443 y ss. LOPJ la Policía está facultada para efectuar las diligencias necesarias para recoger los efectos, instrumentos o pruebas del delito. Se entiende así que está recogida forma parte de los actos de investigación que la Policía puede

---

[46] SS TS de 18 de octubre de 1994 (RJ 8025); 3 de febrero de 1995 (RJ 875); 18 de octubre de 1995 (RJ 7613); 19 de enero de 1996 (RJ 4); 13 de julio de 1996 (RJ 5930) y 25 de enero de 2001 (RJ 1861), 30 de octubre de 2001 (RJ 1059) y 17 de enero de 2003 (RJ 7911), entre otras.

llevar a cabo, sin esperar una previa autorización judicial en los casos en que existe un verdadero peligro en su desaparición, dando cuenta —posteriormente— al Juez de Instrucción.

La validez de dicha actuación se confirma por el art. 363 LECRIM, tras la reforma por LO 15/2003, que precisamente hace referencia al propio artículo 282, para dar validez a dichas actuaciones. Así pues, la Policía, en virtud de estas normas podría recoger las muestras encontradas en el lugar del delito sin previa autorización judicial, dentro de las actuaciones de investigación que el art. 282 le faculta a realizar, en tanto que se entienda que concurren un riesgo o peligro de desaparición. En este sentido, las muestras que se encuentran en el lugar del delito pueden ser dubitadas e indubitadas[47], diferencia que tiene su trascendencia también para la validez de la toma de muestras.

b) La segunda recogida de muestras, que debe ser también analizada en estas páginas, se produce posteriormente en el tiempo, concretamente en las dependencias policiales en las que alguno de los acusados se encuentran detenidos por otros delitos. En este supuesto debe, a su vez, tenerse en cuenta dos posibles escenarios: Necesidad de acudir al uso de la fuerza u otro tipo de coacción para la toma de muestra o no.

1º) Cuando para la obtención de la muestra, que en este caso es evidentemente indubitada, sea necesario practicar una verdadera intervención corporal (extracción de sangre, cabello o un hisopo con restos de saliva), que en el caso de autos se entiende que exige el uso de "una mínima fuerza o coacción", debe procederse —como presupuesto de validez— a recabar el consentimiento del afectado y de no obtenerse, es necesaria la autorización judicial habilitante. Es decir, como ocurre con los actos de investigación garantizados en que se produce una afección —legítima— a los derechos fundamentales del imputado, no mediando su autorización es necesario cum-

---

[47]   Entiende CORTES BECHIARELLI, E., *Muestras biológicas abandonadas por el sospechoso y validez de la prueba de ADN en el proceso penal (o sobre la competencia legislativa de la Sala Segunda del Tribunal Supremo)*, Revista Penal 2006, núm. 18, p. 49, que la muestra indubitada siempre debería ser aportada por el sujeto, tal y como se deriva de los arts. 326 y 363.

plir con la exigencia de jurisdiccionalidad de dichas medidas, entre otros requisitos ya analizados[48].

En este caso, los derechos a la integridad física y a la intimidad del sujeto contemplados en los arts. 15 y 18.1 CE, pese a su condición de fundamentales, quiebran ante el interés público en la investigación del delito, siempre y cuando la diligencia "invasiva" respete las garantías descritas. Precisamente, el art. 363 LECRIM en su redacción tras la reforma da cobertura a esta exigencia pues la prueba de ADN no podrá ser admitida como válida cuando la intervención corporal que exija la toma de la muestra no sea consentida por el sujeto que debe padecerla o, negándose, esté "amparada por una resolución judicial, debidamente razonada y escrupulosamente proporcional a la naturaleza del delito perseguido y a los medios disponibles para la investigación".

Reiteramos nuevamente aquí lo dicho en las páginas anteriores respecto a las consecuencias que puede tener dicha negativa a someterse a la intervención, partiendo de lo establecido por el TEDH de 8 de febrero de 1996 (TEDH 1996, 7), que entiende que cuando la negativa a someterse a la prueba de ADN carece de justificación suficiente, teniendo en cuenta que se trata de una prueba que no reporta ningún perjuicio física y que tiene un efecto ambivalente, en tanto que igual puede ser inculpatoria que exculpatoria, nada impide valorar —de manera lógica y racional— esta actitud, si bien por sí sola no podrá servir para desvirtuar la presunción de inocencia, sino únicamente en compañía de otros medios de prueba.

2º) Ahora bien, se puede dar el caso en que la obtención de la muestra de ADN de un sospechoso no exija ningún tipo de intervención sobre la persona, que es precisamente lo que ocurre en el supuesto que comentamos. En

---

[48] Recordemos que se trata de que la medida limitativa del derecho fundamental esté prevista por la ley; que sea adoptada en virtud de una orden judicial especialmente motivada y cumpliendo las exigencias derivadas del principio de proporcionalidad, esto es, que sea idónea, necesaria y proporcionada en relación con un fin constitucionalmente legítimo, v., al respecto, SS TC 114/1984, de 29 de noviembre; 7/1989, de 19 de febrero; 7/1994, de SS TS de 4 de febrero de 2003 (RJ 1142) o 19 de abril de 2005 (RJ 4190), entre otras. Además, por el tipo de diligencia de que se trata, debe practicarse por personal médico o sanitario, no suponer riesgo para la salud y bajo ningún concepto suponer —la forma de llevarse a cabo— un trato inhumano o degradante.

estos casos, interpretando en sentido negativo lo dicho, no sería necesaria la autorización judicial para la obtención de la muestra.

Así ocurre cuando las huellas biológicas se obtienen de colillas arrojadas por un sujeto que estaba siendo objeto de seguimiento por unos agentes o un vaso utilizado por él. Estamos ante las conocidas como tomas subrepticias a las que se refiere la STS de 14 de octubre de 2005 (RJ 131) derivada de un acto voluntario de expulsión o abandono de restos biológicos u orgánicos por el sujeto pasivo de una investigación, donde la actividad se limita a "recoger" sin intervención ni práctica incisiva alguna.

En este caso se recogen por un lado capuchas, jerseys y otros objetos abandonados por los sujetos en el lugar de los hechos (muestras dubitadas cuya titularidad deberá determinarse para situar a los sujetos en dicho lugar) para los que no es necesaria autorización judicial para evitar su pérdida, deterioro o desaparición; por otro lado, posteriormente, se recogen unas colillas abandonadas por tres de los acusados cuando se encontraban detenidos y un vaso abandonado por otro sujeto en un bar, para cuya recogida se entiende que no es necesaria autorización judicial alguna en tanto que no se requiere ningún tipo de intervención para obtener la muestra, en este caso indubitada, ya que, como indica el Tribunal en la sentencia:

a) No fue necesaria la utilización de ningún tipo de fuerza, coacción o cualquier otro medio de intervención corporal para la obtención de los objetos de los que se extrajeron las muestras, ya que dicho objetos fueron abandonados en distintos lugares por sus propietarios, adquiriendo la condición de *res nullius*, entendiéndose que carecen de propietario, por lo que no hay necesidad de pedir autorización alguna ni al juez ni a nadie para ser recogidas, por cualquiera;

b) Los objetos fueron claramente abandonados por sus usuarios, sin que conste compulsión alguna en las personas de los acusados para arrojarlos al suelo o abandonarlos, sino que lo hicieron voluntariamente, sin mediar tampoco engaño alguno;

c) No parece tener sentido, sigue diciendo el Tribunal, pedir autorización para recoger algo abandonado por su propietario. ¿qué se iba a autorizar con la recogida? ¿quién iba a dar fe de que tales objetos pertenecían a quienes los habían abandonado o dejado? El Secretario podría dar fe de que esos objetos estaban en un lugar en un momento determinado, no de quién los había abandonado pues no lo vio.

d) En este caso concreto, se plantea además el TS una cuestión extra y es qué órgano jurisdiccional tendría que autorizar la actuación? El que conoció de las diligencias primeras o el juez a cuya disposición se iban a pasar los detenidos?

e) Las muestras fueron enviadas no como indubitadas, pues de haberse enviado como tales conforme a los protocolos del Laboratorio hubieran sido inadmitidas.

f) Por tanto, las muestras no tuvieron la consideración de prueba preconstituida; comparecieron en el plenario tanto los funcionarios policiales que las recogieron como los que realizaron la comparación de ambas muestras (dubitadas).

g) En este caso, a diferencia de la situación tratada en la sentencia anterior que hemos comentado, sí se documentó en las actuaciones la recogida de los objetos de los que se obtuvieron las muestras de ADN, no habiendo, por tanto, vulneración alguna de lo previsto en el art. 292. Reconoce la sentencia la existencia de una mala praxis judicial, ya que cuando se procedió a la recogida, "seguramente por razones puramente de comodidad y economía de medios, cual es no documentar la recogida de las muestras —colillas y vaso— hasta que se recibieron los análisis del laboratorio dando positivo con las recogidas en el lugar de los hechos objeto de enjuiciamiento, lo que ocurrió varios meses más tarde". Ahora bien esta mala práctica no conlleva la nulidad de lo actuado, ya que además comparecieron a juicio los funcionarios que recogieron los objetos abandonados y lo documentaron, aunque tardíamente, sometiéndose sus declaraciones a los principios de publicidad, contradicción, inmediación y oralidad, convirtiéndose en "una cuestión de credibilidad valorable por el Tribunal pero en modo alguno es causa de nulidad".

h) Se permite recordar el TS que en la toma de huellas dactilares del detenido, que requiere un acto de compulsión física sobre el individuo y que ofrece una fiabilidad igual que la prueba de ADN, incluso mayor, no requiere de autorización judicial. La huella se remite al laboratorio y una vez arroja un resultado positivo, resultando que el individuo ha participado en otros delitos investigados, pero sólo entonces, se le comunica a la autoridad judicial. Lo mismo ocurre con las armas de fuego, balas y casquillos que se encuentran en el lugar de los hechos.

i) Si bien es cierto que el art. 363, tanto en su redacción actual como la anterior, exige que los análisis químicos debían ser acordados por los Juzgados y tribunales en los casos en que "se consideren absolutamente indispensables para la necesaria investigación judicial y la recta administración de justicia", "que los análisis químicos pudiesen ser acordados por la Autoridad judicial en los términos citados no excluye que, también y siempre que no hubiera compulsión sobre las personas conforme lo expuesto supra y antes de la reforma citada de la ley procesal penal, pudiese ser acordada por la fuerza policial actuante".

Dejando al margen otras alegaciones, cabe hacer una breve referencia a la referida a la posible vulneración de su derecho a no declarar, a no declarar contra sí mismo y a no confesarse culpable, ya que —como ha quedado acreditado— se trataba de objetos abandonados, sin llevarse a cabo compulsión física alguna; no estamos ante una prueba indubitada para el Laboratorio, una prueba preconstituida, como ya hemos dicho, dejando su valoración a la libre apreciación del tribunal.

C) El Acuerdo del Pleno del Tribunal Supremo de 31 de enero de 2006 (JUR 53394)

El Tribunal Supremo, dada la disparidad jurisprudencial reflejada por las dos sentencias principales comentadas en las páginas anteriores emite un Acuerdo con el que trata de resolver dichas contradicciones, confirmando la segunda de las sentencias comentadas, es decir, permitiendo que la Policía Judicial pueda "recoger restos genéticos o muestras biológicas abandonadas por el sospechoso sin necesidad de autorización judicial"[49], avalada recientemente por STC 199/2013, de 5 de diciembre[50].

---

[49] De hecho, considera CORTES BECHIARELLI, E., *Muestras biológicas abandonadas por el sospechoso y validez de la prueba de ADN en el proceso penal (o sobre la competencia legislativa de la Sala Segunda del Tribunal Supremo)*, Revista Penal 2006, núm. 18, pp. 50 y ss, que hasta el momento en que se dicta el Acuerdo del Tribunal Supremo, para la obtención de una muestra indubitada era "innegable y preceptiva la necesidad de control judicial". Realmente, se cuestiona este autor si este acuerdo puede "convertir en letra muerta" lo establecido en la ley, la respuesta debe ser negativa, pero la realidad es que

Al igual que hemos seleccionado dos, en realidad tres, sentencias que representan las líneas jurisprudenciales contradictorias existentes en el momento en que el Tribunal Supremo emite este Acuerdo, quisiéramos ahora hacer una referencia al después, es decir, a si la contundencia de este Acuerdo ha servido para unificar desde este punto de vista la respuesta de nuestros Tribunales o no ha sido así.

Para ello, tomaremos como referencia la Sentencia del Tribunal Supremo de 4 de octubre de 2006 (RJ 6533), dictada nuevamente en el ámbito de la *kale borroka*, que anula parcialmente la Sentencia de la Audiencia Nacional de 30 de noviembre de 2005, que por su interés hemos comentado previamente. Nuevamente nos centraremos únicamente en el motivo relacionado con la válida obtención de la prueba de ADN desde el punto de vista al que se refiere el acuerdo, dejando al margen otros motivos de recurso, como las infracciones al derecho a la intimidad y autodeterminación informativa.

Los recurrentes alegan —como ya hicieron en sus escritos de defensa— que se ha vulnerado el derecho a la presunción de inocencia y a un proceso con todas las garantías, en tanto que la recogida y análisis de ADN de las colillas recogidas "supuestamente" a los acusados, y las pruebas que de ella se derivan se deberían haber considerado ilícitas y, por tanto, no serían válidas para desvirtuar la presunción de inocencia. La base de toda la argumentación de los recurrentes es que en la toma de las muestras no hubo intervención judicial ni resolución alguna habilitante (como ya hicieran ante la Audiencia Nacional se hace también referencia a los defectos en la documentación de

---

esta postura ha acabado imponiéndose y, como muestra de ello, el art. 287 del texto articulado del nuevo Código Procesal Penal, al que aún le queda mucho camino por recorrer, permite a la Policía Judicial de oficio o siguiendo las instrucciones del Ministerio Fiscal, tomar las medidas necesarias para la recogida, custodia y examen de las muestras biológicas que puedan ser útiles para el esclarecimiento de los hechos, y, concretamente, en el art. 288.4 establece expresamente que "La Policía Judicial podrá intervenir las muestras abandonadas por el propio afectado", añadiendo que se aplicará lo dispuesto para las intervenciones corporales cuando para la obtención de la muestra sea necesaria tal actuación. El nuevo texto establece, pues, una diferenciación que para nada aparecía en el art. 363, al distinguir entre muestras abandonadas y no abandonadas.

[50]   Comentario de la autora a la misma puede encontrarse en Revista de Derecho y Proceso Penal 2014, núm. 34.

254 Andrea Planchadell Gargallo

la muestra y la falta de documentación en la cadena de custodia, aspectos éstos en los que no entraremos.

El propio Tribunal Supremo comienza reconociendo, en el Fundamento Jurídico Segundo, que la doctrina sentada en la primera de las sentencias que hemos comentado (STS de 19 de abril de 2005, RJ 4190), fue revisada poco tiempo después, en la segunda sentencia comentada (STS de 14 de octubre de 2005, RJ 8072), "que distinguió entre la obtención de muestras corporales realizada de forma directa sobre el sospechoso, y la toma subrepticia derivada de un acto voluntario de expulsión de materia orgánica realizada por el sujeto objeto de investigación, sin intervención de métodos o prácticas incisivas sobre la integridad corporal, precisando que en estos casos, no entra en juego la doctrina consolidada de la necesaria intervención judicial para autorizar, en determinados casos, una posible intervención banal y no agresiva. La toma de muestras para el control, se lleva a cabo por razones de puro azar y a la vista de unos sucesos totalmente imprevisibles. Los restos de saliva en las colillas de los cigarrillos o en un vaso se convierten así en objetos procedentes del cuerpo de los sospechosos pero obtenidos de forma totalmente inesperada. El problema que pudiera suscitarse es el relativo a la demostración de que la muestra había sido producida por el acusado, a quien se le imputa". Ahondando en esta idea, recuerda que en la toma de muestras ni la autoridad judicial ni la policial que actúa a sus ordenes ha de pedir permiso a un ciudadano para cumplir con sus obligaciones, afirmación ésta que es lógico matizar cuando el resto debe obtenerse del propio cuerpo del sujeto o invadiendo sus derechos fundamentales, en cuyo caso sí sería necesario el consentimiento del afectado o la orden judicial autorizándolo[51].

En esta sentencias, el Tribunal Supremo reitera muy fielmente los argumentos utilizados por la Audiencia Nacional, así insiste en la explicación de que los objetos (en este caso las colillas) de las que se extraen los restos biológicos habían sido "arrojados" por los titulares, convirtiéndose en *res nullius*, y por tanto, claramente accesibles a la Policía que está investigando un delito.

Pese a que el Tribunal utiliza el término *res nullius* considera que eso no significa que no puede afirmarse su pertenencia a los acusados, lo que queda acreditado en un caso por la comparecencia del agente de policía que re-

---

[51] STS de 14 de febrero de 2006 (RJ 717).

cogió una colilla, en otros por su constancia en el atestado del propio agente que recogió las colillas del lugar donde el sujeto había estado detenido y, para otro de los acusados, la recogida de un vaso en un bar, quedando todo ello documentado, así como que la recogida se llevó a cabo conforme a las más elementales normas de manipulación para su no contaminación.

Obviamente, lo que el Tribunal se plantea aquí es si estas muestras su-puestamente abandonadas pueden ser recogidas por la autoridad policial sin mediar autorización judicial, particularmente teniendo en cuenta que realmente la regulación legal no hace referencia expresa a esta situación, sino que está pensando en aquellos supuestos más gravosos en que es ne-cesaria una intervención y, por tanto, pueden verse afectados los derechos fundamentales del afectado. Entiende el Tribunal, al plantearse esta cuestión que "Tampoco resulta acorde con la estructura y finalidad del proceso penal la afirmación de que en ausencia de regulación legal sobre recogida de ves-tigios, éstos no puedan ser recogidos, analizados y sometidos al dictamen pericial", pues lo contrario sería dar por perdidos datos fundamentales para la investigación y, posteriormente, en el momento del juicio oral, como prue-ba pericial que puede servir tanto a la acusación como a la defensa y que será valorado libremente valorada por el tribunal.

Tras estas matizaciones iniciales, el Tribunal Supremo ve la necesidad de repasar la tesis establecida en la sentencia de 19 de abril, en la que se afirmaba la necesidad de iniciativa judicial en la práctica de la prueba co-mo condición de validez de la misma, precisamente porque, como ya hemos adelantado, va a cambiar este criterio, de hecho literalmente afirma: "… se realizaron en la propia sentencia algunas manifestaciones, *exacerbando* la in-tervención judicial para atribuir validez a la práctica de la prueba" (la cursiva es nuestra), calificando la interpretación dada por esa sentencia de "posible pero rigurosa" y justificando la misma en el "raquitismo normativo existente en el momento de ocurrir los hechos" (recordamos previos a la reforma).

El eje central de la argumentación del Tribunal Supremo, que ya lo fue de la Audiencia Nacional, y que supone un giro jurisprudencial reforzado por el Acuerdo del Pleno, se basa en la afirmación de que es absolutamente inne-gable la necesidad de resolución judicial autorizando la toma de muestras, cuando para ello sea necesario llevar a cabo una intervención ("cuando la materia biológica de contraste se ha de extraer del cuerpo del acusado"), no mediando consentimiento del sospechoso. De no cumplirse con esta exigencia, la muestra obtenida deviene ilícita y, por tanto, carece de efectos probatorios. Ahora bien, atendiendo a los hechos es evidente que esto no es lo que ocurre en el supuesto que se está analizando, y más tras la reforma de 2003, en tanto que "se puede concluir que la intervención del juez, salvo en supuestos de afectación de derechos fundamentales, no debe impedir la posibilidad de actuación de la policía, en el ámbito de la investigación y averiguación de los delitos en los que posee espacios de actuación autónoma". Como expresamente afirma la sentencia, esta ha sido la decisión del Pleno del Tribunal Supremo en el acuerdo que estamos comentando[52].

Por tanto, a la luz de la interpretación que de estas situaciones y de las leyes aplicables se hace en el Acuerdo, cuando para la recogida de muestras no sea necesaria la intervención corporal, esta actuación podrá ser llevada a cabo tanto por el juez como por la policía, dentro de sus obligaciones de investigar y descubrir los delitos; teniendo en cuenta que las medidas de garantía para la autenticidad de la diligencia deberán adoptarlas en los casos normales el juez de instrucción; concurriendo peligro de desaparición, la propia policía judicial en virtud del art. 282, al que se remite el art. 326, marco legal de referencia.

---

[52]   Junto con esta sentencia, se sigue la misma argumentación en las SS TS de 14 de febrero de 2006 (RJ 717); 20 de marzo de 2006 (RJ 1671) y 20 de diciembre de 2006 (RJ 390); de 27 de noviembre de 2007 (RJ 9354) que afirma en su Fundamento Jurídico Tercero (punto 4) la validez de muestras corporales no realizadas de forma directa sobre el sospechoso, sino ante una toma derivada de un acto voluntario realizado por los sujetos objeto de investigación, sin intervención de métodos o prácticas incisivas sobre la integridad corporal. Esta sentencia reconoce expresamente que en estos casos no "entra en juego" la doctrina consolidada de la necesaria intervención judicial para autorizar, en determinados casos —principalmente ante la negativa del sujeto que debe padecerla— una intervención. La toma de muestras para el control se lleva a cabo por razones de puro azar y a la vista de un suceso totalmente imprevisible. En este caso, los restos de saliva escupidos y la colilla se convierten así en un objeto procedente del cuerpo del sospechoso, pero obtenido de forma inesperada.
En sentido similar, se pronuncian más recientemente la S TS de 26 de julio de 2011 (RJ 6326) respecto a unos guantes de látex encontrados en una bolsa que sirvió para transformar material destinado a la elaboración de cócteles molotov, que se encontró en los bajos de un coche; la S TS de 9 de julio de 2012 (RJ 7077), respecto a los restos de una consumición en una cafetería; o la S TS de 31 de mayo de 2013 (núm. 491/2013).

El aporte de esta sentencia que comentamos, y que en el mismo texto se reconoce es "interpretar de forma flexible las facultades atribuidas a la policía, dada la vetustez del párrafo 1º del mentado art. 282 al que remite el art. 326, que debe verse enriquecido con una interpretación armónica en sintonía con el contexto legislativo actual, en atención a las más amplias facultades concedidas a una policía científica especializada y mejor preparada, con funciones relevantes en la investigación de los delitos". Es más, se plantea también la sentencia cómo deben resolverse los casos en que sin mediar especiales razones de urgencia, la Policía procede —conforme a sus protocolos— no sólo a asegurar los objetos, sino a recoger las muestras —documentándolo— sin recabar autorización judicial alguna, sino tan sólo informándole después. En estos casos, se entiende, que no estamos ante un vicio absolutamente invalidante, sino tan sólo ante una infracción de carácter procesal, un "déficit formal", que si bien puede influir en el resultado y fiabilidad de la actuación, no implica automáticamente su nulidad[53].

Lo que en estos casos hace la Policía no es más que actuar conforme a lo que viene prescrito en el art. 282 LECRIM, que relacionándose con los arts. 326 y ss. LECRIM, y el Real Decreto 769/1987, de 17 de junio, regulador de la Policía Judicial, que permite entender que "la misión de los funcionarios policiales se extiende a la recogida de todos los efectos, instrumentos o pruebas del delito de cuya desaparición hubiera peligro, poniéndolos a disposición de la autoridad judicial".

La S TS de 14 de febrero de 2006 (RJ 717) sigue fielmente los criterios fijados en el Acuerdo del Pleno y, por tanto, de esta sentencia —que reitera casi literalmente—, respecto a hechos también relacionados con el entorno terrorista encontrándose encapuchados los acusados y recogiéndose posteriormente por la Policía los objetos que habían utilizado como capucha y que, remitidas al laboratorio correspondiente fueron contrastadas con el ADN de unas colillas que fueron recogidas a los procesados, arrojando un resultado positivo.

Pese a que esta doctrina es dominante ya desde antes de emitirse este acuerdo por el Tribunal Supremo, no dejamos de encontrarnos con alguna

---

[53] De hecho en la Sentencia de 19 de abril la cuestión clave fue un fallo en la cadena de custodia lo que invalidó el resultado, pero no el no hacerlo sin autorización judicial.

sentencia —si bien las menos— que sigue la doctrina fijada en la de 19 de abril, así por ejemplo, la S TS de 27 de junio de 2006 (RJ 5175), que recalca que en el momento en que se produjeron los hechos no se había producido aún la reforma legal, con lo que da a entender que de haber tenido lugar posteriormente la respuesta podría haber sido otra.

El art. 363 LECRIM, pese a esta línea jurisprudencia, no establece, como ya hemos apuntado ninguna diferencia entre muestras abandonadas y no abandonadas, como tampoco lo hace entre las muestras dubitadas e indubitadas[54].

---

[54]   CORTES BECHIARELLI, E., *Muestras biológicas abandonadas por el sospechoso y validez de la prueba de ADN en el proceso penal (o sobre la competencia legislativa de la Sala Segunda del Tribunal Supremo)*, Revista Penal 2006, núm. 18, p. 51 afirma que parece que el Acuerdo haya establecido un *tertius genus*, al que pertenecen las muestras abandonas.

CUESTIONES PRÁCTICAS SOBRE EL ADN: LA TOMA DE MUESTRAS[1]

Mª Ángeles Pérez Cebadera
Profesora Titular de Derecho Procesal
Universitat Jaume I de Castellón

Sumario: I. Introducción. II. Recogida de muestras en el lugar del delito por la policía judicial. III. Toma de muestras del imputado. IV. Toma de muestras de la base de datos policial.

I. INTRODUCCIÓN

Como afirma el Tribunal Supremo en su sentencia de 15 de enero de 2013, *"el estado de la ciencia permite reconocer un gran efecto probatorio a las pruebas de ADN, en cuanto conducen a la identificación de la persona que dejó los restos que se analizan con un irrelevante margen de error. Una vez identificada la persona, la cuestión es establecer si ello permite considerar probada su participación en el hecho"*[2].

---

[1]   Este trabajo se corresponde con el "Taller de cuestiones prácticas sobre las decisiones más relevantes de Tribunal Supremo en relación con la toma de muestras", realizado el día 11 de julio de 2012 en el Curso "Pruebas científicas, ADN y proceso penal", celebrado en la Universitat Jaume I de Castellón durante los días 11, 12 y 13 de julio de 2012. Al que hemos añadido las disposiciones relativas a esta cuestión en la Propuesta de Código Procesal Penal de 2013.

[2]   Se recuerda por la STS 607/2012, de 9 de julio que "debemos convenir en que la valoración de este tipo de pruebas es libre, como el resto del acervo probatorio con que cuente el Tribunal sentenciador, si bien tiene un alto valor convictivo en función de su fiabilidad. Participa, como ya lo hemos dicho, de la naturaleza de prueba indirecta, pues no acredita por sí misma el juicio de autoría, pero de su resultado se infieren datos sustanciales para el esclarecimiento de la participación del acusado, ya que acreditan la plena identificación del mismo en el lugar de los hechos de forma indubitada, o su directa relación con el objeto del proceso, lo que constituye un punto sustancial de partida para la valoración del resto del patrimonio probatorio".

La prueba de ADN consiste en la comparación entre una muestra dubitada —aquella que en principio no se sabe a qué sujeto pertenece— y otra indubitada —obtenida de un imputado o de banco de datos— y si ambas coinciden en sus marcadores genéticos puede servir al objeto de acreditar la intervención de una persona en el hecho criminal investigado. Esta clase de prueba pericial, como cualquier prueba, ha de ser obtenida y aportada al proceso con todas las garantías exigidas por la Constitución y las leyes procesales.

En la actualidad el régimen jurídico de la toma de muestras para la obtención del ADN se encuentra en los arts. 326, III y 363, II Lecrim y en la Disposición Adicional Tercera de la LO 10/2007, de 8 de octubre, reguladora de la Base de Datos Policial sobre Identificadores obtenidos a partir del ADN. No obstante, a pesar que este último precepto resolvió los problemas que planteaba la aplicación de las disposiciones relativas al ADN en la Ley de Enjuiciamiento Criminal, lo cierto es que todavía resulta insuficiente para solucionar otras cuestiones que se suscitan en relación con este acto de injerencia en el derecho fundamental a la integridad física[3].

Una regulación más exhaustiva de la investigación mediante ADN es la que se recoge en la Propuesta de Código Procesal Penal de 2013[4], en cuya Exposición de Motivos se afirma que: *"Los arts. 326, párrafo 3º, y 363, párrafo 2, de la Ley de Enjuiciamiento Criminal supusieron un primer paso en la regulación de una de las técnicas de investigación cuya utilidad es paralela a las implicaciones de muy distinto signo que suscita su práctica. La experiencia ha evidenciado la necesidad de ofrecer soluciones a las cuestiones más importantes asociadas a la obtención de los indicadores genéticos de ADN a partir de restos biológicos. La reforma autoriza a los agentes de Policía para la recogida y obtención de huellas o vestigios de los que obtener tales indicadores. Del mismo modo, hace del consentimiento libre el presupuesto de validez de la entrega de muestras por el propio encausado. También se acoge la jurisprudencia del Tribunal Supremo que viene exigiendo que la toma de muestras del encausado que se hallare cau-*

---

3   V. STS 685/2010, de 7 de julio.
4   Texto elaborado por las Comisión institucional creada por Acuerdo de Consejo de Ministros de 2 de marzo de 2012 (BOE 13 de marzo de 2012), presentado en el Ministerio de Justicia el 25 de febrero de 2013. Al contenido del Texto se puede acceder en la Página del Ministerio de Justicia, http://www.mjusticia.gob.es.

telarmente detenido o privado de libertad, se realice con la asistencia y asesoramiento de Letrado"[5].

A continuación, veremos cómo se ha resuelto por el Tribunal Supremo los problemas que se han suscitado con ocasión de la toma de muestras[6].

II. RECOGIDA DE MUESTRAS EN EL LUGAR DEL DELITO POR LA POLICÍA JUDICIAL

Con anterioridad al Acuerdo del Pleno no jurisdiccional de 31 de enero de 2006 del Tribunal Supremo (Sala 2ª), que determinó que la Policía Judicial podía *"recoger restos genéticos o muestras biológicas abandonadas por el sospechoso sin necesidad de autorización judicial"*, se planteaba si ésta era necesaria para poder realizar el análisis de ADN sobre objetos hallados en la escena del delito en virtud de los arts. 326, III y 363, II Lecrim, artículos introducidos con la LO 15/2003 de 25 de noviembre, para dar cobertura a la prueba de ADN. En la STS 501/2005, el Tribunal Supremo manifestó que *"sin resolución judicial que ordenara o autorizara la prueba de ADN"*, la prueba era *"irregular, ilícitamente obtenida y por tanto sin ningún valor probatorio"*, pues consideraba que, salvo cuando concurrieran razones de urgencia (art. 282 Lecrim), las normas procesales imponían al juez de instrucción la obligación de actuar personalmente en la recogida de las muestras sobre las que se quería practicar el análisis de ADN si se quería que este acto tuviera valor probatorio. Justifica esta decisión no en la desconfianza en la policía sino porque es *"a la*

---

5   Se debe destacar que en la Propuesta, atendiendo a la importancia del análisis del ADN, no sólo se refiere a la recogida de muestras en el lugar del delito y del encausado sino que recoge la posibilidad de poder requerir a otras personas para obtener su ADN. Así en su art. 289 establece que *"1. Cuando las circunstancias de la investigación así lo aconsejen, podrán ser requeridas para la toma de muestras destinadas a la práctica de un análisis genético que permita la obtención de identificadores de ADN, personas que no hayan sido encausadas. 2. La prestación de su consentimiento y las limitaciones para la toma de muestras se regirán por lo dispuesto en esta Sección".*

6   Véanse sobre la jurisprudencia relativa a la prueba de ADN, DOLZ LAGO, M.J., *ADN y derechos fundamentales*, Diario La Ley, Nº 7774, Sección Doctrina, 12 Ene. 2012, Año XXXIII (versión electrónica) y SANCHEZ MELGAR, J., *La prueba de ADN: pronunciamientos de la jurisprudencia*, Diario La Ley, Nº 7720, Sección columna, 21 Oct. 2011, Año XXXII (versión electrónica).

autoridad judicial a quien corresponde la práctica de actuaciones que tienen un verdadero y propio contenido procesal a las que la actuación de secretario como fedatario público confiere autenticidad documental".

Pero, el Tribunal Supremo, tras el Acuerdo del 31 de enero de 2006, en su sentencia 179/2006 de 14 febrero, manifestó que a tenor de los artículos que regulaban práctica del análisis del ADN en ese momento, los arts. 326 y 363 Lecrim, era necesario distinguir entre la *"la obtención de muestras para la práctica de la prueba de ADN del cuerpo del sospechoso, de aquéllas otras en la que no se precisa incidir en la esfera privada con afectación a derechos fundamentales personales"*, concluyendo que en el primer caso el artículo aplicable era 363, Lecrim, que exige autorización judicial mientras que en el segundo supuesto (muestras recogidas en el lugar del delito), se debía aplicar el art. 326, II Lecrim, añadiendo que la exigencia prevista en el citado art. 326 sobre la intervención del juez para la recogida, custodia y examen de las muestra, no debía impedir *"la posibilidad de actuación de la policía en el ámbito de la investigación y averiguación de los delitos en los que posee espacios de actuación autónoma"*, como así había sido declarado en el Acuerdo de 31 de enero de 2006, acordado por el Pleno no jurisdiccional del Tribunal Supremo.

El Tribunal Supremo justificó dicha interpretación argumentando que la exigencia de intervención judicial para la recogida de muestras prevista en el art. 326, III Lecrim, está sistemáticamente incluida en la diligencia de investigación consistente en la inspección ocular donde se da por supuesta la intervención judicial, por lo que exigir la intervención del juez para recoger muestras para la práctica del análisis de ADN durante la realización de una inspección ocular *"es un mecanismo para dotar de mayor grado de garantía posible a la diligencia que atribuye el control de la misma a la autoridad judicial en los casos usuales y al sólo objeto de garantizar la autenticidad de la recogida de la muestra y posterior análisis"* (STS 179/2006 de 14 febrero).

Por ello, en la citada sentencia, declaró que la competencia para "la recogida de muestras sin necesidad de intervención corporal para la práctica de análisis sobre ADN, conforme al art. 326 Lecrim, la tendrá tanto el juez como la policía, dada su obligación común de investigar y descubrir delitos y delincuentes".

El Tribunal Supremo interpretó que la Policía Judicial podía recoger, custodiar y analizar las muestras conforme a sus protocolos, sin intervención judicial, no sólo cuando hubiese peligro de que las pruebas desapareciesen o perdiesen sino siempre que estuviera realizando su labor de investigación del delito y descubrimiento del delincuente (art. 126 CE), porque si bien en el último supuesto, inexistencia de peligro, la ausencia de autorización para la realización del análisis de ADN sobre la muestra recogida por la policía en el ejercicio de sus funciones de investigación sería una infracción procesal, por si misma ésta no supondría que la práctica de prueba de ADN fuese nula.

El criterio adoptado a partir de acuerdo de 2006, ratificado por las sucesivas sentencias dictadas a partir de ese momento[7], es que "*el descubrimiento y recogida de objetos para su ulterior examen en busca de huellas, perfiles genéticos, restos de sangre u otras actuaciones de similar naturaleza*" son actos de investigación policial que los arts. 282 y 770 Lecrim atribuye a la Policía Judicial[8], que "exigen una especialización técnica de la que gozan los funcionarios de la Policía Científica a los que compete la realización de tales investigaciones, sin perjuicio de que las conclusiones habrán de acceder al Juzgador y al Tribunal sentenciador para que, sometidas a contradicción puedan alcanzar el valor de pruebas"[9]. Interpretación jurisprudencial que fue recogida en la Disposición Adicional Tercera de la LO 10/2007, de 8 de octubre. Como sostiene la STS 685/2010, de 7 de julio, este precepto, en lo que se refiere a la recogida y análisis de muestras dubitadas por la Policía, acoge su criterio, por lo que "*la Policía Judicial podrá, por propia iniciativa, recoger huellas, vestigios o restos biológicos abandonados en el lugar del delito, describiéndolos y adoptando las prevenciones necesarias para su conservación y puesta a disposición judicial*", también podrá recoger muestras "*que pudiendo pertenecer a la víctima se hallaren localizadas en objetos personales del acusado*".

---

[7]   Por todas, véase, STS 179/2006, de 14 febrero.

[8]   Establece el art. 11.1 g LO 2/1986, de 13 de marzo que corresponde a las Fuerzas y Cuerpos de Seguridad "*Investigar los delitos para descubrir y detener a los presuntos culpables, asegurar los instrumentos, efectos y pruebas del delito, poniéndolos a disposición del Juez o Tribunal competente, y elaborar los informes técnicos y periciales procedentes*".

[9]   STS 1190/2009, de 9 de diciembre, en la que se añade que "*en tal sentido pueden citarse las sentencias de esta Sala de 7.10.94, 9.5.97 y 26.2.99, 26.1.2000, que recuerdan que los arts. 326 y 22. Lecrim se han de poner en relación con los arts. 282 y 786.2 (actual art. 770.3) del mismo Texto Legal y con el Real Decreto 769/87 de 17.6, regulador de la Policía Judicial, de cuya combinada aplicación se puede llegar a establecer que la misión de los funcionarios policiales se extiende a la recogida de todos los efectos, instrumentos o pruebas del delito de cuya desaparición hubiera peligro, poniéndolos a disposición de la autoridad judicial. Estimación que no quebranta el art. 326 Lecrim ni se causa indefensión, por el hecho de que los vestigios hallados por los especialistas en identificación, sean remitidos a los respectivos Gabinetes científicos*".

Por tanto, las muestras dubitadas podrán ser recogidas y analizadas por la Policía judicial, siendo necesario que ésta adopte las medidas que garanticen su autenticidad[10]. En la Propuesta de Código Procesal Penal se prevé en su art. 287, que la Policía Judicial pueda de oficio o en ejecución de instrucciones del Ministerio Fiscal, adoptar las medidas necesarias para que la recogida, custodia y examen de aquellas muestras se verifique en condiciones que garanticen su autenticidad[11].

III. TOMA DE MUESTRAS DEL IMPUTADO

Para la obtención de muestras indubitadas, las que provienen del cuerpo del imputado, se pueden distinguir varios supuestos: a) La toma de muestras realizada de forma directa sobre el cuerpo del imputado, que requiere su consentimiento o autorización judicial y b) La obtención de muestras del imputado derivada de un acto voluntario realizado por el sujeto objeto de la investi-

---

[10]   Sobre la cadena de cuestodia, véase la reciente STS 600/2013, de 10 julio, que recuerda que la *"cadena de custodia hace referencia a las vicisitudes ocurridas en las muestras tomadas durante la investigación de los hechos delictivos desde que son recogidas hasta que se aportan las conclusiones de los análisis o pruebas periciales realizadas sobre las mismas. La finalidad de asegurar la corrección de tal custodia se encuentra en la obtención de la garantía de que lo analizado obteniendo resultados relevantes para la causa es lo mismo que fue recogido como muestra. Aunque la pretensión deba ser alcanzar siempre procedimientos de seguridad óptimos, lo relevante es que puedan excluirse dudas razonables sobre identidad e integridad de las muestras. La jurisprudencia ha admitido, STS 685/2010, entre otras, que las declaraciones testificales pueden ser hábiles para acreditar el mantenimiento de la cadena de custodia, excluyendo dudas razonables acerca de la identidad y coincidencia de las muestras recogidas y analizadas".*

[11]   El art. 287 de la Propuesta de Código Procesal Penal establece que *"1. Cuando se ponga de manifiesto la existencia de huellas o vestigios cuyo análisis biológico pudiera contribuir al esclarecimiento del hecho investigado, la Policía Judicial, de oficio o en ejecución de las instrucciones generales o particulares que le hubieran sido transmitidas por el Fiscal, adoptará las medidas necesarias para que la recogida, custodia y examen de aquellas muestras se verifique en condiciones que garanticen su autenticidad.*
2. La diligencia a que se refiere el apartado anterior se llevará a cabo por miembros de las unidades de Policía científica, por el médico forense o por otro personal especializado.
3. Los datos identificativos extraídos de muestras que hubieran sido obtenidos en el lugar del hecho serán contrastados por la Policía Judicial con los datos obrantes en la base oficial sobre identificadores obtenidos a partir de ADN".

gación, sin intervención de prácticas incisivas sobre la integridad corporal, a lo que se ha denominado *"toma subrepticia"* (STS 1311/2005 de 14 octubre[12]).

A) La toma de muestras realizada de forma directa sobre el cuerpo del sospechoso

1. Con consentimiento

Si el imputado presta su consentimiento para ofrecer una muestra indubitada, *"el consentimiento actuará como verdadera fuente de legitimación de la injerencia estatal que representa la toma de las muestras"* (STS 685/2010, de 7 de julio). Y en caso de estar detenido, recuerda la STS 827/2011, de 25 octubre, que *"conviene insistir en la exigencia de asistencia letrada para la obtención de las muestras de saliva u otros fluidos del imputado detenido, cuando éstos sean necesarios para la definición de su perfil genético. Ello no es sino consecuencia del significado constitucional de los derechos de defensa y a un proceso con todas las garantías (arts. 17.3 y 24. 2 CE). Así se desprende, además, de lo previsto en el art. 767 de la Lecrim".*

En la Propuesta de Código Procesal Penal, el art. 288.4, relativo a la toma de muestras del encausado remite al art. 284.3, que exige que *"el consentimiento habrá de prestarse con asistencia y previo asesoramiento de Letrado".*

2. Con autorización judicial

Para la obtención de muestras o fluidos de un imputado que requiera un acto de intervención corporal (sangre, toma de células mucosas de la cavidad bucal, o pelos arrancados con bulbo), será preceptiva la autorización judicial si el imputado no presta su consentimiento[13].

---

[12]   Se afirmó en esta sentencia que *"en estos casos, no entra en juego la doctrina consolidada de la necesaria intervención judicial para autorizar, en determinados casos, una posible intervención banal y no agresiva. La toma de muestras para el control, se lleva a cabo por razones de puro azar y a la vista de un suceso totalmente imprevisible. Los restos de saliva escupidos se convierten así en un objeto procedente del cuerpo del sospechoso pero obtenido de forma totalmente inesperada".*

[13]   Recientemente el Tribunal Supremo de Estados Unidos ha resuelto que no es necesario ni consentimiento ni autorización judicial para realizar un frotis bucal. El Tribunal Supre-

A tenor del art. 363, II Lecrim cuando un imputado no preste su consentimiento para facilitar una muestra indubitada para compararla con la obtenida en el lugar de los hechos, será necesario que exista una autorización judicial. Afirmaba la STS 685/2010, de 7 de julio que *"que cuando la policía no cuente con la colaboración del acusado o éste niegue su consentimiento para la práctica de los actos de inspección, reconocimiento o intervención corporal que resulten precisos para la obtención de las muestras, será indispensable la autorización judicial"*.

Por su parte el Tribunal Constitucional manifestaba en su STC 207/1996 de 16 de diciembre, que cuando la intervención corporal consiste en la extracción del cuerpo de determinados elementos externos o internos para ser sometidos a informe pericial, el derecho *"afectado es el derecho a la integridad física (art. 15 CE), en tanto implica una lesión o menoscabo del cuerpo, siquiera sea de su apariencia externa"*[14], por lo que para limitar este derecho funda-

---

mo, el 3 de junio de 2013, *Maryland v. King*, 569 U.S. ___ (2013), por cinco votos a cuatro resolvió que *"cuando una persona sea detenida y llevada a las dependencias policiales porque existe causa probable de que ha cometido un delito grave, realizarle un frotis bucal para analizar su ADN es conforme a la IV Enmienda porque forma parte de las actuaciones que realiza la policía tras una detención, al igual que tomarle las huellas o hacerle fotos"*. En el caso King, éste fue detenido por un delito de asalto y durante su permanencia en las dependencias policiales se le realizó un frotis bucal, tras introducir su ADN en las bases de datos de delitos sin resolver, su ADN se correspondió con un delito de violación, por el que fue condenado a cadena perpetua. El Tribunal de Apelación de Maryland anuló la sentencia por considerarla la IV Enmienda, pero ésta ha sido anulada por el Tribunal Supremo. En esta decisión, la mayoría del Tribunal Supremo considera que aunque no existan indicios racionales de que la persona ha cometido un delito para los que sea necesario obtener su ADN, esta diligencia de investigación que se realiza al detenido tiene como objetivo *"identificarle"*. Por su parte, en el voto particular, el resto de Jueces del Tribunal Supremo considera que esta decisión es un retroceso en la interpretación de la IV Enmienda porque ésta prohíbe, sin excepción, cualquier inspección o intervención corporal, aunque no sea invasiva, si no existe causa probable de que una persona ha cometido un delito o está en posesión de pruebas que le puedan incriminar. Finalizan su voto particular deseando que pronto esta decisión repudiada.

14   Añadiendo que *"atendiendo al grado de sacrificio que impongan de este derecho, las intervenciones corporales podrán ser calificadas como leves o graves: leves, cuando, a la vista de todas las circunstancias concurrentes, no sean, objetivamente consideradas, susceptibles de poner en peligro el derecho a la salud ni de ocasionar sufrimientos a la persona afectada, como por lo general ocurrirá en el caso de la extracción de elementos externos del cuerpo (como el pelo o uñas) o incluso de algunos internos (como los análisis de sangre), y graves,*

mental, en contra de la voluntad del imputado, será necesario que concurran determinados requisitos:

a) Que la limitación del derecho fundamental persiga un fin constitucionalmente legítimo, añadía el Tribunal que *"el interés público propio de la investigación de un delito, y, más en concreto, la determinación de hechos relevantes para el proceso penal son, desde luego, causa legítima que puede justificar la realización de una intervención corporal, siempre y cuando dicha medida esté prevista por la Ley"*;

b) Que la injerencia en el derecho fundamental esté prevista en la Ley. Precisamente la toma de muestras se recoge en el art. 363, II Lecrim y la DA 3ª de la LO 10/2007;

c) Que la intervención corporal sea ordenada por el Juez[15] competente mediante auto;

d) Que el auto por que se acuerde la intervención corporal esté motivado[16];

---

en caso contrario (por ejemplo, las punciones lumbares, extracción de líquido cefalorraquídeo, etc.)".

[15] Señalaba la STC 207/1996, que *"a diferencia de lo que ocurre con otras medidas restrictivas de derechos fundamentales que pueden ser adoptadas en el curso del proceso penal (entradas y registros en domicilio —art. 18.2 CE—, intervención de las comunicaciones —art. 18.3 CE—, etc.), no existe en la Constitución en relación con las inspecciones e intervenciones corporales, en cuanto afectantes a los derechos a la intimidad (art. 18.1 CE) y a la integridad física (art. 18.2 CE), reserva absoluta alguna de resolución judicial, con lo que se plantea el problema relativo a si sólo pueden ser autorizadas, al igual que aquellas otras, por los Jueces y Tribunales, esto es, mediante resolución judicial.*
En relación con la práctica de diligencias limitativas del ámbito constitucionalmente protegido del derecho a la intimidad, en la STC 37/1989 dijimos que era "sólo posible por decisión judicial" (fundamento jurídico 7.º), aunque sin descartar la posibilidad de que, en determinados casos, y con la conveniente habilitación legislativa (que en tal caso no se daba), tales actuaciones pudieran ser dispuestas por la policía judicial (fundamento jurídico 8.º).
Esta misma exigencia de monopolio jurisdiccional en la limitación de los derechos fundamentales resulta pues, aplicable a aquellas diligencias que supongan una intervención corporal, sin excluir, ello no obstante (debido precisamente a esa falta de reserva constitucional en favor del Juez), que la Ley pueda autorizar a la policía judicial para disponer, por acreditadas razones de urgencia y necesidad, la práctica de actos que comporten una simple inspección o reconocimiento o, incluso, una intervención corporal leve siempre y cuando se observen en su práctica los requisitos dimanantes de los principios de proporcionalidad y razonabilidad".

e) Que la intervención corporal supere el juicio de proporcionalidad, es decir, que sea idónea, imprescindible y *"que el sacrificio que imponga del derecho a la integridad física no resulte desmedido en comparación con la gravedad de los hechos y de las sospechas existentes"*;

f) Añadía el Tribunal Constitucional que del art. 15 CE se derivan otras exigencias relativas a la práctica de las intervenciones consistentes en que: *"i) en ningún caso podrá acordarse la práctica de una intervención corporal cuando pueda suponer bien objetiva, bien subjetivamente, para quien tenga la obligación de soportarla un riesgo o quebranto para su salud; ii) que la ejecución de tales intervenciones corporales se habrá de efectuar por personal sanitario (STC 7/1994), que deberá ser personal médico especializado en el supuesto de intervenciones graves que lo requieran por sus características, y iii) en todo caso, la práctica de la intervención se ha de llevar a cabo con respeto a la dignidad de la persona, sin que pueda en ningún caso constituir, en sí misma o por la forma de realizarla un trato inhumano o degradante, aspectos estos sobre los que pesa una prohibición absoluta (arts. 10.1 y 15 CE)".*

Ahora bien, en caso de que pese a existir autorización judicial, el imputado se niegue a que se le practique la intervención corporal para poder realizar el análisis de ADN, no se podrá hacer uso de la fuerza para compelerle, así lo ha declarado el TS, entre otras, en su sentencia 685/2010, de 7 de julio, en la que manifestó que *"en aquellas ocasiones en que la policía no cuente con la colaboración del acusado o éste niegue su consentimiento para la práctica de los actos de inspección, reconocimiento o intervención corporal que resulten precisos para la obtención de las muestras, será indispensable la autorización judicial. Esta resolución habilitante no podrá legitimar la práctica de actos violentos o de compulsión personal, sometida a una reserva legal explícita —hoy por hoy, inexistente— que legitime la intervención, sin que pueda entenderse*

---

16   *"La exigencia de motivación es un requisito formal de la regla de proporcionalidad, según el cual en las resoluciones limitativas de los derechos fundamentales debe el órgano jurisdiccional plasmar el juicio de ponderación entre el derecho fundamental afectado y el interés constitucionalmente protegido y perseguido, del cual se evidencie la necesidad de la adopción de la medida"* (STC 207/1996).

que la cláusula abierta prevista en el art. 549.1.c) de la LOPJ, colma la exigencia constitucional impuesta para el sacrificio de los derechos afectados"[17].

En contra se muestra DOLZ LAGO[18], que sostiene que *"en caso de negativa a someterse a la toma de muestra, aunque exista autorización judicial, resulta que en la práctica no puede recogerse ninguna muestra por entenderse erróneamente (STS 2.ª núm. 680/2010, ya citada, con carácter de obiter dicta) que actualmente no existe habilitación legal para ello, a pesar de la dicción literal del art. 363 in fine de la Lecrim.,* que establece que el juez *"podrá decidir la práctica de aquellos actos de inspección, reconocimiento o intervención corporal que resulten adecuados a los principios de proporcionalidad y razonabilidad",* y añade que *"esta previsión legal creo que colma uno de los requisitos que la jurisprudencia del Tribunal Constitucional ha establecido para el uso de la coacción en las intervenciones corporales, a la vista del principio de proporcionalidad (cfr. STC 207/1996, de 16 de diciembre), resumidos en que se persiga un fin constitucionalmente legítimo, que esté prevista en la ley y que se acuerde judicialmente".*

No compartimos esta última interpretación, pues entendemos que como señala el Tribunal Supremo no existe previsión legal que permita el uso de la fuerza, y el principio de legalidad es uno de los requisitos del principio de proporcionalidad, por lo que consideramos acertado que en la Propuesta de Código Procesal Penal sí se prevea expresamente. Concretamente en el art. 281.4, al que remite el art. 288.4, establece que *"en ausencia de consentimiento del sospechoso, la práctica de los registros corporales a que se refiere el presente artículo podrá llevarse a cabo contra la voluntad del afectado, adoptando las medidas de compulsión indispensables, conforme a los principios de idoneidad, necesidad y proporcionalidad".*

B) Toma de muestras de forma subrepticia

Como se sostiene por el Tribunal Supremo, a partir de su STS 1311/2005, de 14 de octubre, la obtención de muestras del sospechoso derivada de un acto voluntario realizado por el sujeto objeto de la investigación, no exige autorización judicial, pues la recogida de la muestra *"se lleva a cabo por razo-*

---

17   Criterio reiterado en su STS 827/2011, de 25 octubre.
18   DOLZ LAGO, M.J., *ADN y derechos fundamentales….*, cit.

nes de puro azar y a la vista de un suceso totalmente imprevisible. Los restos de saliva escupidos se convierten así en un objeto procedente del cuerpo del sospechoso pero obtenido de forma totalmente inesperada". Con esta resolución, el Tribunal Supremo revisó el criterio adoptado en su STS 501/2005 de 19 abril, en la que consideró nula la prueba de ADN realizada sobre los restos de un esputo que el acusado realizó cuando salía de una de las celdas de la Comisaría y que fue recogida por la policía, pues consideró que *"no había razón de urgencia que permitiera actuar a prevención al funcionario policial que tomó la muestra biológica"* añadiendo que no *"había obstáculo alguno para que tal funcionario acudiera al juzgado correspondiente a solicitar la intervención de la autoridad judicial, adoptando, mientras el juez resolvía al respecto, las precauciones necesarias para que esos restos biológicos se conservaran como estaban cuando se detectaron"*.

Ni tampoco se necesita consentimiento del sujeto para recoger lo que éste deja "abandonado"[19], en palabras del Tribunal Supremo, *"ni la autoridad judicial ni la policial que investiga a sus órdenes ha de pedir permiso a un ciudadano para cumplir con sus obligaciones. Cosa distinta es que el fluido biológico deba obtenerse de su propio cuerpo o invadiendo otros derechos fundamentales, que haría precisa la autorización judicial"*, recogiendo así la decisión de la Sala 2ª, del Pleno no jurisdiccional, de 31 de enero de 2006, que como se señaló anteriormente, estableció que *"la Policía Judicial puede recoger restos*

---

[19] V. STS 355/2006, de 20 marzo, en la que la muestra se recogió en un seguimiento policial, el TS manifestó *"el sujeto que venía siendo objeto de seguimientos policiales, por su presunta implicación en numerosos actos de la llamada Kale-Borroka, la tarde de un día de fiesta en la localidad de Galdácano, era observado de cerca por el agente NUM001, el cual se apercibió de que Carlos Daniel, tras toser, arrojó al suelo un esputo en la calle principal de dicha localidad, procediendo de inmediato dicho funcionario a recoger una muestra que, por conducto de sus superiores, fue remitida a la Unidad de Policía Científica donde dos peritos cotejaron dicha muestra con los restos biológicos obtenidos de las dos capuchas antes referidas, y en el acto del juicio oral los peritos se ratificaron en el informe de ADN que atribuía al recurrente, con una probabilidad estadística del 99,99999%, los restos biológicos encontrados en una de las capuchas, capuchas que según un testigo protegidos —folio 638— habían sido arrojadas por quienes momentos antes habían participado en los hechos investigados"*. Sobre la obtención de muestras de un vaso recogido en un Bar, v. STS 949/2006 de 4 octubre. Acerca de la obtención de muestras del acusado en una lata de cerveza obtenida en la casa de la víctima, v. STS 1190/2009, de 3 diciembre.

genéticos o muestras biológicas abandonadas por el sospechoso sin necesidad de autorización judicial".

Ni siquiera es necesario el consentimiento del imputado cuando éste se halle privado de libertad, como recuerda el Tribunal Supremo en su STS 827/2011, de 25 de octubre, *"esta garantía no será exigible, aun detenido, cuando la toma de muestras se obtenga, no a partir de un acto de intervención que reclame el consentimiento del afectado, sino valiéndose de restos o excrecencias abandonadas por el propio imputado"*[20].

Con respecto a esta cuestión, se debe destacar que en la Propuesta de Código Procesal Penal, tras recoger el criterio jurisprudencial sobre la licitud de la obtención de muestras de los restos abandonados por el encausado, se señala expresamente que *"no podrán ser obtenidas las muestras del sospechoso mediante engaño"*[21].

IV. TOMA DE MUESTRAS DE LA BASE DE DATOS POLICIAL

Los resultados del análisis de ADN de las muestras o fluidos obtenidas del imputado con su consentimiento o autorización judicial serán inscritas en la Base de Datos Policial de Identificadores Obtenidos a partir del ADN, de conformidad con lo previsto en la Ley Orgánica 10/2007, de 8 de octubre.

En la práctica se han planteado supuestos en los que se ha solicitado la nulidad de la prueba de ADN obtenida en otro procedimiento y que sirvió para obtener su perfil genético que fue incluido en la base de datos policiales, alegando que la obtención de las muestras se realizó de forma ilegal. Pues bien, el Tribunal Supremo ha declarado que cuando se interesa la nulidad de la obtención de una prueba obtenida de un procedimiento judicial distinto, se parte de la presunción de que la prueba fue legalmente obtenida hasta que se demuestre lo contrario, es decir, *"las actuaciones efectuadas en el curso de una investigación judicial, deben reputarse legalmente efectuadas".*

---

[20] V. sobre muestras recogidas en dependencias policiales, STS 179/2006, de 14 febrero; STS 1027/2010, de 25 noviembre,

[21] El art. 288 establece que *"2. No podrán ser obtenidas las muestras del sospechoso mediante engaño.*
3. La Policía Judicial podrá intervenir las muestras abandonadas por el propio afectado".

Por tanto, quien aduzca la irregularidad debe probarla (STS 680/2011, de 22 de junio).

En la citada sentencia, añade el TS que *"en definitiva, lo que cuestiona aquí es la normalidad de las muestras que se utilizan en los Bancos de Datos que la Administración ha creado al amparo de la Ley de 13 de Diciembre de 1.999, que por cierto establece un importante ámbito de protección en salvaguardia de la intimidad de las personas, salvo "para la investigación del terrorismo y otros delitos graves".*

Es obvio, que tal finalidad no puede servir de excusa para cualquier forma de proceder en la toma de datos e incorporación a los registros creados, pero no lo es menos que las posibles irregularidades cometidas, deberían denunciarse en la forma y manera que allí se establece".

La Propuesta del CPP se refiere a estas Bases de Datos en el art. 287.3 donde se indica que: *"Los datos identificativos extraídos de muestras que hubieran sido obtenidos en el lugar del hecho serán contrastados por la Policía Judicial con los datos obrantes en la base oficial sobre identificadores obtenidos a partir de ADN".* Y en el art. 290 en el que establece que *"1. Sólo podrán inscribirse en la base de datos policial los identificadores obtenidos a partir del ADN que proporcionen, exclusivamente, información genética reveladora de la identidad de la persona y de su sexo. 2. La cancelación de los datos se regirá por la Ley reguladora de la base de datos policial de identificadores".*

ADN Y PROCESO PENAL EN ESPAÑA. LA LABOR DE LA COMISIÓN NACIONAL PARA EL USO FORENSE DEL ADN

Antonio Alonso Alonso
Instituto Nacional de Toxicología y Ciencias Forenses.
Servicio de Biología

Sumario: I. Introducción. II. Composición y funciones de la CNUFADN. III. La acreditación de los laboratorios: el estándar en ISO/IEC 17025. IV. Estándares científicos de toma de muestras. V. La problemática de la toma de muestras con intervención corporal y el consentimiento informado. VI. El catálogo de delitos susceptibles de toma de muestras de ADN para registro en la base de datos. VII. Estándares científicos y criterios de interpretación de la prueba del ADN. VIII. El nuevo estándar europeo de 12 marcadores STR del ADN. IX. Proyectos europeos de para mejorar la eficacia y la seguridad de la base de datos nacional de ADN. X. Propuesta normativa para la reforma de la Ley de Enjuiciamiento Criminal. XI. Agradecimientos. XII. Referencias bibliográficas.

I. INTRODUCCIÓN

La firma en el año 2005 por nuestro país, en Prüm (Alemania), del Tratado de Schengen III [1] con otros seis países Europeos comprometiéndose a crear y mantener ficheros nacionales de análisis de ADN y a designar los ficheros susceptibles de ser consultados automáticamente por el resto de las partes, culminó en la aprobación por el Congreso de los Diputados de la LO 10/2007 *"Reguladora de la Base de Datos Policial Sobre Identificadores Obtenidos a partir del ADN"* [2] que posibilitó el registro de perfiles de ADN de vestigios biológicos de origen desconocido procedentes de la escena del delito, así como de los perfiles de ADN de *"muestras biológicas del sospechoso, detenido o imputado, cuando se trate de delitos graves y, en todo caso, los que afecten a la vida, la libertad, la indemnidad o la libertad sexual, la integridad de las personas, el patrimonio siempre que fuesen realizados con fuerza en las cosas, o violencia o intimidación en las personas, así como en los casos de delincuencia organizada…".* Se prevé en la ley además la utilización de la base de datos de

ADN en los procedimientos de identificación de cadáveres o de averiguación de personas desaparecidas

La ley LO 10/2007 introdujo dos novedades importantes con respecto al único artículo (Art. 363) de nuestra Ley de Enjuiciamiento Criminal (LECR) [3] que regulaba hasta la fecha la obtención y determinación del perfil de ADN del sospechoso *("Siempre que concurran acreditadas razones que lo justifiquen, el Juez de Instrucción podrá acordar, en resolución motivada, la obtención de muestras biológicas del sospechoso que resulten indispensables para la determinación de su perfil de ADN. A tal fin, podrá decidir la práctica de aquellos actos de inspección, reconocimiento o intervención corporal que resulten adecuados a los principios de proporcionalidad y razonabilidad.")*. Por un lado, la LO 10/2007 permite la toma de muestras del sospechoso detenido o imputado de los delitos graves enumerados en la letra a) del apartado 1 del artículo 3, sin necesidad de autorización judicial siempre que medie el consentimiento del afectado *("las tomas de muestras que requieran inspecciones, reconocimientos o intervenciones corporales, sin consentimiento del afectado, requerirán en todo caso autorización judicial mediante auto motivado...")*. Por otro lado, la LO 10/2007 posibilita que los perfiles de ADN puedan ser utilizados no solo en la investigación concreta por la que fueron obtenidos sino que también con otras investigaciones que se sigan por la comisión de alguno de los delitos para los que la propia ley habilita la inscripción de los perfiles de ADN en la base de datos.

Tras seis años de aplicación de la ley existe hoy en España una Base de Datos Nacional de Perfiles de ADN con mas de 300.000 registros de ADN en la que colaboran aportando perfiles 14 laboratorios de genética forense públicos pertenecientes a seis instituciones del ámbito estatal o autonómico (Comisaría general de Policía Científica, Servicio de Criminalística de la Guardia Civil, Instituto Nacional de Toxicología y Ciencias Forenses, La Unidad de Policía Científica de la Ertzaintza, la División de Policía Científica de Mossos de Esquadra y la División de policía científica de la Policía Foral Navarra).

Una importante garantía técnica establecida en la Ley 10/2007 es la que se deriva de la obligatoria acreditación con que deben contar los laboratorios que realicen los correspondientes análisis biológicos, siendo competente para conceder dicha acreditación la Comisión Nacional para el uso forense del ADN. Paradójicamente, dicha comisión no estaba creada todavía en el momento en el que entró en funcionamiento la LO 10/2007. A este respecto es necesario recordar que la reforma de la LECR que se produjo al final del año 2003 ya establecía mediante una nueva disposición adicional tercera, la necesidad de regular la Comisión Nacional para el Uso Forense del ADN (CNUFADN) con un numero importante de funciones reguladoras y de coordinación de las aplicaciones forenses del ADN.(*"El Gobierno, a propuesta conjunta de los Ministerios de Justicia y de Interior, y previos los informes legalmente procedentes, regulará mediante real decreto la estructura, composición, organización y funcionamiento de la Comisión nacional sobre el uso forense del ADN, a la que corresponderá la acreditación de los laboratorios facultados para contrastar perfiles genéticos en la investigación y persecución de delitos y la identificación de cadáveres, el establecimiento de criterios de coordinación entre ellos, la elaboración de los protocolos técnicos oficiales sobre la obtención, conservación y análisis de las muestras, la determinación de las condiciones de seguridad en su custodia y la fijación de todas aquellas medidas que garanticen la estricta confidencialidad y reserva de las muestras, los análisis y los datos que se obtengan de los mismos, de conformidad con lo establecido en las leyes."*).

Finalmente, la composición y funciones de la Comisión Nacional para el uso forense del ADN fueron reguladas por el *REAL DECRETO 1977/2008, de 28 de noviembre (BOE 11/12/2008)* [4] y la CNUFADN se constituyó en reunión plenaria por primera vez el 27 marzo de 2009.

Esta ponencia tiene por objeto mostrar la labor desarrollada por la CNUFADN, durante sus cuatro años de funcionamiento, como organismo de referencia en el estudio y la regulación de los aspectos técnicos, científicos, legales y éticos que se derivan de la aplicación forense de los análisis de ADN tanto en el ámbito de la investigación criminal, como en los procedimientos de identificación de restos cadavéricos o de averiguación personas desaparecidas.

II. COMPOSICIÓN Y FUNCIONES DE LA CNUFADN

La composición y funciones de la Comisión Nacional para el uso forense del ADN fue regulada por el *REAL DECRETO 1977/2008, de 28 de noviembre (BOE 11/12/2008)* [4] y destacan entre sus funciones:

1. La acreditación de los laboratorios.

2. El establecimiento de criterios de coordinación entre los laboratorios, así como el estudio de todos aquellos aspectos científicos y técnicos, organizativos, éticos y legales que garanticen el buen funcionamiento de los laboratorios que integran la base de datos nacional de perfiles de ADN.

3. La elaboración y aprobación de los protocolos técnicos oficiales sobre la obtención, conservación y análisis de las muestras.

4. La determinación de las condiciones de seguridad.

5. El mantenimiento de relaciones de colaboración con los organismos de otros Estados responsables del uso forense de los análisis del ADN.

6. La formulación de las propuestas, a los Ministerios de Justicia y del Interior, que se estimen necesarias para la eficacia de la investigación y persecución de delitos y la identificación de cadáveres.

Su composición es la siguiente:

"a) Presidente: El Director General de Relaciones con la Administración de Justicia.

b) Vicepresidentes: El Director del Instituto Nacional de Toxicología y de Ciencias Forenses y el representante de la Secretaría de Estado de Seguridad designado por su titular.

c) Vocales:

- *Un funcionario adscrito a los laboratorios de la Comisaría General de Policía Científica, designado por el Director General de la Policía y la Guardia Civil.*
- *Un funcionario de la Jefatura de Policía Judicial de la Guardia Civil, designado por el Director General de la Policía y la Guardia Civil.*
- *Un magistrado designado por el Ministro de Justicia.*
- *Un fiscal designado por el Ministro de Justicia.*
- *Un experto en bioética designado por el Ministro de Justicia.*
- *Un experto en genética designado por el Ministro de Ciencia e Innovación.*
- *Un experto en genética médica y patología molecular del Sistema Nacional de Salud designado por el Ministro de Sanidad y Consumo.*
- *Un médico forense designado por el Ministro de Justicia.*
- *Un facultativo del Instituto Nacional de Toxicología y de Ciencias Forenses designado por su Director, que actuará como secretario de la Comisión.*

2. Cuando los ficheros o bases de ADN de las policías autonómicas se integren en la base de datos policial sobre identificadores obtenidos a partir del ADN y se suscriba

el acuerdo correspondiente, también serán vocales de la Comisión Nacional para el uso forense del ADN:
Un representante de la base de datos de ADN dependiente de los Mossos d'Esquadra.
Un representante de la base de datos de ADN dependiente de la Ertzaintza." [4] Dentro de la CNUFADN se han creado dos grupos de trabajo:

La Comisión Técnica Permanente (CTP) para la propuesta de criterios de investigación científica y técnica, así como para la proposición a la CNUFADN de los criterios correspondientes a la acreditación de los laboratorios que estén facultados para contrastar perfiles genéticos en la investigación y persecución de delitos y la identificación de cadáveres o averiguación de personas desaparecidas; así como evaluar su cumplimiento y establecer los controles oficiales de calidad a los que deban someterse de forma periódica los mencionados laboratorios.

El Grupo Jurídico y Bioético (GJB) cuyas funciones son la valoración y propuesta de los criterios éticos y jurídicos a tener en cuenta, especialmente, en relación con la toma de muestras, los tipos delictivos, la utilización de los perfiles de ADN en base de datos, así como la conservación y cancelación de datos.

III. LA ACREDITACIÓN DE LOS LABORATORIOS: EL ESTÁNDAR EN ISO/IEC 17025

Una de las primeras tareas de la CNUFADN fue la aprobación, a propuesta de la CTP, del acuerdo sobre acreditación y control de calidad de los laboratorios [5], dando cumplimiento a lo establecido en el en el artículo 5 de la LO 10/2077 y en el Artículo 8 del REAL DECRETO 1977/2008 por el que se regula el procedimiento de evaluación de los laboratorios de análisis de ADN. Dicho acuerdo establece dos medidas fundamentales para garantizar la fiabilidad y la calidad de los análisis de ADN realizados por los laboratorios que aportan perfiles a la base de Datos nacional de ADN. Por un lado, el deber por parte de los laboratorios de superar al menos un control de calidad externo anual de entre los reconocidos por la Sociedad Internacional de Genética Forense (Ejercicio GHEP-ISFG) o por la Red Europea de Institutos de Ciencias Forenses (Ejercicio GEDNAP). Por otro lado, la obligación de los laboratorios a someterse a un proceso de evaluación de su competencia técnica por parte de la Entidad

Nacional de Acreditación (ENAC) para alcanzar y renovar periódicamente la acreditación bajo la Norma EN ISO/IEC 17025 referente a requisitos generales relativos a la competencia técnica de los laboratorios de ensayo y calibración.

La acreditación de la competencia técnica de los laboratorios bajo la norma EN ISO/IEC 17025 se hizo obligatoria para todos los laboratorios de genética forense de la Unión Europea con la aprobación de la Decisión Marco 2009/905/JAI del Consejo de la Unión Europea sobre acreditación de prestadores de servicios forenses que llevan a cabo actividades de laboratorio, en noviembre de 2009 [6].

Durante estos 4 años de funcionamiento, la CTP ha dirigido cuatro solicitudes anuales de documentación en materia de garantía de calidad y acreditación a los laboratorios de genética forense que prestan servicios en el Estado Español, en las que se solicitaba información acerca de las áreas de aplicación, los certificados de participación en controles de calidad y el estado de acreditación, con el fin de conocer el grado de cumplimiento de los laboratorios con respecto al acuerdo de la CNUFADN sobre acreditación y control de calidad. Desde 2010 se publica en el portal Web de la CNUFADN la lista anual de laboratorios acreditados [7]. En la actualidad existen 15 laboratorios públicos y 3 laboratorios privados que cumplen el acuerdo sobre acreditación y control de calidad de la CNUFADN.

IV. ESTÁNDARES CIENTÍFICOS DE TOMA DE MUESTRAS

Con el objetivo de garantizar las medidas de protección y preservación de las muestras, el procedimiento para la identificación de las mismas y el mantenimiento de la cadena de custodia, la CTP ha identificado las siguientes guías y recomendaciones científicas de toma de muestras biológicas para análisis de ADN con fines forenses:

- Recomendaciones para la recogida y envío de muestras con fines de identificación genética. Grupo Español Portugués de la Sociedad Internacional Genética Forense (GEP-ISFG) [8]. Se trata de una guía general de recomendaciones para profesionales (médicos forenses, policía judicial,...) que describe de forma muy completa los distintos tipos de muestras biológicas (de referencia, del lugar de los hechos y del cuerpo de la víctima) más apropiados según el tipo de investigación requerida, así como los procedimientos técnicos de recogida, empaquetado, documentación y cadena de custodia en cada caso.

• Recomendaciones Para La Recogida Y Remisión De Muestras Con Fines De Identificación Genética En Sucesos Con Víctimas Múltiples [9] donde se establecen los tipos de muestras (post-mortem, ante-mortem y de familiares) más adecuados y los procedimientos de recogida, identificación y custodia de las mismas, así como los formularios específicos de toma de muestras en el proceso de identificación genética en sucesos con victimas múltiples. [9]

• Las normas para la preparación y remisión de muestras objeto de análisis por el Instituto Nacional de Toxicología y Ciencias Forenses Orden JUS/1291/2010, de 13 de mayo (BOE 19/05/2010) [10].

Mas recientemente La CTP ha desarrollado unas recomendaciones generales para asegurar la calidad y la fiabilidad de los estudios de identificación genética en casos de adopciones irregulares y sustracción de recién nacidos [11]. Entre los puntos que abordan dichas recomendaciones se encuentran dos relacionados con la toma de muestras: (1) la selección y obtención de muestras de referencia y (2) la selección y obtención de muestras en exhumaciones de cadáveres de recién nacidos.

V. LA PROBLEMÁTICA DE LA TOMA DE MUESTRAS CON INTERVENCIÓN CORPORAL Y EL CONSENTIMIENTO INFORMADO

El contenido de los formularios de consentimiento informado para la toma de muestras de referencia con intervención corporal, tanto en procedimientos de investigación criminal como en los de identificación genética de personas desaparecidas, fue una de las primeras tareas abordadas por el GJB de la CNUFADN.

Se propuso en ambos casos, un formulario de toma de muestras en el que además de los datos del procedimiento, los datos de identificación del donante, el tipo de muestra recogida y los datos de la cadena de custodia, se incluyera una fórmula de consentimiento informado que recogiera al menos los siguientes aspectos:

(1) La naturaleza de los perfiles de ADN

(2) El uso y la cesión de los perfiles de ADN

(3) Los laboratorios capacitados para realizar los análisis

(4) La conservación de las muestras

(5) Los derechos de cancelación, rectificación y acceso a los datos.

> *"Con respecto a la obtención del consentimiento informado de detenidos o imputa-*
> *dos en asunto criminal, y tras un estudio del GJB sobre las garantías en la toma de*
> *muestras de ADN en investigación criminal, la figura del sospechoso desde un punto*
> *de vista jurídico y las posibles interpretaciones y consecuencias prácticas de la nega-*
> *tiva a someterse a la prueba, y atendiendo a los criterios marcados por la sentencia*
> *del Tribunal Supremo 827/2011 (con respecto a la obligatoriedad de la asistencia le-*
> *trada en la toma de muestras de ADN), se decide aprobar por unanimidad en el último*
> *Pleno de la CNUFADN del año 2011 un formulario de toma de muestras de detenidos*
> *o imputados en asunto criminal en el que se incluye la identificación de letrado y su*
> *firma y se excluye la figura del sospechoso." [12]*

El Texto aprobado del formulario de toma de muestras de detenidos o imputados en asunto criminal se recoge en el anexo I de la memoria de actividades de la CNUFADN 2011 [12].

El GJB también examinó el contenido de los formularios presentados por el Ministerio de Justicia que finalmente se aprobaron en la Orden JUS/2146/2012, de 1 de octubre *"por la que se crean determinados ficheros de datos de carácter personal relacionados con los supuestos de posible sustracción de recién nacidos y se aprueban los modelos oficiales de solicitud de información"* (BOE 244 de 10/10/2012) [13]. Se incluyen en dicha orden dos tipos de formularios de consentimiento informado según se quiera obtener la información existente en los diferentes registros administrativos o de las distintas instituciones implicadas, o si además se quiere incluir el perfil genético en la base de datos de ADN del Instituto Nacional de Toxicología y Ciencias Forenses. El objetivo del Fichero de Perfiles de ADN de personas afectadas por Sustracción de Recién Nacidos es la centralización de los perfiles de ADN de los afectados (que se encuentran dispersos en diversas bases de datos de ADN de laboratorios privados) en una única base de datos gestionada por el Instituto Nacional de Toxicología y Ciencias Forenses que permita que todas las personas implicadas puedan ser cotejadas para verificar la existencia de compatibilidades genéticas de las que puedan revelarse indicios de relaciones familiares biológicas.

VI. EL CATÁLOGO DE DELITOS SUSCEPTIBLES DE TOMA DE MUESTRAS DE ADN PARA REGISTRO EN LA BASE DE DATOS

De acuerdo a la memoria de actividades de la CNUFADN 2009-2010 [14]:

"Para la elaboración del catálogo de los delitos susceptibles de tomas de muestras de ADN se tuvo en cuenta el Código Penal, la legislación penal especial (Ley 40/1979, Control de Cambios, Ley Orgánica 5/1985, Régimen Electoral General, Ley 209/1964, penal y procesal de la Navegación Aérea), así como la legislación penal militar y la de menores. Además, de lege ferenda, se estudió el entonces proyecto de ley de reforma del Código Penal.

El artículo 3.1.a) de la Ley Orgánica 10/2007, de 8 de octubre, reguladora de la base de datos policial sobre identificadores obtenidos a partir del ADN, hace una primera delimitación de los delitos: "cuando se trate de delitos graves y, en todo caso, los que afecten a la vida, la libertad, la indemnidad o la libertad sexual, la integridad de las personas, el patrimonio siempre que fuesen realizados con fuerza en las cosas, o violencia o intimidación en las personas, así como en los casos de la delincuencia organizada, debiendo entenderse incluida, en todo caso, en el término delincuencia organizada la recogida en el artículo 282 bis, apartado 4 de la Ley de Enjuiciamiento Criminal en relación con los delitos enumerados.

Conforme a los criterios adoptados por el Grupo, de acuerdo con el citado precepto y respecto a los delitos graves, se han considerado aquellos con pena superior a cinco años no privativa de libertad, dando prioridad a los delitos que dejen huella genética. Se han excluido los delitos con pena principal no privativa de libertad superior a 5 años, al entender que dado lo extenso del catálogo éstos no deberían recibir tal consideración. Por otro lado, se han incluido los que atenten contra las personas (homicidios dolosos, asesinatos, lesiones, detenciones ilegales y secuestros, agresiones sexuales), contra las salud pública (tráfico de drogas), contra el orden público (terrorismo) y contra el patrimonio (robos con fuerza en las cosas o con violencia o intimidación en las personas) y delitos cometidos por la delincuencia organizada.

Asimismo, para salvaguardar el principio de proporcionalidad se decidió que en un futuro protocolo de actuación se debía incluir una cláusula en la se establezcan unos criterios de actuación en calidad a los principios de proporcionalidad y eficacia, que aconsejen la toma de muestras preferentemente en aquellos delitos que dejen huella genética, en casos de reincidencia y en los supuestos que afecten a bienes jurídicos más relevantes como son la vida, libertad, indemnidad o libertad sexual, integridad en las personas, patrimonio con fuerza en las cosas o violencia o intimidación en las personas o delincuencia organizada." [14]

El extenso catálogo de delitos elaborado por el GJB se encuentra publicado en el ANEXO III de la memoria de actividades 2009-2010 de la CNUFADN [14].

VII. ESTÁNDARES CIENTÍFICOS Y CRITERIOS DE INTERPRETACIÓN DE LA PRUEBA DEL ADN

Con respecto a los estándares científicos de análisis e interpretación de marcadores genéticos (STRs Autosómicos, STRs de Cromosoma Y y ADN mitocondrial) en el ámbito forense, la CTP recomienda las guías internacionales acordadas por la Comisión de ADN [15] y la Comisión de Pruebas de Paternidad de la Sociedad Internacional de Genética Forense (ISFG) [16], que incluyen normas de la nomenclatura, los sistemas de análisis, la garantía de calidad y los criterios de interpretación de la prueba en diversas aplicaciones forenses de la prueba del ADN. Con respecto a la gestión de bases de datos de ADN de interés criminal y de identificación de desaparecidos los laboratorios representados en la CTP se han adherido al documento de recomendaciones desarrollado por el Grupo de ADN de la Red Europea de Institutos de Ciencias Forenses (ENFSI DNA WG) [17]

La CTP, consciente de la dificultad técnica de algunos de los estudios de identificación genética, en casos de sustracción de recién nacidos ha elaborado un documento de *"Recomendaciones sobre los estudios de identificación genética en casos de adopciones irregulares y sustracción de recién nacidos"* [11] que fue aprobado por la CNUFADN en su Pleno de fecha 16/05/2012. Se trata de unas recomendaciones generales para asegurar la calidad y la fiabilidad de los estudios de identificación genética en casos de adopciones irregulares y sustracción de recién nacidos, tanto en la búsqueda de compatibilidades entre individuos vivos mediante bases de datos de ADN, como en el análisis de identificación genética de restos de exhumación de recién nacidos. Las recomendaciones incluyen los siguientes aspectos: la selección y obtención de muestras de referencia, la selección y obtención de muestras en exhumaciones de cadáveres de recién nacidos, los análisis genéticos y la acreditación de laboratorios, el registro y la búsqueda en base de datos de ADN y los criterios de interpretación y comunicación de compatibilidades.

Más recientemente, la CTP ha progresado también en la discusión y la elaboración de un documento general de recomendaciones sobre validación y análisis de perfiles mezcla de marcadores STR autosómicos del ADN en genética forense abordando los siguientes aspectos: (1) los criterios de acreditación y medidas de garantía de calidad, (2) recomendaciones sobre estudios de validación Interna, (3) controles anti contaminación y caracterización del efecto drop-in, (4) criterios de análisis e interpretación de perfiles de ADN mezcla y (5) valoración estadística. Las recomendaciones fueron aprobadas por el Pleno de la CNUFADN de fecha 17/09/2013.

VIII. EL NUEVO ESTÁNDAR EUROPEO DE 12 MARCADORES STR DEL ADN

Siguiendo las recomendaciones científicas de la Red Europea de Institutos de Ciencias Forenses (ENFSI) sobre la necesidad de aumentar el poder de discriminación y la compatibilidad de las búsquedas internacionales entre bases de datos nacionales de ADN, la resolución de 30 de Noviembre de 2009 relativa al intercambio de resultados de análisis de ADN (2009/C 296/01) del Consejo de Europa [18] establece un nuevo conjunto de 12 marcadores STR (D1S1656, D2S441, D3S1358, FGA, D8S1179, D10S1248, TH01, vWA, D12S391, D18S51, D21S11 y D22S1045) para el intercambio de datos de ADN entre las distintas Bases de Datos Nacionales de ADN de los Estados miembros de la Unión Europea. De esta forma se intenta aumentar la compatibilidad en las regiones STR del ADN estudiadas por los distintos laboratorios de genética forense europeos y se reduce así la posibilidad de coincidencias fortuitas (coincidencia en el perfil de ADN entre dos personas no relacionadas genéticamente) que se observan en las búsquedas internacionales con perfiles de ADN parciales (de solamente 6-8 regiones STR).

Para poder aplicar los nuevos marcadores STR del estándar europeo en el ámbito forense fue necesario realizar previamente una serie de estudios de validación, poblacionales y de concordancia. Dicho estudio fue llevado a cabo por los cinco laboratorios de genética forense representados en la CTP y pertenecientes a las siguientes instituciones: Cuerpo Nacional de Policía, Guardia Civil, Ertzaintza, Mossos de Esquadra e Instituto Nacional de Toxicología y Ciencias Forenses.

Los resultados de dichos análisis (frecuencias alélicas, test estadísticos, análisis de concordancia entre los distintos sistemas de análisis) han sido publicados [19] y puestos a disposición de la comunidad científica en el Portal Web de la CNUFADN.

El pleno de la CNUFADN de fecha 29/11/2011 a propuesta de la CTP acordó hacer efectiva la implementación del nuevo conjunto de marcadores STR Europeo en la base de datos policial española sobre identificadores obtenidos a partir del ADN durante el primer trimestre de 2012 [12].

IX. PROYECTOS EUROPEOS DE PARA MEJORAR LA EFICACIA Y LA SEGURIDAD DE LA BASE DE DATOS NACIONAL DE ADN

Durante el año 2012 han sido concedidos dos proyectos a los laboratorios representados en la CTP por parte de la Comisión Europea dentro del Sub-Programa de subvenciones a proyectos del denominado "Prevención y lucha contra el crimen" que se enmarca en el programa de "Seguridad y defensa de las libertades".

Por un lado, el proyecto *IDNADEX (Improving DNA Data Exchange)* propone la validación de un sistema de análisis de 21 marcadores STR de ADN que incluye los marcadores de ADN del nuevo estándar europeo y los marcadores de ADN de CODIS (EEUU). Se trata de un desarrollo tecnológico que mejora el intercambio de datos de ADN entre las bases de datos Nacionales de ADN de los estados miembros (10 Millones de perfiles en Europa, 200.000 perfiles en la base de datos de ADN de España) y el intercambio con Estados Unidos (CODIS). Se busca un aumento del numero de marcadores STR comparables con los millones de perfiles STR que ya existen en las bases de datos de ADN de todo el mundo (20 millones de perfiles). Supone un incremento en varios ordenes de magnitud del poder de discriminación de los análisis de ADN en las siguientes aplicaciones: Identificación de vestigios de interés criminal, identificación genética de desparecidos, identificación de victimas de grandes catástrofes, identificación de victimas en fosas comunes y diversos estudios de parentesco genético.

Por otro lado, el proyecto *NETDNAMATCH (National Network for DNA Match Information Exchange)* propone el desarrollo de una red nacional para el intercambio y la gestión de la información de las coincidencias de ADN obtenidas en la base de datos, proceso que en la actualidad es poco eficiente y seguro. Pretende automatizar el proceso de comunicación y gestión de coincidencias de ADN obtenidas en el sistema CODIS entre las cinco instituciones implicadas en el proceso (Instituto Nacional de Toxicología y Ciencias

Forenses, Comisaría General de Policía Científica, Guardia Civil, Ertzaintza y Mossos d'Esquadra).

X. PROPUESTA NORMATIVA PARA LA REFORMA DE LA LEY DE ENJUICIAMIENTO CRIMINAL

Una de las funciones de la CNUFADN es la *"La formulación de las propuestas, a los Ministerios de Justicia y del Interior, que se estimen necesarias para la eficacia de la investigación y persecución de delitos y la identificación de cadáveres".* Durante el año 2012 la CNUFADN elaboró en el seno del GJB una propuesta normativa sobre aquellos temas relacionados con la investigación criminal mediante ADN, para su posterior remisión a la Comisión Institucional de reforma de la Ley de Enjuiciamiento Criminal. La propuesta se aprobó en el Pleno de la CNUFADN de fecha 11 de diciembre de 2012. Se resumen los puntos más importantes de dicha propuesta [20]:

1. La necesidad de una regulación detallada en la nueva ley procesal de los distintos aspectos de la prueba de ADN en el proceso penal que debe de armonizarse con lo dispuesto en la LO 10/2007 y con los requisitos y garantías establecidos por la jurisprudencia.

2. El desarrollo de una regulación específica sobre toma de muestras y análisis de ADN, incluyendo las garantías técnicas y procesales de la toma, el tipo de marcadores de ADN, la acreditación de los laboratorios y el control judicial del proceso, así como un pronunciamiento sobre los posibles tipos de búsquedas genéticas en la base de datos nacional de ADN y en especial determinados supuestos de búsqueda familiar directa o indirecta en investigación criminal y los posibles análisis genéticos en masa.

3. El desarrollo de medidas específicas para hacer efectiva la cancelación de perfiles de ADN en la base de datos y en concreto el desarrollo de los mecanismos necesarios para automatizar la comunicación de cancelaciones por parte de la oficina judicial a la base de datos y una modificación legislativa que asegure que las decisiones judiciales de cancelación de perfiles ADN sean inmediatamente comunicadas a las autoridades encargadas de las bases de datos de perfiles genéticos.

4. La inclusión de la categoría de condenados en el registro de la base nacional de datos de ADN

"El Pleno de la Comisión Nacional para el uso forense del ADN remitió la propuesta normativa a la Comisión Institucional para la reforma de la Ley de Enjuiciamiento Criminal, solicitando poder informar una vez se elaborara un texto articulado y, en todo caso, con carácter previo cualquier proyecto normativo que afecte a las materias relativas al uso forense del ADN." [20]

XI. AGRADECIMIENTOS

A todos los vocales de la CNUFADN así como a los representantes y coordinadores de los grupos de trabajo (CTP y GJB) que son los que han inspirado y llevado a cabo todas las iniciativas y actividades que se describen en este estudio.

A la profesora Planchadell y al profesor Colomer y a todo su equipo de la Universitat Jaume-I por la magnífica dirección y organización del curso de verano "P*ruebas científicas, ADN y proceso penal"* donde se presentó este trabajo por vez primera.

XII. REFERENCIAS BIBLIOGRÁFICAS

1. Tratado entre el Reino de Bélgica, la República Federal de Alemania, el Reino de España, la República Francesa, el Gran Ducado de Luxemburgo, el Reino de los Países Bajos y la República de Austria relativo a la profundización de la cooperación transfronteriza, en particular en materia de lucha contra el terrorismo, la delincuencia transfronteriza y la migración ilegal. COUNCIL OF THE EUROPEAN UNION Brussels, 7 July 2005 (28.07) (OR. n l)10900/05http://eur-lex.europa.eu/LexUriServ/LexUriServ.do?uri=OJ:C:2008:125E:0120:0141:ES:PDF

2. LEY ORGÁNICA 10/2007, de 8 de octubre, reguladora de la base de datos policial sobre identificadores obtenidos a partir del ADN. BOE 09/10/2007.
http://www.boe.es/boe/dias/2007/10/09/pdfs/A40969-40972.pdf

3. Ley Orgánica 15/2003 de 25 de noviembre por la que se modifica la Ley Orgánica 10/1995 de 23 de noviembre del Código Penal. BOE 26 de Noviembre de 2003.
http://www.boe.es/boe/dias/2003/11/26/pdfs/A41842-41875.pdf

4. REAL DECRETO 1977/2008, de 28 de noviembre, por el que se regula la composición y funciones de la Comisión Nacional para el uso forense del ADN.
http://www.boe.es/boe/dias/2008/12/11/pdfs/A49596-49598.pdf

5. Acuerdo de la Comisión Nacional para el Uso Forense del ADN sobre acreditación y control de calidad de los laboratorios.

https://www.administraciondejusticia.gob.es/paj/PA_WebApp_SGNTJ_NPAJ/descarga/Acuerdo_sobre_acreditacion_y_control_de_calidad_de_los_laboratorios.pdf?idFile=a43610c9-a8ff-422a-bef2-1b95adefe7c6

6. DECISIÓN MARCO 2009/905/JAI DEL CONSEJO de 30 de noviembre de 2009 sobre acreditación de prestadores de servicios forenses que llevan a cabo actividades de laboratorio.
http://eur-lex.europa.eu/LexUriServ/LexUriServ.do?uri=OJ:L:2009:322:0014:0016:ES:PDF

7. Relación de Laboratorios que cumplen con el acuerdo de la Comisión Nacional para el Uso Forense del ADN (CNUFADN) sobre acreditación y control de calidad de los laboratorios. Ministerio de Justicia 2012
https://www.administraciondejusticia.gob.es/paj/PA_WebApp_SGNTJ_NPAJ/descarga/Relacion_Laboratorios_Cumplimiento_Acuerdo_CNUFADN_2012.pdf?idFile=0a21ea71-e54d-4996-b52e-d4f8ea16b799

8. Recomendaciones para la recogida y envío de muestras con fines de identificación genética. Grupo Español Portugués de la Sociedad Internacional Genética Forense (GEP-ISFG) Madeira 2/06/2000
https://www.administraciondejusticia.gob.es/paj/PA_WebApp_SGNTJ_NPAJ/descarga/Recomendaciones_Toma_de_Muestras_GHEP_ISFG.pdf?idFile=b2ac86ea-4790-4328-98ea-c517a680aa05

9. Real Decreto 32/2009, de 16 de enero, por el que se aprueba el Protocolo nacional de actuación Médico-forense y de Policía Científica en sucesos con víctimas múltiples. BOE 06/02/2009
http://www.boe.es/boe/dias/2009/02/06/pdfs/BOE-A-2009-2029.pdf

10. Orden JUS/1291/2010, de 13 de mayo, por la que se aprueban las normas para la preparación y remisión de muestras objeto de análisis por el Instituto Nacional de Toxicología y Ciencias Forenses.
http://www.boe.es/boe/dias/2010/05/19/pdfs/BOE-A-2010-8030.pdf

11. Recomendaciones sobre los estudios de identificación genética en casos de adopciones irregulares y sustracción de recién nacidos. Comisión Nacional para el uso Forense del ADN (16/05/2012).
https://www.administraciondejusticia.gob.es/paj/PA_WebApp_SGNTJ_NPAJ/descarga/Recomendaciones_sobre_identificacion_genetica_en_adopciones_irregulares_y_sustraccion_de_recien_nacidos.pdf?idFile=90430626-4d5e-4817-ab91-48cd4f12f71c

12. Comisión Nacional Para el Uso Forense Del ADN: Actividades 2011. Ministerio de Justicia. Secretaría General Técnica
https://www.administraciondejusticia.gob.es/paj/PA_WebApp_SGNTJ_NPAJ/descarga/Memoria_ADN_2011.pdf?idFile=1e5a5302-5de4-4f10-b1eb-e5be74e546ba

13. Orden JUS/2146/2012, de 1 de octubre, por la que se crean determinados ficheros de datos de carácter personal relacionados con los supuestos de posible sustracción de recién nacidos y se aprueban los modelos oficiales de solicitud de información (BOE 244 de 10/10/2012)
http://www.boe.es/boe/dias/2012/10/10/pdfs/BOE-A-2012-12648.pdf

14. Comisión Nacional Para el Uso Forense Del ADN: Actividades 2009-2010. Ministerio de Justicia. Secretaría General Técnicahttps://www.administraciondejusticia.gob.es/paj/PA_WebApp_SGNTJ_NPAJ/descarga/Memoria_ADN_2009_2010.pdf?idFile=4cb3f062-c954-4296-8fa5-43d4bad8dba8

15. International Society of Forensic Genetics. Recommendations of the DNA Commission
    http://www.isfg.org/Publications/DNA+Commission
16. International Society of Forensic Genetics. Recommendations of the Paternity Testing
    Commission
    http://www.isfg.org/Publications/Paternity+Testing+Commission
17. DNA-database management review and recommendations ENFSI DNA working group
    april 2012.
    http://www.enfsi.eu/sites/default/files/documents/enfsi_document_on_dna-database_
    management_2012_0.pdf
18. RESOLUCIÓN DEL CONSEJO de 30 de noviembre de 2009 relativa al intercambio de resul-
    tados de análisis de ADN (2009/C 296/01
    http://eur-lex.europa.eu/LexUriServ/LexUriServ.do?uri=OJ:C:2009:296:0001:0003:ES:PDF
19. García O, Alonso J, Cano J.A., García R, Luque GM, Martín P, de Yuso IM, Maulini
    S, Parra D, Yurrebaso I. Population genetic data and concordance study for the kits Iden-
    tifiler, NGM, PowerPlex ESX 17 System and Investigator ESSplex in Spain. Forensic Sci Int
    Genet. 2012 Mar ;6(2):e78-9.
20. Comisión Nacional Para el Uso Forense Del ADN: Actividades 2012. Ministerio de Justicia.
    Secretaría General Técnica

LA PRUEBA DE ADN EN EL FUTURO PROCESO PENAL ESPAÑOL

JOSÉ FRANCISCO ETXEBERRÍA GURIDI
Catedrático de Derecho Procesal
Universidad del País Vasco (UPV/EHU)

Sumario: I. Introducción: ¿Qué queremos decir cuando hablamos del ADN en el futuro proceso penal español? II. La influencia de las políticas de la UE. III. Futuro efecto expansivo. La experiencia de otros ordenamientos: 1) Evolución expansiva en Inglaterra y Gales 2) Evolución expansiva en Alemania: 3) Evolución expansiva en Francia. IV. Las previsiones contenidas en el Anteproyecto de LECrim. de julio de 2011: 1) Obtención de muestras e intervenciones corporales: 2) El empleo de la coacción en la obtención de muestras: 3) Investigaciones mediante marcadores de ADN: V. Conclusiones.

I. INTRODUCCIÓN: ¿QUÉ QUEREMOS DECIR CUANDO HABLAMOS DEL ADN EN EL *FUTURO* PROCESO PENAL ESPAÑOL?

Hablar del futuro entraña un riesgo evidente: errar en las predicciones. A no ser que se cuente, que no es el caso, de alguna aptitud o habilidad adivinatoria de lo que pudiere acontecer en tiempos venideros. Por esta simple razón, antes de proceder a explayarnos acerca de lo que pudiera ocurrir en el futuro proceso penal español con la prueba de ADN, la prudencia nos exige aclarar el marco dentro del cual se desarrollará nuestra intervención.

Para asegurar en sus justos términos que nuestro discurso no peque en exceso de ser especulativo o que no se limite al planteamiento de meras conjeturas, adelantamos cuáles han de ser los tres ejes que han de sustentar nuestra hipótesis acerca del futuro en España de la prueba de ADN. Nos parece de todo punto razonable, por ejemplo, advertir que el legislador procesal español no gozará en el futuro de la libertad propia de un Estado absolutamente autárquico en el ejercicio de su *ius puniendi* en los términos que ha sido entendido, al menos, hasta ahora. Muy al contrario, la futura política legislativa española en el marco del proceso penal y, muy particularmente, en el ámbito del ADN, estará condicionada por las políticas procedentes de otros centros de decisión supranacional. Nos referimos, fundamentalmente, a las consecuencias que se derivarán de la pertenencia del Estado español a la Unión Europea (UE), y a la asunción por ésta de un protagonismo cada vez más creciente en la propuesta y adopción de iniciativas normativas en torno a aspectos vinculados directamente con la prueba de ADN. Éste condicionante constituirá el primer eje sobre el que gire nuestra aportación.

Tampoco parece excesivamente aventurado sostener que la prueba de ADN ha de experimentar en un futuro no muy lejano, un uso muy extensivo en el proceso penal español. ¿En que nos apoyamos para realizar semejante afirmación? En lo acaecido en los ordenamientos más próximos al nuestro. Cuando en la década de los noventa, los países de nuestro entorno deciden dotarse de la necesaria regulación para abordar el uso de las técnicas de ADN en el marco del proceso penal, lo hacen por regla general con no pocas precauciones y cautelas[1].

No obstante, estas primeras regulaciones europeas sobre el uso forense del ADN que podemos calificar de restrictivas o garantistas, evolucionan con el tiempo en sentido contrario, produciéndose en la mayoría de los Estados de nuestro entorno un fenómeno claramente expansivo[2]. Con ello queremos decir que, no sólo se desvanecen las limitaciones —por ejemplo, en lo tocante al ámbito de aplicación de las técnicas genéticas— imperantes en ese primer momento, sino que incluso ese efecto expansivo se acompaña de una paralela relajación de las garantías procesales que rodeaban inicialmente dichas técnicas. El segundo eje sobre el que descansarán nuestras "elu-

---

[1]   El uso de estas técnicas genéticas se regulaba rodeado de una serie de garantías procesales y sujeto a una serie de limitaciones que conducían, con alguna excepción como la inglesa, a una regulación bastante restrictiva de la materia. El motivo de tales prevenciones no es otro que la incidencia que la aplicación de las técnicas de genética forense tiene en la esfera de los derechos fundamentales del individuo.

[2]   Se refiere M.J. CABEZUDO BAJO al fomento por los legisladores del tamaño de las bases de datos de ADN, "Fiabilidad y licitud de la prueba de ADN en la UE y en España", *El proceso penal en la sociedad de la información. Las nuevas tecnologías para investigar y probar el delito*, (J. PÉREZ GIL coord.), La Ley, Madrid, 2012, p. 391.

cubraciones" sobre el futuro, toma como punto de partida el análisis de la experiencia de los ordenamientos de nuestro entorno más próximo.

Por último, no podemos dejar pasar la oportunidad de plantear cuál hubiera sido el resultado último en la materia que nos ocupa de haberse tramitado parlamentariamente y aprobado la reforma integral de la LECrim. recogida en el Anteproyecto de Ley de Enjuiciamiento Criminal (ALECrim.) que se hizo público por el Ministerio de Justicia en julio del año 2011. Es cierto que la disolución de las Cortes ha impedido que se haga efectivo el debate que precede a la aprobación de una norma procesal de la trascendencia propia de la misma. Pero ello no ha de ser óbice para resaltar las aportaciones positivas que sobre la materia contiene el ALECrim. o, por el contrario, criticar de cara al futuro aquello que pueda ser objeto de mejora en nuestra opinión. Este será el tercer eje de nuestro discurso, sin olvidar que este análisis nos da la oportunidad de incorporar referencias de suma relevancia procedentes de nuestros tribunales, pues, nos atrevemos a decir, no sólo la regulación de esta materia (básicamente la LO 10/2007) es tardía en España, sino que, además y lamentablemente, no responde a todas las cuestiones que se han planteado en la aplicación práctica de estas técnicas[3].

II. LA INFLUENCIA DE LAS POLÍTICAS DE LA UE

La influencia en el ordenamiento español de las medidas adoptadas en polos de decisión ubicados en las instituciones europeas es ya una realidad. La regulación más reciente y extensa sobre la materia, la LO 10/2007, de 8 de octubre, reguladora de la base de datos policial sobre identificadores obtenidos a partir del ADN, tiene su origen en el Tratado de Prüm firmado el 27 de mayo de 2005[4]. Se trata de un Tratado materializado entre Estados pertenecientes a la UE, pero al margen de la misma. En todo caso, el Derecho de la

---

3   Por no cansar con algo que será objeto de desarrollo en su lugar oportuno, podemos traer a colación el problema que plantea la posibilidad o no de recurrir a la fuerza física en el caso de que el sujeto que ha de aportar las muestras biológicas necesarias para ello, se niegue a colaborar con las autoridades competentes.

4   Acerca del Tratado de Prüm desde la perspectiva de los datos de ADN, *vid.* J. LÓPEZ BARJA DE QUIROGA, "El registro único de las huellas de ADN, la protección de datos y la investigación criminal", AA.VV., *La protección de datos en la cooperación policial y judicial*,

UE está presente a lo largo del Tratado[5] y derivará en la Decisión 2008/615/ JAI. Esta Decisión tiene por objeto el intercambio de datos de ADN, de datos dactiloscópicos y de datos de los registros de matriculación de vehículos.

Siendo importantes esta Decisión y el Tratado de Prüm en la materia que nos ocupa, lo cierto es que con anterioridad ya existían varias iniciativas, en nuestra opinión importantes, que disfrazadas de aspectos técnico-metodológicos tenían una repercusión esencial en cuestiones jurídicas de calado, tales como la relativa a la extensión del análisis genético y su repercusión en el derecho a la intimidad. Igualmente importante ha sido la labor desarrollada por el Consejo de Europa y la Recomendación Nº R (92) 1 de su Comité de Ministros, de 10 de febrero de 1992, sobre la utilización del ADN en el marco del sistema de justicia penal[6]. Nos interesa destacar que la Recomendación, pese a responder al carácter genérico propio de estas resoluciones, admite que la práctica de estas técnicas incide en derechos fundamentales como la dignidad del individuo, el respeto al cuerpo humano o los derechos de la defensa. Consecuentemente, incorpora como recomendaciones relevantes garantías respecto de la persona afectada.

AEPD/Aranzadi, Navarra, 2008, pp. 285-290. Sobre el Tratado en su globalidad *vid.* el monográfico de la *Revista de Derecho Constitucional Europeo*, 2007, núm. 7.

[5]   El art. 1.(4) del Tratado dispone que en el plazo máximo de tres años tras su entrada en vigor, se pondrá en marcha una iniciativa para trasladar las disposiciones del mismo al marco jurídico de la UE. En los términos que indicamos, el art. 47. (1) del Tratado atribuye prioridad al Derecho de la UE al disponer que sus disposiciones sólo serán aplicables en la medida en que fueran compatibles con aquél. En cumplimiento de tales previsiones se aprueba ya en el marco del derecho de la UE la Decisión 2008/615/JAI del Consejo, de 23 de junio de 2008, sobre profundización de la cooperación transfronteriza, en particular en materia de lucha contra el terrorismo y la delincuencia transfronteriza, que como reconoce en su considerando (1) incorpora los aspectos esenciales del Tratado de Prüm en el ordenamiento jurídico de la UE.

[6]   La citada Recomendación Nº R (92) 1 aborda todas las cuestiones importantes vinculadas al uso del ADN en el proceso penal. Se refiere, por ejemplo, a la obtención de las muestras corporales mediante la realización de intervenciones corporales. También a la realización de los análisis de ADN, estableciendo algunos criterios acerca de su extensión, así como de los requisitos que han de cumplir los laboratorios que los realizan. Por último, con expresa mención del Convenio para la protección de las personas en relación con el tratamiento automatizado de datos de carácter personal, de 28 de enero de 1981, se contienen propuestas bastante precisas sobre la protección de la información resultante de los análisis de ADN (conservación tanto de datos como de muestras).

Esta Recomendación Nº R (92) 1 tuvo una influencia decisiva en no pocos ordenamientos europeos. Tomando como premisa las garantías y precauciones propuestas en esta Recomendación, muchos de los ordenamientos de nuestro entorno se dotan de la conveniente regulación en una materia tan necesitada de ella por la mencionada incidencia en los derechos del individuo. No es el caso de España, donde la regulación es tardía y no muy satisfactoria. Desafortunadamente, no ha sido por falta de iniciativas legislativas que por ignoradas razones no llegaban a buen puerto[7].

Trascendiendo del marco de las meras recomendaciones del Consejo de Europa, se han adoptado en el ámbito de la Unión Europeas (o, con anterioridad, de las Comunidades Europeas) disposiciones jurídicas, algunas vinculantes otras no, directamente relacionadas con la materia que nos ocupa y que muestran su influencia en la actuación de los operadores jurídicos españoles. La gran mayoría de estas iniciativas de la UE tienen como último objetivo favorecer el intercambio de la información de ADN entre los Estados miembros con motivo de la investigación de hechos delictivos. Aunque para ello sea preciso incidir en cuestiones de orden técnico, no orillan absolutamente importantes pronunciamientos relativos a los derechos del individuo que pudieran resultar afectados.

---

[7] De este modo, el BOCG publicaba el 3 de marzo de 1995 (núm. 112-1) una Proposición de Ley presentada por el Grupo Parlamentario Popular, sobre el uso y práctica de prueba del análisis del ADN dentro de la estructura del sistema de Derecho penal y en la investigación de la paternidad, cuya Exposición de Motivos menciona expresamente la Recomendación Nº R (92) 1 y reconoce que se trada de una adaptación de la misma al ordenamiento jurídico español. El Borrador de Anteproyecto de Ley reguladora de las bases de datos de ADN también hace en su Exposición de Motivos una mención expresa a la Recomendación Nº R (92) 1 y a la remisión al derecho interno de los Estados miembros para una regulación específica, así como a la experiencia de otros países próximos que ya la han incorporado. La primera versión de este Borrador de Anteproyecto apareció en el *BIMJ*, en su suplemento al número 1854 de 1999. En el número 1867 apareció una segunda versión con el propósito de adapar el Borrador a la nueva LO 15/1999, de protección de datos de carácter personal. La vigente LO 10/2007 también hace referencia a la Recomendación Nº R (92) 1 del Consejo de Europa en su Preámbulo. Podemos afirmar, en cambio, que, por la distancia tanto en el tiempo como en el contenido respecto de aquellas primeras iniciativas, la influencia de dicha Recomendación en la mencionada LO es mucho menor.

A esta categoría pertenecen las tres Resoluciones del Consejo relativas, todas ellas, al intercambio de resultados de análisis de ADN. La Resolución de 9 de junio de 1997 (DO C 193, de 24 de junio de 1997) invita a los Estados miembros a que consideren la creación de bases de datos nacionales de ADN. Para ello se contienen unas propuestas de normalización de las técnicas de ADN[8]. Pero también importantes consideraciones a los derechos del individuo afectado. Por ejemplo, que los datos objeto de intercambio se limiten a los correspondientes a la parte no codificante de la molécula de ADN, es decir, los que no contienen información sobre rasgos hereditarios específicos; que la toma del ADN se acompañe de garantías que protejan la integridad física de la persona; o que la legislación nacional se ajuste al Convenio nº 108 del Consejo de Europa (de 28 de enero de 1981) sobre protección de las personas respecto al tratamiento automatizado de datos personales. La Resolución de 25 de junio de 2001 (DO C 187, de 3 de julio de 2001) sigue idénticas pautas enumerando en un anexo I los marcadores de ADN que invita a utilizar a los Estados miembros y con idéntica limitación de que los análisis de ADN no se extiendas a zonas cromosómicas que expresen información genética ("características hereditarias específicas")[9]. Esta última Resolución es reemplazada por otra también del Consejo, de 30 de noviembre de 2009, que no es más que una actualización y ajuste de las cuestiones técnicas relacionadas con los marcadores de ADN a utilizar, pero que reitera la limitación de las zonas del ADN a analizar.

Más trascendental por su carácter vinculante es la Decisión 2008/615/JAI del Consejo, de 23 de junio de 2008, sobre profundización de la cooperación transfronteriza, en particular en materia de lucha contra el terrorismo y

---

[8]   Se insta a los Estados miembros a que, con vistas a un intercambio a escala europea de los resultados de ADN, se estructuren las bases de datos "con arreglo a normas comunes y de forma compatible" y que se utilicen preferentemente "marcadores de ADN idénticos".

[9]   En esta Resolución se afirma que no existe constancia de que los marcadores de ADN propuestos contengan información de tal naturaleza, pero se advierte igualmente que si futuros avances científicos demostrasen lo contrario, recomienda a los Estados miembros que no los sigan utilizando y que, incluso, estén preparados para borrar dichos resultados.

la delincuencia transfronteriza[10]. Se trata de una disposición normativa que incorpora al ordenamiento jurídico de la UE las principales disposiciones del Tratado de Prüm firmado entre algunos Estados miembros de la UE, pero al margen de la misma. En cuanto nos concierne, se dispone en dicha Decisión que los Estados miembros "crearán y mantendrán ficheros nacionales de análisis del ADN para los fines de la persecución de delitos" (art. 2.1)[11].

Lo reflejado hasta aquí es una muestra de que en la regulación de la materia que nos ocupa, la influencia de instituciones europeas ha sido determinante. ¿Lo seguirá siendo en el futuro? En vista de los profundos cambios que el Tratado de Lisboa ha supuesto para el denominado "espacio de libertad, seguridad y justicia", podemos afirmar que la repercusión de los actos de las instancias europeas en el ordenamiento español se incrementará.

El Tratado de Lisboa, en vigor desde 2009, afecta sobremanera al espacio de libertad, seguridad y justicia en el que se enmarcaba la cooperación policial y judicial en materia penal. Dicho Tratado, pone fin a la estructura en pilares instaurada con el Tratado de Maastricht (1992). Conforme a este último, la cooperación en los ámbitos de "justicia e interior" se centraliza en el Título VI del TUE. Esto es, el denominado "tercer pilar" de claros matices intergubernamentales. Con el Tratado de Amsterdam (1997), la cooperación judicial en materia civil se comunitariza, pasa al "primer pilar", mientras que la cooperación judicial y policial en materia penal se mantiene en el "tercer pilar". Esto implica que la soberanía estatal se mantiene formalmente intacta y que, consecuentemente, las decisiones se han de adoptar por unanimidad. En todo caso, se incorporan algunas novedades que presentan ciertos "rasgos" comunitarios. Por ejemplo, se incorporan dos nuevos instrumentos normativos: las decisiones marco y las decisiones[12]. La desaparición del di-

---

[10]   A la que hay que sumar la Decisión 2008/616/JAI, del Consejo y de la misma fecha, de ejecución de la anterior.

[11]   Aunque no lo confiese expresamente, la LO 10/2007, de 8 de octubre, reguladora de la base de datos policial sobre identificadores obtenidos a partir del ADN, es una expresión del Tratado de Prüm. La LO es previa a la Decisión 2008/615/JAI, pero España fue una de las firmantes de dicho Tratado y en el Preámbulo de aquélla se hace referencia a "los compromisos internacionales progresivamente adquiridos por nuestro país en materia de intercambio de perfiles de ADN".

[12]   La Decisión 2008/615/JAI pertenece a esta última categoría de actos adoptados en aplicación del Título VI (tercer pilar). Los instrumentos normativos pertenecientes al "tercer

seño de pilares y la consiguiente comunitarización trae como consecuencia la unificación de los actos jurídicos y la generalización del procedimiento legislativo ordinario. Este procedimiento está basado en la codecisión entre el Parlamento y el Consejo por mayoría en cada uno de los bloques, abandonando el régimen de unanimidad en el seno del Consejo, característico de los actos del "tercer pilar"[13]. Es de suponer que estos profundos cambios en cuanto al procedimiento legislativo, el incremento de las competencias de control democrático por los parlamentos nacionales, así como el incremento de las competencias del Tribunal de Justicia de la UE, contribuirán a superar las reticencias que han rodeado las iniciativas adoptadas en el marco de la cooperación en materia penal[14].

III. FUTURO EFECTO EXPANSIVO. LA EXPERIENCIA DE OTROS ORDENAMIENTOS

La aplicación de las técnicas de ADN en la investigación de hechos delictivos comprende, en su globalidad, tres modalidades diferentes de diligencias o actuaciones. Por un lado, se encuentra la consistente en la realización por

---

pilar" escapan del poder decisorio del Parlamento. Motivo por el que se ha cuestionado su legitimidad democrática. *Vid:* Bernd SCHÜNEMANN, "¿Peligros para el Estado de Derecho a través de la europeización de la administración de justicia penal", en *El Derecho Procesal Penal en la Unión Europea*, (T. ARMENTA DEU/F. GASCÓN INCHAUSTI/M. CEDEÑO HERNÁN coord.), Colex, Madrid, 2006, p. 25.

[13]   No obstante, persisten todavía algunas manifestaciones de la soberanía de los Estados miembros a modo de cláusulas de salvaguarda o "freno de emergencia". En concreto, la previsión del art. 82.3 TFUE que permite sortear el procedimiento legislativo ordinario o acudir al procedimiento de cooperación reforzada si algún Estado considera que una concreta iniciativa afecta a "aspectos fundamentales de su sistema de justicia penal".

[14]   Para profundizar en las repercuciones del Tratado de Lisboa en el espacio de libertad, seguridad y justicia, *vid.:* M. JIMENO BULNES, "La conclusión del Tratado de Lisboa: avances y concesiones en materia de cooperación judicial penal", *La Ley*, 2008, núm. 7023; I. LIROLA DELGADO, "La cooperación judicial en materia penal en el Tratado de Lisboa: ¿un doble proceso de comunitarización y consolidación a costa de posibles frenos y fragmentaciones?", *Revista General de Derecho Europeo*, 2008, núm. 16; A. MATÍA SACRISTÁN, "El Tratado de Lisboa en el proceso de construcción europea", *BIMJ*, 2008, núm. 2058; Florence CHALTIEL, "Le Traité de Lisbonne: l'Espace de Liberté, de Securité et de Justice", *Petites Affiches*, 2008, núm. 67.

laboratorios debidamente acreditados para ello de los análisis de ADN en sentido estricto. Con este fin, sin embargo, se requiere contar con muestras o vestigios biológicos con contenido celular sobre los que realizar dichos análisis. La obtención de dichas muestras o vestigios exige, por otro lado, otra categoría de actuación distinta consistente en recoger los mismos del lugar de comisión de los hechos, pero también su obtención de personas relacionadas con tales hechos delictivos, en particular el presunto autor de los mismos. Para ello se requiere la práctica de intervenciones sobre el cuerpo de las personas indicadas. Por último, para dotar de mayor eficacia a la finalidad identificadora de las técnicas de ADN, resulta de utilidad conservar los datos resultantes del análisis incorporándolos a ficheros o bases de datos, por si en un futuro pudieran resultar de interés (bien porque inicialmente el titular de la información genética es desconocido, bien porque existe una probabilidad de reincidencia).

¿Qué tienen en común las actuaciones mencionadas? Al menos, que los tres tipos de diligencias inciden en los derechos más esenciales del individuo. La práctica de las intervenciones corporales puede incidir, por ejemplo, en el derecho a la libertad personal (art. 17 CE) cuando sea precisa para su práctica la privación de la misma; en el derecho a la integridad corporal o física (art. 15 CE) dependiendo del grado de ingerencia en el cuerpo humano con ocasión de la obtención de muestras; en el derecho a la intimidad personal (art. 18.1 CE) dependiendo de la clase y naturaleza de la información que se puede obtener de dicha intervención; en el derecho a no autoincriminarse (art. 24.2 CE), dependiendo del grado de colaboración exigido al afectado (presunto autor) como consecuencia de dicha práctica, etc[15].

La realización de los análisis de ADN puede, igualmente, incidir en los derechos fundamentales del individuo, considerando la naturaleza de la información que del ADN del mismo puede obtenerse. El ADN contiene una ingente información relativa, no sólo al individuo directamente afectado, sino también a los familiares del mismo, considerando su componente heredi-

---

[15] Dan cuenta de esta incidencia, entre otros muchos, A. GIL HERNÁNDEZ, *Intervenciones corporales y derechos fundamentales*, Colex, Madrid, 1995; J.F. ETXEBERRÍA GURIDI, *Las intervenciones corporales: su práctica y valoración como prueba en el proceso penal*, Trivium, Madrid, 1999; I.C. IGLESIAS CANLE, *Investigación penal sobre el cuerpo humano y prueba científica*, Colex, Madrid, 2003.

tario. Mucha de esa información es altamente sensible, esto es, se encuentra estrechamente vinculada al derecho a la intimidad (predisposición a padecer en el futuro determinadas enfermedades, información racial, etc.). De ahí que se ha venido a denominar a este ámbito del derecho a la intimidad afectado, la intimidad genética[16]. Por último, la incorporación de los datos de ADN a bases de datos o ficheros está vinculada con la afección en el derecho a la protección de los datos de carácter personal. Este derecho, que encontraría su asidero constitucional en el art. 18.4 CE, cuenta con sustantividad propia, y, como ha señalado el TC español, su función, objeto y contenido difieren de los del derecho a la intimidad (STC 292/2000, de 30 de noviembre).

Es por este motivo, como hemos recogido en la introducción, que la Recomendación Nº R (92) 1 del Consejo de Europa, sobre el uso del ADN en el sistema de justicia penal, advierte de la incidencia de estas técnicas (en su sentido amplio comprensivo de las intervenciones corporales previas y la incorporación de los resultados a bases de datos) en los derechos del individuo, y propone o recomienda una serie de medidas para garantizar la proporcionalidad de la injerencia. En un inicio, no pocos países de nuestro entorno incorporan dichas diligencias de investigación y prueba a sus ordenamientos y lo hacen con no pocas precauciones y limitaciones. Esta inicial incorporación restrictiva de las técnicas de ADN a los ordenamientos de nuestro entorno experimentará en la mayoría de los casos una evolución expansiva. Esto es, se produce un relajamiento generalizado en las, inicialmente, estrictas condiciones y presupuestos que rodeaban la práctica de esta diligencia. La razón de este cambio no puede resultar más evidente: la contrastada eficacia de las técnicas de ADN en el esclarecimiento de los hechos delictivos cometidos y

---

[16]   Esto obliga a hacer uso de serias restricciones en la extensión de los análisis de ADN en el curso de la investigación penal, para evitar una injerencia desproporcionada e injustificada en tal derecho. *Vid.*: J.F. ETXEBERRÍA GURIDI, *Los análisis de ADN y su aplicación al proceso* penal, Comares, Granada, 2000; V. MAGRO SERVET, "El registro de la huella genética. La regulación legal para la obtención de una base de datos de ADN", *La Ley*, 2007, núm. 6662; M. ARMENTEROS LEÓN, "Perspectiva actual del ADN como medio de investigación y de prueba en el proceso penal", *La Ley*, 2007, núm. 6738; C.M. ROMEO CASABONA/S. ROMEO MALANDA, *Los Identificadores del ADN en el Sistema de Justicia Penal*, Aranzadi/Thomson Reuters, Pamplona, 2010, M.J. CABEZUDO BAJO, "Valoración del sistema de protección del dato de ADN en el ámbito europeo", *Revista General de Derecho Europeo*, 2011, núm. 25.

la consecuente intención de ampliar los supuestos a los que debía de aplicarse. Como puede fácilmente deducirse, ello a costa de rebajar el umbral de tutela de los derechos del ciudadano[17].

A) *Evolución expansiva en Inglaterra y Gales*

La regulación de la que se ha ido dotando progresivamente Inglaterra y Gales en materia de ADN y su aplicación forense, constituye un ejemplo palpable de evolución normativa expansiva en la materia. Esta cuestión ha sido objeto de sucesivas reformas normativas desde la inicial *Police and Criminal Evidence Act (1984)* —en adelante PACE— con el innegable propósito de extender el recurso a dichas técnicas. En primer lugar mediante la *Criminal Justice and Public Order Act (1994)* —en adelante CJPO— y posteriormente mediante la *Criminal Justice and Police Act (2001)* —en adelante CJP—. Esta evolución concluye con una seria advertencia del TEDH —en forma de sentencia estimatoria de la violación del art. 8 CEDH— en el asunto *S. y Marper c. Reino Unido*, de 4 de diciembre de 2008[18].

---

[17]   En el ordenamiento español no cabe apreciar algo similar. La razón es también sencilla: como nos tiene lamentablemente acostumbrados el legislador (y quien ostenta la iniciativa legislativa, que conviene repartir con ecuanimidad las responsabilidades) el abordaje normativo de esta cuestión se produce con un notable retraso. Además, de forma dispersa en el tiempo. El resultado no es otro que la opción por un modelo menos garantista, que, aunque extendido como consecuencia de la evolución mencionada, no era el único posible. Si nos atenemos, sin embargo, a las distintas tentativas que han precedido a la LO en vigor, sí que cabe apreciar también en el caso español una evolución semejante a la acaecida en nuestro entorno. Nos referimos fundamentalmente al Borrador de Anteproyecto de Ley reguladora de las bases de datos de ADN (en adelante Borrador) que, como hemos adelantado *supra*, tuvo dos versiones al objeto de su adecuación a la LO 15/1999, de protección de datos de carácter personal. Este Borrador representa, en nuestra opinión, esa inicial sensibilidad garantista que paulatinamente se ha ido desgastando. Tuvimos ocasión de analizar con cierta minuciosidad el citado Borrador en nuestro trabajo "Reflexiones acerca del Borrador de Anteproyecto de Ley Reguladora de las Bases de ADN", *Revista de Derecho y Genoma Humano*, 2001, núm. 14, pp. 55-95.

[18]   Esta fundamental sentencia ha sido objeto de varios comentarios, entre otros: B. REVERON PALENZUELA, "El régimen jurídico de la conservación de datos sobre identificadores obtenidos a partir del análisis de ADN, a la luz de la STEDH (Gran Sala), de 4 de diciembre de 2008 (asunto S. y Marper c. Reino Unido)", *Revista de Derecho y Genoma*

Los mecanismos utilizados en el ordenamiento inglés y galés con el objeto de facilitar el empleo de las técnicas de ADN en el proceso penal, girarán en torno a la disminución del umbral preciso para poder practicar las intervenciones corporales necesarias para la obtención de muestras biológicas. Para ello se procederá, por un lado, a la ampliación del catálogo de delitos que justifica una obtención de muestras[19] y, por otro lado, a la ampliación de los supuestos en los que, en ausencia de consentimiento del afectado, procede emplear la coacción física para dicha obtención.

Conforme al estado de la cuestión en la PACE (1984), la obtención de muestras íntimas [*section* 62 (2)] y de muestras no íntimas [*section* (63 (4)] exigía la autorización de un oficial de la policía con el rango, al menos, de superintendente y que concurrieran motivos razonables para sospechar la implicación de la persona afectada en un *serious arrestable offence*. Estas infracciones se caracterizaban por la concurrencia de una innegable gravedad. La *section* 118 (1) PACE hacía una remisión a la *section* 24 PACE para determinar el significado de las *arrestable offences*, esto es, el mismo precepto que regulaba las facultades para proceder al arresto de una persona sin la correspondiente orden (*warrant*).

Humano, 2009, núm. 30, pp. 171-192; G. GONZÁLEZ FUSTER, "Los límites del tratamiento de datos biométricos de personas no condenadas. Tribunal Europeo de Derechos Humanos. Sentencia de 4 de diciembre de 2008. S. y Marper c. Reino Unido", *Revista de Derecho Comunitario Europeo*, 2009, núm. 33, pp. 619-633; M. DE HOYOS SANCHO, "Archivo y conservación en registros policiales de muestras biológicas y perfiles de ADN. Sentencia TEDH S. y Marper contra Reino Unido, de 4-12-2008 y la regulación española sobre obtención y registro de identificadores obtenidos a partir del ADN del sospechoso o imputado", *Estudios de Derecho Judicial*, 2009, núm. 155, pp. 213-261; la misma autora en "Profundización en la cooperación transfronteriza en la Unión Europea: obtención, registro e intercambio de perfiles de ADN de sospechosos", *Espacio Europeo de Libertad, Seguridad y Justicia: Últimos avances en cooperación judicial penal*, AA. VV. (C. ARANGÜENA FANEGO dir.), Lex Nova, Valladolid, 2010, pp. 151-181; J.F. ETXEBERRÍA GURIDI, "La sentencia del TEDH 'S. y Marper c. Reino Unido', de 4 de diciembre de 2008, sobre ficheros de ADN y su repercusión en la normativa española", *Derecho y Nuevas Tecnologías*, AA. VV. (A.I. HERRÁN/A. EMALDI/M. ENCISO coords.), Vol. 1, Universidad de Deusto, Bilbao, 2011, pp. 393-406.

[19] Beverly STEVENTON, "Creating a DNA Database", *Journal of Criminal Law*, 1995, vol. 59, núm. 4, pp. 411-413; David RHODES, "Taking samples", *Police Review*, 1995, abril, p. 16; D. MIERS, "Taking samples under the Police and Criminal Evidence Act 1984", *Journal of Clinical Forensic Medicine*, 1995, núm. 2, p. 95.

Sin perjuicio de que el apartado segundo estableciera numerosas excepciones a la regla general, ésta, contenida en el apartado primero de la *section* 24 PACE, facultaba a proceder al arresto si el hecho presuntamente cometido comportase una pena de reclusión no inferior a cinco años[20]. La posterior CJPO (1994) reduce considerablemente el umbral de gravedad de los hechos criminales que justifican la práctica de una intervención corporal para obtener muestras. La *section* 54 (3)(b) para la obtención de muestras íntimas y la *section* 55 (3) para la de las no íntimas de la CJPO modifica la anterior regulación y en adelante considerará suficiente con que las infracciones que motivan dicha extracción de muestras pertenezcan a la categoría de *recordable offences*. Las infracciones penales comprendidas en esta categoría eran muy heterogéneas y en la misma se incluían, evidentemente, las que tenían señalada pena privativa de libertad, pero también otras infracciones no sancionadas con dicha pena[21].

Se aprovecha la promulgación de la CJPO para incorporar otra nueva modificación en el régimen instaurado por la PACE con la misma finalidad de facilitar la práctica de las extracciones de muestras. En concreto, se altera la clasificación de las muestras íntimas y las que no lo son. La razón no puede ser más sencilla, la categorización de una muestra como no íntima permite el empleo de la coacción física en el caso de que el afectado no preste su consentimiento [*section* 63 (1) y (3) PACE]. Si la muestra es íntima, en cambio, no procede el uso de la coacción [*section* 62 (1) PACE). Como se indica, la *section* 59 CJPO de 1994 altera la PACE de 1984 convirtiendo en no íntimas muestras u orificios naturales que antes lo eran. Originariamente todos los orificios corporales tenían la consideración de íntimos y no procedía el uso de la fuerza razonable para practicar registros (*search*) en los mismos en caso de ausencia de consentimiento. Con la reforma indicada, la boca y la saliva

---

[20]   Para una mejor concreción, *vid.* J.F. ETXEBERRÍA GURIDI, *Las intervenciones corporales…*, cit., pp. 166-171.

[21]   En aquel momento había que acudir a la *List of Recordable Offences* contenida en la *Schedule of Offence Recordable at the National Identification Bureau*. En la actualidad esta categoría de infracciones se especifica en *The National Police Records (Recordable Offences) Regulations 2000* que se puede consultar en http://www.legislation.gov.uk/uksi/2000/1139/regulation/1/made.

pierden tal condición y pasan a ser no íntimas. Facilitar la práctica de los análisis de ADN es uno de los objetivos de esta nueva clasificación[22].

Más recientemente, la *section* 82 de la *Criminal Justice and Police Act* (2001) modificó la PACE (*section* 64) para conservar muestras y huellas almacenadas en ficheros aunque hubiera recaído una resolución absolutoria. Esta posibilidad fue, como hemos indicado, objeto de censura por desproporcionada en la sentencia del TEDH en el asunto *S. y Marper c. Reino Unido*, de 4 de diciembre de 2008.

B) Evolución expansiva en Alemania

Puede afirmarse que en la República Federal alemana se ha experimentado una evolución expansiva similar a la indicada para Inglaterra y Gales con el mismo propósito, o al menos con la misma consecuencia, de suavizar las iniciales prevenciones y garantías que rodeaban el empleo de las técnicas de ADN en el proceso penal desde su incorporación mediante la reforma de la StPO por ley de 17 de marzo de 1997[23]. Esta inicial regulación fue objeto de sucesivas reformas en un esfuerzo de adaptación encomiable[24], pero la estocada final a ese proceso expansivo se produce fundamentalmente con la ley de reforma de la StPO de 12 de agosto de 2005.

Una de las manifestaciones del proceso de debilitamiento de las garantías y requisitos que rodeaban inicialmente al empleo de las técnicas de ADN en Alemania tiene que ver con la atenuación de la estricta reserva judicial inicial. Conforme a la redacción en 1997 del § 81f (1) StPO las investigaciones genéticas practicadas sobre muestras, tanto obtenidas del inculpado o de terceros, como de las halladas, sólo podían ser ordenadas por un Juez. Esta reserva judicial exclusiva chocaba con la cesión a favor de la Fiscalía o de sus

---

[22]   Michael ZANDER, *Police and Criminal Evidence Act*, Second Edition, Sweet & Maxwell, London, 1990, pp. 134-135.

[23]   *Strafverfahrensänderungsgesetz-DNA-Analyse ("Genetischer Fingerabdruck")*. Sobre esta primera regulación puede consultarse J.F. ETXEBERRÍA GURIDI, "Las investigaciones genéticas como medio de prueba en el proceso penal alemán tras la reforma de la Ordenanza Procesal Penal de 17 de marzo de 1997", *Revista de Derecho y Genoma Humano*, 1998, núm. 9, pp. 195-199 (Parte I) y en el núm. 10 del año 1999 de la misma revista, pp. 65-90 (Parte II).

[24]   Leyes de 7 de septiembre de 1998, de 6 de agosto de 2002 y de 27 de diciembre de 2003.

ayudantes para casos de urgencia en la práctica de las intervenciones corporales previas. La razón no puede ser más obvia. Pueden concurrir motivos de urgencia para la obtención de las muestras o vestigios, pero no para la posterior realización de los análisis de ADN. Con la reforma de 2005 ya no es necesaria la orden judicial para realizar análisis de ADN sobre vestigios de personas desconocidas[25].

Pero esta excepción a la reserva judicial para la realización de análisis de ADN sobre vestigios procedentes de personas desconocidas se extiende también a los análisis sobre muestras procedentes de personas conocidas (imputados o terceros). En este último caso, sin embargo, ha de concurrir alguno de los siguientes presupuestos: a) el consentimiento de la persona afectada[26]; b) que concurra un peligro por el retraso por el que se autorice a la Fiscalía o a sus auxiliares ordenar el análisis de ADN. Esta segunda excepción ha provocado no poca controversia. Para su aplicación ha de concurrir "peligro por la demora" (*Gefahr im Verzug*). Precisamente, en los trabajos y estudios que precedieron a la inicial regulación de 1997 (que, recordemos, garantizaba la competencia judicial exclusiva) se dejó claro que no procedía la autorización de la Fiscalía ni de sus auxiliares al carecer de incidencia la posible demora en la realización de los análisis genéticos. En efecto, conservadas las muestras con las debidas cautelas, la información genética de interés forense no se altera[27].

---

[25] Con anterioridad a la reforma se había resaltado que dicha reserva judicial no aportaba mucho desde la perspectiva del Estado de Derecho y que la intervención judicial previa se había convertido en una mera formalidad. *Vid.* Anne LÜTKES/Helmut BÄUMLER, "DNA-Analysen zur effektiven Strafverfolgun", *ZRP*, 2004, núm. 3, p. 87; Christean WAGNER, "Effektive Strafverfolgun durch DNA-Kartei für alle Straftaten", *ZRP*, 2004, núm. 1, p. 14 y con posterioridad a la reforma Lothar SENGE, " Die Neuregelung der forensischen DNA-Analyse", *NJW*, 2005, núm. 42, p. 3029.

[26] Se puede prescindir de la autorización judicial siempre que la persona afectada consienta la realización de los análisis genéticos. Este consentimiento ha de ir precedido de una información acerca de las finalidades a las que se destinarán los datos obtenidos [§ 81 f (1) StPO].

[27] El Tribunal Constitucional Federal (*BVerfG*) alemán ha considerado, en relación con la diligencia de entrada y registro, que la excepción basada en el peligro por el retraso ha de ser interpretada restrictivamente, constituyendo la orden judicial la regla general. La sentencia de la sala segunda, de 20 de febrero de 2001, añade que la aplicación de esta excepción está sujeta al control judicial, por lo que los fundamentos de tal decisión han

Manifestación igualmente de la evolución expansiva a la que nos referimos, es la incorporación legal con la reforma de 2005 de los denominados test masivos de ADN. Los test masivos se caracterizan por someter a una pluralidad de personas a los análisis de ADN, pero no por la concurrencia contra ellos de indicios concretos de participación en hechos criminales, sino por circunstancias genéricas tales como la pertenencia a una determinada población o comunidad, a un determinado sexo, a una determinada franja de edad, etc. Las razones para oponerse a esta modalidad de investigación son variadas y giran en torno a la lesión del principio de proporcionalidad y del derecho a la presunción de inocencia, pues tienen como fundamento, no su condición de sospechoso, sino consentir "líbremente" someterse a la diligencia. No podemos ignorar que en semejantes supuestos, normalmente relacionados con delitos graves de gran repercusión social —asesinatos, violaciones, etc.—, negarse a prestar el consentimiento a la prueba de ADN puede constituir razón más que suficiente para convertirse en sospechoso[28].

El Tribunal Constitucional Federal alemán no encontró objeción a un caso similar, en el que se solicitó el sometimiento a la prueba de ADN a todos los propietarios de un determinado modelo de la marca Porsche de color rojo y matriculados en Munich[29]. Como se ha indicado, la reforma de 2005 incorpora por primera vez en la StPO la posibilidad de recurrir a los test masivos de ADN (§ 81 h StPO). Pero con ciertas limitaciones: a) ha de tratarse de infracciones de gravedad (contra la vida, contra la integridad corporal, contra la autodeterminación sexual…); b) ha de respetarse el principio de propor-

---

de exponerse en las actas de la investigación. Por este motivo, considera Lothar SENGE que la excepción no tendrá mucha virtualidad en el caso de los análisis de ADN, "Die Neuregelung…", cit., p. 3030.

[28]   Análogas prevenciones recogía el Memorandum explicativo que acompaña a la Recomendación Nº R (92) 1 del Comité de Ministros del Consejo de Europa. Para mayor detalle, vid. J.F. ETXEBERRÍA GURIDI, "La inadmisibilidad de los tests masivos de ADN en la investigación de hechos punibles", Actualidad Penal, 1999, núm. 28, pp. 541-570.

[29]   Se sometieron voluntariamente a la prueba más de 750 personas y los que no lo hicieron fueron considerados sospechosos y se solicitó la correspondiente autorización judicial para practicar sobre ellos una intervención corporal. La resolución es de 2 de agosto de 1996, y se puede consultar en NStZ, 1996, núm. 12, pp. 606-607. Jost BENFER critica en su comentario a la resolución que en el momento en que se solicitó el sometimiento "voluntario" a la prueba, no existía persona concreta con la condición de inculpada, "Anmerkung zum Beschluss des BVerfG vom 2.8.1996", NStZ, 1997, núm. 8, pp. 397-398.

cionalidad, es decir, la medida no ha de ser desproporcionada respecto de la gravedad del hecho cometido atendiendo, especialmente, al número de personas afectadas y se han de haber agotado otros medios de investigación; c) se requiere una orden judicial motivada; y d) el afectado ha de manifestar por escrito su consentimiento, previa información, también por escrito, de los términos del consentimiento[30].

Por último, como reflejo igualmente de la idea de debilitamiento de las prevenciones que acompañan al proceso de evolución normativa en la materia, hemos de hacer referencia a las reformas vinculadas con el § 81 g StPO que prevé que los resultados del análisis de ADN obtenidos en un proceso concreto, puedan ser utilizados en un proceso futuro. Para ello se precisa: a) que los hechos sean de cierta gravedad o consideración (*Straftat von erheblicher Bedeutung*) o delitos contra la libertad sexual; y b) que por la modalidad del hecho o de su ejecución, o por la personalidad del inculpado o por otras circunstancias conocidas, exista fundamento para suponer que se incoará en el futuro contra el mismo sujeto otro proceso penal por hechos similares. La modificación legislativa está vinculada con el catálogo de delitos en el que procede aplicar esta medida. Respecto de los delitos contra la autodeterminación sexual, el § 81 g StPO contenía y contiene en la actualidad una relación cerrada de tipos. En relación a los delitos de importancia considerable, con anterioridad a la reforma se hacía una relación ejemplificativa, no cerrada (*insbesondere*), que abarcaba los delitos graves o crímenes, las lesiones corporales graves, los robos en forma especialmente gravosa y las extorsiones. Con la reforma de 2005 desaparece el listado no cerrado de delitos de importancia considerable[31].

---

[30] El afectado ha de ser informado de que las células corporales se utilizarán exclusivamente para los análisis genéticos relacionados con los hechos anteriormente citados, que las células se destruirán tan pronto no sean necesarias, y que el perfil genético no se archivará a los efectos de su utilización futura.

[31] Reconoce el propio legislador que la eliminación del listado ejemplificativo responde al deseo de evitar el malentendido de que el § 81 g StPO sólo resulta de aplicación a los delitos especialmente graves. Deseo que se refleja igualmente al final del párrafo (1) del precepto al disponer que la comisión reiterada de otros hechos punibles puede equipararse en el desvalor delictivo a un hecho punible de considerable importancia. Christean WAGNER se mostraba con anterioridad a la reforma a favor de ampliar la aplicación de

C) Evolución expansiva en Francia

Lo ya señalado para Inglaterra y Gales, por un lado, y para Alemania, por otro lado, resulta igualmente válido para el caso francés. También aquí se ha producido una evolución expansiva similar. Tras una primera regulación muy restrictiva en cuanto al ámbito de aplicación y a los requisitos exigibles (afortunadamente garantista entonces)[32], ha tenido lugar un proceso de extensión notable en cuanto a su ámbito de aplicación y un relajamiento también considerable de las garantías que rodean la realización de análisis de ADN y la incorporación de los resultados a ficheros o bases de datos.

La primera incorporación al ordenamiento procesal penal francés en materia relativa al empleo de técnicas de ADN se produce mediante la Ley nº 98-468, de 17 de junio de 1998, que modifica el *Code de Procédure pénale* (CPP) incorporando un nuevo precepto, el art. 706-54 por el que sea crea un fichero nacional automatizado de huellas genéticas. Las restricciones antes mencionadas que rodean el empleo de estas técnicas genéticas y la inclusión de los resultados en el fichero son notables. Para comenzar, y a diferencia de lo que ocurre, por ejemplo, en España, se trata de un fichero único (nacional y centralizado) sometido al control de un magistrado. Además, su finalidad está limitada inicialmente a facilitar la identificación y búsqueda de autores de infracciones sexuales[33]. De otra parte, la incorporación de la información genética al fichero está condicionada a la previa condena de los infractores. Junto a ello, si en el futuro se pretende contrastar algún perfil de ADN con los que constan en el fichero nacional, resulta preceptiva la petición del Juez Instructor o del Fiscal y han de concurrir indicios graves y concordantes contra el presunto autor de los hechos.

---

las técnicas de ADN a delitos menos graves utilizando argumentos diversos, con inclusión de los económicos, "Effektive Strafverfolgun durch DNA-Kartei…", cit., p. 14.

[32]   Las restricciones contempladas en el ordenamiento procesal francés para el fichero nacional de huellas genéticas no fueron unánimemente bien recibidas. *Vid.* las críticas recogidas por Jean PRADEL/Jean Louis SENON, "De la prévention et de la répression des infractions sexuelles. Commentaire de la Loi núm. 98-468 du 17 Juin 1998", *Revue Pénitentiaire et de Droit Pénal*, 1998, núm. 3-4, pp. 208-210.

[33]   Especificadas en el art. 706-47 CPP. De hecho, la ley mencionada tiene por objeto —como indica su encabezamiento— la "protección de menores víctimas de infracciones sexuales".

La mencionada regulación ha sido objeto de varias reformas[34]. Los ámbitos a los que se extiende el efecto expansivo de las reformas son varios. Por ejemplo, la considerable ampliación de las infracciones penales justificativas de la incorporación de perfiles de ADN al fichero nacional. Como se ha indicado, el fichero comprendía inicialmente perfiles genéticos procedentes de procesos relativos a hechos vinculados con infracciones sexuales contra menores, con la ventaja, desde el punto de vista de la seguridad jurídica, que se contenía una relación cerrada de las mismas (art. 706.47 CPP). La reforma del año 2001 añade a las infracciones sexuales contra menores, un amplio catálogo de delitos[35], pero manteniendo en todo caso la gravedad de los mismos. La reforma del año 2003 vuelve a ampliar este catálogo de delitos añadiendo a los crímenes, necesariamente graves, delitos pertenecientes a una categoría de menor gravedad en la escala punitiva (delitos de estafa, amenazas, explotación de la mendicidad, etc.)[36].

La mencionada no es, quizás, en nuestra opinión, la que refleja con mayor claridad esta deriva expansiva a la que nos referimos. Más evidente es la relativa a la situación procesal en que se encuentra la persona cuyos perfiles de ADN se incorporan al fichero. Originariamente, y ello no es objeto de modificación por la reforma de 2001, la incorporación de los perfiles de ADN al fichero nacional exige que la persona de quien proceden haya sido condenada por las infracciones de índole sexual mencionadas. Con la Ley de 2003 ya no será necesaria la condena de la persona afectada para la conservación

---

[34]   La provocada por la Ley n° 2001-1062, de 15 de noviembre de 2001, sobre seguridad (*sécurité quotidienne*), la que fue consecuencia sobre todo de la Ley n° 2003-239, de 18 de marzo de 2003, también sobre seguridad interior, o también por la Ley n° 2005-1550, de 12 de diciembre de 2005, relativa a la defensa. Hasta tal punto son relevantes tales modificaciones del régimen establecido que, acerca de la reforma de 2003, la *Commission Nationale del'Informatique et des Libertés* (CNIL), autoridad independiente que vela por la protección de los datos de carácter personal que figuran en ficheros, afirmó en un informe de 2002 que se alteraba profundamente la naturaleza del fichero de perfiles de ADN y ello exigía, en consecuencia, nuevas garantías.

[35]   Art. 706-55 CPP: crímenes dolosos contra la vida, torturas, actos de barbarie, violencias dolosas, terrorismo, crímenes de robo, extorsión, etc. En todo caso, con referencia expresa a los tipos concretos del CP.

[36]   *Vid.* las críticas a dicha ampliación formuladas por Frédéric-Jérôme PANSIER/Cyrille CHARBONNEAU, "Présentation de la loi portant dispositions relatives à la sécurité quotidienne", *Petites Afiches*, 2001, núm. 239, pp. 9-12.

de sus perfiles, siendo suficiente con la existencia de "indicios graves o concordantes que hagan verosímil que hayan cometido alguna de las infracciones mencionadas en el art. 706-55 CPP". Además, para poder contrastar una determinada huella genética con las ya existentes en el fichero nacional, no será precisa en adelante la concurrencia de "indicios graves y concordantes" contra la persona afectada (art. 706-54 CPP según la Ley de 1998), sino que será suficiente con que concurran "una o varias razones plausibles para sospechar" la participación en el hecho delictivo (mismo precepto según la Ley de 2003)[37].

IV. LAS PREVISIONES CONTENIDAS EN EL ANTEPROYECTO DE LEY DE ENJUICIAMIENTO CRIMINAL (ALECRIM) DE JULIO DE 2011

Las previsiones de lo que pueda ocurrir en el futuro proceso penal español con las técnicas de ADN se han fundamentado hasta ahora en dos ejes de carácter muy diverso. El uno más arriesgado que el otro. La experiencia de lo acaecido en ordenamientos próximos, estimando que algo parecido pudiera ocurrir es España y la constatable "injerencia" de las instituciones europeas sobre la materia impelidas por la necesidad de una creciente cooperación en materia penal. En España, y a diferencia de la propuesta del Borrador de 1998, la regulación al respecto se ha hecho de manera dispersa, tanto temporalmente, como desde el punto de vista del contenido. En ausencia de regulación sobre la materia, la LO 15/2003, de 25 de noviembre, de reforma del CP, modifica a su vez la LECrim. incorporando dos nuevos párrafos en los arts. 326 y 363. El uno relativo a las condiciones de recogida de muestras y

---

[37] No menos relevante es el protagonismo que adquirirá la Policía Judicial, en detrimento de la autoridad judicial o de la Fiscalía, en lo concerniente a las actuaciones vinculadas con la aplicación de las técnicas de ADN: extracción de muestras biológicas, realización de los análisis genéticos, conservación de las huellas genéticas en el fichero y el contraste de un perfil genético con los existentes en el fichero. Para mayor detalle sobre el debilitamiento de las competencias del juez y del fiscal, *vid.* J.F. ETXEBERRÍA GURIDI, "Evolución expansiva en la regulación francesa de los ficheros de huellas genéticas tras las recientes reformas (Parte II)", *Revista de Derecho y Genoma Humano*, 2004, núm. 20, pp. 109-117.

vestigios, el otro sobre la obtención de muestras del sospechoso. Una regulación parca, absolutamente insuficiente. Con posterioridad, se aprueba la LO 10/2007 ya mencionada. Estas disposiciones son objeto de análisis detallado en otros capítulos.

Siguiendo con el objeto de nuestro estudio, analizaremos el modo en que el ALECrim. aborda las cuestiones vinculadas al empleo del ADN en el proceso penal[38]. El ALECrim. dedica un capítulo específico a las "investigaciones mediante marcadores de ADN", pero nos extenderemos igualmente al análisis de otras diligencias directamente relacionadas con las anteriores, esto es, las inspecciones e intervenciones corporales que suelen, por regla general, preceder a aquéllas[39].

A) Obtención de muestras e intervenciones corporales

El ALECrim. parte de una diferenciación entre las inspecciones corporales y las intervenciones corporales que nos recuerda a la recogida en la STC 207/1996, de 16 de diciembre. Conforme al art. 255.1 ALECrim., son inspecciones corporales "los reconocimientos externos sin injerencia física sobre el cuerpo de una persona por parte de una autoridad o agente". Las intervenciones corporales consistirán, por su parte, en "la extracción de sustancias o elementos o en la toma de muestras para realizar sobre los mismos los análisis oportunos" (art. 257.1 ALECrim.). Estas últimas pueden, a su vez, clasificarse en intervenciones leves, esto es, las "dirigidas a la obtención de cabellos, uñas, saliva u otras muestras biológicas que no exijan acceder a zonas íntimas de la persona ni causarle mayor dolor o sufrimiento que la molestia

---

[38]   Somos conscientes de que la nueva composición del Gobierno y del Parlamento es distinta a la que impulsó dicho ALECrim. Ello no resta interés a las propuestas que en él se contienen, bien porque abordan aspectos que hasta ahora han sido ignorados (el empleo de la coacción, por ejemplo), bien porque toman postura por alguna de las contrapuestas interpretaciones a las que nos tienen acostumbrados nuestros más altos tribunales.

[39]   Estas diligencias se encuentran recogidas en el Título I del Libro III que lleva por encabezamiento "Los medios de investigación relativos al sujeto investigado", junto con la identificación visual, la acreditación de la edad y los antecedentes del investigado, la declaración del investigado y las pruebas de alcoholemia y de consumo de drogas tóxicas, estupefacientes y sustancias psicotrópicas.

superficial inherente al procedimiento de toma de la muestra" (art. 258.1 ALECrim.) e intervenciones corporales graves cuando "tengan por objeto la extracción de cualquier sustancia o elemento que deba obtenerse de las zonas íntimas o del interior del cuerpo del afectado, y en todo caso cuando para recogerlos sea necesario ocasionarle dolor o sufrimiento, administrarle anestesia o someterle a sedación" (art. 259.1 ALECrim.).

Las similitudes entre el ALECrim. y la STC 207/1996 no se extienden, en cambio, a la autoridad competente para ordenar las diligencias de intervención corporal. La jurisprudencia constitucional ha mantenido (SSTC 37/1989; 207/1996) que, pese a que el texto constitucional no dispone reserva judicial alguna —a diferencia del art. 18.2 o 18.3 CE—, es precisa dicha autorización judicial. El ALECrim. aprovecha la distinción entre intervenciones corporales graves y leves para incorporar por primera vez la posibilidad de que estas últimas puedan ser practicadas con la autorización previa del Ministerio Fiscal (art. 258.1 ALECrim.)[40]. Esta novedad permitiría obtener sin autorización judicial las muestras precisas para la realización de los análisis de ADN.

B) El empleo de la coacción en la obtención de muestras

El ALECrim. aborda expresamente una de las cuestiones más controvertidas relacionadas con las intervenciones corporales. Es la relativa a la posible ejecución coactiva en el supuesto de que la persona afectada no preste el consentimiento a la práctica de aquéllas[41]. La STC 37/1989 se mostró tajantemente contraria al empleo de la coacción física ("en ningún caso, mediante el empleo de la fuerza física") en caso de negativa de la inculpada a someterse a la ejecución de la intervención corporal por considerar este supuesto "degradante e incompatible con la prohibición contenida en el artículo 15 de

---

[40]   Tanto las intervenciones graves como las leves pueden ser practicadas, sin más, con el consentimiento del afectado. Pero en ausencia de éste, será necesaria la autorización judicial (Juez de Garantías) en el primer caso y la del Ministerio Fiscal en el segundo (arts. 258.1 y 259.1 ALECrim.). Conviene tener presente que el ALECrim. opta por el modelo que atribuye al Ministerio Fiscal la dirección de la investigación (art. 55).

[41]   Algunos ordenamientos admiten el recurso a la coacción física. El alemán, por ejemplo, tanto para los inculpados (§ 81 a StPO) como para los no inculpados [§ 81 c (6) StPO]. También la PACE de Inglaterra y Gales, condicionada a que se trate de la obtención de muestras no íntimas [*section* 62 (1) PACE].

la Constitución". Esta resolución suscitó una interesante polémica doctrinal entre quienes entendían que la misma contenía una prohibición extensible a otros supuestos de intervención corporal, y entre quienes estimaban que dicha prohibición afectaba exclusivamente al supuesto en cuestión (inspección ginecológica), por lo que no cabía excluir absolutamente el uso de la *vis física*[42].

Más concretamente respecto de las intervenciones corporales orientadas a la obtención de muestras para la realización de análisis de ADN, ha resuelto nuestro Tribunal Supremo que en caso de negativa "no es admisible la utilización de fuerza física o cualquier otra actitud compulsiva o coactiva sobre la persona, para que ésta se preste a la práctica de la prueba, decidida por la autoridad judicial, debiendo respetarse la autonomía de la decisión por parte del afectado" (STS 107/2003, de 4 de febrero)[43]. Ello no significa que la

---

[42]   Entre los partidarios de la prohibición: C. HERRERO HERRERO, "Registros y otras indagaciones de instrumentos de prueba en el ámbito corporal de las personas" *BIMJ*, 1990, núm. 1576, p. 86; A. MONTÓN REDONDO, *Derecho Jurisdiccional III. Proceso Penal*, Tirant lo Blanch, Valencia, 1998, p. 195; J.A. DÍAZ CABIALE, "*La admisión y práctica de la prueba en el proceso penal*, CGPJ, Madrid, 1992, p. 142; M.I. HUERTAS MARTÍN, *El sujeto pasivo del proceso penal como objeto de la prueba*, J.M. Bosch, Barcelona, 1999, pp. 408-409; E. DE URBANO CASTRILLO, *La prueba ilícita penal. Estudio jurisprudencial*, (con TORRES MORATO), Aranzadi, Pamplona, 1997, p. 93. A favor de la interpretación limitada de la sentencia o del empleo proporcionado de la fuerza física: J.M. ASENCIO MELLADO, *Prueba prohibida y prueba preconstituida*, Trivium, Madrid, 1989, pp. 152 y 143-144; N. GONZÁLEZ-CUÉLLAR SERRANO, *Proporcionalidad y derechos fundamentales en el proceso penal*, Colex, Madrid, 1990, pp. 288 y 290; A. GIL HERNÁNDEZ, *Intervenciones corporales y derechos fundamentales*, Colex, Madrid, 1995, pp. 63-66. La posterior STC 207/1996, de notable importancia sobre la materia, no contiene un pronunciamiento tan tajante. Pero sí condiciona la exigencia constitucional de proporcionalidad de las medidas restrictivas de derechos fundamentales —como es el caso— a la consideración de todas las circunstancias concurrentes, así como "la forma en que se ha de llevar a la práctica la medida".

[43]   En algún otro supuesto, por ejemplo, en la STS 968/2006, de 11 de octubre, se ha estimado la proporcionalidad de la orden del Juez de Instrucción adoptada en auto motivado por un delito grave —violación— de toma de muestras biológicas sin consentimiento del recurrente. Con este fundamento, algunos autores han proclamado la admisibilidad del recurso a la fuerza física, *vid.* J. MARTÍN PASTOR, "Controversia jurisprudencial y avances legislativos sobre la prueba pericial de ADN en el proceso penal", *La Ley Penal*, 2008, núm. 46, p. 63; el mismo autor en "Dos cuestiones controvertidas sobre la prueba de ADN: la recogida por la policía judicial de muestras biológicas para la práctica de la

negativa injustificada de la persona al sometimiento carezca de trascendencia probatoria[44].

Pudiera entenderse que esta controvertida cuestión queda definitivamente resuelta tras la aprobación de la LO 10/2007, pues su Disposición Adicional tercera faculta, por un lado, a la Policía judicial para la toma de muestras y fluidos del imputado y del lugar del delito, y dispone, por otro, que "la toma de muestras que requieren inspecciones, reconocimientos o intervenciones corporales, *sin consentimiento del afectado*, requerirá en todo caso autorización judicial mediante auto motivado, de acuerdo con lo establecido en la LECrim.". Aunque pudiera pensarse que dicha disposición habilita al empleo de la fuerza física si media la autorización judicial, afortunadamente se ha consolidado la corriente que reclama una previsión legal específica al respecto. En este último sentido, se ha pronunciado la STS 685/2010, de 7 de julio, al afirmar en relación a la Disposición Adicional tercera que "esta resolución habilitante no podrá legitimar la práctica de actos violentos o de compulsión personal, sometida a una reserva legal explícita —hoy por hoy inexistente— que legitime la intervención"[45].

Pues bien, de haber llegado a buen puerto el ALECrim. que analizamos, esta cuestión hubiera quedado definitivamente resuelta cumpliendo la exigencia de reserva legal explícita. En efecto, tras reflejar en primer término la obligación de todo investigado a "soportar" la práctica de la inspección o

---

prueba pericial de ADN en el proceso penal y el régimen de sometimiento del sujeto pasivo de las medidas de inspección, registro o intervención corporal", *El proceso penal en la sociedad de la información*, cit., p. 431.

[44]   La misma sentencia citada indica que si la negativa a someterse a la prueba de ADN carece de justificación "nada impide valorar racional y lógicamente esta actitud procesal como un elemento que, por sí solo, no tiene virtualidad probatoria, pero que conectado con el resto de la prueba puede reforzar las conclusiones obtenidas por el órgano juzgador". De forma análoga la STS 151/2010, de 22 de febrero. Esta propuesta fue formulada por la propia STC 37/1989, que excluye el uso de la fuerza física, al indicar que la persona que se niega al sometimiento podía ser compelida a la ejecución "mediante la advertencia de las consecuencias sancionatorias que pueden seguirse de su negativa o de la valoración que de ésta quepa hacer en relación con los indicios ya existentes".

[45]   No pocos autores comparten esta visión sobre la Disposición Adicional tercera: J. LÓPEZ BARJA DE QUIROGA, "El registro único...", cit., p. 300; A. EMALDI CIRIÓN, "Los perfiles de ADN y la administración de justicia", AA.VV., *La protección de datos en la cooperación policial y judicial*, cit., p. 348.

intervención corporal ordenada en los términos legales (art. 260.1 ALECrim.), añade a continuación que si quien haya de someterse a la misma se opone a su realización, "el Juez de Garantías, atendiendo a la necesidad de la actuación y a la gravedad del hecho investigado, podrá imponer su cumplimiento forzoso estableciendo las medidas que, si es imprescindible, podrán emplearse para la realización de la diligencia contra la voluntad del afectado" (art. 260.2 ALECrim.)[46]. Se puede o no compartir esta propuesta partidaria del cumplimiento forzoso de las intervenciones corporales, pero lo cierto es que resulta inadmisible que una cuestión de tal relevancia no haya sido todavía abordada por el legislador con la necesaria claridad.

C) Investigaciones mediante marcadores de ADN

a) La particular reserva judicial y sus excepciones: Ya hemos reiterado que a la realización de los análisis de ADN precede, por regla general, la obtención de muestras mediante intervenciones corporales. Llama la atención que el capítulo siguiente relativo a las investigaciones mediante marcadores de ADN contiene una remisión al respecto, pero a su vez articula un régimen jurídico propio respecto de la obtención de muestras orientada a la fijación de los marcadores de ADN. Existen, no obstante, deficiencias en el modo en que se aborda la cuestión. Por ejemplo, una contradicción acerca de la competencia para autorizar la medida entre el art. 263.2 ALECrim., que se remite a lo dispuesto en el capítulo anterior si la obtención de muestras requiere una intervención corporal[47], y el art. 263.1 ALECrim. que, en ausencia de con-

---

[46] Conforme al párrafo segundo de tal precepto, la resolución judicial habrá de justificar la necesidad de su realización coactiva y expresará el medio para hacer cumplir la decisión. Surge a continuación la interrogante de si procede también el cumplimiento forzoso en la toma de muestras de personas distintas del investigado. La respuesta ha de ser afirmativa, por un lado, el art. 261 ALECrim. inicia remitiéndose a "las condiciones y en los supuestos establecidos en los artículos anteriores"; por otro lado, el capítulo siguiente, relativo a las investigaciones mediante marcadores de ADN, sí prevé expresamente que la obtención de muestras de personas distintas del investigado pueda llevarse a cabo contra su voluntad (art. 264.2 ALECrim.).

[47] Recordemos que las intervenciones corporales leves —obtención de cabellos, uñas, saliva u otras muestras biológicas, suficientes para un análisis de ADN— pueden ser autorizadas por el Ministerio Fiscal en ausencia del consentimiento del afectado (art. 258.1 ALECrim.).

sentimiento del afectado, reserva al Juez de Garantías autorizar que "se *obtengan* y analicen las muestras biológicas del investigado"[48]. Tampoco queda nada claro cuál es el régimen aplicable a las "muestras abandonadas" y a las que "fundadamente se le atribuyan" al investigado. El ALECrim. se limita a indicar que dichas muestras se podrán utilizar en la obtención de los perfiles de ADN[49]. ¿Sigue siendo necesaria respecto de estas últimas la autorización judicial para obtener los perfiles de ADN? Parece que sí considerando el art. 263.1 ALECrim. que, en nuestra opinión, añade la garantía judicial, no ya respecto de la obtención de las muestras —que puede ser autorizada por el Fiscal—, sino respecto del análisis genético de las mismas.

Esta autorización del Juez de Garantías puede eludirse, sin embargo, cuando concurre el consentimiento del afectado —investigado o no— (arts. 263.1 y 264.1 ALECrim.). Dicho consentimiento ha de rodearse, no obstante, de una serie de garantías. En todo caso, ha de tratarse de un consentimiento informado, esto es, que la persona afectada ha de ser informada de manera comprensible del fin para el que la muestra ha de ser obtenida, de los análisis que han de realizarse sobre ella y de los datos que pretenden obtenerse con los mismos (art. 265.1 ALECrim.). Precepto este que nos recuerda a los principios que informan la regulación sobre protección de datos de carácter

---

[48]   Régimen también aplicable a la obtención de muestras de personas distintas del investigado (art. 264).

[49]   Entendemos que se refiere a los supuestos de obtención subrepticia de muestras biológicas cuando no concurra el consentimiento del investigado —esputos lanzados, restos biológicos que se conservan en cigarrillos o recipientes utilizados, como vasos, etc.—. Este sería el caso abordado por las contradictorias sentencias del TS 501/2005, de 19 de abril, y 1311/2005, de 14 de octubre. En la primera se muestra favorable a la reserva judicial en la recogida y análisis de las muestras —salvo que concurra urgencia por el riesgo de pérdida—, mientras que en la segunda se legitima a la Policía Judicial para tal actuación. En un acuerdo no jurisdiccional del Pleno de la Sala segunda, de 31 de enero de 2006, se estableció que la Policía Judicial "puede recoger restos genéticos o muestras biológicas abandonadas por el sospechoso sin necesidad de autorización judicial". *Vid.* A. NARVÁEZ RODRÍGUEZ, "La recogida de muestras biológicas: la contradictoria jurisprudencia del Tribunal Supremo", *AJA*, 2006, núm. 703, pp. 1-5; J.F. ETXEBERRÍA GURIDI, "Reserva judicial y otras cuestiones relacionadas con el empleo del ADN en la investigación penal (Parte II)", *Revista de Derecho y Genoma Humano*, 2008, núm. 28, pp. 110-125.

personal[50]. Si la persona se encuentra detenida, no será necesaria la asistencia letrada para prestar el consentimiento, siempre que no se utilicen otros medios o instrumentos distintos del frotis bucal (art. 265.2 ALECrim.). De este modo, se resolvería un problema interpretativo que ha originado posiciones no coincidentes en nuestros tribunales[51].

Una última posibilidad de eludir las intervenciones corporales, *a priori*, necesarias para obtener las muestras sobre las que practicar análisis genéticos, consiste en incorporar al proceso muestras o informaciones obtenidas con una finalidad claramente extraprocesal —fines médicos, terapéuticos, etc.—. Esta posibilidad ha sido admitida por la jurisprudencia constitucional, pero condicionada al requerimiento judicial, no siendo suficiente el policial[52]. La misma ha sido también consagrada en el ALECrim. condicionada igualmente, en defecto de consentimiento expreso del investigado, a la autorización del Juez de Garantías y al respeto del principio de proporcionalidad —delitos graves y concurrencia de acreditadas razones que lo justifiquen— (art. 263.4)[53].

---

[50] Tratándose de menores de edad mayores de catorce años o personas con capacidad de obrar modificada judicialmente sometidos a tutela será preciso su consentimiento informado cuando por sus condiciones de madurez puedan comprender el significado y la finalidad de la diligencia o, en caso contrario, de su representante legal, quien deberá siempre prestar su consentimiento si el menor es de edad igual o inferior a catorce años (art. 265.3 ALECrim.).

[51] La STS 685/2010, de 7 de julio, exige la asistencia letrada al detenido para prestar el consentimiento. La Comisión Nacional para el uso forense del ADN ha recomendado igualmente la asistencia letrada al detenido y elaborado un formulario para cumplir con el deber de información. *Vid.* el análisis jurisprudencial elaborado por M.J. DOLZ LAGO y su posición contraria a la asistencia letrada al detenido cuando la toma de muestras se realiza mediante frotis bucal, "ADN y derechos fundamentales (Breves notas sobre la problemática de la toma de muestras de ADN —frotis bucal— a detenidos e imputados)", *La Ley*, 2012, núm. 7774, pp. 1-3.

[52] Nos referimos a la STC 25/2005, de 14 de febrero, que cuenta con dos votos particulares por estimar insuficiente la habilitación legal. La Agencia Española de Protección de Datos Personales ha abordado igualmente esta cuestión. *Vid.* igualmente J.M. DE LA ROSA CORTINA, "Análisis practicados con fines clínicos y prueba de cargo en la investigación de delitos contra la seguridad del tráfico", *La Ley*, 2005, núm. 6358.

[53] En nuestra opinión, estas posibilidades de traer al procedimiento muestras o informaciones obtenidas para otros fines o la posibilidad de recoger y practicar análisis sobre

José Francisco Etxeberría Guridi

b) ¿Quién realiza los análisis genéticos y con qué extensión?: Sobre este punto, el ALECrim. no aporta novedad alguna en relación con lo ya regulado, sobre todo en la LO 10/2007. En efecto, el art. 266.1 ALECrim. dispone, coincidiendo prácticamente con el art. 5.1 LO 10/2007, que las muestras o vestigios a analizar para la extracción de los marcadores de ADN se remitirán a los laboratorios debidamente acreditados. Podía perfectamente limitarse sobre este punto a una mera remisión a aquella LO, en cuanto que ésta contiene más precisas previsiones sobre el órgano encargado de acreditar los laboratorios (Comisión Nacional sobre el uso forense del ADN —art. 5.2—) o la acreditación *ex lege* de los laboratorios del Instituto Nacional de Toxicología y Ciencias Forenses —Disposición Adicional cuarta—. Lo mismo cabría decir de la extensión de los análisis genéticos a realizar sobre las muestras. No añade el ALECrim. nada nuevo al limitar los análisis a la obtención de los marcadores de ADN "con fines identificativos", sin que proporcionen "información alguna relativa a la salud de las personas" (arts. 266.1 y 266.2)[54].

c) Almacenamiento de los perfiles de ADN: Nada reseñable añade el ALECrim. sobre esta cuestión a lo ya previsto en la LO 10/2007. De hecho se produce una reiterada remisión a la misma. Si nos atenemos, por ejemplo, a la inscripción de los datos identificativos obtenidos a partir del ADN en "la base de datos policial", así como su conservación en la misma y la cancelación de dichos datos, se da una remisión a "su ley reguladora", que no es otra que la LO 10/2007 (art. 266.3 ALECrim.). Este tema es objeto de análisis en otro capítulo, pero no nos sustraemos a la tentación de denunciar el lamentable tratamiento que la LO 10/2007 otorga a los "sospechosos no imputa-

---

muestras "abandonadas", perderían mucha de la razón de ser en el caso de cuajar el recurso a la coacción física previsto en el ALECrim.

[54] La LO 10/2007 limita en su Preámbulo los análisis de ADN al ámbito no codificante y su art. 4 se refiere a la información genética "reveladora de la identidad de la persona y de su sexo". *Vid.* las Resoluciones del Consejo de la UE citadas en el epígrafe segundo con idénticas limitaciones. Aunque se haya escrito mucho sobre el tema, nos remitimos a P. NICOLÁS JIMÉNEZ, *La protección jurídica de los datos genéticos de carácter personal*, Cátedra Interuniversitaria de Derecho y Genoma Humano/Comares, Bilbao-Granada, 2006. Conviene tener presente que, aunque no todo el ADN sea particularmente de interés forense, se trabaja sobre muestras o vestigios de los que se puede obtener potencialmente toda la información genética.

dos" (art. 9.1) que empeora el previsto para los condenados (o absueltos por la concurrencia de una eximente).

Más acertado es, sin duda, el abordaje normativo del ALECrim. sobre el destino de las muestras biológicas. Como no nos cansamos de repetir, de las muestras biológicas se puede obtener información genética de interés forense (no codificante), pero también otra información genética más íntima (relativa a la salud, etc.). De ahí la importancia de establecer unos criterios claros sobre el destino de las muestras biológicas. La LO 10/2007 no cumple esta exigencia, a nuestro entender[55]. Con mayor acierto, el ALECrim. distingue, en cuanto a su destino, entre muestras de origen conocido (indubitadas) y las de procedencia desconocida (dubitadas). Tratándose de muestras procedentes del investigado (indubitadas), una vez inscrito el perfil de ADN en la base de datos se dispondrá la destrucción de las muestras (art. 266.4 ALECrim.). Si la muestra es de procedencia desconocida ("halladas en el lugar del delito, en el cuerpo o en las ropas de la víctima") sí parece lógico que su destino esté condicionado al del procedimiento del que trae causa, de ahí que en estos casos se hayan de conservar hasta que se acuerde su destrucción por la autoridad judicial (art. 266.5 ALECrim.)[56].

V. CONCLUSIONES

La prueba de ADN en el futuro proceso penal español ha de experimentar un fenómeno expansivo, si nos ajustamos a la relevancia cada día creciente de esta modalidad probatoria y a lo acontecido en los ordenamientos de nuestro entorno con más experiencia sobre el tema. En esta labor legislativa, la autonomía del Estado español, titular del *ius puniendi*, se verá cada día mermada considerando el incremento de las posibilidades de propuesta por parte de las instancias europeas en el ámbito de la cooperación judicial

---

[55]   El art. 5.1 LO 10/2007 se limita a trasladar la responsabilidad de la decisión al Juez ("corresponderá a la autoridad judicial pronunciarse sobre la ulterior conservación de dichas muestras o vestigios").

[56]   No obstante, si dicho procedimiento se siguiera contra persona determinada, no se acordará la destrucción hasta la conclusión del proceso por sentencia firme y, si la sentencia es condenatoria, hasta su ejecución o prescripción del pena o del delito (art. 266.5 II ALECrim.).

en materia penal. Sobre todo a raíz de la entrada en vigor del Tratado de Lisboa y la comunitarización de este ámbito. Por último, con la disolución del parlamento se ha perdido la oportunidad de actualizar legislativamente una materia necesitada de claridad jurídica. En efecto, el ALECrim. abordaba cuestiones en las que el vacío normativo ha generado una actividad jurisprudencial en ocasiones contradictoria.

EL ADN: REFORMAS LEGISLATIVAS DE *LEGE FERENDA* PARA EL NUEVO CÓDIGO PROCESAL PENAL ESPAÑOL

MANUEL GUILLERMO ALTAVA LAVALL
Portavoz en la Comisión de Justicia del Senado
Magistrado excedente. Doctor en Derecho

Sumario: I. Introducción. II. El derecho vigente. III. La doctrina legal y la jurisprudencia del Tribunal Supremo. IV. Conclusiones.

I. INTRODUCCIÓN

Un principio básico del proceso penal es la consecución de la verdad material frente a la verdad formal que rige en el proceso civil. Por ello, para el legislador debe ser cada vez más importante conseguir cuantas más pruebas lícitas puedan conducir al esclarecimiento de unos hechos de índole penal. Y, para ello, se configura como un medio probatorio de excepcional importancia la aportación al proceso de los perfiles genéticos (ADN).

Las reformas legislativas que se deberían plantear deben ir encaminadas a cubrir dos aspectos principales: la posibilidad y facilidad en la recogida de datos por parte de las Fuerzas y Cuerpos de Seguridad del Estado[1] y, por otra parte, la facilitación del medio de prueba de ADN en el proceso penal.

A tal efecto, en cuanto al primer aspecto, se deberían permitir cruzar los datos de los perfiles genéticos de personas conocidas con perfiles anónimos que ya tienen en sus bases de datos las Fuerzas y Cuerpos de Seguridad del Estado. Existe creada una base de datos dependiente de la Secretaría de Es-

---

[1] La Disposición Adicional Tercera de la Ley Orgánica atribuye la competencia para la obtención de las muestras y su análisis a la Policía Judicial.

tado de Seguridad en la que se coordina una base de datos de ADN nacional, única y dependiente del Ministerio del Interior, alimentada conjuntamente por perfiles suministrados por las bases de datos del Cuerpo Nacional de Policía y de la Guardia Civil (GC).

Así, por ejemplo, el Cuerpo Nacional de Policía (CNP) dispone de más 18.000 perfiles genéticos de supuestos autores de hechos delictivos, de los que permanecen anónimos un 95% por carecer de perfiles de origen conocido. Con las oportunas reformas legislativas se podrían llegar a esclarecer entre 4.000 y 5.000 delitos en un período inferior a un año, de acuerdo con los cálculos de que dispone la Comisaría General de Policía Científica.

El CNP volcó su base de datos de ADN existente en dicha Comisaría General de Policía Científica y, la Guardia Civil lleva volcados más de 5.000 perfiles genéticos, en el nuevo sistema. Tanto el CNP como la GC son propietarios y responsables de sus propias bases de datos (ADN-Veritas y ADN-Humanitas, en el Cuerpo Nacional de Policía y ADNIC y FÉNIX, en la Guardia Civil). Estas bases de datos se encuentra formalmente creadas en la Secretaría de Estado de Seguridad por Orden Ministerial de 26 de julio de 1994[2] y contempla dos ficheros, INT-ADN, para asuntos de interés criminal, e INT-FÉNIX, para asuntos de personas desaparecidas y cadáveres sin identificar. Asimismo, la Orden ministerial se encuentra inscrita en la Agencia de Protección de Datos.

Actualmente, cuando tras un delito se recogen muestras del perfil genético en el lugar de los hechos, este perfil anónimo se introduce en la base de datos y en un 20% de los casos el perfil resulta estar ya almacenado. Esto significa que una misma persona ha cometido un nuevo delito aunque no se sepa de quién se trata.

Los países europeos o bien tienen un listado tasado de delitos o bien establecen que se pueden tomar muestras para obtener el perfil de ADN a los sospechosos y/o detenidos y a los condenados por delitos que tengan una pena superior a dos, tres o cuatro años. El Reino Unido es el único país que obtiene los perfiles genéticos de todos los detenidos por delitos, lo cual les ha permitido tener unos tres millones de perfiles genéticos.

---

[2]   BOE del 27 de julio.

II. EL DERECHO VIGENTE

1. Constitución española de 27 de diciembre de 1978: Arts. 15; 17.3; 18.1 y 24.2

2. Ley de Enjuiciamiento Criminal de 14 de septiembre de 1882:
    a. Arts. 282 y 770.I,3ª que atribuyen a la policía judicial la práctica de las diligencias necesarias para comprobar y descubrir a los delincuentes así como a recoger y custodiar todos los efectos, instrumentos o pruebas del delito, para ponerlos a disposición judicial.
    b. Art. 326.III, sobre las medidas necesarias a adoptar para que la recogida. Custodia y examen de muestras se verifique en condiciones que garantice su autenticidad.
    c. Art. 363.II, que prevé la posibilidad de que el JI acuerde mediante resolución motivada la obtención de muestras biológicas del sospechoso
    d. Art. 520.2,c) que delimita el contenido legal de la asistencia del abogado al detenido en las diligencias policiales y judiciales.
    e. Arts. 118 y 776 que establecen un derecho genérico de defensa y de asistencia letrada.
    f. Art. 778.3, sobre la obtención de muestras o vestigios en el procedimiento abreviado

3. Ley de Enjuiciamiento Civil 1/2000, de 7 de enero que en su art. 767.4 establece las consecuencias ante la negativa injustificada a someterse a la prueba biológica de paternidad o maternidad.

4. LO 1/1982, de 5 de mayo, de protección civil del derecho al honor, a la intimidad personal y familiar y a la propia imagen que en su art. 8.1 indica que, con carácter general, no se reputarán intromisiones ilegítimas las actuaciones autorizadas o acordadas por la Autoridad competente.

5. LO 2/1986, 13 de marzo, de Fuerzas y Cuerpos de Seguridad del Estado, quién su art 11.1,g) otorga a dichas FFCCSS la realización de actos de investigación policial que los arts. 282 y 770.I,3ª LECRIM atribuyen a la Policial Judicial

6. LO 15/2003, de 25 de noviembre, que modificó los artículos 326 y 363 LECRIM, añadiéndoles un párrafo a cada uno de ellos para regular la recogida de muestras en el lugar del delito y la obtención de muestras

biológicas de sospechosos para casos concretos y siempre con autorización judicial.

7. LO 10/2007, de 8 de octubre, reguladora de la base de datos policial sobre identificadores obtenidos a partir del ADN que, entre otras cosas, clarifica la controversia inicial acerca del alcance gramatical de los arts. 326, párrafo 3 y 363, párrafo 2 de la LECRIM, resuelto por la jurisprudencia v.gr. STS de 7 de julio de 2010 (ROJ 685/2010) y definitivamente clarificada a raíz de la publicación de la precitada LO 10/2007, 8 de octubre. Asimismo, dicha LO 10/2007 en su DA 3ª establece que para la investigación de los delitos del art. 3.1,a) la policía judicial podrá proceder a la toma de muestras y fluidos del sospechoso, detenido o imputado, así como del lugar del delito y, aquellas que no tengan consentimiento del afectado, requerirán en todo caso autorización judicial.

8. RD 1977/2008, de 28 de noviembre, por el que se regula la composición y funciones de la Comisión Nacional para el uso forense

9. Recomendación R (92) 1, de 10 de febrero de 1992, del Comité de Ministros de los Estados miembros sobre la utilización de los resultados de análisis de ADN en el marco del sistema de justicia penal.

10. Resolución del Consejo de la Unión Europea de 9 de junio de 1997, relativa al intercambio de resultados de análisis de ADN, en la que se insta a los Estados miembros a la utilización de marcadores de ADN idénticos y a crear bases nacionales de datos a fin de poder intercambiarlas con el resto de Estados.

11. Resolución del Consejo de 20 de junio de 2001, relativa al intercambio de resultados de análisis de ADN, en el mismo sentido que la anterior.

12. Resolución del Consejo de 25 de julio de 2011, relativas al intercambio de resultados de análisis de ADN, en el mismo sentido que sus dos precedentes.

13. Y, el anteproyecto de Código Procesal Penal, según la denominación en este momento prevista, recoge en el Libro IV, Título II, Capítulo III, Sección 2ª, arts. 287 a 290 ambos inclusive, prevé la investigación mediante ADN, siendo lo relevante que la policía judicial podrá tomar huellas o vestigios cuyo análisis biológico pueda contribuir al esclarecimiento del hecho investigado adoptando las medidas necesarias

en orden a su recogida, custodia y examen, pudiendo recoger la policía judicial las muestras que se encontraran abandonadas y ofrecer el propio encausado una muestra auténtica de contraste que nunca podría obtenerse mediando engaño. Asimismo, también se contempla la posibilidad de requerir a terceras personas no encausadas la toma de muestras cuando las circunstancias de la investigación así lo aconsejen, quedando en todo caso, registradas en las bases de datos policiales sólo la identidad de la persona de quien se obtiene la muestra y su sexo, reseñas que también podrán ser canceladas.

Así pues, a la vista del derecho vigente y dejando clara la necesidad de reserva legal que autorice la práctica de las intervenciones genéticas[3], la reforma legal que propugnamos debe partir del máximo respeto a la legislación europea y a nuestros derechos fundamentales así como del conocimiento de nuestra jurisprudencia al respecto, para así mejorar nuestra legislación nacional, proporcionando a las FFCCSS nuevos instrumentos que mejoren su eficacia.

Y, conocida la legislación actual y la pretendida modificación legislativa, tenemos que conocer cuáles han sido las directrices que nos ha mostrado la jurisprudencia al respecto, al objeto de conocer las reformas que cabría realizar en el derecho sustantivo.

III. LA DOCTRINA LEGAL Y LA JURISPRUDENCIA DEL TRIBUNAL SUPREMO

El TS ha tenido la oportunidad de dictar diversas sentencias así como adoptar varios Acuerdos plenarios[4]. Conviene sistematizar las diversas cuestiones abordadas por la doctrina legal y reciente jurisprudencia de nuestro alto tribunal ordinario.

---

3   ETXEBERRÍA GURIDI; J.F.; *Los análisis de ADN y su aplicación al proceso penal*; Granada, 2000, pp. 29 a 36.

4   Sobre la naturaleza de los Acuerdos no jurisdiccionales puede verse, CORTÉS BECHIARELLI, E., *Muestras biológicas abandonadas por el sospechoso y validez de la prueba de ADN en el proceso penal (o sobre la competencia legislativa de la Sala Segunda del Tribunal Supremo)*; Revista Penal, nº 18, 2006, pp. 46 a 48.

A) *Sobre la posibilidad de conseguir el perfil genético a través del ADN*

Existe una jurisprudencia consolidada del TS entre las que podemos destacar como más recientes para el recurso de casación las SSTS de 3 de diciembre de 2009 (ROJ 1190/2009); 18 de febrero de 2010 (ROJ 123/2010); 22 de febrero de 2010 (ROJ 151/2010); 229/2010, de 15 de marzo de 2010 (ROJ 229/2010); 17 de marzo de 2010 (ROJ 251/2010); 24 de marzo de 2010 (ROJ 240/2010); 26 de marzo de 2010 (ROJ 287/2010); 19 de abril de 2010 (ROJ 398/2010); 15 de junio de 2010 (ROJ 710/2010); 28 de junio de 2010 de 2010 (ROJ 634/2010); 6 de julio de 2010 (ROJ 740/2010); 7 de julio de 2010 (ROJ 685/2010); 15 de octubre de 2010 (ROJ 891/2010); 25 de noviembre de 2010 (ROJ 1027/2010); 25 de enero de 2011 (ROJ 5/2011); y, STS de 16 de julio de 2009 (ROJ 792/2009) para el recurso de revisión.

En este sentido, el Acuerdo Plenario de fecha 31 de enero de 2006 reconoce a la policía judicial la recogida de restos genéticos o muestras abandonadas por el sospechoso, sin necesidad de autorización judicial y que una vez analizadas se considerarán como indubitadas, doctrina que ha sido ratificada por numerosos precedentes jurisprudenciales, SSTS de 27 de junio de 2006 (ROJ 701/2006); 4 de octubre de 2006 (ROJ 949/2006); 20 de diciembre de 2006 (ROJ 1267/2006) y 3 de diciembre de 2009 (ROJ 1190/2009), entre otras.

B) *Modo de tomar las muestras de ADN[5]*

La STS de 22 de Marzo de 2012 (ROJ 4278/2012) se ocupa de indicar cómo se deben tomar las muestras, reconociendo que se debe hacer de conformidad con lo dispuesto en el art. 3.1°.a de la LO 10/2007, y por la Policía judicial, STS de 7 de julio de 2010 (ROJ 3971/2010).

La STS de 20 de diciembre de 2006 (ROJ 8275/2006) entiende que la prueba de ADN al practicarse sobre una colilla desechada por la acusada y realizada prueba testifical del agente que la recogió, tiene plena validez, aplicando

---

[5] Sobre la toma de muestras a detenidos e imputados puede consultarse, por todos, DOLZ LAGO, M.-J.; *ADN y derechos fundamentales (Breves notas sobre la problemática de la toma de muestras de ADN —frotis bucal— a detenidos e imputados*; La Ley, n° 7774, Jueves, 12 de enero de 2012, pp. 1 a 6.

así el Acuerdo del Pleno no Jurisdiccional de la Sala Segunda TS de 31 de enero de 2006 ya mencionado (doctrina ratificada en las SSTS de 14.02.06 y 20.03.06).

En el mismo sentido, si los vestigios fueron abandonadas por el autor se pueden coger sin problema jurídico alguno tal y como reconoce la STS de 4 de octubre de 2006 (ROJ 6190/2006) en el caso de utilización de la saliva contenida en una colilla arrojada por el detenido, añadiendo las SSTS de 14 de octubre de 2005 (ROJ 1311/2005) y 14 de febrero de 2006 (ROJ 179/2006) que, en materia de investigación policial, los análisis se deben ceñir a desvelar el ADN no codificante con exclusivos fines identificadores, a diferencia de los análisis realizados en el ámbito de la medicina con objetivos investigadores o terapéuticos.

Es muy explícita, la STS de 4 de octubre de 2006 (ROJ 6190/2006) que resume la doctrina jurisprudencial respecto a la forma de hacer la recogida de vestigios: 1) Si las colillas fueron tiradas por sus propietarios, cuando estaban detenidos, se convierten en *res nullius*, pudiendo ser recogidas por cualquiera y, a los efectos de investigaciones penales, por los miembros de las FFCCSS; 2) Que tales muestras deban ser remitidas como prueba indubitada con identificación de su titular al laboratorio especializado; 3) Que se deben documentar en las actuaciones la recogida de los objetos de los que se obtuvieron las muestras de ADN, no contraviniéndose lo prevenido por el el art. 292 LECRIM. Así, se considera que hay mala praxis policial cuando no se documentó la recogida de las muestras y no se pudieron someter a los principios constitucionales de publicidad, oralidad, contradicción e inmediación.

De igual manera, la STS de 14 de febrero de 2006 (ROJ 760/2006) interpreta que tratándose de una colilla arrojada por los recurrentes, se convierte en *res nullius* y por ende accesible a la fuerza policial si puede constituir un instrumento de investigación de los delitos.

Por su parte, el ATS de 3 de marzo de 2011 (ROJ 2686/2011) y la STS de 14 de febrero de 2006 (ROJ 179/2006) ponen de manifiesto que quedan bien diferenciadas la obtención de muestras para la práctica de la prueba de ADN del cuerpo del sospechoso, de aquéllas otras en la que no se precisa incidir en la esfera privada con afectación a derechos fundamentales personales. En el primer caso contamos con el art. 363, II y para el segundo el 326, III LECRIM; debiéndose cumplir con las exigencias inherentes al principio de legalidad para la limitación de derechos fundamentales, STS de 22 de febrero de 2010 (ROJ 913/2010).

Así pues, la toma de muestras debería pues cumplir las siguientes reglas:

1. Dicha recogida se debería realizar por personal técnico de la Policía judicial especialista en recogida de huellas o material genético.

2. Se debe realizar un acta de constancia indicativa de la toma recogida, del lugar dónde se ha realizado, en qué ha consistido la toma y, en definitiva, todo lo atinente al objeto del medio realizado.

3. Se precintará la toma y se deberán adoptar cuantas medidas de seguridad sean necesarias para asegurar la pervivencia y autenticidad de dicha muestra indubitada.

4. Se debería indicar la traza seguida por la muestra así como diligencias de constancia de todas las personas o servicios que haya estado en contacto con la misma,

5. Si se puede, documentar la intervención con el acompañamiento de fotografías que quedarían incorporadas al dictamen.

C) Necesidad de la autorización judicial para la extracción de muestras de ADN

Según el Acuerdo plenario de la Sala de lo Penal del TS de 13 de julio de 2005, a la vista del art. 778.3 LECRIM no es necesaria la información de derechos ni la asistencia letrada al detenido para la extracción de la muestra de ADN acordada por la autoridad judicial en una instrucción penal, de manera tal que el art. 778.3 LECRIM constituye habilitación legal para la práctica de esta diligencia.

D) Cumplimiento de la cadena de custodia

La STS de 28 de junio de 2010 (ROJ 3558/2010), reconociendo el carácter pericial de la misma, establece que la prueba fundada en el examen biológico de unos restos de ropa, carecerían de validez si se incumpliera la cadena de custodia. Y, por la STS de 2 de diciembre de 2008 (ROJ 6793/2008) se pone de manifiesto la necesidad del cumplimiento de los principios propios de cualquier medio de prueba y del cumplimiento en la regularidad de la cadena de custodia, recogida de muestras que se debe hacer de ordinario por el JI, aunque en supuestos de peligro de desaparición de la prueba también pueda actuar la Policía judicial sobre la base de los arts. 326 y 282 LECRIM, sin perjuicio de la devaluación garantista de su autenticidad, que podría llegar a la descalificación total de la pericia si la cadena de custodia no ofreciese garantía alguna.

E) Licitud de lograr el perfil genético de contraste cuando se consigue a partir de los datos y ficheros que obran en registros policiales

La STS de 14 de julio de 2011 (ROJ 827/2011) entiende que la metodología del análisis del ADN, a partir de la creación de la base de datos policial sobre identificadores genéticos, se ajusta a las exigencias impuestas por su propio significado científico, cuando el perfil genético de contraste se consigue a partir de los datos y ficheros que obran en los registros policiales, sin necesidad de someter la conclusión obtenida a un segundo test de fiabilidad[6]. En el mismo sentido, la STS de 7 de julio de 2010 (ROJ 685/2010) manifiesta que la base o registro ha de considerarse con presunción de exactitud *iuris tantum* en cuanto a que los datos que se incorporen a la misma no se combatan en el momento procesal hábil para su contraste.

F) Consentimiento del interesado

Conforme al art. 3.1º.a, último párrafo de la LO 10/2007, de 8 de octubre, no precisa de su consentimiento la inscripción en la base de datos policial de los identificadores obtenidos a partir del ADN que se limitan a la información reveladora sobre la identidad personal y sexo del interesado. La colaboración voluntaria del imputado en la toma de muestras por parte de la policía, ha sido igualmente validada por la STS 28 de junio de 2010 (ROJ 634/2010),

---

6   MARTÍN PASTOR, J., *Avances jurisprudenciales y legislativos sobre la prueba pericial de ADN en el proceso penal. En especial, la base de datos policial sobre identificadores obtenidos a partir del ADN, creada por la ley orgánica 10/2007, de 25 de noviembre;* en "Investigación, Genética y Derecho", Salcedo Beltrán, Carmen (Coord.); Tirant lo Blanch; Valencia, 2008; pp. 73 a 130.

cuando ninguna ilicitud se aprecie en la diligencia de toma de saliva del acusado mediante el uso de un hisopo a fin de realizar el oportuno cotejo de ADN, STS de 29 de septiembre de 2010 (ROJ 854/2010). Exactamente igual cabrá referirse en el supuesto de los encausados del Anteproyecto de Código Procesal Penal español actualmente en tramitación parlamentaria en las Cortes Generales.

Es muy clarificadora la STS de 22 de junio de 2011 (ROJ 4570/2011) que señala que la LO 10/2007, de 8 de octubre establece en su art. 3.1 que deben inscribirse en la base de datos policial de identificadores obtenidos a partir del ADN los datos identificativos extraídos a partir del ADN de muestras o fluidos que, en el marco de una investigación criminal, hubieran sido hallados u obtenidos a partir del análisis de las muestras biológicas del sospechoso, detenido o imputado, cuando se trate de delitos graves y, en todo caso, los que afecten a la vida, la libertad, la indemnidad o la libertad sexual. Esta inscripción en la base de datos policial, no precisará el consentimiento del afectado, quien en todo caso, deberá ser informado por escrito de los derechos que le asisten respecto a la inclusión en dicha base.

Asimismo, pone de manifiesto dicha resolución jurisprudencial que igualmente podrán inscribirse los datos identificativos obtenidos a partir del ADN cuando el afectado hubiera prestado expresamente su consentimiento. Por su parte, las SSTS de 14 de febrero de 2006 (ROJ 179/2006) y 3 de diciembre de 2009 indican que en nuestro panorama legislativo actual, quedan bien diferenciadas la obtención de muestras para la práctica de la prueba de ADN del cuerpo del sospechoso, de aquéllas otras en la que no se precisa incidir en la esfera privada con afectación a derechos fundamentales personales. Así, en el primer caso nos encontramos ante el supuesto del art. 363 LECRIM y, en el segundo, en el art. 326 LECRIM, ambos reformados por la LO 15/2003, de 25 de noviembre, siendo pues necesaria la resolución judicial, bajo pena de nulidad radical, cuando la materia biológica de contraste se haya de extraer del cuerpo del acusado y éste se oponga a ello. En tal hipótesis es esencial la autorización judicial. En el resto de supuestos será el art. 326 LECRIM el aplicable, en el cual dando por supuesta la intervención del juez, se establece un mecanismo para dotar del mayor grado de garantía posible a la diligencia al solo objeto de garantizar la autenticidad de la muestra y su posterior análisis. Por ello, después de la reforma de 2003, indica la jurisprudencia que se puede concluir que la intervención del juez, salvo en supuestos de afectación de derechos fundamentales, no debe impedir la posibilidad de actuación de la policía, en el ámbito de la investigación y averiguación de los delitos poseyendo espacios de actuación autónoma tal y como por otra parte se recoge en el Pleno no jurisdiccional de 31 de enero de 2006, Acuerdo que ha sido recogido por las SSTS de 14 de febrero de 2006 (ROJ 179/2006); 27 de junio de 2006 (ROJ 701/2006); 4 de octubre de 2006 (ROJ 949/2006) y 20 de diciembre de 2006 (ROJ 1267/2006).

Ese consentimiento, qué duda cabe puede llevar también a que sea el acusado quien solicite la realización de dicho medio de prueba, ATS de 16 de noviembre de 2006 (ROJ 17265/2006).

En el mismo sentido, y sobre la ausencia de consentimiento en la toma de las muestras de los acusados, la STS de 14 de febrero de 2006 (ROJ 179/2006), precisa que ni la autorización judicial ni la policial que investiga a sus órdenes ha de pedir permiso a un ciudadano para cumplir con sus obligaciones, siendo distinto que el fluido biológico deba obtenerse de su propio cuerpo o invadiendo otros derechos fundamentales, que sí haría precisa la autorización judicial, convirtiéndose en la mencionada *res nullius* y por ende accesibles a las fuerzas policiales pudiendo constituir instrumento de investigación del delito los objetos o restos biológicos abandonados por los inculpados (colillas, excrementos, restos en vasos, etc.).

Por todo ello, debemos entender que cuando se trate de obtener una muestra o fluido en un acto de investigación corporal se debe requerir la colaboración del imputado que actuará ya como fuente de legitimación del propio acto de investigación que se realiza sin injerencia estatal y sin necesidad de asistencia letrada.

Así, la obtención de muestras que no requieran acceder a zonas íntimas del cuerpo y que sólo requieran una molestia superficial inherente al procedimiento de toma de la muestra tales como las practicadas en cabellos, uñas o saliva se podrán realizar aun cuando el interesado no preste su consentimiento y se obtenga autorización judicial[7]. En todo caso, si hubiera sido abandonada por el interesado, se podrán coger sin mayores problemas

---

[7]   A este objeto es muy importante reseñar la STC 207/1996, de 16 de diciembre (RTC 1789/1996) que distingue entre inspecciones y registros corporales de las intervenciones corporales.

jurídicos, se encuentre el investigado detenido o no. Pero, si fuere preciso ocasionar dolor, sufrimiento o administrar algún tipo de sedación se debe requerir autorización previa del JI (o Juez de garantías según el Anteproyecto de CPP), debiéndose acudir a este tipo de intervención sólo en el supuesto de que no se pudiera alcanzar dicho resultado por otro medio. No se debería permitir una intervención corporal para extraer ADN cuando supusiera un riesgo cierto para la vida o salud del investigado y ello porque estarían conjugándose dos bienes jurídicos a proteger, el superior de la vida y el del descubrimiento de la verdad material que, siendo muy importante, es inferior al anterior. Una vez autorizado por el JI la realización de la prueba el investigado estará obligado a su realización[8], autorización que también puede obligar a un tercero dada la gravedad del hecho investigado o por los indicios que pudiera haber contra esa persona a la realización de la prueba[9].

Si la prueba se debiera realizar en menores de edad mayores de catorce años o sometidos a tutela será preciso su consentimiento informado o de su representante legal.

Y, en cuanto a la destrucción de las muestras tomadas entendemos que se deberán guardar hasta que el proceso concluya con sentencia firme al menos en las sucesivas instancias en tanto en cuanto que puedan revisar la prueba practicada. Y, si la sentencia es condenatoria, parece lógico conservar la muestra en las adecuadas condiciones hasta que haya sido ejecutada la pena, el delito haya prescrito o todavía haya plazo para interponer el recurso extraordinario de revisión.

G) La realización de la prueba de ADN no supone autoincriminación

En este sentido la STS de 22 de febrero de 2010 (ROJ 913/2010) entiende que la realización de la prueba del ADN no conlleva una vulneración del de-

---

[8]   Respecto a si se trata de una obligación o carga procesal véase, LÓPEZ BARJA DE QUIROGA, J.; *La prueba en el proceso penal obtenida mediante el análisis del ADN*; en "Genética y Derecho", PÉREZ DEL VALLE, C.J., (Director); CGPJ; Cuadernos de Derecho Judicial; VI-2004; pp. 229 a 233.

[9]   Sobre la obligación procesal del sospechoso a someterse a estas pruebas, véase, *Aspecto sustantivos y procesales de la tecnología del ADN. Identificación Criminal a través de la huella genética*; MORA SÁNCHEZ, J.M.; Bilbao-Granada, 2001; pp. 171 a 180.

recho a la integridad física que no esté constitucionalmente legitimada "aun cuando en algunas ocasiones, la obtención de muestras corporales pueda implicar una afectación, siquiera leve, de ese derecho a la incolumidad", derecho que no puede considerarse, en modo alguno absoluto, tal y como dispone la STC 207/1996, 16 de diciembre.

En el ámbito penal, la STS de 4 de octubre de 1994 (ROJ 1697/1994), también valoró la negativa a someterse a la prueba de ADN, en unión de otros elementos indiciarios, como una actividad probatoria "apta para enervar la verdad interina de inculpabilidad en que la presunción *iuris tantum* de inocencia consiste". Y, en línea similar, la STS de 4 de febrero de 2003 (ROJ 107/2003), recordó que cuando la negativa a someterse a la prueba del ADN, carece de justificación o explicación suficiente, y no reporta ningún perjuicio físico, nada impide valorar racional y lógicamente esta actitud procesal como un elemento que, por sí sólo, no tiene virtualidad probatoria, pero que conectado con el resto de la prueba puede reforzar las conclusiones obtenidas por el órgano juzgador y, además, la realización de la prueba sirve para absolver cuándo sólo se encuentra ADN del propio sujeto denunciante, ATS de 29 de noviembre de 2007 (ROJ 15054/2007). Por su parte, la STS de 3 de diciembre de 2009 (ROJ 7710/2009) nos trae a colación que el que aparezcan rastros de ADN del procesado en el lugar de los hechos no puede llevar sin más a una sentencia condenatoria toda vez que el objeto con restos de ADN pudo haber sido llevado a dicho lugar en momento distinto a cuándo ocurrieron los hechos.

Además, la mayoría de doctrina entiende que la realización de esta prueba supone una colaboración activa en el proceso por parte del investigado sin que sea una declaración exculpatoria o incriminatoria en su sentido procesal[10].

Y, según STS de 18 de abril de 2007 (ROJ 2577/2007) ante la denegación de la prueba del ADN, dicha denegación injustificada de pruebas a la defensa integra la vulneración de derechos fundamentales de carácter procesal, reconocida en el artículo 24 de la LECRIM, como son el derecho a un proceso

---

[10]   CUESTA PASTOR, P.J.; *Los mecanismos de identificación y su uso en el proceso penal: Interrogantes a propósito de la "huella de ADN"; en* "Bases de datos y perfiles de ADN y criminalidad"; ROMEO CASABONA, C.M. (Ed.); Bilbao-Granada, 2002; p. 82.

justo, con todas las garantías; el derecho a la tutela judicial efectiva, y el derecho a utilizar los medios de prueba pertinentes.

H) *Admisión como medio de prueba y carácter pericial del medio de prueba del ADN*

La jurisprudencia del TS admite que el ADN es un medio de prueba que se puede aportar en el proceso determinando que su aportación al proceso se realizará como medio de prueba pericial. Así lo establecen las SSTS de 27 de junio de 2006 (ROJ STS 4075/2006); 15 de octubre de 2010 (ROJ 5618/2010); 10 de noviembre de 2010 (ROJ 6026/2010) y el ATS de 15 de junio de 2012 (ROJ 68/2012). La STS de 11 de octubre de 2006 (ROJ 6074/2006) establece que su admisibilidad está fuera de dudas de acuerdo con el sistema de *numerus apertus* de prueba que impera en nuestro derecho. Y, en el mismo sentido, el ATS de 16 de febrero de 2012 (ROJ 2300/2012) así lo entiende respecto al informe emitido por el Laboratorio Biológico de la Comisaría General de Investigación Criminal de un Cuerpo de Seguridad; y, también, STS de 25 de octubre de 2011 (ROJ 7287/2011); tratándola el ATS de 2 de diciembre de 2010 (ROJ 16092/2010) de "pericial genética"; y el ATS de 20 de abril de 2009 (ROJ 8682/2009) destaca el carácter pericial del "relevante" medio de prueba.

I) *Prueba de indudable valor de cargo*[11]

La STS de 20 de diciembre de 2011 (ROJ 8847/2011) la trata como "inobjetable prueba de ADN". En el mismo sentido, la STS de 20 de abril de 2010 (ROJ 2058/2010) pone de manifiesto que la falta de práctica de la prueba de ADN que no se quiso realizar el acusado para comparar unos vestigios en la ropa con su perfil genético pueden llevar a una sentencia condenatoria dada la importancia de dicha prueba pericial.

La STS de 16 de julio de 2009 (ROJ 4850/2009) concreta incluso que los restos celulares encontrados en una gasa y que se corresponden con el ADN del acusado tiene un índice de probabilidad de uno entre 15 trillones de per-

---

[11]   Sobre la eficacia y valor probatorio, véase, IGLESIAS CANLE, I.C.; *Investigación penal sobre el cuerpo humano y prueba científica*; Editorial COLEX, 2003; pp. 127 a 160.

sonas, es decir, una certeza casi total, indicando que la prueba de ADN tiene un carácter técnico e identificador de superior valor que otros medios de prueba tales como, declaración de la víctima, el reconocimiento en rueda del procesado ratificado en el juicio oral e, incluso, el reconocimiento a presencia judicial de la voz del agresor.

La STS de 4 de octubre de 2006 (ROJ 6190/2006) establece que la prueba de ADN es prueba directa, y no mero indicio, del acusado con las prendas halladas en el lugar de los hechos constituyendo una prueba plena en lo que respecta a la acreditación de que la persona a que se refiere ha estado en contacto con el objeto en que la muestra ha aparecido dado que el ADN se conserva durante siglos sin alteración y se puede obtener de cada una de las células y de los líquidos biológicos de un cuerpo, siendo el grado de certeza prácticamente total. A este respecto la STS de 24 de febrero de 1995 (RA 1419/1995) indicó que el límite de decisión, con el que operan por ejemplo los Tribunales alemanes y suizos alcanzan al 99,73% y 99,8% respectivamente, con lo que las posibilidades de error resultan reducidas matemáticamente al 0,03%.

Por su parte, la STS de 3 de febrero de 2006 (ROJ 369/2006), comenta la casi segura imposibilidad de realizar un estudio concluyente por ser precisa para ello la exhumación de un cadáver y que, dado el tiempo transcurrido desde su fallecimiento (1988 hasta 2006 que es la fecha de la sentencia de casación), el estado de sus restos no permitiera la obtención de ADN en buenas condiciones.

J) Valoración racional de la prueba

Que la prueba de ADN sea muy eficaz para la determinación del culpable no quita para que deba realizarse una valoración racional de todo el material probatorio, siempre y cuando se haya partido de una muestra indubitada y otra dubitada que es la que se somete a cotejo. Y, a este respecto, la metodología del análisis del ADN, a partir de la creación de la base de datos policial sobre identificadores genéticos, puede entenderse perfectamente ajustada a las exigencias impuestas por su propio significado científico, cuando el perfil genético de contraste se haya conseguido a partir de los datos y ficheros que obren en los registros policiales ya que la identificación genética que obra en las bases de datos, puesta en relación con los restos biológicos dubitados, normalmente hallados en el lugar de los hechos, permite ya una conclusión sobre esa coincidencia genética que luego habrá de ser objeto de valoración judicial, siendo indudable que el imputado podrá rechazar en momento procesal oportuno y de forma expresa la conclusión pericial sobre su propia identificación genética, cuando ésta se haya logrado a partir de los datos preexistentes en los ficheros de ADN creados por la LO 10/2007, 8 de octubre; STS de 25 de octubre de 2011 (ROJ 7287/2011).

En el mismo sentido, se pronuncian las SSTS de 26 de julio de 2011 (ROJ 5782/2011) al establecer que la coincidencia genética habrá de ser objeto de valoración judicial, y, en todo caso, no se ha de olvidar que la prueba de ADN deberá ser valorada dentro del principio de libre valoración de la prueba que previene el art. 741 LECRIM, si bien, dado el carácter pericial técnico del medio de prueba en concreto los órganos jurisdiccionales sentenciadores sí deberán poseer un conocimiento adecuado de la técnica pericial para poder realizar la función jurídica que les corresponde en la valoración de dicho medio de prueba[12].

K) Necesita la ratificación en el juicio oral de quienes realizaron la pericia

El ATS de 1 de diciembre de 2005 (ROJ 14569/2005) indica que de los informes periciales sobre restos biológicos de ADN debe resultar la plena coincidencia entre las muestras dubitadas obtenidas de las víctimas y las indubitadas procedentes del procesado, las cuales ha de ser obtenidas con todas las garantías procesales y, después dichos extremos han de ser ratificados por quien los obtuvo, en el acto del juicio, STS de 6 de julio de 2010 (ROJ 740/2010).

L) Motivo de recurso extraordinario por infracción procesal

Es motivo de recurso extraordinario por infracción procesal y no de casación ordinaria que se haya acordado la práctica de la prueba de ADN con anterioridad a la vista: ATS de 6 de marzo de 2012 (ROJ 2058/2012)

---

[12]   LÓPEZ-FRAGOSO ÁLVAREZ, T.; *Principios y límites de las pruebas de ADN en el proceso penal*; en "Genética y Derecho", ROMEO CASABONA, C., (Director); CGPJ; Estudios de Derecho Judicial; 36-2001; p. 191.

M) Interposición del recurso de revisión

No ha lugar a interponer dicho recurso al coincidir la aparición del perfil genético de ADN de un asesino violador en otro país de la Unión Europea que coincide con la prueba encontrada en el peine de la víctima, un año posterior a la firmeza de la sentencia; ATS de 14 de febrero de 2012 (ROJ 1596/2012).

Ni, tampoco ha lugar a interponer revisión, según ATS de 14 de junio de 2007 (ROJ 9121/2007) cuando ni en la instrucción del sumario ni el plenario de la vista oral se solicitó la realización de dicha prueba por la acusación.

IV. CONCLUSIONES

De esta manera, a la vista de la legislación y jurisprudencia descritas, una moderna regulación del medio de prueba de ADN debería regular:

1. La recogida de huellas, vestigios o restos biológicos se deberá hacer cumpliendo las garantías esenciales de orden público procesal exigidas por la Constitución española y los Tratados internacionales suscritos por España.

2. Cuando se trate de recogida de huellas, vestigios o restos biológicos abandonados en el lugar del delito, la Policía Judicial, por propia iniciativa, podrá recoger tales signos, describiéndolos y adoptando las prevenciones necesarias para su conservación y puesta a disposición judicial. A la misma conclusión habrá de llegarse respecto de las muestras que pudiendo pertenecer a la víctima se hallaren localizadas en objetos personales del acusado.

3. La finalidad de la intervención corporal sólo puede ser la de conseguir una muestra genética únicamente identificadora y que debe limitarse al ADN no codificante[13].

4. Se podrá extraer el perfil de ADN de un tercero si fuera necesario para comprobar las circunstancias del delito o para identificar a sus responsables.

---

[13]   MENDIZÁBAL ALLENDE, R.; *Jornadas sobre el genoma humano y el Derecho*; Editorial Montecorvo, S.A.; Madrid, 2001; p. 61.

5. El ministerio fiscal podrá solicitar y el juez de garantías acordar las búsquedas selectivas mediante el tratamiento cruzado de datos de carácter personal almacenados en archivos que posean las FFCCSS.

6. Las inspecciones e intervenciones corporales para la toma de muestras indubitadas se deberán realizar asegurando el respeto a la dignidad e intimidad de las personas. Si las exploraciones se debieran realizar en zonas íntimas del cuerpo de la persona o que le pudieran causar dolor o requieran algún tipo de sedación se deberán practicar por personal médico o sanitario cualificado. En todo caso, se deberán realizar de la manera que menos perjudique al sujeto que deba soportarla.

7. Cuando se trate de muestras y fluidos cuya obtención requiera un acto de intervención corporal y, por tanto, la colaboración del imputado, el consentimiento de éste actuará como verdadera fuente de legitimación de la injerencia estatal que representa la toma de tales muestras. Si el imputado se hallare detenido, el consentimiento precisará de asistencia letrada. Esta garantía no será exigible, aun cuando la persona se halle detenida, cuando la toma de muestras se obtenga, no a partir de un acto de intervención que reclame el consentimiento del afectado, sino valiéndose de restos o excrecencias abandonadas por el propio imputado.

8. En aquellas ocasiones en que la policía no cuente con la colaboración del acusado o éste niegue su consentimiento para la práctica de los actos de inspección, reconocimiento o intervención corporal que resulten precisos para la obtención de las muestras, será indispensable la autorización judicial. Esta resolución habilitante no podrá legitimar la práctica de actos violentos o de compulsión personal, sometida a una reserva legal explícita —hoy por hoy, inexistente— que legitime la intervención, sin que pueda entenderse que la cláusula abierta prevista en el art. 549.1.c) LOPJ, colma la exigencia constitucional impuesta para el sacrificio de los derechos afectados.

9. La recogida de muestras se deberá documentar y posteriormente poderla llevar al acto de la vista donde deberán declarar tanto los funcionarios policiales que las recogieron como los que las remitieron al laboratorio, efectuaron los análisis y otros peritos que hubieran ac-

tuado, esto es, respetando toda la cadena desde la recogida hasta el análisis.

Así, cada funcionario podrá dar las explicaciones que considere pertinentes respecto a los protocolos de obtención y sus métodos, de las clases de análisis que se efectuaron, de su conservación, de cómo se adoptaron las medidas oportunas para evitar la contaminación de los objetos que contenían las muestras biológicas;… pudiéndose ratificar en las actuaciones que constaran en los autos, sometiéndose tanto a las preguntas de la acusación como de la defensa para así mostrar la necesaria credibilidad valorable por el tribunal que no conduzca ante una nulidad de la prueba.

ADN: LA GENÉTICA FORENSE Y SUS APLICACIONES EN INVESTIGACIÓN CRIMINAL

ÁNGEL CARRACEDO
Catedrático de Medicina Legal y
Director del Instituto de Medicina Legal
Universidad de Santiago de Compostela

Sumario: I. Genética forense: De los grupos sanguíneos al ADN. II. Polimorfismos de ADN. III. Otros aspectos del uso del ADN en medicina forense. IV. Aplicaciones médico-legales de los polimorfismos de ADN. V. El valor de la prueba de ADN. VI. La estandarización y el control de calidad. VII. Bibliografía.

I. GENÉTICA FORENSE: DE LOS GRUPOS SANGUÍNEOS AL ADN

La Genética forense es una especialidad de la Genética que incluye un conjunto de conocimientos de Genética necesarios para resolver ciertos problemas jurídicos. Los tipos de pericia más solicitados al laboratorio de Genética forense por los tribunales son casos de investigación biológica de la paternidad, pericias de criminalística biológica (estudio de vestigios biológicos de interés criminal como manchas de sangre, esperma, pelos, etc.) y, finalmente problemas de identificación.

En Europa hay unos 300 laboratorios de Genética forense y en España más de 40, aunque sólo alrededor de una docena hacen pruebas de investigación criminal, la mayoría de estos últimos acreditados y de una excelente calidad. En los Países Escandinavos, Holanda o Irlanda, la pericia se realiza en grandes laboratorios estatales (habitualmente un laboratorio para criminalística y otro para pruebas de paternidad) y en otros países como Italia, Portugal o Alemania está distribuida en laboratorios más pequeños. En otros países como Bélgica, Francia o Austria, la situación es intermedia.

En el Reino Unido prácticamente gran parte de la pericia oficial se realiza en grandes laboratorios privados de la práctica clausura del Forensic Science Service[1].

En el resto del mundo existen aproximadamente otros 800 laboratorios, siendo una especialidad típica de países desarrollados económica y socialmente. Europa tiene una preponderancia clara en el campo por encima de Estados Unidos, Japón o Australia tanto en investigación como en calidad de la pericia y en los últimos años está actividad está experimentado un gran auge en Iberoamérica y Este de Asia.

Una actividad de creciente importancia en este campo son las bases de datos de ADN con fines de identificación criminal. Están legisladas e implantadas en prácticamente toda la Unión Europea y únicamente no desarrolladas todavía en Italia. También están establecidas en otros países del mundo (Estados Unidos, Australia y Nueva Zelanda) y suponen la introducción de unos 3 millones de perfiles de ADN por año.

La Genética forense comenzó con el descubrimiento en el año 1900 por Karl Landsteiner del grupo ABO y con la demostración de su herencia de este grupo en 1910. Poco después (1912) fue utilizado ya en casos de investigación biológica de la paternidad y pronto en el análisis de vestigios biológicos de interés criminal como manchas de sangre.

Nuevos antígenos eritrocitarios polimórficos, esto es con una proporción significativa de variantes alélicas en la población, y que se heredan de forma mendeliana simple como el Rh, MNSs o Duffy fueron progresivamente incorporados al panel de marcadores genéticos de que disponíamos los genetistas forenses.

La aparición de polimorfismos proteicos y enzimáticos de eritrocitos y leucocitos analizados por técnicas electroforéticas y finalmente de los los antígenos del sistema mayor de histocompatibilidad, HLA, se dispusiese de marcadores más informativos y más objetivos.

[1] La medida fue enormemente criticada y la presión científica saltó a los medios de comunicación (http://www.thetimes.co.uk/tto/news/uk/article2856148.ece) si bien no logró convencer al gobierno británicoque ejecutó su decisión de privatizarlo.

Sin embargo tanto los HLA como los anteriores marcadores genéticos presentaban grandes limitaciones cuando se trataba de analizar muestras degradadas o en minúscula cantidad lo que sucede con mucha frecuencia en el trabajo forense. Particularmente la utilización de todos estos polimorfismos de expresión era muy limitada para el análisis de manchas o pelos y los problemas de identificación, y en la mayor parte de los casos criminales los genetistas forenses poco o nada podían decir sobre la persona a la que pertenecía un vestigio. Esto era particularmente cierto para el análisis de esperma o manchas de esperma y pelos o cabellos donde era excepcional proporcionar algún dato acerca de la correspondencia de un vestigio a un presunto agresor con lo que la ayuda a la justicia era muy limitada.

También era imposible la realización de pruebas de paternidad en muestras degradadas (por ejemplo a partir de restos óseos) y muy difícil en casos complejos como las pruebas realizadas sin el presunto padre a partir de familiares indubitados del mismo.

Y esta era la situación cuando se descubrieron en la década de 1980 los polimorfismos del ADN.

II. POLIMORFISMOS DE ADN

A) Concepto de polimorfismo de ADN

El término polimorfismo fue definido por Ford en 1940 como la aparición conjunta en un lugar de dos o más formas discontinuas de la misma especie, de tal modo que la más rara de ellas no se puede mantener simplemente a través de la mutación periódica. Para que un gen sea polimórfico, se asume que el alelo (es decir, la variante) más común para ese locus debe tener una frecuencia menor del 99%.

El genoma humano haploide contiene aproximadamente $3,2 \times 10^9$ pares de bases, aunque no todas son expresivas en términos de producción de proteínas. El genoma de los eucariotas superiores, contiene secuencias de ADN con una función determinada (genes que codifican la secuencia de aminoácidos de una proteína) denominadas *ADN expresivo o codificante* y secuencias de ADN que no son transcritas a proteínas y que se conoce como *ADN no codificante*.

Sólo el 2% del genoma humano corresponde a DNA codificante y el resto (la gran mayoría) es DNA no codificante.

Que sea codificante o no codificante es sinónimo de funcionalidad. Muchas variaciones en ADN codificante no son funcionales ni implican ningún cambio en las proteínas (por ejemplo las variaciones que llamamos sinónimas). Al contrario, muchas regiones de ADN no codificante tienen importancia funcional (por ejemplo regular la expresión de genes).

El asociar ADN codificante a función y no codificante a neutralidad de información es un error muy común en muchos textos y hasta en algunas legislaciones.

Un porcentaje importante del ADN no codificante es ADN repetitivo, el cual al no estar sujeto a presión selectiva intensa, admite unos niveles de variación muy grandes en comparación con las regiones de ADN codificante

Los polimorfismos de ADN de mayor uso en medicina forense se encuentran en el ADN repetido en tandem y clásicamente se utilizan los denominados minisatélites y microsatélites que consisten en repeticiones de fragmentos de ADN de número variable, por lo que genéricamente se denominan VNTR ("variable number of tandem repeats"). La repeticiones en el ADN microsatélite son de tamaño pequeño (de 2 a 6 pares de bases) por lo que se suelen denominar STRs ("short tandem repeats"). Las repeticiones en un locus minisatélite tienen un tamaño entre 15 y 50 pares de bases para un total de 300 bp hasta 20 Kb. El tamaño total de los STRs es de 20 bp a 400 bp.

Poniendo un ejemplo, un STR puede tener una estructura como ACTT ACTT ACTT ACTT ACTT ACTT ACTT…hasta un número n de repeticiones. Los individuos nos diferenciamos por el número de repeticiones de esa secuencia. Un individuo 8-12 para ese STR significa que tiene 8 veces la unidad de repetición (ACTT) en un lugar específico de un cromosoma (locus génico) y 12 veces en el locus correspondiente del cromosoma homólogo.

El polimorfismo en los microsatélites y minisatélites se basa principalmente en el número de repeticiones, pero, en algunos casos, también existen diferencias puntuales en la secuencia.

Los minisatélites y microsatélites además de ser extraordinariamente polimórficos, poseen una herencia mendeliana simple. Esto significa que el individuo 8-12, que antes pusimos de ejemplo, ha heredado uno de los alelos de su madre y otro de su padre biológico.

Microsatélites y minisatélites difieren también en su distribución en el genoma humano (son mucho más abundantes los microsatélites y están más ampliamente distribuidos) y el origen de su variabilidad es también diferente.

En el campo forense utilizamos básicamente STRs de 4bp y 5bp en la unidad de repetición. Los de menos repeticiones son muy propensos a artefactos (bandas tartamudas) lo que dificulta la interpretación de perfiles de ADN obtenidos a partir de mezclas de diferentes individuos. En cuanto a la estructura si bien en un primer momentos se utilizaban STRs simples hoy la complejidad no es óbice para su utilización y se prefieren STRs no ligados entre si, de tasa de mutación baja y con un buen comportamiento en relación con posibles artefactos y muy contrastados (validados) a efectos forenses.

Además de los STRs en cromosomas autosómicos son de gran importancia los STRs de cromosoma Y particularmente para el caso de agresiones sexuales.

También, como ya veremos no sólo el ADN nuclear es interesante, sino que desde el punto de vista forense es de gran importancia forense el análisis de ADN mitocondrial (regiones hipervariables HV1 y HV2 en el bucle D) pues es más eficaz en muestras degradadas y es el único polimorfismo que se puede analizar en cabellos sin bulbo, que son vestigios que aparecen con mucha frecuencia en la escena de delitos.

Los SNPs (polimorfimos puntuales de secuencia), tanto de cromosomas autosómicos, cromosoma sexuales y ADN mitocondrial, tienen, como veremos, una enorme importancia en la práctica forense. Son polimorfismos muy sencillos y habitualmente (aunque no siempre) bialélicos y son simple variaciones de un solo nucléotido (A y G por ejemplo en una posición del genoma).

B) El descubrimiento de la huella genética

En 1984, el genetista británico Alec Jeffreys desarrollaba en la Universidad de Leicester junto con V. Wilson y S.L. Thein un proyecto de Genética molecular sobre el gen de la mioglobina en uno de cuyos intrones encontraron una secuencia repetida en tandem de 33bp, que, como les recordó las secuencias repetitivas de los satélites clásicos y eran más pequeña las denominaron minisatélites y partir de este hallazgo desarrollaron un método para analizar muchos minisatélites de forma simultánea.

Los minisatélites eran enormemente polimórficos, por lo que los distintos individuos mostraban algo parecido a las barras de identificación de los productos, absolutamente características de cada individuo. Alec Jeffreys se dio cuenta del impacto enorme que tendría para la genética en general y para la medicina forense en particular y denominó "DNA fingerprint" (Huella genética de ADN) al perfil de ADN obtenido por estas sondas (que desde entonces se denominaron sondas multilocus), publicando sus resultados en el año 1985 en la revista Nature.

El descubrimiento del "DNA fingerprint" pronto tuvo un enorme impacto en el mundo forense aplicándose casi de inmediato, gracias a la colaboración de Alec Jeffreys con el Forensic Science Service británico, en casos de inmigración y sobre todo en importantes casos criminales con resultados espectaculares.

Aunque en un primer momento de su aplicación forense los minisatélites se analizaban tal como habían sido desarrollados por Alec Jeffreys y su grupo, pronto se limitó mucho su uso principalmente por las dificultades en la estandarización del método (lo que imposibilitaba segundas opiniones) aunque también por los problemas bioestadísticos de evaluación de los resultados y fueron substituidos por el análisis de minisatélites no de forma conjunta sino de forma individual (Single locus probes, sondas de locus único). Incluso esta prueba más sencilla presento algunos problemas iniciales, que llevaron a la necesidad lógica de una estandarización obligada de la prueba. Para empezar son cientos los polimorfismos de ADN minisatélite descritos que pueden ser detectados con decenas de enzimas de restricción diferentes. Si cada laboratorio utilizase sus propias sondas y enzimas sería enormemente difícil poder comprobar un resultado en otro laboratorio y se imposibilitaría una necesidad legal básica: la realización de contrapericias o segundas opiniones. Esto fue muy importante porque se impulsó la estandarización a nivel mundial de las pruebas de ADN.

El análisis de minisatélites mediante sondas prácticamente está abandonado especialmente debido a que con uso es muy difícil analizar ADN degradado o en pequeña cantidad y esto dificulta gran parte de las aplicaciones forenses.

Por fortuna esto fue solucionado con la aparición de la reacción en cadena de la polimerasa y el descubrimiento de los microsatélites.

C) Análisis de polimorfismos de ADN mediante PCR

Como es sabido, la PCR es una técnica de amplificación in vitro de pequeños segmentos de ADN con la que a partir de una cadena única se pueden hacer millones de copias, de modo que el producto amplificado puede ser fácilmente analizado, incluso sin recurrir al uso de sondas. Al poderse amplificar ADN a partir de un número muy pequeño de copias, el interés forense de esta técnica es obvio.

El primer sistema analizado por PCR con fines forenses fue un polimorfismo de ADN codificante de la región HLA: el locus HLA DQA1, que se detectaba mediante sondas que reconocen cada alelo del sistema previamente fijadas a una membrana pero fue descubrimiento de los microsatélites o STRs lo que abrió unas enormes posibilidades a este campo. Sus ventajas eran notables ya que ofrecían junto a pequeños tamaños (y por lo tanto más resistencia a la degradación), un buen poder de discriminación y facilidades para ser amplificados de forma simultánea con PCR multiplex (esto es amplificar varios sistemas STR simultáneamente a partir de la misma muestra).

El análisis de los productos amplificados se ha facilitado en gran medida gracias al uso de fluorocromos y sistemas automatizados (secuenciadores automáticos de ADN) que permiten la visualización de varios microsatélites simultáneamente.

Los polimorfismos analizables por PCR antes de ser aceptados para la práctica forense deben cumplir una serie de requisitos y pasar sucesivos controles de validación.

Actualmente se suelen analizar al menos 16 STRs (estandarizados y validados) a partir de la misma muestra biológica utilizando secuenciadores automáticos y PCR multiplex. Un ejemplo se puede ver en la Figura 1. Los muliplexes comerciales más modernos contienen un número de al menos 16 y un marcador (amelogenina) para determinar el sexo.

En Europa aunque hay diferencias entre países en todos es obligatorio usar el denominado European Standard Set que incluye una docena de STRs.

Para análisis de criminalística biológica se prefiere usar STRs con un pequeño tamaño en el producto amplificado (menos de 200 bp) pues el tamaño es inversamente proporcional a la degradación y en muestras muy degradadas sólo cabe esperar éxito con la amplificación de estos sistemas. Actualmente se han diseñado numerosos multiplexes disponibles comercialmente con este tipo de STRs que se suelen denominar miniSTRs. También son muy interesantes las repeticiones de 5 nucleótidos (pentanucleotide repeats) cuando se trata de analizar muestras mezcladas con diferentes individuos pues tienen menos artefactos que otros STRs. En varios multiplexes disponibles comercialmente se incluyen este tipo de STRs.

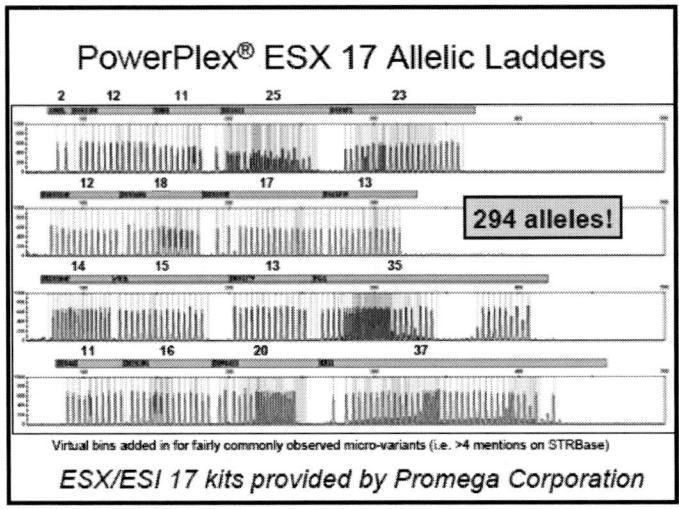

Figura 1: Multiplex de STRs utilizando el kit comercial PowerPlexEXT17 (Promega) que incluye 16 STRs y 294 alelos y el marcador de sexo amelogenina, marcados con diferentes fluorocromos (colores).

D) Los polimorfimos de ADN mitocondrial

Hasta no hace muchos años, el estudio de los polimorfismos de ADN se había centrado mayoritariamente en el análisis de marcadores nucleares pero el ADN mitocondrial (ADNmt) se presenta como un marcador con múltiples aplicaciones en el campo de la Genética Forense debido fundamentalmente a su modo de herencia, su elevada tasa de mutación y a la existencia de miles de moléculas por célula, lo que permite su estudio en condiciones en las que el material biológico a analizar se encuentra en mal estado o en cantidad insuficiente para estudiar cualquier otro marcador nuclear.

En el contexto de la Genética de poblaciones humanas, el ADNmt es un marcador ideal para el estudio evolutivo de las poblaciones humanas debido a su elevada tasa mutacional respecto al genoma nuclear y a la ausencia aparente de recombinación. Así, a lo largo de un período relativamente corto (edad del hombre anatómicamente moderno) la molécula de ADNmt ha estado registrando la historia de estas poblaciones y sus migraciones. Su modo de herencia permite el uso de análisis filogeográficos para estudiar movimientos de poblaciones a través de la historia.

El ADN mitocondrial presenta las siguientes características:

a) El ADNmt humano es una molécula ADN circular, cerrado y de doble cadena, lo que le confiere mayor estabilidad (con respecto al genoma nuclear) frente a fenómenos de degradación.

b) Es de pequeño tamaño. Mide 16.569 bp y fue secuenciado en su totalidad por primera vez en 1981 por Anderson y cols.

c) Mientras que el ADNmt representa menos del 1% del ADN celular total, este posee un gran número de copias. Se estima que las células de mamíferos contienen varios miles de copias de ADNmt dependiendo del tipo de tejido. Este es el motivo y no otro, por el que funciona mejor que el ADN nuclear en material degradado.

d) El ADNmt presenta herencia materna y en consecuencia:
- no recombina (en los cromosomas autosómicos se intercambia el material genético de los progenitores)
- tiene naturaleza haploide. Todas las copias de ADNmt de un individuo son iguales excepto raras circunstancias (heteroplasmía)
- todos los individuos de un mismo linaje materno exhiben la misma secuencia de ADNmt (exceptuando casos excepcionales en donde exista segregación de heteroplasmías en algún individuo del linaje o evidentemente mutaciones puntuales a nivel germinal).

El ADNmt se hereda pues por vía prácticamente solo materna.

e) Tasa de mutación elevada:

La tasa de evolución del ADN mitocondrial es en promedio 5 a 10 veces superior al ADN nuclear

Hay dos regiones principales en el genoma mitocondrial:

a) *Una gran región codificante* (90%). Contiene 37 genes los cuales forman parte de la maquinaria de síntesis proteica de la mitocondria.

Estos genes no están interrumpidos por intrones y están fuertemente empaquetados en la región codificante.

b) Una región pequeña de aproximadamente 1.2 kb conocida como *región control*. Contiene las secuencias control de la transcripción y la replicación de la cadena pesada del ADNmt. También contiene lugares de unión de factores de transcripción y secuencias conservadas relacionadas con el inicio de la replicación (de la cadena H) y secuencias asociadas a la finalización del bucle de desplazamiento o D-loop (así llamada por la estructura visible bajo microscopía electrónica durante la replicación). Esta región es muy polimórfica y contiene dos regiones hipervariables bien caracterizadas, conocidas como la región hipervariable I (HVI) y la región hipervariable II (HVII), de aproximadamente 400 bp cada una. Todos estos elementos de control hacen que esta región no sea en conjunto selectivamente neutra.

La identificación forense mediante ADNmt se basa fundamentalmente en el estudio de esta región control. De la misma manera, dada su alta variabilidad, es de gran utilidad en el estudio antropológico de la evolución humana ya que las diferencias interpoblacionales a nivel mitocondrial son un reflejo molecular de acontecimientos históricos que se han venido sucediendo durante los últimos milenios.

Los polimorfismos que caracterizan al ADN mitocondrial son:

a) Polimorfismos de secuencia (variaciones en bases individuales)

b) Polimorfismos de longitud:

En el ADNmt existen tractos homopoliméricos (la misma base repetida un número de veces) donde es habitual encontrar inserciones o delecciones de una o más bases nucleotídicas en las que suele ser frecuente la heteroplasmía de la que hablaremos más adelante.

La alta tasa de sustitución en la región control posibilita que nos encontremos una o más diferencias en la secuencia del ADNmt en la línea materna de una familia ó incluso en familiares muy cercanos o incluso en distintas muestras de un mismo individuo. El conocimiento de la tasa de mutación y los mecanismos mediante los cuales las mutaciones se transmiten a la descendencia es importante en genética forense sobre todo para aquellos casos en los que las diferencias de la secuencias que se están cotejando son mínimas (diferencias de una sola base o diferencias en heteroplasmías) para evitar el potencial de falsas exclusiones.

La heteroplasmía se define como el estado en el que un individuo presenta más que un genotipo de ADN mitocondrial. De este modo, cuando una mutación surge en una de las moléculas de ADNmt dentro de la mitocondria, crea una mezcla intracelular de moléculas mutantes y normales lo que puede dificultar la interpretación forense.

En el ADNmt tan solo se ha descrito un microsatelite en posición 514 de la región D-loop del genoma mitocondrial poco variable y de limitado interés forense.

Sin embargo están cobrando un valor cada vez mayor el estudio de variaciones nucleotídicas simples en región codificante (SNPs) del ADNmt que permiten definir con mayor precisión el haplogrupo al que pertenece una muestra lo que aumenta su valor identificativo. Por ejemplo un porcentaje importante de las muestras europeas pertenecen al haplogrupo H (esto es a un mismo linaje) sin posibilidad de diferenciar unos individuos de otros si no se recurre al análisis de SNPs de región codificante que aumenta sensiblemente el poder del test.

El ADNmt es importante en genética forense en dos circunstancias: en el análisis de pelos y cabellos y en el análisis de muestras degradadas. En estos casos, tan solo el ADNmt podrá ser estudiado ya que, debido a sus características, las probabilidades de éxito en la amplificación son muy superiores a la amplificación de marcadores nucleares.

El genoma mitocondrial contiene información de gran utilidad y en ocasiones decisiva judicialmente para el establecimiento de la identidad o fuente de un determinado espécimen biológico, jugando un papel crucial en la identificación criminal.

La utilización de la prueba del ADNmt para la resolución de casos judiciales forenses es relativamente reciente pero actualmente es esencial y rutinario en todos los laboratorios forenses.

Por su mejor comportamiento en muestras degradadas el ADNmt es esencial para muchos casos de identificación a partir de restos óseos. Se han obtenido secuencias de ADNmt en muestras de miles de años y la prueba ha servido para solucionar numerosos enigmas históricos como la identificación de los restos de la familia Romanov.

La mayoría de los laboratorios que de Genética forense utilizan hoy día el ADNmt, aunque en casos complicados este tipo de pericia sólo la deben realizar laboratorios muy especializados. Los mayores problemas que la prueba de ADNmt tiene son el control de la contaminación y la valoración estadística. La Sociedad Internacional de Genética forense ha publicado recomendaciones estrictas para el uso apropiado e interpretación de los perfiles de ADNmt.

La valoración estadística exige el que se disponga de bases de datos poblacionales muy amplias (es decir perfiles de ADNmt totalmente anónimos con el fin de estimar su frecuencia) y en este sentido se está haciendo un esfuerzo colaborativo importante a nivel mundial siendo la base de datos más importante EMPOP coordinada por el Instituto de Medicina Legal de Innsbruck (Austria)

E) *Los polimorfimos del cromosoma Y*

A pesar de representar solo el 2% del componente cromosómico humano, el cromosoma Y posee unas características que le diferencian del resto de los cromosomas y le confieren gran utilidad desde el punto de vista tanto forense como antropológico y que son:

a) Es uno de los cromosomas humanos más pequeños, con un tamaño de aproximadamente 60 millones de pares de bases (Mb).

b) El 60% de su DNA está constituido por secuencias altamente repetidas

c) La mayor parte del cromosoma Y no recombina durante meiosis. Esta falta de recombinación, determina que todas las secuencias localizadas en la parte que no recombina son heredadas como un bloque de padres a hijos, por lo que se trasmite exclusivamente por vía paterna. La única fuente posible de variación es producida por eventos mutacionales.

d) Presenta una baja diversidad.

A pesar de la gran escasez de polimorfismos existente en este cromosoma si se compara con el resto, en la última década se han incrementado enormemente los estudios realizados sobre los distintos marcadores específicos de este cromosoma y de todos ellos los más interesantes a efectos forense son también los microsatélites (STRs).

Actualmente se pueden encontrar en bases de datos genómicas centenares de STRs de cromosoma Y pero también se ha estandarizado su uso. Así, los STRs que integran el llamado "haplotipo mínimo" (son usados por todos los laboratorios forenses en la actualidad y existen multiplexes comerciales ampliamente usados, que incluyen un elevado número de STRs.

Los microsatélites localizados en el cromosoma Y, han irrumpido con gran fuerza en el panorama de los marcadores genéticos de uso forense, debido a que suponen una ayuda inestimable para ciertas situaciones forenses específicas como son algunos casos de investigación de la paternidad difíciles y especialmente casos criminales con mezcla de ADN masculino y femenino.

Así, los polimorfismos de cromosoma Y se emplean cada vez más en aquellos casos en los que no hay muestra del presunto padre y sus supuestos hijos son varones. Así, si se cuenta con otro familiar masculino de la línea paterna, su cromosoma Y será idéntico al del padre no disponible y su supuesto hijo varón. Pero en estos casos, hay que tener en consideración que el resultado basado exclusivamente en microsatélites de Y, no excluye como padre a ningún otro varón de esa línea paterna. Por lo tanto, el estudio debe complementarse con marcadores autosómicos en el caso de que sea necesario eliminar esa posibilidad.

Pero sobre todo, los polimorfismos de cromosoma Y son importantes en el análisis de muestras en delitos contra la libertad sexual en las que el esperma u otras células del agresor están mezcladas con células femeninas de la víctima.

En caso de esperma se suelen separar las fracciones masculina y femenina mediante lisis diferencial posibilitando así la obtención del perfil genético del agresor. Pero esta técnica es muy laboriosa y no siempre resulta exitosa, al no conseguirse siempre la completa separación de las dos fracciones. Puede llegar a fallar por completo en muestras donde la cantidad de esperma es mínima o cuando se trata de muestras muy degradadas, llegándose incluso a perder el ADN espermático. En contrapartida, si este proceso de separación no es aplicado en mezclas y son utilizados marcadores autosómicos, se obtiene una amplificación preferencial del mayor de los componentes (usualmente DNA femenino), que enmascara el perfil genético del agresor. El uso de marcadores de cromosoma Y soluciona este problema.

A pesar de resultar evidente su capacidad analítica, estos marcadores presentan, como hemos dicho, una limitación: todos los individuos de la misma línea paterna compartirán idéntico perfil haplotípico de cromosoma Y por lo que no podrán ser excluidos como autores de un delito si se presenta ese problema.

Además, como ocurre con el ADNmt, la asociación alélica de los STRs de cromosoma Y, implica que las frecuencias haplotípicas no puedan ser estimadas como producto de las frecuencias alélicas, por lo que el análisis estadístico de los marcadores microsatélites de cromosoma Y es más complejo que el de marcadores autosómicos.

Con todo los polimorfismos de cromosoma Y están siendo utilizados en todos los laboratorios forenses actualmente y han servido para arrojar luz sobre casos criminales importantes en Europa sobre todo relacionados con agresiones sexuales.

También está siendo cada vez más importante el uso de polimorfismos nucleotídicos simples (SNPs) de cromosoma Y. Estos completan la información de los STRs y son importantes para conocer el origen geográfico de una muestra.

La Sociedad Internacional de Genética forense (ISFG) ha publicado recientemente recomendaciones para el uso correcto de estos polimorfismos, su nomenclatura y especialmente la valoración estadística de los resultados, que comparte los problemas del ADNmt.

Como en éste, existe la necesidad para los polimorfismos de cromosoma Y de grandes bases de datos poblacionales para estimar la frecuencia de los haplotipos y se ha realizado un esfuerzo colaborativo a nivel mundial muy importante en este sentido (www.ystr.org) que está coordinada por el Instituto de Medicina Legal de la Universidad de Berlín.

STRs y SNPs de cromosoma X también están siendo cada vez más usados en la resolución de casos de paternidad difíciles como herramientas complementarias a todas las anteriores.

F) SNPs y los métodos de futuro

A diferencia de otros campos de la Genética, los avances tecnológicos en el área forense suelen tener una aplicación a la realidad pericial relativamente lenta por la necesidad de validación previa y de incorporación a programas de control de calidad.

Los polimorfismos de más futuro, y ya en la mayoría de los casos en una fase de validación avanzada son los más simples, esto es los SNPs de cromosomas autosómicos. Estos poseen una tasa de mutación muy baja lo que los hace idóneos para pruebas de paternidad.

Frecuentemente, debido a la alta tasa de mutación de los STRs, aparecen en las pruebas de paternidad inconsistencias que parecen exclusiones que pero que son debidas a mutaciones. Al incluirlas en los cálculos estadísticos la probabilidad de paternidad baja drásticamente. El uso de paneles de SNPs está solucionando todos esos casos. Además está demostrando ser particularmente útil en los casos en los casos de paternidad con relaciones familiares en el grupo (por ejemplo, que los posibles padres sean dos hermanos), así como en paternidades que se han de realizar a partir de material degradado (por ejemplo, tras exhumación de los restos óseos del presunto padre).

Dado que el tamaño de los productos amplificados puede ser mínimo, la eficacia de los SNPs en material degradado y en bajo número de copias supera con creces a los STRs.

El número de SNPs que se necesitan a efectos forenses es relativamente bajo comparado con otras aplicaciones de los SNPs en Genética humana. Unos 50-60 SNPs de frecuencias equilibradas tienen aproximadamente el mismo nivel de discriminación que 12 STRs. El grupo SNPforID (www.SNPforID.org) ha validado un set de 52 SNPs autosómicos que está siendo muy empleado y también diversos set de SNPs para otras aplicaciones forenses de los SNPs.

En este sentido, una de las aplicaciones más interesantes es el uso de AIMs (marcadores informativos de ancestros) para predecir el origen geográfico de la persona que ha dejado una muestra biológica. Este tipo de prueba ha sido empleado con éxito en los atentados del 11-M de Madrid para predecir el origen geográfico de perfiles no identificados encontrados en objetos importantes para la investigación judicial del caso. La eficacia del método es muy alta hasta el punto de poder predecirse con una elevada probabilidad en muchos casos si una muestra es sureuropea o norteafricana, dos poblaciones tan próximas geográficamente y con una larga historia compartida.

Los SNPs son también importantes para la predicción de características físicas de un individuo a partir de una muestra con fines de investigación policial. Así, a partir de un vestigio biológico, ya se puede decir con muy elevadas probabilidades el color de los ojos y se han desarrollado paneles de SNPs al efecto así como herramientas matemáticas para la predicción.

Por último el uso de microarrays de SNPs de alta densidad (con hasta un millón de SNPs) está revolucionando también la investigación de relaciones relativamente lejanas de parentesco (tío/sobrino por ejemplo) y está posibilitando comparaciones de relaciones de parentesco que con los microsatélites no son posibles.

III. OTROS ASPECTOS DEL USO DEL ADN EN MEDICINA FORENSE

A) *ADN en bajo número de copias y mezclas de perfiles de ADN*

La sensibilidad de las técnicas actuales ha hecho posible que se puedan obtener perfiles de ADN a partir de sólo unas pocas copias (agarrar una prenda o un objeto unos pocos segundos ya es suficiente para dejar un perfil). Por desgracia esto ha hecho más compleja la interpretación al aumentar el número de casos en los que existe una mezcla de perfiles de ADN.

El análisis de mezclas de ADN es pues una práctica habitual en la rutina forense. Su interpretación es delicada dado que se hace imposible diferenciar qué alelos pertenecen a cada contribuyente a la mezcla. Si además la mezcla está desequilibrada (uno de los contribuyentes aportó más cantidad de fluido biológico que el otro u otros) podemos cometer errores al asignar alelos que en realidad son artefactos de la amplificación (*sttuters*) o al no detectar alelos que realmente existen en la mezcla (*drop out* alélico).

Si la mezcla está formada por el mismo tipo de fluido procedente de dos o más individuos la posibilidad de separar los perfiles genéticos se complica, pero si los fluidos que formaron la mezcla presentan diferentes características puede lograrse la separación. Tal es el caso de las agresiones sexuales, en las cuales nos encontramos mezclados el perfil genético de la víctima procedente del fluido vaginal con el perfil genético del sospechoso procedente del semen. Habitualmente estas muestras se procesan extrayendo su ADN mediante lisis diferencial, basada en la resistencia que presentan los espermatozoides (y no las células del epitelio vaginal) a la digestión mediante proteinasa K. Sin embargo, cuando el número de espermatozoides es escaso o la muestra está degrada la lisis diferencial no es eficaz.

Para solucionar los problemas de interpretación de mezclas de perfiles se han creado programas informáticos que nos ayudan a la interpretación de mezclas cuando no existe la posibilidad de la separación física de los perfiles genéticos.

B) Automatización y rapidez del análisis forense

Uno de los principales problemas hoy en los laboratorios forenses es el gran número de datos electrónicos que se generan regularmente. Desde que una muestra llega al laboratorio hasta que se escribe el informe pericial son muchos los pasos que se dan y los resultados analíticos que se producen. Hemos de tener en cuenta el carácter judicial de las muestras que analizamos, y como tales han de estar controladas en todo momento, siguiendo una cadena de custodia tanto de los efectos como de las sub-muestras que se generan de ellos. Por tanto, en los últimos años ha sido necesario desarrollar sistemas informáticos que permitieran el manejo fácil y seguro de toda esta información generada, los LIMS (*Laboratory Information Management Systems*). Estos sistemas nos permiten saber dónde están en cada momento las muestras que se analizan y en qué fase del análisis se encuentran (trazabilidad), nos proporcionan las herramientas necesarias para las revisiones administrativas de cada caso y contienen módulos analíticos para estudios de ADN (comparación y almacenamiento de perfiles genéticos, análisis estadísticos, etc).

Las técnicas de análisis en sí también están automatizándose. Existen hoy en día robots para extraer ADN de un elevado número de muestras en un par de horas, aunque aún no están preparados para muestras críticas.

Los sistemas miniaturizados compactos (lab-on-a-chip) están actualmente en fase de diseño y experimentación. Han sido de muy difícil desarrollo al basarse aun actualmente la identificación en STRs lo que exige recorridos electroforéticos de cierta distancia pero han cobrado un nuevo auge con la potencial aplicación de los SNPs. En el futuro próximo se dispondrá de sistemas que se puedan llevar a la escena del crimen y estén conectados de forma directa con bases de datos. En algunos países dada la insuficiencia actual de este tipo de aproximaciones se utilizan laboratorios móviles que se llevan a la escena del crimen para tratar de minimizar el tiempo de respuesta

IV. APLICACIONES MÉDICO-LEGALES DE LOS POLIMORFISMOS DE ADN

A) *Aplicaciones en investigación de la paternidad, identificación y criminalística*

Como hemos dicho en la introducción, el análisis de los polimorfismos de ADN ha supuesto un cambio radical en las posibilidades del laboratorio de Genética forense.

En la investigación de la paternidad antes del desarrollo de esta nueva metodología, se solucionaban la casi totalidad de los casos con los marcadores clásicos. Sin embargo, el uso de polimorfismos del ADN ha simplificado la prueba, la ha hecho más barata y ofrece, además, mayor posibilidades en casos difíciles como aquellos en los que el presunto padre ha fallecido y hay que realizar la investigación de la paternidad a través de restos cadavéricos o de familiares directos del mismo, o en los diagnósticos prenatales de paternidad (en casos de violación, por ejemplo). Todos estos casos eran difícilmente abordables con la metodología anterior al descubrimiento de los polimorfismos de ADN repetitivo.

En identificación de restos óseos la revolución ha sido también notable ya que la mayoría de los casos se pueden resolver a través del análisis del ADNmt y en muchos casos se pueden incluso obtener datos con STRs. Así se han resuelto numerosos casos de gran importancia en todo el mundo como la identificación de desaparecidos en la dictadura argentina, y muchos desastres de masas y enigmas históricos han sido y están siendo investigados.

En criminalística biológica la revolución ha sido total, particularmente en el análisis de manchas de esperma, de pelos y cabellos, saliva, o manchas minúsculas de sangre, dado que, en estos vestigios, se podía dar muy poca información sobre la persona a quien pertenecen utilizando marcadores clásicos.

Hoy a partir de un único cabello o de un mínimo número de espermato-zoides recogidos en cavidad bucal o una mancha envejecida y minúscula de sangre se puede, en muchas ocasiones, aportar datos de gran valor sobre la individualidad de ese vestigio, lo que era totalmente impensable hace pocos años.

Está siendo especialmente importante la aplicación del polimorfismo del ADN en los delitos contra la libertad sexual, delitos en los que ante la ne-gativa del presunto culpable no suelen existir más pruebas indiciarias que las proporcionadas por posibles restos de esperma en prendas y en cavidad vaginal o anal. El esperma es un vestigio idóneo para el análisis de ADN y los marcadores clásicos apenas aportaban datos de utilidad salvo en casos excepcionales.

Y sobre todo se pueden analizar ADN a partir del simple contacto con un objeto aunque la baja cantidad de ADN y la contaminación hacen muchas veces difícil la interpretación de los hallazgos.

B) Las bases de datos de ADN con fines de identificación criminal

El potencial del ADN como medio de identificación hizo que pronto se propusiese la realización de bancos de datos de perfiles de ADN de delin-cuentes.

El primer país con bases de datos de perfiles de ADN y en el que son más amplias es el Reino Unido. Así se implantaron en Inglaterra en 1995, seguido de Irlanda del Norte y Escocia en 1996, Nueva Zelanda también en 1996, Ho-landa, Eslovaquia y Austria en 1997 y Estados Unidos, Alemania y Eslovenia en 1998 fueron los siguientes países y poco a poco todos los demás países avanzados las fueron implantando y desarrollando una legislación específi-ca. Hay legislación específica sobre bases de datos de ADN en la mayoría de los países de la Unión Europea con la excepción de Italia. En España están reguladas por Ley Orgánica 10/2007, de 8 de octubre, reguladora de la base de datos policial sobre identificadores obtenidos a partir del ADN. También recientemente (diciembre 2008) se aprobó la creación de la Comisión Nacio-nal para el uso forense del ADN.

La primera base de datos y la más amplia es la del Reino Unido. Es muy amplia y contiene unos tres millones de perfiles de ADN, introduciéndose más de 1000 perfiles diarios de sospechosos, convictos o muestras encontradas en el lugar de los delitos.

Existe una gran diversidad legislativa entre países europeos en relación con quien puede ser incluido en las bases de datos, el tiempo que deben permanecer los perfiles en la base de datos después de la puesta en libertad de los individuos, sobre si se conserva muestra de ADN o sólo perfil de ADN, etc.

En España se incluyen en las bases de datos delitos contra las personas (homicidios, delitos contra la libertad sexual, narcotráfico, terrorismo y robo con violencia). Solo se puede obtener muestras por orden judicial o con consentimiento informado con asistencia letrada.

Las bases de datos han demostrado su eficacia en la investigación de delitos con alta tasa de reincidencia y particularmente delitos contra la libertad sexual y delitos contra la propiedad y la limitación de uso obedece al necesario equilibrio entre seguridad y libertad individual (en el sentido de autodeterminación de la información y control del ciudadano).

Las bases de datos de ADN incluyen perfiles de ADN de loci microsatélites que previamente se han estandarizado. En Europa se incluye en todos las bases por lo menos todos los marcadores ESS (European Standard Set). Las bases de datos están muy protegidas en el acceso a la información y se separan en ficheros para garantizar el anonimato excepto de aquella coincidencia de perfiles que se está buscando.

En cualquier caso si bien de los perfiles de ADN no se pueden derivar ninguna información médica sobre las personas u otros datos de carácter personal, si contienen información sensible (se pueden obtener datos de parentesco por ejemplo) por lo que deben siempre ser legisladas y protegidas adecuadamente.

V. EL VALOR DE LA PRUEBA DE ADN

A) *Las etapas de la prueba de ADN en el laboratorio de Biología forense*

La prueba de ADN aplicada a criminalística tiene, como hemos visto hasta ahora, cuatro etapas básicas:

1. Análisis laboratorial de la muestra, lo que incluye analizar el mayor número de polimorfismos de ADN posible, obteniendo así un perfil genético de la muestra objeto de análisis.

2. Comparación de los resultados con los obtenidos en el inculpado o en la víctima. Ello implica que si aparece un vestigio biológico en la víctima la comparamos con el análisis genético del agresor, o bien, si, por ejemplo, aparece una mancha de sangre en el agresor la comparamos con la sangre de la víctima.

3. Interpretación: Puede entonces ocurrir que los patrones sean diferentes en uno o más polimorfismos (habitualmente STRs) con lo que concluiremos que ese vestigio biológico no se corresponde con el individuo con el que lo comparamos. Pero puede suceder que los polimorfismos de ADN analizados en el vestigio se correspondan con el individuo con el que se compararan. Entonces hay que valorar la probabilidad de que ese vestigio provenga de ese individuo lo que depende de la frecuencia de esos grupos en la población. La tercera etapa del análisis es pues la valoración probabilística de la prueba en el caso de coincidencia de patrones.

4. Por último la emisión del correspondiente informe médico-legal y, en su caso, la comunicación de los resultados en el juicio oral.

Estas etapas de análisis que concluyen en el informe médico-legal tienen un precedente básico que es la correcta recogida y envío del vestigio al laboratorio médico-legal. Estos aspectos han cobrado una importancia considerablemente mayor porque el valor de la prueba es, en ocasiones, trascendente. Así, aspectos frecuentemente descuidados, como la denominada "cadena de custodia" del vestigio, han pasado a tener una enorme trascendencia.

Del mismo modo, con la importancia que la prueba posee en los delitos contra la libertad sexual, el que se analice el esperma en un porcentaje mínimo de los delitos denunciados y que no llegue muchas veces en buenas condiciones a los laboratorios forenses debería ser inmediatamente corregido.

B) La valoración de la prueba biológica

1. La interpretación de la prueba biológica: la falacia del fiscal y la falacia de la defensa

Cuándo se analizan polimorfismos genéticos en manchas biológicas y se trata de ver si corresponden a un individuo, cuya sangre también es analizada, pueden suceder dos situaciones: que no coincidan uno o varios marcadores analizados o que coincidan todos.

En el primer caso podemos decir que la mancha analizada no corresponde al individuo con un margen de error prácticamente despreciable y que depende, en todo caso, de la seguridad analítica del laboratorio, de ahí la importancia de la acreditación y los controles de calidad.

El problema se presenta cuando coinciden los grupos analizados en el individuo y la mancha.

La respuesta que, entonces, los jueces esperan del perito es el conocer la probabilidad de que esa mancha de sangre, ese pelo o ese esperma provengan de ese individuo.

Antes de nada hay que aclarar que aunque coincidan varios marcadores, siempre existirá una incertidumbre sobre si la mancha pertenece al individuo, que, en muchas ocasiones, puede ser mínima, pero siempre es cuantificable y no puede hablarse en ningún caso de incriminación o seguridad absoluta. Siempre se ha de proceder a la valoración probabilística de la coincidencia de perfiles de ADN.

La necesidad de la valoración probabilística es clara: Imaginemos que una mancha de sangre es encontrada en la escena del crimen, y que existe un acusado cuya sangre se analiza. En ambos, mancha y acusado, se estudia el grupo ABO y los dos poseen el grupo A. Como quiera que el grupo A lo posee cerca del 50% de los individuos, intuitivamente ya se entiende que esa coincidencia tiene escaso valor probatorio.

Pero imaginemos que se analiza un STR y que tanto la mancha como el acusado poseen el genotipo 19-29, que lo posee una persona de cada cien. Intuitivamente ya se entiende que la prueba científica tiene ahora un valor muy superior que en el caso anterior. Pero en este último caso la prueba se puede presentar ante el juez, como ahora veremos, de forma muy diferente.

El fiscal puede presentar el caso así: "El análisis del laboratorio forense tiene en este caso una enorme importancia. El grupo encontrado lo posee sólo el uno por cien de la población, de modo que sólo hay un uno por ciento de probabilidades de que la sangre provenga de otro que no sea el acusado. Es decir, solo hay el uno por ciento de probabilidades de que algún otro haya cometido el crimen, de modo que el acusado tiene un 99% de probabilidades de ser culpable".

La defensa puede al contrario decir: "La prueba del laboratorio forense tiene una importancia muy escasa. Sólo el uno por ciento de la población posee ese grupo de ADN, pero en una ciudad como por ejemplo Madrid con al menos 500.000 personas en edad de cometer el crimen, ese grupo sería encontrado en 5000. El ADN muestra pues que el acusado es una de las 5000 personas de la ciudad que pudo haber cometido el crimen. Una posibilidad en 5000 tiene una importancia escasísima para que se considere a esta persona culpable".

Ninguno de estos argumentos es correcto por sí solo y han sido denominados la falacia del fiscal y la falacia de la defensa, quienes, además, demostraron que presentando la prueba de forma aparentemente aséptica (esto es que el perito diga escuetamente que el grupo lo posee el uno por ciento de la población), un elevado porcentaje de individuos cae espontáneamente en una de las dos falacias. Si además se presenta simplemente uno de los dos argumentos la mayoría de las personas piensan que es correcto.

Pero, ¿cuál es la posición correcta?

La verdad es que la solución dista mucho de ser intuitiva y la manera correcta de valorar la prueba necesita ser analizada y comprendida.

2. El análisis bayesiano

Para valorar correctamente la probabilidad de que una mancha provenga de un individuo, después de realizado el análisis de polimorfismos genéticos, es necesario recurrir al teorema de Bayes que sirve para conocer las probabilidades finales de un suceso a partir de las probabilidades iniciales, dada cierta información o informaciones adicionales obtenidas. El método proporciona una forma adecuada de incorporar información previa de un suceso además de permitir incorporar información posterior cuando esta sea accesible.

Pero volvamos al problema principal. Imaginemos un proceso en el cual un individuo es acusado de haber cometido un determinado crimen, y existe una prueba científica involucrada en el caso, como la que antes comentábamos a propósito de las falacias del fiscal y defensor. Es decir, se encuentra una mancha en la escena del crimen, y al analizar un polimorfismo de ADN en la misma se determina un grupo que posee el 1% de la población y que posee también el acusado.

Obviamente existen solamente dos hipótesis posibles mutuamente excluyentes: C, el acusado ha cometido el crimen; e I, el acusado no ha cometido el crimen, lo que implica asumir automáticamente que algún otro lo hizo.

Habrá, en general, pruebas testificales o de otro tipo que afectan al grado de incertidumbre que sobre C o I tiene el juez. Habitualmente con las pruebas presentadas, los testigos, etc, el juez tiene un idea sobre la culpabilidad o inocencia de ese individuo. Posiblemente no le sería complicado expresar ese grado de creencia en la culpabilidad o inocencia del acusado en forma de apuesta (5 a 1 a favor de su inocencia, 10 a 1 a favor de su culpabilidad, por ejemplo).

Para valorar, de forma objetiva, la prueba científica, el juez no tendría más que multiplicar- y aquí es donde el teorema de Bayes se aplica- su grado de creencia previo sobre la culpabilidad del acusado, expresado en forma de apuesta, por un factor que el perito debería proporcionar siempre al juez y que se conoce como "likelihood ratio" (LR) y que se puede denominar "razón bayesiana de probabilidad", y que es:

$$LR = \frac{\text{Probabilidad del hallazgo científico dada la culpabilidad}}{\text{Probabilidad del hallazgo dada la inocencia}}$$

Expresado en forma matemática llamando E al hallazgo científico:

$$LR = \frac{P(E/C)}{P(E/I)}$$

Es de total importancia que el perito presente el resultado de la pericia en forma de esta proporción, pues identifica y circunscribe, además, su función: Mientras al juez le interesa saber cuál es la probabilidad de culpabilidad dada la prueba científica, al perito le conciernen preguntas como ¿cuál es la probabilidad del hallazgo científico dada la culpabilidad? y ¿cuál es la probabilidad de ese hallazgo dada la no culpabilidad?

Volviendo al caso de la mancha de sangre y el acusado en la que indicábamos que se había analizado un grupo de ADN que coincidía y que poseía el uno por ciento de la población, el perito debería razonar de la siguiente manera:

La probabilidad de que esa mancha provenga de ese individuo si C es verdad (es decir, si es ciertamente culpable) es 1 (100%), porque el grupo encontrado (19-29) es exactamente lo que ocurriría si el acusado hubiese dejado la mancha. Bajo la hipótesis de no culpabilidad (I), entonces algún otro habría dejado la mancha. Puede que la defensa tuviese una explicación alternativa, pero si no es así, la probabilidad del hallazgo bajo la hipótesis C, es la misma que la de que un hombre al azar de la población poseyera ese fenotipo 19-29. Es decir 0.01 (1%).

La razón de probabilidad (LR) es entonces 100 (1/0.01).

Esto significa que la probabilidad de culpabilidad de ese individuo (en opinión del juez) expresada en forma de apuesta se habrá multiplicado por cien.

El juez no tendría más que multiplicar su grado de creencia a priori sobre la culpabilidad del acusado expresada en forma de apuesta para obtener una buena estima de la probabilidad a posteriori, expresada también en forma de apuesta. Es decir si al juez le parece que tiene tantas posibilidades de ser culpable como inocente, ahora podrá "apostar" de forma objetiva 100 contra a 1 a favor de su culpabilidad.

VI. LA ESTANDARIZACIÓN Y EL CONTROL DE CALIDAD

Más importantes que todo el desarrollo científico de la prueba de ADN ha sido en mi opinión el profundo cambio conceptual que ha experimentado la Ciencia forense de mano de la Genética forense en las dos últimas décadas.

Este cambio conceptual afecta a dos aspectos: uno, el acabamos de comentar, de valoración estadística de la prueba y el segundo la necesidad de una estandarización no sólo para hacer posible la comparación de resultados entre los laboratorios sino para probar la calidad del laboratorio y de sus resultados.

Este cambio representa el paso del forense tradicional con opiniones basadas en la experiencia y en la intuición y que dan un valor absoluto a las mismas, al científico moderno con opiniones basadas en la evidencia científica, en el razonamiento y que sabe que todas tienen incertidumbre y que ésta se puede cuantificar.

Pero, ¿por qué son los estándares tan importantes en Genética forense?

1. Controles de calidad

Sin un acuerdo en estándares es imposible gestionar controles de calidad y estos son cada vez más necesarios en todos los laboratorios forenses.

2. Segundas opiniones o contrapericias

Si cada laboratorio utiliza los marcadores que quiere o les denomina de forma diferente a otros laboratorios, no habría forma de valorar los datos que un laboratorio emite, impidiéndose la posibilidad de una contrapericia.

3. Validación de procedimientos

Un procedimiento es válido cuando la comunidad científica así lo establece. Los procedimientos han de ser comprobados por los científicos, validados por las comisiones apropiadas y establecidos estándares para su uso.

4. Experiencia

Una de las mayores ventajas en ponerse de acuerdo y establecer estándares comunes, es el conocimiento que se deriva del uso de sistemas concretos que redunda en beneficios indudables para su aplicación en la práctica.

Así, gracias al uso común de marcadores, podemos tener una mejor estima de frecuencias poblacionales y conocer la existencia o no de problemas genético-poblacionales para sistemas concretos, se puede conocer con mayor exactitud la tasa de mutación o la existencia de alelos raros y una estima eficaz de su frecuencia, acumularemos más datos sobre la estructura de esos sistemas, etc.

5. Comparación de bases de datos poblacionales e integración de bases de datos criminales comunes

El establecimiento de estándares comunes permite comparar datos y permite usar e integrar bases de datos de frecuencias.

Además la mayor movilidad internacional de los delincuentes especialmente en delitos como terrorismo y crimen organizado hace conveniente el establecimiento de bases de datos con fines de identificación criminal comunes que sólo se logrará con el establecimiento de los estándares adecuados.

Los estándares en el laboratorio forense pueden ser agrupados en estándares técnicos y de procedimiento.

Los estándares técnicos incluyen el tipo de marcadores genéticos que deben de ser usados, su nomenclatura, la metodología válida para su análisis, los métodos estadísticos utilizados para la valoración de la prueba, la elaboración del informe final y su comunicación.

Las estándares de procedimiento incluyen todos aquellos necesarios para una acreditación de laboratorios e incluyen aspectos como la organización del laboratorio, el personal (su formación entrenamiento específico, experiencia, responsabilidades, etc), la documentación y control de las pruebas, los protocolos de laboratorio, el calibrado y mantenimiento de los equipos, los controles externos e internos, las auditorías externas y su frecuencia, etc.

En cuanto a los estándares técnicos y a pesar del número de marcadores y estrategias que hoy día existen para el análisis de polimorfismos de ADN existe en una tendencia hacia el uso común de marcadores. Esto es posiblemente debido a los esfuerzos de estandarización de algunos grupos, a la existencia de kits comerciales para el análisis de ADN con fines forenses, a la influencia de algunos grupos líderes en el campo y también al decidido esfuerzo de los genetistas forenses por conseguir estándares comunes y a las pruebas de suficiencia ("proficiency testing") que sólo admiten un número determinado de sistemas.

La mayoría de los laboratorios en Europa siguen las recomendaciones de la Sociedad Internacional de Genética Forense (ISFG, International Society for Forensic Genetics), sociedad que agrupa a la casi totalidad de peritos a nivel mundial, lo que facilita enormemente la estandarización y lo que implica que todos los laboratorios usen la misma nomenclatura.

La estandarización técnica está ya contemplada por el Consejo de Europa en su Recomendación R (92)1 de 10 de febrero de 1992 sobre "El uso de análisis de ADN en el marco de la Justicia Penal" establece en su artículo 10:

> "Los estados miembros promocionarán la estandarización de los métodos de ADN tanto a nivel nacional como internacional. Esto lleva involucrado la adecuada colaboración interlaboratorial en la validación de los procedimientos analíticos y de control"

Todos los grupos de trabajo de la ISFG (www.isfg.org) contribuyen de forma decisiva a la estandarización y al control de calidad, pero sin duda el Grupo de Español y Portugués (GHEP-ISFG) es uno de los más activos y el que mejor sistema de pruebas de suficiencia posee a nivel mundial. En él se integran más de 100 laboratorios de España, Portugal y de la totalidad de los países iberoamericanos.

De los grupos de estandarización más globales destacan en Norteamérica el grupo SWGDAM (*"Scientific Working Group for DNA Analysis and Methods"*) y en Europa los grupos EDNAP (*"European DNA Profiling Group"*) y grupo de trabajo de ADN de ENFSI (*"European Network of Forensic Science Institutes"*).

En este sentido la Comisión de ADN de la ISFG trata de coordinar estos esfuerzos y emite regularmente recomendaciones para el uso de polimorfismos de ADN en la práctica forense. La comisión de ADN de la ISFG está integrada por el *"board"* de la ISFG junto con representantes de los principales grupos de estandarización (EDNAP-STADNAP y SWGDAM) y expertos externos elegidos según los aspectos concretos que se traten. Un listado de las recomendaciones de la Comisión de ADN pueden encontrarse en la web de la ISFG (http:/www.isfg.es).

VII. BIBLIOGRAFÍA

BOGUSZ M.J. (2008) Handbook of Analytical Separations. Forensic Science, vol. 2. Amsterdam: Elsevier, Academic Press.

BUTLER J.M. (2010) Fundamentals of Forensic DNA Typing, ch. 3. New York: Elsevier Academic Press.

BUCKLETON J., TRIGGS C.M., WALSH S.J. (2005) *Forensic DNA evidence interpretation.* CRC Press, Boca Ratón, Florida, USA

BUTLER J.M. (2012) Advanced Topics in Forensic DNA Typing: Methodology. New York: Elsevier Academic Press.

CARRACEDO A., Schneider P, Butler J, Prinz M (2012)Focus issue-Analysis and biostatistical interpretation of complex and lowtemplate DNA samples Forensic Science International: Genetics 6: 677-678

EVETT I., WEIR B.S. (1998). *Interpreting DNA Evidence*, Sinauer Associates Inc. Sunderland, Massachussets, USA.

JEFFREYS A.J., WILSON V., and Thein S.L. (1985) Hypervariable minisatellite regions in human DNA. Nature 314: 67-73.

JOBLING M.A. and Gill P. (2004) Encoded evidence: DNA in forensic analysis. Nature Reviews Genetics 5(10): 739-751.

KAYSER M. and de Knijff P. (2011) Improving human forensics through advances in genetics, genomics and molecular biology. Nature Reviews Genetics 12(3): 179-192.

B) Derecho comparado

ADN Y DERECHO PROCESAL EN LOS ESTADOS UNIDOS: CINCO PROBLEMAS

Luis E. Chiesa
Catedrático de Derecho Penal y Derecho Procesal Penal
Universidad PACE de Nueva York (Estados Unidos)

Sumario: I. Confiabilidad y admisibilidad de pruebas de ADN bajo reglas no-constitucionales de derecho probatorio. II. Obtención forzosa de pruebas de ADN y el derecho a la no-autoincriminación. III. Admisibilidad de pruebas de ADN y el derecho a confrontación. IV. ADN y evidencia abandonada. V. Extracción forzosa de ADN incidental a un arresto.

La obtención y uso de muestras de ADN durante el transcurso del proceso penal presenta muchas interrogantes jurídicas de importancia. En esta ocasión me limitaré a comentar en detalle solamente los siguientes cinco: (1) si las pruebas de ADN son lo suficientemente confiables para ser admitidas como evidencia en un proceso judicial, (2) si la extracción forzosa de ADN lesiona el derecho a no-autoincriminarse de los acusados, (3) si la admisibilidad de pruebas de ADN vulnera el derecho a confrontación de los acusados, (4) la admisibilidad de muestras de ADN en virtud de lo que la Corte Suprema de los Estados Unidos ha llamado la doctrina de "evidencia abandonada", y (5) la constitucionalidad de legislaciones que autorizan la obtención compulsoria de muestras de ADN como "incidental a un arresto".

I. CONFIABILIDAD Y ADMISIBILIDAD DE PRUEBAS DE ADN BAJO REGLAS NO-CONSTITUCIONALES DE DERECHO PROBATORIO

En el contexto del derecho probatorio, se discutió por algún tiempo si el análisis científico del ADN es lo suficientemente confiable como para ser admisible en un tribunal. Se trata de un asunto que requiere examinar un debate entre dos líneas jurisprudenciales que han dividido a las jurisdicciones estatales de los Estados Unidos. Por una parte, según lo resuelto por en la seminal sentencia de *Frye v. United States*, evidencia científica novel es admisible en los tribunales si —y solo si— goza de aceptabilidad general en la comunidad científica pertinente[1]. Por otra parte, según lo resuelto posteriormente por la Corte Suprema en la también seminal sentencia de *Daubert v. Merrell Dow Pharmaceuticals*, la evidencia novel científica debe ser admisible en un proceso judicial siempre que el tribunal quede satisfecho de la confiabilidad del método utilizado, independientemente de si dicho método goza de aceptabilidad general en la comunidad científica[2]. Al determinar la confiabilidad del método utilizado, el juzgador podrá tomar en consideración varios factores, incluyendo si los hallazgos científicos son susceptibles de ser puestos a prueba y replicados (*si son "testeables"*), si los hallazgos han sido publicados en revistas científicas cuyas publicaciones son evaluadas por otros científicos, etcétera[3].

Se trata, por cierto, de un debate importante, puesto que la doctrina defendida en *Frye* conduce a la inadmisibilidad de evidencia novel que muy bien pudiera resultar confiable por el mero hecho de que —precisamente por su novedad— la mayoría de la comunidad científica todavía no la conoce y, por tanto, no la acepta. Esto no ocurre bajo la doctrina defendida en *Daubert*, ya que el juzgador tiene discreción bajo esta normativa para decretar admisible evidencia científica novel que le parece confiable a la luz de los criterios elaborados en la sentencia aunque ese tipo de evidencia novel aun no goce de aceptabilidad general en la comunidad científica.

A pesar de que en este aspecto el criterio esbozado en *Daubert* parece superior al criterio defendido en *Frye,* el estándar adoptado en *Daubert* parece ser inferior al del *Frye* en al menos un aspecto. La ventaja del criterio propuesto en *Frye* es que le permite al juzgador apelar al criterio de la comunidad científica al determinar si admitir como evidencia prueba científica novel. Se trata de algo sensato, puesto que los jueces no están de ordinario capacitados para evaluar la confiabilidad de evidencia científica. Esto es un asunto que es mejor dejarlo a los expertos en el campo de la

---

[1]   *Frye v. United States,* 2913 F. 1013 (D.C. Cir. 1923).
[2]   509 U.S. 579 (1993).
[3]   *Id.*

ciencia. La debilidad del criterio propuesto en *Daubert* radica, por tanto, en que delega en el juzgador la potestad para determinar la confiabilidad de la evidencia científica novel. Esto es cuestionable, ya que convierte al juez en una especie de científico *amateur* que intenta descifrar la confiabilidad de una técnica científica novel sin tener los conocimientos necesarios para ello. Como puede verse, el asunto de la admisibilidad de prueba científica novel es complicado y las soluciones proporcionadas tanto en *Frye* como *Daubert* tienen sus debilidades.

En el contexto del ADN, se discutió hace algún tiempo si el uso de muestras de ADN para —por ejemplo— identificar a un acusado era lo suficientemente confiable como admitirse como evidencia en un proceso judicial. Hoy esto es un asunto superado. El uso de pruebas de ADN para establecer la identidad de una persona y su vínculo con evidencia obtenida en la escena del crimen es actualmente admisible tanto bajo el criterio propuesto en *Frye* como bajo el criterio propuesto en *Daubert*. Son admisibles bajo *Frye,* ya que las pruebas de ADN para establecer identidad gozan de aceptabilidad casi unánime en la comunidad científica. También son admisibles estas pruebas bajo *Daubert,* puesto que la confiabilidad de los resultados de pruebas de identificación mediante ADN han sido corroborados en múltiples ocasiones.

Debe señalarse, sin embargo, que la admisibilidad de pruebas de ADN bajo *Frye* y *Daubert* es incuestionable cuando se pretenden utilizar dichas pruebas para establecer la identidad de un sujeto o para vincular a determinada persona a evidencia obtenida en la escena del crimen. No obstante, la confiabilidad y, por tanto, la admisibilidad de pruebas de ADN podrían muy bien ser controvertidas tanto bajo *Frye* como *Daubert* si se pretenden utilizar para fines más controversiales. Así, por ejemplo, el uso de pruebas de ADN para demostrar una predisposición genética a cometer cierto tipo de delito (o la ausencia de dicha predisposición) seria con toda probabilidad inadmisible actualmente. Con independencia de si se trata de prueba de carácter (personalidad) potencialmente inadmisible en los Estados Unidos, la poca confiabilidad de dicha prueba acarrearía su inadmisibilidad, ya sea porque este tipo de uso de las pruebas de ADN aun no goza de aceptabilidad general en la comunidad científica (*Frye*) o debido a que el juzgador carece de suficientes elementos de juicio para determinar si los hallazgos son lo suficientemente confiables (*Daubert*).

II. OBTENCIÓN FORZOSA DE PRUEBAS DE ADN Y EL DERECHO A LA NO-AUTOINCRIMINACIÓN

Podría argumentarse que la extracción forzosa de muestras de ADN vulnera el derecho del acusado a no-autoincriminarse[4]. Ciertamente, la obtención de una muestra de ADN tiene el potencial de incriminar seriamente a la persona que proporciona la muestra. Por ende, resulta intuitivamente plausible argüir que obligar a un sospechoso a suministrar una muestra de ADN le obliga a autoincrminarse de manera incompatible con sus derechos fundamentales[5].

A pesar de los meritos de este argumento, la Corte Suprema de los Estados Unidos ha expresado en múltiples ocasiones que el derecho a no-autoincriminarse protegido en virtud de la Quinta Enmienda de la Constitución de dicho país solamente se extiende a evidencia incriminatoria de carácter testimonial[6]. Además, la Corte Suprema ha aclarado que una pieza de evidencia es de carácter testimonial solamente si se trata de una comunicación verbal o escrita o el equivalente funcional de una comunicación verbal o escrita como lo sería, por ejemplo, el asentir con la cabeza ante una pregunta hecha por un policía[7]. Por tal razón, el más alto foro de los Estados Unidos ha concluido que forzar a una persona a tomarse un fotografía, a proporcionar sus huellas digitales, a participar de una "rueda de detenidos" (lineup), y a suministrar una muestra de voz o caligráfica no vulnera el derecho a la no-autoincriminación[8].

A la luz de esta línea jurisprudencial, resulta forzoso concluir que la extracción forzosa de muestras de ADN no vulnera el derecho a la no-autoincriminación protegido en virtud de la Quinta Enmienda de la Constitución de los Estados Unidos por tratarse de evidencia de carácter no testimonial[9].

---

[4] Se trata de un asunto que los acusados sostienen con cierta frecuencia con el fin de suprimir muestras de ADN que agentes del orden público toman en contra de su voluntad. Véase, por ejemplo, a *Wilson v. Collins,* 517 F.3d 421 (6th Cir., 2008).
[5] *Id.*
[6] *Véase, por todos,* a *Schmerber v. California,* 384 U.S. 757 (1966).
[7] *Véase,* por ejemplo, a *Holt v. United States,* 218 U.S. 245 (1910).
[8] *Véase,* por ejemplo, a *DNA Dragnets —A Constitutional Catch?—,* Roberto Iraola, 54 Drake L. Rev. 15, 42 (2005).
[9] *Véase,* por ejemplo, a *United States v. Reynard,* 473 F.3d 1008 (9th Cir, 2007).

III. ADMISIBILIDAD DE PRUEBAS DE ADN Y EL DERECHO A CONFRONTACIÓN

La sentencia más importante que ha emitido la Corte Suprema de los Estados Unidos en materia de derecho probatorio en las ultimas par de décadas es *Crawford v. Washington*[10]. En dicho caso se resolvió que cualquier declaración presentada en contra de un acusado hecha fuera de corte que se pretende traer como evidencia en un proceso judicial para probar la verdad de lo aseverado es inadmisible salvo que: (1) el acusado haya tenido oportunidad de efectivo contrainterrrogatorio en el momento de hacerse la declaración original, o (2) el acusado tenga oportunidad de efectivo contrainterrogatorio en el momento en que se presenta la declaración como evidencia[11].

Este no es el lugar para discutir con detenimiento las consecuencias de lo resuelto en *Crawford*. Es necesario señalar, no obstante, que *Crawford* tiene implicaciones para la admisibilidad de pruebas de ADN[12]. Basta con decir por ahora que, de conformidad con *Crawford,* de ordinario es inadmisible contra un acusado presentar lo que se conoce en Estados Unidos como *hearsay* o —en español— prueba de referencia[13]. Las únicas excepciones ocurren cuando el acusado ha tenido la oportunidad de contrainterrogar al declarante ya sea en el momento en que se hace la declaración que constituye prueba de referencia o en el momento en que se presenta la prueba de referencia como evidencia en contra del acusado[14]. Esto es pertinente en el contexto de las pruebas de ADN, puesto que, como regla general, dichas pruebas se presentan como evidencia en contra de un acusado mediante la presentación de un informe formal científico que en el cual se certifica —por ejemplo— que el ADN del acusado coincide con el obtenido en la escena del crimen[15]. Dicho informe formal constituye prueba *hearsay* o prueba de referencia, puesto que consiste en una declaración hecha fuera de corte (en este caso, por el

---

[10] *Crawford v. Washington,* 514 U.S. 36 (2004).
[11] *Id.*
[12] *Véase,* por ejemplo, la confusa —pero importante— sentencia de *Williams v. Illinois,* 567 U.S. ___ (2012).
[13] *Véase,* por ejemplo, *Meléndez Días v. Massachussets,* 557 U.S. 305 (2009).
[14] *Crawford v. Washington,* 514 U.S. 36 (2004).
[15] *Williams v. Illinois,* 567 U.S. ___ (2012).

científico que llevo a cabo la prueba de ADN) que se presenta en corte para probar la verdad de lo aseverado (que el ADN obtenido en la escena del crimen le pertenece al acusado)[16]. Por ende, de conformidad con lo resuelto en *Crawford,* la admisibilidad de dicho informe formal depende de que el acusado haya tenido la oportunidad de contrainterrogar a la persona que preparo el informe ya sea en el momento en que se preparo el informe (poco probable), o en el momento en que se presenta el informe como evidencia. De no haber oportunidad para contrainterrogar de esta manera, el informe final de ADN sería inadmisible sin más[17]. Este asunto está generando mucha litigación en los Estados Unidos, particularmente a la luz de lo recientemente resuelto en *Bullcoming v. New Mexico*[18] y *Williams v. Illinois*[19]. El peligro es que muestras de ADN obtenidas hace mucho tiempo sean inadmisibles en procesos penales actuales por no estar disponible para testificar el científico que preparo el informe formal. Se trata de algo que puede ocurrir frecuentemente en vista del tiempo considerable que puede transcurrir entre la preparación del informe original de ADN y su presentación como evidencia. Durante ese tiempo pueden ocurrir cambios en personal u otros eventos que no permitan al científico original testificar. De ser así, la prueba de ADN se perdería para siempre[20].

---

[16]   *Id.*

[17]   No obstante, de conformidad con la opinión concurrente del Juez Thomas en *Williams v. Illinois,* documentos informales preparados por el laboratorio relacionados con la muestra de ADN son admisibles durante un proceso judicial futuro. Lo inadmisible en ausencia de oportunidad para contrainterrogar no son estos documentos informales intermedios, sino el informe final formal emitido por la entidad a cargo de analizar el ADN. Se trata de un asunto confuso, que ciertamente generará litigación considerable.

[18]   *Bullcoming v. New Mexico,* 564 U.S. ___ (2011).

[19]   *Williams v. Illinois,* 567 U.S. ___ (2012).

[20]   Sin embargo, como se mencionó en la nota 18, *supra,* informes informales iniciales preparados durante el transcurso del análisis de la prueba de ADN son admisibles. Lo que resulta inadmisible es el informe final formal que prepara la entidad a cargo de analizar la prueba, a menos de que haya efectiva oportunidad de contrainterrogar a la persona que preparó dicho informe final formal. *Williams v. Illinois,* 567 U.S. ___ (2012).

IV. ADN Y EVIDENCIA ABANDONADA

A mi juicio, el problema más complicado e interesante que presenta el uso de ADN en el proceso penal es la obtención de muestras de ADN como consecuencia de examinar lo que la Corte Suprema de los Estados Unidos ha llamado la doctrina de "evidencia abandonada". En cuanto a este particular es necesario distinguir entre tres situaciones, a saber: (1) situaciones en las que el sujeto intencionalmente decide dejar en un lugar público secreciones o partes de su cuerpo que contienen material genético, (2) supuestos en que el sujeto intencionalmente deja en un lugar público basura u otro tipo de objeto no-biológico que contiene material genético, y (3) casos en que el sujeto inevitablemente deja atrás material genético sin saberlo o, al menos, sin desear hacerlo. En lo que sigue discutiré con cierto detalle cada uno de estos supuestos.

A) Abandono intencional de secreciones o partes del cuerpo

Hay ocasiones en que un sujeto intencionalmente deja atrás secreciones o partes de su cuerpo. Lo que se abandona en estos supuestos no es un objeto que contiene secreciones o residuos corporales de una persona. En esta constelación de casos se desecha la secreción misma. El caso paradigmático es el del sujeto que escupe en la calle. También puede pensarse en la persona que se recorta las unas y tira los residuos en la vía pública. O la persona que se corta el cabello o afeita la barba y deja los pelos tirados en un lugar público. ¿Qué ocurre si un agente del estado se apropia de estas secreciones o residuos corporales y los usa para obtener una muestra de ADN que eventualmente incrimina al sujeto?

La solución a este tipo de caso parece ser fácil, al menos según la jurisprudencia de la Corte Suprema de los Estados Unidos. Según lo resuelto por la Corte Suprema en el célebre caso de *Katz v. United States*, un policía lleva a cabo un registro que activa la protección constitucional contra registros irrazonables solamente si su actuación supone la invasión de un lugar o una actividad sobre la cual una persona tiene una expectativa razonable de intimidad[21]. Además, la Corte Suprema aclaró en el propio *Katz* que no se puede

---

[21]   *Katz v. United States,* 389 U.S. 347 (1967).

tener una expectativa razonable de intimidad sobre lugares o actividades que han sido voluntariamente expuestas al público[22]. Así, por ejemplo, se ha resuelto que no se tiene expectativa razonable de intimidad sobre actividades que ocurren al aire libre y a plena vista en el patio de una casa, sobre conversaciones que se tienen con amigos que luego le comentan a la policía el contenido de las conversaciones[23], y sobre números telefónicos que se comparten con las compañías de teléfono[24].

Al no existir una expectativa razonable de intimidad sobre estos lugares o actividades, cualquier actuación gubernamental dirigida a investigar dichas actividades o lugares es lícita no por tratarse de un registro razonable, sino por considerarse que NO existe un registro que active la protección constitucional contra registros irrazonables consagrada en la Cuarta Enmienda de la Constitución de los Estados Unidos. Por tanto, la policía puede monitorear dichos lugares o actividades sin necesidad de obtener una orden judicial que lo autorice y sin tener que demostrar *ex ante* o *ex post* que existía causa probable, motivos fundados o cualquier otro nivel de sospecha individualizada que justificara monitorear dichos lugares o actividades.

Como consecuencia de lo anterior, el foro supremo resolvió que un sujeto no puede tener una expectativa razonable de intimidad sobre objetos que ha abandonado[25]. Un caso que surge con frecuencia es el del sujeto que se deshace de la droga antes de que un policía pueda ver lo que lleva consigo. Si el sujeto deja atrás la droga en un lugar público, se entiende que la evidencia ha sido abandonada y, por tanto, que no existe expectativa razonable de intimidad sobre ese objeto. Consiguientemente, un policía puede incautar la droga e inspeccionarla y someterla a exámenes sin siquiera activar la protección constitucional contra registros irrazonables.

La doctrina sobre evidencia abandonada fue ampliada en el famoso caso de *Greenwood v. California*[26]. El acusado en *Greenwood* tiró parafernalia y objetos con residuos de droga en bolsas de basura que tenía en su hogar. Pos-

---

[22] *Id.*
[23] *United States v. White*, 401 U.S. 745 (1971).
[24] *Smith v. Maryland*, 442 U.S. 735 (1979).
[25] *Véase,* por ejemplo, a *California v. Greenwood*, 486 U.S. 35 (1988).
[26] *Id.*

teriormente, el acusado puso las bolsas de basura en la acera frente a su casa para que el basurero se las llevara. No se podía ver lo que había dentro de las bolsas de basura sin abrirlas, puesto que las bolsas eran de un color opaco. La policía —quien sospechaba que el acusado poseía drogas ilegalmente— se llevo las bolsas de basura que el acusado puso en la acera, las abrió y encontró residuos de droga dentro de la bolsa. Posteriormente el estado presento esta evidencia en contra del acusado en un proceso penal. El acusado objetó la admisibilidad de la evidencia argumentando que el registro de las bolsas de basura que dejó frente a su hogar fue uno irrazonable en contravención a la Cuarta Enmienda. La Corte Suprema rechazó el argumento del acusado y validó la actuación de los policías en este caso. Razonó que el acusado había abandonado las bolsas de basura cuando las puso en la acera para que las recogiera el basurero[27]. A pesar de que el acusado esperaba que el contenido de las bolsas no fuera observado —esta probablemente fue la razón por la cual utilizó bolsas opacas— la Corte Suprema sostuvo que se trataba de una expectativa irrazonable, puesto que al colocar las bolsas sobre la acera era posible que un sinnúmero de personas, incluyendo niños, basureros, ladrones y otras personas curiosas abrieran las bolsas para examinar su contenido. Por tal razón, las bolsas y su contenido habían sido expuestas al público de manera que su incautación y examen por parte de la policía ni siquiera constituye un registro que activa la clausula constitucional contra registros irrazonables.

Aun cuando pueda criticarse lo resuelto en *Greenwood,* lo cierto es que parece sensato concluir que la policía puede examinar evidencia abandonada en un lugar público sin orden judicial y sin sospecha individualizada. En casos de verdadero abandono de evidencia, el que era dueño del objeto no puede ya quejarse de que la conducta policial ha vulnerado sus derechos propietarios o su derecho a la intimidad. Lo resuelto en *Greenwood* es un poco más complicado, sin embargo, ya que podría diferenciarse entre dejar un objeto dentro de una bolsa opaca para que sea recogido por el basurero y dejar un objeto atrás en una vía pública sin propósito alguno más allá de deshacerse de la cosa. En todo caso, parece difícil de cuestionar que existen supuestos claros en los que el abandono de cierto objeto supone la renuncia

---

[27]   *Id.*

total a cualquier interés propietario o de intimidad que se pueda tener el objeto.

Así entendida, la doctrina de evidencia abandonada sugiere una fácil solución a los casos en que se dejan atrás secreciones o residuos corporales de forma intencional. La persona que voluntariamente se deshace de estos objetos pierde todo derecho —de intimidad o propiedad— que pueda tener sobre la cosa. El análisis es idéntico si se trata de saliva que escupió la persona o de pelos que dejo atrás tras afeitarse en un baño público. En tales casos, por tanto, la policía puede obtener y examinar las secreciones o residuos corporales sin necesidad de obtener una orden judicial o de tener sospecha individualizada de que el sujeto cometió un delito. A pesar de que la Corte Suprema no se ha expresado en cuanto a este particular, varias cortes federales y estatales han llagado a la misma conclusión que se defiende aquí.

El argumento más poderoso que puede esgrimirse a favor de esta conclusión es que nadie está obligado a dejar secreciones o residuos corporales (de cierto tamaño) en público. Nadie obliga al sujeto a escupir o a afeitarse en el baño público. Como consecuencia de ello, puede decirse que el sujeto asumió el riesgo de que el estado utilice esas secreciones o residuos corporales en su contra. Si desea no correrse el riesgo, el curso a seguir es fácil. El sujeto ha de abstenerse de realizar el tipo de acción que conlleva dejar atrás este tipo de cosas.

Por otra parte, en este tipo de caso puede decirse con seguridad que lo que el sujeto pretendía abandonar era precisamente algo que están dentro de su cuerpo o formaba parte de su cuerpo y ahora voluntariamente quiere deshacerse de esa parte de su cuerpo. Consiguientemente, cuando la policía obtiene la muestra de saliva que el sujeto dejo atrás o el pedazo de cabello que yace sobre el suelo, la policía obtiene precisamente lo que el individuo deseo abandonar. Seria osado en estos casos quejarse de la policía obtuvo lo que el sujeto quiso eliminar. Hay, por tanto, una RELACIÓN de MISMIDAD entre la cosa que el sujeto deseaba abandonar y lo examinado por la policía.

B) Abandono intencional de objetos no-biológicos que contienen material genético

Con mucha frecuencia un sujeto deja atrás algún objeto que contiene material genético. En este tipo de supuesto se abandona intencionalmente el objeto que contiene el material genético, mas no se abandona inten-cionalmente el material genético en sí. El caso paradigmático es el de una persona que echa a la basura el vaso en el cual se acaba de tomar un café. En este tipo de supuesto lo que de ordinario cabe sostener es que el sujeto deseaba deshacerse del vaso, mas no tenía la intención de deshacerse de su material genético. Incluso, en términos más generales, podría decirse que el sujeto en estos casos desea deshacerse del objeto que contiene secreciones o residuos corporales, mas no desea dejar atrás los residuos corporales o las secreciones en sí.

Este tipo de caso es, por tanto, claramente distinguible del discutido an-teriormente. En el primer tipo de supuesto el sujeto desea deshacerse de sus secreciones o residuos corporales, mientras que en el segundo no existe tal deseo. La única razón por la cual el sujeto en el segundo tipo de caso se deshace de sus secreciones es porque es virtualmente imposible andar por el mundo sin echar a la basura objetos que contienen nuestras secreciones o residuos corporales. A pesar de que se pudieran tomar ciertas medidas para evitar dejar atrás estas sustancias, parece obvio que las medidas que deben tomarse para lograr esto serian muy onerosas. Una posible solución sería, por ejemplo, guardar toda la basura que uno produce durante el día en bol-sas plásticas para quemarlas una vez uno llegue a la casa. Sería demasiado pedir. A pesar de ello, las cortes que se han enfrentado a este problema han resuelto que la evidencia ha sido abandonada y, por tanto, la policía puede obtenerla sin orden judicial y sin sospecha individualizada[28].

Hay otra manera de diferenciar el primer grupo de casos del segundo. La obtención de la muestra de ADN en el primer grupo de casos no supone ma-yores dificultades ni requiere del uso de tecnología avanzada. Lo único que requiere es recoger la saliva o los pelos o las uñas. Por el contrario, la obten-ción de la muestra de ADN en el segundo grupo de casos es más complicado. También requiere de tecnología más sofisticada. Obtener una muestra de células de un vaso en el que el sujeto tomo café es más difícil que obtener la saliva que escupió o el pelo que se afeito.

---

[28]   *Véase* sentencias citadas en Elizabeth Joh, *Reclaiming Abandoned "DNA": The Fourth Amendment and Genetic Privacy*, 100 N.W. Univ. L. Rev. 857 (2006).

Esta diferencia puede ser pertinente constitucionalmente. En *Kyllo v. United States,* la Corte Suprema de los Estados Unidos resolvió que vulnera la protección constitucional contra registros irrazonables que la policía utilice un artefacto que produce imágenes de calor para determinar las actividades que se están llevando a cabo dentro de una casa[29]. La policía en *Kyllo* utilizo el artefacto para corroborar sus sospechas de que el acusado estaba cultivando marijuana dentro de su casa. Para el cultivo de marijuana dentro de un hogar es necesario utilizar lámparas de calor. Una anomalía significativa en la cantidad de calor que el artefacto registra emana del hogar tendería a corroborar las sospechas de que el acusado estaba cultivando marijuana dentro de su casa.

La Corte Suprema resolvió que constituía un registro utilizar el artefacto porque mediante el artefacto la policía podía obtener detalles acerca de lo que ocurre dentro del hogar —lugar que recibe la mayor protección constitucional[30]. El uso del artefacto constituye— por tanto —el equivalente funcional de penetrar la estructura sin consentimiento de los dueños y observar de primera mano el calor que emana dentro del hogar o las propias lámparas—[31].

En su opinión disidente, el Juez Stevens critica a la mayoría señalando que la policía pudo haber obtenido la misma información mediante el uso de medios más rudimentarios como por ejemplo, observar si la nieve sobre el techo del hogar se derrite más rápido que la nieve sobre el techo del hogar de los vecinos[32]. De derretirse más rápido, se podría concluir que la casa del sospechoso emanaba más calor que las casas que le rodeaban. Escribiendo a nombre de la mayoría, el Juez Scalia rechazó este argumento, aunque no explico detalladamente las razones por las cuales lo rechazó[33].

A mi juicio, la razón por la cual el argumento del Juez Stevens no resulta convincente es porque los ciudadanos se corren el riesgo de que la policía y terceras persona observen la casa y hagan inferencias a base de eventos

---

[29]   533 U.S. 27 (2001).
[30]   *Id.*
[31]   *Id.*
[32]   *Id* (Op. Disidente del Juez Stevens).
[33]   *Id* (Op. Mayoritaria del Juez Scalia).

naturales como la rapidez con la cual se derrite la nieve o se evapora el agua, mas no debe entenderse que la gente asume el riesgo de que la policía utilice artefactos muy sofisticados tecnológicamente para discernir algo acerca del interior de un hogar que les sería casi imposible determinar si el uso de la tecnología.

En otras palabras, el riesgo que uno acepta como ciudadano es aquel que es incidental a realizar las actividades cotidianas de la vida. Pero el uso de tecnología sofisticada para obtener datos privados de uno lleva el riesgo más allá de lo que estamos dispuestos a soportar. Esto no significa, claro está, que la policía no puede usar estas tecnologías, sino que sugiere que estas tecnologías se pueden utilizar solamente si se obtiene una orden judicial basada en sospecha individualizada fundamentada, a su vez, en causa probable. Esto precisamente es lo que se resolvió en *Kyllo*.

Esta interpretación de *Kyllo* encuentra cierto apoyo en una decisión reciente de la Corte Suprema —*U.S. v. Jones*— en la cual se resolvió que es contrario a la Cuarta Enmienda poner un artefacto GPS en un coche sin autorización del dueño para seguir los movimientos del vehículo[34]. El estado argumentaba que se trataba de conducta lícita que ni siquiera supone un registro, puesto que el GPS no hacía más que enviar información acerca de la ubicación del vehículo, cosa que la policía pudo haber logrado siguiendo el vehículo mientras se movía por las vías públicas. La Corte Suprema rechazó el planteamiento[35].

A mi juicio, el argumento del estado en este caso fracasa por lo mismo que fracasa el argumento del Juez Stevens en *Kyllo*. La gente acepta el riesgo de que otros los sigan cuando están en público. Los actores aceptan este riesgo continuamente, por ejemplo. Esto no significa, sin embargo, que aceptan el riesgo de que monitoreen todos sus movimientos mediante el uso de tecnología altamente sofisticada. Nuevamente pienso en los actores. No me parece que estarían dispuestos a aceptar que los paparazzis los siguieran mediante un GPS que instalaran en el vehículo del actor sin su consentimiento.

---

[34] *United States v. Jones*, 565 U.S. ___ (2012).
[35] *Id.*

Volviendo al caso de los sujetos que desechan objetos que contienen secreciones o residuos corporales, debe distinguirse entre correrse el riesgo de que se examinen los objetos desechados *qua* objetos del riesgo que se corren de que se examinen mediante el uso de tecnologías sofisticadas las secreciones o residuos corporales que puedan encontrarse en el objeto. Se trata de riesgos cualitativamente distintos y parece sensato sostener que uno acepta el primero más no el segundo.

Además, la analogía entre *Kyllo* y este tipo de caso es bastante fuerte. En *Kyllo*, la policía utilizó tecnología sofisticada para detectar emanaciones de calor. En cierto sentido, la conducta del acusado expuso las emanaciones de calor al público. Las emanaciones pueden verse como el residuo o exceso de calor que no podía contenerse dentro del hogar y que podía observarse mediante la utilización de tecnología sofisticada. Sin embargo, esas emanaciones de calor que en un sentido están expuestas al público son invisibles para la persona promedio. Solamente se tornan visibles mediante el uso de tecnología sofisticada. Similarmente, los residuos corporales y las secreciones que inevitablemente se escapan del cuerpo y van a parar en vasos, pintalabios, tenedores y cuchillos están expuestos al público, pero —al igual que las emanaciones de calor en *Kyllo*— son invisibles para la persona promedio. Se vuelven visibles, sin embargo, mediante el uso de tecnología sofisticada.

Otra similitud entre *Kyllo* y este tipo de caso radica en que en *Kyllo* la policía obtuvo mediante el uso de tecnología sofisticada algo que sin el uso de dicha tecnología no pudo haber obtenido sin entrar ilegalmente en el hogar del acusado. El uso de la tecnología constituye, pues, el equivalente funcional de entrar al hogar del acusado. Por eso es que la Corte Suprema requiere que previo a utilizar este tipo de tecnología se obtenga una orden judicial basada en causa probable. Del mismo modo, el uso de la tecnología de extracción de ADN de objetos como vasos, tenedores y pintalabios le permite a la policía obtener algo que no hubiese podido obtener sin forzar al acusado a proporcionar una muestra de ADN. El uso de la tecnología en este tipo de caso constituye, por tanto, el equivalente funcional de extraer una muestra no consentida de las secreciones del sujeto o de sus residuos corporales. Si esto último no puede hacerse sin orden judicial basada en causa probable —como es el caso— tampoco debe permitirse utilizar tecnología sofisticada para lograr lo mismo.

C) Material genético abandonado natural e involuntariamente

Este grupo de casos es el más problemático. Se trata de supuestos en que el sujeto deja atrás material genético involuntariamente como producto de procesos naturales. Es el ADN que ahora se puede encontrar en casi cualquier sitio que uno toca[36], o que es producto de pelos que se le caen a uno sin uno darse cuenta, entre otras circunstancias. Parece evidente que en este tipo de caso no puede aplicar la doctrina de evidencia abandonada. De conformidad con la jurisprudencia de la Corte Suprema, la doctrina de evidencia abandonada aplica solamente cuando el sujeto voluntariamente desecha la evidencia[37]. El problema es que en este tipo de casos falta la voluntariedad. En vista de que el cuerpo se deshace naturalmente de células que contienen material genético, no puede argumentarse que los individuos que dejan atrás este material en estas circunstancias han abandonado el interés de intimidad que tienen sobre sus secreciones y residuos corporales. Por estas razones, este es un caso claro en que debe requerirse una orden judicial y causa probable para examinar este tipo de material genético[38]. De lo contrario, el estado podría generar una base de datos con nuestro el material genético de todos sus ciudadanos sin tener que dar justificación alguna para su proceder.

V. EXTRACCIÓN FORZOSA DE ADN INCIDENTAL A UN ARRESTO

En los Estados Unidos existe una base de datos de ADN obtenido de personas condenados de ciertos delitos. La base de datos a nivel nacional se le

---

[36] En ingles se le conoce a este tipo de ADN como "touch DNA". Sobre este concepto y sus implicaciones jurídicas, *véase* a Mike Silvestri, *Naturally Shed DNA: The Fourth Amendment Implications in the Trail of Intimate Information we all Cannot Help but Leave Behind*, 41 U. Balt. L. Rev. 165 (2011).

[37] *California v. Greenwood*, 486 U.S. 35 (1988).

[38] No obstante, varias cortes en los Estados Unidos han determinado que este tipo de ADN constituye evidencia abandonada sobre la cual no se tiene expectativa razonable de intimidad alguna. *Véase, por ejemplo*, a *Williamson v. State*, 413 Md. 521, 535-37 (2010). Por las razones mencionadas en el texto, entiendo que esta aproximación al problema es desacertada.

conoce como CODIS (Combined DNA Index System), la cual combina bases de datos a nivel federal, estatal y local[39]. Actualmente CODIS es la base de datos de ADN más grande del mundo. Es importante señalar que la información que se guarda en CODIS es solamente aquella necesaria para identificar a un sujeto. Por tanto, la base de datos no almacena información acerca de enfermedades, predisposiciones genéticas, etc.

A pesar de que CODIS surgió como una base de datos para combinar la información genética obtenida de personas condenadas de ciertos delitos, durante la última década varias jurisdicciones han expandido sus bases de datos para incluir muestras de ADN de personas arrestadas aunque no hayan sido condenadas[40]. Las legislaciones que autorizan la obtención de dichas muestras dejan claro que la persona arrestada tiene la obligación de someter la muestra de ADN como un trámite incidental a un arresto[41]. No se requiere, por tanto, orden judicial ni sospecha individualizada para forzar a los arrestados en estas jurisdicciones a suministrar una muestra de ADN. Por cierto, el mismo tipo de legislación se adopto hace un tiempo en el Reino Unido.

Actualmente se debate la constitucionalidad de este tipo de legislación[42]. El problema radica en que en este tipo de caso no cabe duda de que la conducta de los policías constituye un registro que activa la Cuarta Enmienda, puesto que el arrestado no abandona el material genético y, por tanto, no renuncia a la expectativa de intimidad que tiene acerca de que su material genético se mantenga privado. Esto genera una serie de perplejidades, ya que una vez se reconoce que hay un registro, es necesario satisfacer los requisitos que impone la Enmienda Cuarta para que quede evidenciada la licitud del registro.

[39]	Para más información sobre CODIS, *véase* los datos suministrados por el FBI disponibles en línea en http://www.fbi.gov/about-us/lab/biometric-analysis/codis.

[40]	Este es el caso, por ejemplo, en los estados de Louisiana y Virginia. *Véase La. Rev. Stat. Ann. § 15:609(A)(1) (2005); Va. Code Ann. § 19.2-310.2:1 (2004).*

[41]	*Id.*

[42]	Para un excelente análisis de este asunto, *véase* a John Biancamano, *Arresting DNA: The Evolving Nature of DNA Collection Statutes and their Fourth Amendment Justifications*, 70 Ohio St. L. J. 619 (2009).

La Cuarta Enmienda exige que los registros sean razonables. Además, explica que no se podrán expedir órdenes judiciales de registro si no hay causa probable para entender que se encontrara material incriminatorio en el lugar a ser registrado. En cuanto a la relación que existe entre la cláusula que exige que todo registro sea razonable y la cláusula que explica que no se podrán emitir órdenes de registro sin causa probable, puede decirse, como regla general, que no es necesario obtener una orden judicial de registro para acreditar la razonabilidad del mismo[43]. Sin embargo, la Corte Suprema ha dicho que hay ciertas circunstancias en que de ordinario un registro será considerado razonable solamente si existía una orden judicial que lo autorizara.

Los casos en los que se suele requerir una orden judicial como prerrequisito para establecer la razonabilidad de la conducta son varios. Los más importantes son los supuestos en que se pretende registrar el hogar[44] y los casos en que se pretende registrar un contenedor que no está ubicado dentro de un vehículo y que no es ocupado de manera incidental a un arresto[45]. Además, la Corte Suprema resolvió en *Schmerber v. California* que se requiere una orden judicial para autorizar la extracción de residuos corporales o secreciones en contra de la voluntad del sujeto[46].

---

[43]   En ocasiones la Corte Suprema señala que un registro o arresto sin orden es *per se* irrazonable a menos de que exista una excepción que justifique proceder sin orden. Sin embargo, la Corte Suprema ha creado tantas excepciones a la supuesta "regla" de que un registro o arresto es constitucional solamente si se obtiene una orden judicial para ello, que resulta difícil tomarse en serio la llamada "regla".

Así, por ejemplo, la Corte Suprema ha resuelto que puede arrestarse en público a un sujeto sin necesidad de orden para ello, siempre que haya causa probable para su arresto. *Véase* a *United States v. Watson*, 423 U.S. 411 (1976). También ha resuelto que es válido un registro sin orden de una persona, lugar o vehículo incidental a un arresto. *Véase* a *Chimel v. California*, 395 U.S. 752 (1969), *United States v. Robinson*, 414 U.S. 218 (1973), y *Arizona v. Gant*, 556 U.S. 332 (2009). Además, la Corte Suprema ha resuelto que es válido un registro sin orden de un vehículo, siempre que se tenga causa probable para ello. *Véase* a *California v. Acevedo*, 500 U.S. 561 (1991). En fin, se trata de un supuesto claro en donde las excepciones a la necesidad de tener una orden previo a un registro o arresto se han "tragado" a la "regla" que requiere la existencia de una orden previo a un registro o arresto.

[44]   *Véase* a *Payton v. New York*, 445 U.S. 573 (1980).

[45]   *United States v. Chadwick*, 433 U.S. 1 (1977).

[46]   *Schmerber v. California*, 384 U.S. 757 (1966).

Obviamente, la dudosa constitucionalidad de los estatutos que autorizan la obtención de muestras de ADN como incidental a un arresto es producto de lo resuelto por la Corte Suprema en *Schmerber*. Los estatutos que autorizan la obtención de muestras de ADN ordenan al arrestado a someterse a la prueba y no le requieren al policía obtener una orden judicial. Ni siquiera le requieren tener sospecha invidualizada o causa probable previo a ordenar al sujeto a someterse a la prueba. Esto parece chocar directamente con lo resuelto por la Corte Suprema en *Schmerber*.

No obstante, algunas cortes y comentaristas sostienen que este tipo de legislación autorizando la obtención de pruebas de ADN forzadas incidental a un arresto es válida. Son dos los argumentos principales esbozados a favor de esta postura. Primero, algunos sostienen que las muestras de ADN incidental a un arresto deben ser admisibles por las mismas razones que la Corte Suprema ha sostenido que se le puede obligar a un sujeto a proporcionar sus huellas dactilares incidental a un arresto[47]. Segundo, algunos consideran que la obtención de muestras de ADN incidental a un arresto puede justificarse apelando a la doctrina conocida como "necesidades especiales que van más allá de la investigación criminal" (*special needs beyond law enforcement*)[48].

A pesar de que estas dos teorías parecen plausibles a primera vista[49], un análisis más cuidadoso revela que ninguna de ellas puede justificar tomar muestras de ADN forzosamente, sin orden judicial y careciendo de sospecha individualizada. Examinare primero la analogía con la obtención forzosa de huellas dactilares incidental a un arresto. Si bien es cierto que obtener huellas dactilares de un arrestado forzosamente es constitucional en los Estados Unidos, no es menos cierto que las razones que justifican la admisibilidad de dicha evidencia no parecen ser de aplicación en el caso de las muestras de ADN incidental a un arresto. Como bien ha señalado el profesor David Kaye, se le permite al estado obtener huellas dactilares de los arrestados forzosa-

---

47   *Véase*, por ejemplo, a *Anderson v. Commonwealth*, 650 S.E.2d 702 (Va. 2007).
48   Se trata de un asunto que se discutió en la sentencia de *United States v. Kincade*, 379 F.3d 813 (9th Cir, 2004).
49   Para un análisis de estas dos teorías *véase* a Biancamo, *supra* nota 42.

mente de conformidad con lo que se conoce como el "identity exception"[50]. Acorde con esta "excepción de identidad", se puede forzar a los arrestados a suministrar sus huellas digitales porque eso facilita identificarlos apropiadamente, puesto que es posible que el arrestado haya adoptado una falsa identidad[51]. Además, permite identificar al sospechoso en caso de que se escape mientras está detenido preventivamente[52].

Se ha argumentado que las muestras de ADN también pueden usarse para establecer la identidad del arrestado. Esto es indudable. Sin embargo, si el verdadero propósito de obtener muestras de ADN del arrestado es establecer su identidad, ¿para qué pasar por el costoso proceso de extraer y analizar su ADN cuando un análisis de huellas dactilares es igual de efectivo en identificar a arrestados y menos costoso? Lo cierto es que los proponentes de esta práctica no tienen una contestación adecuada a esta pregunta. Y la razón por la cual no tienen respuesta es porque la verdadera razón por la cual se quiere tomar muestras de ADN no es para asegurarse de la identidad del arrestado, sino para crecer una base de datos que tiene un potencial significativo de esclarecer casos no resueltos presentes y futuros. Aunque se trata de un fin loable, una vez se acepta que este es el verdadero objetivo de forzar a los arrestados a someter una muestra de ADN se desmorona el argumento de que debe permitirse esta práctica porque constituye un mecanismo para establecer la identidad del sujeto arrestado.

Las mismas razones llevan a rechazar justificar esta práctica apelando a la doctrina conocida como "necesidades especiales que van mas allá de la investigación criminal". Según la Corte Suprema, la policía tiene autoridad para llevar a cabo registros sin orden judicial y sin sospecha individualizada cuando el propósito principal del registro es algo que va mas allá del interés en obtener evidencia pare ser utilizada en un actual o futuro proceso penal[53]. Esta doctrina ha sido invocada para justificar detenciones de vehículos en la

---

50   David Kaye, *The Constitutionality of DNA Sampling on Arrest,* 10 Cornell J. of L. & Pub. Pol. 455 (2001).

51   *Id.*

52   *Id.*

53   Para una discusión de esta categoría, *véase* a *Camara v. Municipal Court,* 387 U.S. 523 (1967).

autopista con el propósito principal de asegurar que los vehículos están debidamente registrados e inspeccionados en el estado, o que no hay personas ebrias manejando que puedan poner en riesgo la salud de los demás[54]. También se ha invocado esta doctrina para permitir a un director de una escuela pública registrar las mochilas de los estudiantes para ver si están utilizando drogas o trayendo armas dentro de la escuela[55].

Como puede verse, sin embargo, esta doctrina no puede justificar la toma de muestras de ADN incidental a un arresto, debido a que el propósito principal de este tipo de registro es precisamente conseguir evidencia que puede ser utilizada para esclarecer actuales o futuros casos. Se trata, por ende, del registro paradigmáticamente motivado por necesidades que NO van más allá del interés en obtener evidencia para resolver casos. En ausencia de algún otro motivo que justifique esta práctica, debería concluirse, pues, que la los estatutos que autorizan la obtención forzosa de muestras de ADN incidental a un arresto sin orden judicial y sin causa probable están reñidos con la protección constitucional contra registros irrazonables concedida en virtud de la Cuarta Enmienda[56].

---

[54] *Michigan Police Department v. Sitz*, 496 U.S. 444 (1990).

[55] *Véase* a *New Jersey v. TLO*, 469 U.S. 325 (1985).

[56] Luego de pronunciada la conferencia que sirvió de base para la redacción de este capítulo, la Corte Suprema de los Estados Unidos validó la constitucionalidad de un estatuto autorizando la extracción forzosa de ADN incidental a un arresto en *Maryland v. King*, 596 U.S. ___ (2013). La Corte Suprema resolvió, en síntesis, que la obtención de ADN en estas circunstancias constituye un registro "razonable" de conformidad con la Cuarta Enmienda, puesto que es equiparable a la toma de huellas dactilares para fines de identificación.

Por las razones expuestas en la Parte V de este capítulo, estoy en desacuerdo con lo resuelto por la Corte Suprema en *Maryland v. King*. Coincido, por tanto, con las expresiones vertidas por el Juez Scalia en su disenso en *Maryland v. King*, al cual se unieron las juezas Ginsburg, Kagan y Sotomayor. Tanto la opinión mayoritaria como la opinión disidente son resumidas por la profesora Ana Beltrán Montoliu en el Capítulo siguiente.

Por último, debe señalarse que lo resuelto en *Maryland v. King* no es óbice para que las jurisdicciones estatales determinen que, de conformidad con su constitución estatal, la extracción forzosa de ADN incidental a un arresto es ilegal salvo que exista sospecha individualizada para creer que la obtención de dicha muestra ayudará a esclarecer una ofensa distinta al delito por el cual se arrestó al sospechoso. Conforme a la manera en que en la Constitución de los Estados Unidos se distribuyen los poderes entre el gobier-

---

no federal y los gobiernos estatales, los gobiernos estatales siempre pueden conceder más derechos a los acusados que los que se conceden en virtud de la Constitución Federal. Por tal razón, exhorto a los estados (y a otros países) a no seguir lo resuelto por la Corte Suprema en *King*.

COMENTARIO SOBRE LA SENTENCIA DEL TRIBUNAL SUPREMO NORTEAMERICANO: *MARYLAND v. KING* DE 3 DE JUNIO 2013[1]

ANA BELTRÁN MONTOLIU
Profesora Contratada Doctora de Derecho Procesal,
Universidad Jaime I de Castellón (España)

Sumario: I. Introducción II. Antecedentes de hecho. III. La toma de muestras de ADN a los detenidos: una cuestión controvertida. IV. Voto discrepante del magistrado Scalia, al que se adhieren Ginsburg, Sotomayor y Kagan. V. Jurisprudencia del Tribunal Supremo y de tribunales de apelación. VI. Bibliografía.

I. INTRODUCCIÓN

La sentencia del Tribunal Supremo norteamericano *Maryland v. King*, de 3 de junio de 2013, con el magistrado KENNEDY como ponente, permite a la policía tomar de muestras de ADN de personas detenidas por delitos graves sin necesidad de una autorización judicial previa. Asimismo el tribunal llega a la conclusión de que es constitucional que los Estados mantengan una base de datos de ADN de los detenidos. Por último, equiparan la toma y análisis de una muestra de ADN extraída del interior de la mejilla del detenido a las huellas dactilares o fotografías, considerándose un procedimiento legítimo y razonable de conformidad con la Cuarta Enmienda.

---

[1] Supreme Court of United States, *Maryland v. King*, 569 U. S. ____(2013). Disponible en la página web del Tribunal Supremo de los Estados Unidos <http://www.supremecourt.gov/default.aspx>

II. SUPUESTO DE HECHO

Los hechos que aparecen probados en la sentencia que es objeto de este comentario relatan lo siguiente:

En 2003 un hombre con el rostro cubierto y armado con un arma irrumpió en la casa de una mujer en Salisbury, Maryland. La violó. La policía no pudo identificar al agresor basándose en las descripciones y pruebas que tenían, pero pudieron obtener de la víctima una muestra de ADN del agresor. En 2009 Alonzo King fue detenido en el condado de Wicomico, Maryland, y acusado por un delito de amenazas por enfrentarse a un grupo de personas y realizar un disparo. La policía tomó una muestra de ADN del detenido mediante un frotis bucal, como es habitual cuando se trata de delitos graves. El ADN coincidió con el obtenido en la muestra de la víctima de violación de Salisbury.

King fue juzgado y condenado por la violación. Se obtuvieron muestras adicionales de ADN y se utilizaron en el juicio por violación pero se consideró que sin duda alguna fue la muestra obtenida mediante el frotis bucal que tuvo lugar en 2009 lo que condujo a su conexión con la violación. King intentó obtener la anulación de la prueba de ADN basándose en que la Ley de ADN de Maryland (*Maryland DNA Collection Act*)[2] violaba la Cuarta Enmienda. El Juez en primera instancia consideró la ley constitucional. King se declaró no culpable de los cargos de violación y fue condenado a cadena perpetua sin la posibilidad de obtener libertad condicional.

En una opinión dividida, el Tribunal de Apelación de Maryland consideró que la Ley de ADN de Maryland que autorizó la obtención de muestras genéticas de los autores de delitos graves es inconstitucional. La mayoría llegó a la conclusión de que el frotis bucal no se puede considerar un "registro razonable" y supone una violación de la Cuarta Enmienda porque el derecho a la intimidad de King debía prevalecer frente al interés del estado en obtener el ADN con fines identificativos".

Para alcanzar esta conclusión el Tribunal de Maryland se basó en varias decisiones de otros tribunales que consideraron que la identificación me-

---

[2]   Para mayor detalle sobre otros casos relacionados en Maryland vid. *DNA Investigations in Maryland*, disponible en <http://www.goccp.maryland.gov/dna/>

diante muestras de ADN no es permisible. Tanto los tribunales estatales como los federales han alcanzado diferentes conclusiones sobre si la Cuarta Enmienda prohíbe la toma y el análisis de una muestra de ADN de las personas que no han sido condenadas, en delitos graves.

III. LA TOMA DE MUESTRAS DE ADN A LOS DETENIDOS: UNA CUESTIÓN CONTROVERTIDA

En este caso se cuestiona, si la Cuarta Enmienda[3] permite la toma de muestras de ADN de los detenidos por delitos graves. El Tribunal en esta trascendente decisión[4], inicialmente proporciona una explicación sobre los orígenes y características propias del análisis de ADN, destacando que "la aparición de la tecnología de ADN es uno de los avances más importantes de nuestra era" y afirmando que su utilidad con fines de identificación en el sistema de justicia penal es indiscutible[5]. Asimismo se resalta que las pruebas de ADN pueden "mejorar de forma significativa tanto el sistema de justicia penal como las prácticas de investigación policial"[6], al hacer "posible determinar si una muestra biológica coincide con la de un sospechoso con casi certeza absoluta".

La ley de ADN de Maryland autoriza a la policía a tomar muestras de ADN de un individuo que ha sido acusado de un delito grave, como era el supuesto de Alonzo King. Asimismo en esta norma se limita la información añadida

---

[3] Enmienda Cuarta: "El derecho de los habitantes de que sus personas, domicilios, papeles y efectos se hallen a salvo de pesquisas y aprehensiones arbitrarias, será inviolable, y no se expedirán al efecto mandamientos que no se apoyen en una causa probable, estén corroborados mediante juramento o afirmación y describan con particularidad el lugar que deba ser registrado y las personas o cosas que han de ser detenidas o embargadas.". Traducción adaptada al español tradicional por Juan Luis Gómez Colomer, en GÓMEZ COLOMER, J.L., (coor.) et al., *Introducción al Proceso Penal federal de los Estados Unidos de Norteamérica*, Ed. Tirant lo Blanch, Valencia 2013, p. 512.

[4] Prueba de ello son los numerosos artículos periodísticos que existen al respecto así como diferentes blogs de opinión, disponibles en <http://epic.org/amicus/dna-act/maryland/#interest>

[5] Esta es la tesis principal del Tribunal que es duramente criticada en el voto particular al considerarla totalmente desacertada, vid. infra.

[6] *District Attorney's Office for Third Judicial Dist. v. Osborne*, 557 U. S. 52, 55.

a las bases de datos de ADN y cómo puede utilizarse. En concreto, solo los registros de ADN que directamente se refieren a la identificación de los individuos pueden recogerse y almacenarse. No se permite otra utilización que la identificación. Tampoco se autorizan test que tengan relación con temas de parentesco (están prohibidos).

El Tribunal considera que los policías cumplieron con lo estipulado por la ley. El ADN de King fue obtenido en este caso utilizando el procedimiento conocido como "frotis bucal" que implica introducir un bastoncillo en el interior de la boca del individuo con el objetivo de obtener una muestra genética. El procedimiento es rápido e indoloro, "no exige ninguna intrusión quirúrgica por debajo de la piel"[7] y no representa una amenaza a la "salud o seguridad" de los detenidos.

La identificación de King como violador se obtuvo debido a la existencia de un proyecto nacional de estandarización de recogidas y almacenamiento de las muestras de ADN. Autorizada por el Congreso y supervisado por el FBI, el CODIS (*Combined DNA Index System*)[8] conecta los laboratorios de ADN a nivel local, estatal y nacional.

Desde su autorización en 1994 el sistema CODIS ha aumentado incluyendo los 50 estados y un número de agencias federales. CODIS recopila los perfiles de ADN proporcionados por los laboratorios locales de detenidos condenados y las pruebas forenses halladas en la escena del crimen. L o s 50 Estados exigen la toma de ADN de los condenados por delitos graves y King no impugnó la validez de tal práctica; 28 Estados y el gobierno federal han aprobado leyes similares a la de Maryland en los que se autoriza la toma de muestras de los detenidos[9]. Aunque estas leyes varían, en determinados aspectos tales como en qué tipo de delitos se permite la toma de muestras de ADN, son similares en el sentido de afectar a algo más que a una ley de Maryland. El Tribunal afirma que se trata de una tecnología que se encuentra en expansión y que se utiliza en toda la nación.

---

[7]   *Winston v. Lee,* 470 U. S. 753, 760.
[8]   Para mayor información sobre la base de datos CODIS y sus colecciones vid. <http://www.fbi.gov/about-us/lab/biometric-analysis/codis>
[9]   *National Institute of Justice,* Figure 1. *States That Have Enacted Arrestee DNA Collection Laws in the United States* <http://nij.gov/journals/270/arrestee-dna-figure1.htm>

Tal y como sostiene el Tribunal el marco para decidir la cuestión planteada está bien establecido. La utilización del frotis bucal para obtener una muestra de ADN se considera un registro de conformidad con la Cuarta Enmienda[10]. Y el hecho de que la intrusión sea insignificante, es de importancia fundamental para determinar si la búsqueda es razonable, "la última medida de la constitucionalidad de un registro conforme a derecho"[11]. Debido a que la necesidad de una orden judicial se ve reducida en gran medida aquí, donde el detenido ya estaba bajo custodia policial por un delito grave fundado en una "causa probable" (*probable cause*)[12], el registro se analiza en función de la "razonabilidad, y no "sospecha individualizada"[13], y la razonabilidad se determina ponderando "la promoción de los intereses gubernamentales legítimos" frente "al grado de intrusión que provoca el registro en la intimidad del individuo"[14].

En este equilibrio de razonabilidad, se le concede trascendental importancia tanto al interés gubernamental que está en juego en la identificación de los detenidos como al potencial sin precedentes de identificación de ADN para servir a ese interés. La ley sirve el arraigado interés legítimo del gobierno: la necesidad de que la policía actúe de una manera segura y precisa para procesar e identificar personas y bienes cuando se encuentren detenidas. "La existencia de una causa probable justifica legalmente la detención de un sospechoso, y la adopción, durante ese breve período de detención, de todos los trámites administrativos que ésta conlleva"[15]; y ya se ha considerado la "validez del registro personal en una detención legal"[16]. No es necesaria la sospecha individual.

---

10   Un interesante estudio sobre las principales cuestiones más controvertidas en este sentido se puede consultar en BARBOUR, E.C., "DNA Databanking: Selected Fourth Amendment Issues and Analysis", *Congressional Research Service*, June 6, 2011, disponible en <http://epic.org/amicus/pool/R41847.pdf>

11   *Vernonia School Dist. 47J v. Acton*, 515 U. S. 646, 652.

12   La expresión "probable cause" es equivalente a lo que en el ordenamiento español se conocen como "indicios racionales de criminalidad" aunque mantendremos la traducción "causa probable" para facilitar la identificación con esta circunstancia.

13   *Samson v. California*, 547 U. S. 843, 855, n. 4.

14   *Wyoming v. Houghton*, 526 U. S. 295, 300.

15   *Gerstein v. Pugh*, 420 U. S. 103, 113-114.

16   *United States v. Robinson*, 414 U. S. 218, 224.

El "procedimiento habitual en una comisaría policial del incidente de registro y encarcelamiento del sospechoso" tiene orígenes y justificaciones constitucionales diferentes a los de, por ejemplo, el registro domiciliario[17], que depende de la "probabilidad razonable de que drogas o pruebas del delito se encuentren en un lugar en concreto"[18]. Y cuando existen indicios racionales de criminalidad que impliquen apartar a esa persona de los cauces normales de la sociedad y mantenerle detenida, la identificación del ADN desempeña un papel esencial al servicio de esos intereses:

En primer lugar, el gobierno tiene interés en identificar correctamente "quien ha sido detenido y quien está siendo juzgado"[19]. La existencia de antecedentes penales es esencial para los agentes que tramitan la detención de un sospechoso. La policía ya busca esta información crucial para la identificación. Utilizan varios medios aceptados como comparar la foto del sospechoso con bocetos que han pintado artistas teniendo en cuenta las descripciones ofrecidas, mostrando su foto policial a posibles testigos, y por supuesto comparando sus huellas dactilares con las bases de datos de delincuentes conocidos y delitos sin resolver. Respecto a esta cuestión, insiste el Tribunal, la única diferencia entre los análisis de ADN y las bases de datos de huellas dactilares es la exactitud sin parangón que proporciona el ADN[20].

Segundo, los policías deben garantizar que la detención de una persona no provoca excesivos "riesgos para el personal, para los detenidos y para los que en un futuro puedan ser nuevos detenidos"[21]. El ADN permite a los agentes de policía saber qué tipo de persona está siendo detenida.

Tercero, "el Gobierno tiene un interés primordial en asegurar que las personas acusadas de delitos sean enjuiciadas"[22]. Un detenido puede tener ma-

---

17   *Illinois* v. *Lafayette*, 462 U. S. 640, 643.
18   *Illinois* v. *Gates*, 462 U. S. 213, 238.
19   *Hiibel* v. *Sixth Judicial Dist. Court of Nev., Humboldt Cty.*, 542 U. S. 177, 191.
20   Afirmación que ha sido objeto de controversia tanto en la comunidad científica como la jurídica. Vid, por ejemplo, FOREMAN et al., "Interpreting DNA Evidence: A Review", 71, *International Statistical Review*, 2003, 474, que entiende que tal consideración es engañosa; o ANNAS, G.J., Genetic Privacy, en *DNA and the Criminal Justice System: The Tecnology of Justice*, Ed. David Lezer, Cambridge 2004, que entiende que los perfiles que se obtienen diferentes sistemas son totalmente diferentes.
21   *Florence* v. *Board of Chosen Freeholders of County of Burlington*, 566 U. S. ___, ___.
22   *Bell* v. *Wolfish*, 441 U. S. 520, 534.

yor tendencia a huir si piensa que un contacto continuo con el sistema de justicia penal puede dar a conocer otros delitos.

Cuatro, los antecedentes del detenido son determinantes para evaluar el riesgo que implica para el público, que será decisivo para el establecimiento de la fianza. Conocer que el acusado ha sido identificado mediante el ADN como el autor de un anterior delito violento puede tener un especial valor probatorio al respecto.

Por último, en interés de la justicia, identificar a un detenido como el autor de algún delito atroz, puede tener el efecto beneficioso de poner en libertad a una persona que está en prisión erróneamente[23].

Remontándose al pasado, el Tribunal recuerda que en los inicios de 1887 algunos policías adoptaron medios más exactos para identificar a detenidos, utilizando el sistema de medidas físicas preciso liderado por el antropólogo francés Alphonse Bertillon[24].

La identificación por medio del ADN constituye un importante avance en las técnicas empleadas por la policía tradicionalmente para atender las preocupaciones legítimas, suponiendo una revolución tanto en el ámbito científico como en el sistema de justicia penal[25].

Asimismo el Tribunal pone de relieve que la policía ha utilizado habitualmente los avances científicos para identificar a los detenidos. La identificación mediante huellas dactilares, quizá, la más análoga a la tecnología de ADN, ha sido considerada, desde sus orígenes, como una parte natural de los "trámites administrativos que conlleva la detención"[26]. Sin embargo, la iden-

---

23   Así por ejemplo, *Innocence Project* con sede en Nueva York, se dedica a reabrir causas penales mediante los resultados de ADN de personas condenadas erróneamente <http://www.innocenceproject.org/>

24   La identificación que inventó Bertillon consistía en tomarle al detenido 10 medidas del cuerpo, junto con un análisis científico de los rasgos faciales y localización exacta de las cicatrices, marcas, etc del cuerpo. Se tomaban las medidas y se anotaban en una tarjeta o en una hoja de papel, y la fotografía también se incluía. Esta tarjeta, por lo tanto, proporcionaba tanto el retrato como la descripción del prisionero, se archivaba en el registro de delincuentes y se mandaban copias a varias ciudades donde tenían registros similares.

25   HUANG, J., "*United States v Kincade*": Constitutionality of Mandatory DNA Testing", *Hastings Constitutional Law Quarterly*, Vol. 31, N. 4, 2004, pp. 587-610.

26   *County of Riverside* v. *McLaughlin*, 500 U. S. 44, 58.

tificación por ADN es muy superior. La intrusión adicional en la intimidad[27] del detenido más allá de la que se encuentra asociada con la toma de huellas dactilares, no es significativa y la identificación por ADN es notablemente más exacta. Un sospechoso que se ha sometido a intervenciones quirúrgicas para cambiar sus rasgos faciales, con el fin de evadir la identificación fotográfica o incluso que ha alterado sus huellas dactilares, no puede escaparse del poder revelador de su ADN.

La prueba de ADN no es tan rápida como la toma de huellas, pero el análisis rápido de las huellas dactilares es en sí mismo excepcional[28], y la cuestión de cuánto tarda el proceso en identificar información se centra en la eficacia de la búsqueda para su propósito de identificación inmediata, no en la constitucionalidad de la búsqueda. Los avances técnicos están asimismo reduciendo el tiempo[29] de procesamiento del ADN[30].

Si se compara el interés primordial del gobierno y efectividad única de la identificación del ADN, la intrusión mediante un frotis bucal para obtener una muestra de ADN es mínima. La razonabilidad debe considerarse en el contexto de las expectativas de privacidad legítimas del individuo, que ne-

---

[27]   Para un informe detallado sobre los problemas bioéticos que representan los avances tecnológicos en la privacidad vid. Presidential Commission for the Study of Bioethical Issues, *Privacy and Progress in Whole Genome Sequencing* (Oct. 2012) disponible en <http://bioethics.gov/sites/default/files/PrivacyProgress508_1.pdf>

[28]   El sistema creado por el FBI (*Integrated Automated Fingertrip Identification Sytem* (IAFIS) se lanzó el 28 de julio de 1999. Con anterioridad a esta fecha, el procesamiento de las huellas dactilares era una labor ardua, que llevaba semanas o meses de proceso con una simple entrega. <http://www.fbi.gov/about-us/cjis/fingerprints_biometrics/iafis>

[29]   En estudios elaborados por investigadores especializados en 2007, se detectó que aproximadamente tres cuartas partes de los laboratorios analizados tardaban 4 meses o menos en proporcionar los resultados de ADN. Para mayor detalle, vid. HURST, L./LOTHRIDGE, K., DNA E*vidence and Offender Analysis Measurement: DNA Backlogsm Capacity and Funding*, Final Report to National Institute of Justice Grant 2006- MU-BX-K002, Washington, DC, January 2010, p. 8; JAMES, N., *DNA Testing in Criminal Justice: Background, Current Law, Grants, and Issues, Congressional Research Service*, 7-5700, R41800, December 6th, 2012, p. 12.

[30]   Vid. A modo de ejemplo, *Attorney General DeWine Announces Significant Drop in DNA Turnout Time* (Jan 4, 2013) (El resultado de AND ha sido reducido de 125días en el año 2010 a 20 días en el año 2012) citado por el Tribunal y disponible en <http://www.ohioattorneygeneral.gov/Media/News-Releases/January-2013/Attorney-General-DeWine-Announces-Significant-Drop>

cesariamente disminuyen cuando se le detiene. Tales registros difieren por lo tanto respecto de las denominadas necesidades especiales[31] de otros registros, como por ejemplo, controles policiales en las carreteras[32].

La cuestión de la razonabilidad considera dos circunstancias en las cuales no se exige categóricamente una sospecha en particular: "disminución de las expectativas de privacidad e intrusión mínima"[33]. Una intervención invasiva podría poner en peligro el derecho a la intimidad hasta el extremo de que el registro requeriría un autorización judicial, a pesar de la disminución de las expectativas de privacidad del detenido, pero un frotis bucal, que supone una intrusión breve y mínima con "virtualmente ningún riesgo, trauma o dolor"[34], no supone aumentar la humillación que ya se produce en las detenciones normales.

Según la opinión del Tribunal el procesamiento de la muestra de ADN de Alonzo King en el CODIS *loci* no implica intrusión en su intimidad de modo alguno que pudiera conducir a considerar inconstitucional la identificación por ADN. Esos *loci* procedían de partes no codificantes de ADN que no revelan los rasgos genéticos y que con poca probabilidad pueden indicar cualquier información médica privada. Incluso aunque pudieran proporcionar tal información, de hecho no están siendo utilizados con ese fin. Por último, la Ley proporciona protección estatal para garantizar que no se produzcan ese tipo de invasiones en la intimidad.

Teniendo en cuenta estas consideraciones el Tribunal concluye que la identificación mediante ADN de detenidos es un registro razonable que puede considerarse como parte de la detención. Cuando los agentes llevan a cabo una detención fundada en causa probable de un delito grave y conducen

---

[31]   Existen supuestos en los que es posible efectuar un registro sin autorización judicial porque aparecen necesidades especiales que así lo justifican. Sobre un estudio exhaustivo de los casos más polémicos en la jurisprudencia del Tribunal Supremo norteamericano, vid. ISRAEL, J.H./KAMISAR, Y./LAFAVE, W.R./KING, N.J., *Proceso penal y Constitución de los Estados Unidos de Norteamérica, Casos destacados del Tribunal Supremo y texto introductorio*, Traducción de GÓMEZ COLOMER, J.L. (coord.) et al., Ed. Tirant lo Blanch, Valencia 2012, en especial el capítulo 3 relativo a la detención, registro y comiso, pp. 123-432.

[32]   *Indianapolis* v. *Edmond*, 531 U. S. 32.

[33]   *Illinois* v. *McArthur*, 531 U. S. 326, 330.

[34]   *Schmerber* v. *California*, 384 U. S. 757, 771.

al sospechoso a la comisaría para que sea detenido bajo su custodia, la toma de muestras de ADN mediante un frotis bucal es equiparable a la toma de huellas dactilares o fotografías, considerándose un procedimiento legítimo y razonable de conformidad con la Cuarta Enmienda.

IV. VOTO DISCREPANTE DEL MAGISTRADO SCALIA, AL QUE SE ADHIEREN GINSBURG, SOTOMAYOR Y KAGAN

El voto discrepante del Magistrado Scalia comienza recordando que la Cuarta Enmienda prohíbe registrar a una persona para obtener pruebas cuando no haya fundamento para creer que es culpable del delito o se encuentra en posesión de pruebas incriminatorias. Recuerda que esa prohibición es categórica y sin excepción y se sitúa en la esencia de la Cuarta Enmienda. La afirmación del Tribunal de que la toma de ADN se obtiene no para resolver crímenes, sino para *identificar* aquellos que se encuentran detenidos, reta la credibilidad del crédulo. Y la comparación de la toma de muestras de ADN basándose en la ley de Maryland equiparándolas a otras técnicas tales como la toma de huellas dactilares, solo puede considerarse apta para aquellos que no saben más de lo que la decisión del Tribunal ha elegido decirles sobre cómo funcionan en realidad las bases de datos de ADN.

La legitimidad del método escogido por el Tribunal para fundamentar su decisión así como la corrección de su resultado depende completamente de la verdad sobre una proposición: que el fin principal que se persigue con la toma de muestras de ADN (registros de conformidad con la Cuarta Enmienda), es algo diferente que simplemente descubrir pruebas de la comisión de delitos penales.

El Tribunal alude en varias ocasiones al hecho de que King se encontraba detenido y que por consiguiente el registro fue legal. Sin embargo no se basa en este principio por una buena razón: los objetos que se pueden obtener en una detención son: 1) Armas o pruebas que se puedan destruir fácilmente o 2) Pruebas relevantes del delito por el que ha sido detenido[35].

---

[35]   *Arizona v. Gant*, 556 U.S. 332, 343-344 (2009); *Thornton v. United States*, 541 U.S. 615, 632 (2004).

Ningún objeto del registro que aquí se cuestiona se corresponde con estas posibilidades. El Tribunal se apresura a clarificar que eso no significa admitir invasión quirúrgica de los detenidos o una entrada en un domicilio sin orden judicial. El Tribunal detalla los modos en los que el registro en este caso sirvió para el propósito esencial de "identificar a King". La insistencia del Tribunal afirmando que la jurisprudencia existente sobre los registros de necesidades especiales no tiene relación alguna con el presente caso es desconcertante[36].

Esta es precisamente la tesis que se considera totalmente incorrecta al entender que si identificar a alguien significa averiguar qué delitos ha cometido previamente, entonces la identificación no se puede distinguir de los fines ordinarios de la aplicación de la ley que nunca han sido pensados para justificar un registro sin existir sospecha. Así explican que si por ejemplo se registra un coche que ha sido detenido en un control policial, esto podría proporcionarnos información sobre delitos sin resolver que el conductor haya cometido, pero nadie diría que tal registro tuvo como propósito "identificarle" y ningún tribunal consideraría tal registro conforme a derecho.

En la sentencia se insiste en que era necesario realizar el frotis bucal con el fin de averiguar "quien había sido detenido". Nada más lejos de la verdad. Los policías no empezaron a procesar las muestras de ADN de King ese día, ni al día siguiente ni al otro, y la razón fue bien simple: la Ley de Maryland se lo prohíbe. "Una muestra de ADN tomada de la persona acusada por un delito.... No puede ser analizada ni introducida en una base de datos de ADN antes de que se haya fijado fecha para la primera comparecencia". Y King no compareció ante el tribunal hasta tres días después de su detención.

Esto deja en un lugar muy diferente la solemne declaración del Tribunal de que fue necesario el registro de modo que King pudiera ser identificado en "todas las etapas del procedimiento". Si el propósito de esta ley es evaluar si King debía ser puesto en libertad bajo fianza, ¿por qué podría posiblemen-

---

[36]   Así se pregunta Scalia: "¿Por qué derramar ríos de tinta explicando la necesidad especial de identificación si no se exige necesidad especial alguna? ¿Por qué no decir abiertamente que se permite un registro aunque no haya indicios de criminalidad si es útil para la resolución de casos? El Tribunal no lo dice porque la mayoría del Tribunal no lo cree". Vid. nota 1.

te prohibir que comenzara a procesarse la muestra genética hasta que King compareciera? La verdad es que este registro no tenía nada que ver con establecer la identidad de King.

Y empeora. La muestra del ADN de King no llegó al departamento de la Policía forense hasta el 23 de abril 2009, dos semanas después de su detención. Se almacenó hasta que lo mandaron al laboratorio el 25 de junio de 2009, dos meses después de ser recibido y casi tres desde la detención de King. Después de que fuese enviado, los datos no estuvieron disponibles hasta varias semanas después del 13 de julio de 2009, que fue cuando se introdujeron los resultados en la base de datos de Maryland, *junto con la información que identificaba la persona de la que se tomó la muestra* (énfasis del magistrado Scalia). Mientras tanto se estableció la fianza. No fue hasta 4 Agosto de 2009, cuatro meses después de la detención de King que se contrastó la muestra de ADN con otra muestra de un delito sin resolver años antes.

Una descripción de lo que exactamente sucedió ilustra por qué por definición King no pudo ser *identificado* por esa coincidencia. La base de datos de ADN del FBI conocida como (CODIS) consiste en 2 colecciones distintas[37]. Una de estas colecciones, la que recibió la muestra de King contiene muestras de ADN de condenados o de personas detenidas (*Convict and Arrestee Collection*). La otra, consiste en muestras tomadas de las escenas del crimen (*Unsolved Crimes Collection*).

La primera colección no almacena nombres u otros datos identificativos de los delincuentes o detenidos, sino que únicamente contiene el perfil en sí mismo, la agencia que lo ha enviado, el nombre del laboratorio, la persona que realizó el análisis y el número de identificación de la muestra. Esto es porque los laboratorios estatales se supone que *ya* saben las identidades de los condenados y detenidos de las muestras que se han mandado para analizar.

Además el sistema del CODIS funciona comprobando si alguna de las muestras de la colección de crímenes sin resolver coincide con alguna de las

---

[37]   Los resultados de las combinaciones logradas con éxito desde el año 2000 hasta el año 2012 se pueden consultar en <http://www.fbi.gov/about-us/lab/biometric-analysis/codis/codis-brochure-2010>

muestras de la otra colección. Esto es útil si lo que se quiere es resolver casos abiertos (*cold cases*)[38] pero hay que resaltar lo que se exige: la identidad de las personas cuyo ADN se introduce en la *Convict and Arrestree Collection* "ya es conocida". Si uno quiere identificar alguien que se encuentra detenido utilizando una muestra de ADN lo lógico sería comparar el ADN en la *Convict and Arrestee Collection*: buscar, en otras palabras, la colección que se puede utilizar para identificar a personas, más que en la de pruebas de delitos sin resolver. Pero eso no es lo que se hizo, porque este registro no tenía nada que ver con la identificación.

De hecho si algo fue "identificado" en el momento en el que la base de datos que proporcionó el resultado, no fue King —su identidad ya se sabía— sino que el 4 de agosto se produjo una coincidencia con la muestra tomada de una escena de un crimen anterior. Importante: King no fue identificado por su asociación con la muestra; más bien, la muestra fue identificada por su asociación con King. El Tribunal destruye efectivamente su propia teoría de la "identificación" cuando reconoce que el objeto del registro fue "ver lo que se sabía sobre King". King era quien era y volúmenes de su biografía no le hubieran cambiado.

Que la toma de muestras de ADN de personas detenidas no tiene nada que ver con su identificación se confirma no solo por la práctica actual sino por permitir la aplicación de la ley (que el Tribunal ignora). La ley estipula que las muestras de ADN se recogen y se analizan como "parte de una investigación oficial sobre un delito". Incluso el tribunal ha valorado que esta ley "proporciona un instrumento muy valioso para investigar los delitos sin resolver y por lo tanto ayuda a extraer a los criminales violentos de la población general".

Más devastadora para la teoría de la "identificación" del Tribunal, es la circunstancia de que ley enumere dos instancias en las que se puede analizar una muestra de ADN con fines de identificación: "para ayudar a identificar restos humanos" y "para ayudar a identificar a personas desaparecidas". No se menciona la identificación de los detenidos. Y obsérvese que la Ley de

---

[38] Sobre la importancia de la utilización de las pruebas de ADN en la resolución de casos abiertos, vid. en detalle, National Institute of Justice, *Using DNA to solve Cold Cases* <https://www.ncjrs.gov/pdffiles1/nij/194197.pdf>

Maryland prohíbe la utilización de los registros de ADN "para otros fines que no sean aquellos especificados". Las normas aplicables de la Ley de Maryland confirman lo que es obvio: Que estos registros de ADN no tiene nada que ver con la identificación.

Por otro lado, el Tribunal intenta reforzar la teoría de la identificación con una serie de analogías inapropiadas, que aparecen a continuación:

En primer lugar, se pregunta si no es lo mismo que tomar una fotografía de una persona. La respuesta debe ser negativa, porque en ese último caso no se produce un registro en el sentido de la Cuarta enmienda. No implica ningún tipo de intrusión física en la persona y nunca hemos sostenido que una simple fotografía invada ninguna "expectativa de privacidad" de una persona.

También se compara con el sistema de Bertillon. Este sistema no se utilizaba para resolver casos abiertos. El verdadero objetivo era verificar por ejemplo, si la persona detenida hoy era la misma detenida hace un año. Lo que no es lo mismo que decir que las medidas de Bertillon se utilizaban *en realidad* como un sistema de identificación, y dirigían su atención primordialmente hacia ese fin.

Es en la toma de muestras dactilares, sin embargo, donde el Tribunal pone mayor énfasis[39]. El Tribunal no dice en realidad si cree que la toma de huellas dactilares de una persona sea un registro de conformidad con la Cuarta Enmienda, y la jurisprudencia no proporciona una respuesta rápida a esa cuestión. Incluso asumiéndolo, sin embargo, la utilización de las huellas dactilares no podría ser más diferente de la toma de ADN. Las huellas dactilares de los detenidos primordialmente persiguen la identificación (aunque a veces ese proceso también resuelve delitos). La toma de muestras de ADN de los detenidos tiene como objetivo resolver crímenes (y nada más). La cuestión que se plantea no es si el análisis podrá *algún día* utilizarse para identificar a personas; ni siquiera si puede utilizarse *hoy* para identificarse; si no si *fue utilizado con fines de identificación aquí.*

Lo que el análisis de ADN aporta es la capacidad de resolver casos abiertos, contrastando las pruebas obtenidas en antiguas escenas de crímenes

---

[39]   Para mayor detalle sobre las diferencias entre ambos sistemas vid. <http://www.fbi.gov/about-us/lab/biometric-analysis/codis/codis-and-ndis-fact-sheet>

con los perfiles de personas cuyas identidades ya se conocen. Esto es lo que pasó cuando se detuvo a King, y, según el Magistrado Scalia, no deberíamos desviarnos de esa realidad. Resolver crímenes que siguen abiertos es un noble objetivo, pero ocupa un lugar inferior en el panteón americano de los nobles objetivos al de la protección de nuestros ciudadanos frente a registros sin sospechas. En el voto discrepante se insiste en una consecuencia totalmente predecible de la decisión de este caso: el ADN de cualquier persona podrá ser introducido en una base de datos nacional si es alguna vez detenida, correcta o incorrectamente, y por cualquier razón.

La sentencia de hoy tendrá seguro el efecto beneficioso de resolver más crímenes. Asimismo lo tendría obtener muestras de ADN de todas las personas que vuelen en un avión, de aquellos que quieran obtener un carnet de conducir o que atienden a una escuela pública. Quizá la construcción de tal panóptico[40] sea sensata. Pero tal como el magistrado Scalia concluye seguramente "los orgullosos padres fundadores no se hubieran mostrado precisamente entusiasmados de tener que abrir sus bocas para tal real inspección".

V. JURISPRUDENCIA DEL TRIBUNAL SUPREMO Y DE TRIBUNALES DE APELACIÓN

Arizona v. Gant, 556 U.S. 332, 343-344 (2009)
Bell v. Wolfish, 441 U. S. 520 (1979)
Florence v. Board of Chosen Freeholders of County of Burlington, 566 U. S. (2012)
Gerstein v. Pugh, 420 U. S. 103 (1975)
Haskell v. Harris, 669 F.3d 1049 (9th Cir. 2012)
Hiibel v. Sixth Judicial Dist. Court of Nev., Humboldt Cty., 542 U. S. 177 (2004)
Illinois v. Gates, 462 U. S. 213 (1983)
Illinois v. Lafayette, 462 U. S. 640 (1983)
Illinois v. McArthur, 531 U. S. 326, 330 (2001).
Indianapolis v. *Edmond*, 531 U. S. 32 (2000)
Mario W. v. Kaipio, 281 P.3d 476 (AZ S.Ct. 2012).
Maryland v. Raines, 857 A.2d 19 (Md. 2004)

---

[40]	El Panóptico es usado por Foucault como metáfora de un sistema de control del Estado sobre sus ciudadanos mediante la geografía y la arquitectura, siendo las heterotopías espacios que escapan a ese sistema. Vid. MIRANDA, Mª. J., J *Jeremias Bentham, El Panóptico. El ojo del poder, Michel Foucault*, Colección Genealogía del poder, 2ª ed., Ed. Ediciones de la Piqueta, Madrid 1989.

People v. Buza, 129 Cal.Rptr.3d 753 (Cal.Ct.App. 2011)
Samson v. California, 547 U.S. 843 (2006)
Schmerber v. California, 384 U.S. 757 (1966)
Thornton v. United States, 541 U.S. 615, 632 (2004).
United States v. Knights, 534 U.S. 112 (2001)
United States v. Mitchell, 652 F.3d 387 (3d Cir. 2011) (en banc)
United States v. Robinson, 414 U. S. 218 (1973)
United States v. Kincade (379 F.3d 813 (9th Cir. 2004) (en banc)
Vernonia School Dist. 47J v. Acton, 515 U. S. 646 (1995).
Winston v. Lee, 470 U. S. 753 (1985)
Wyoming v. Houghton, 526 U. S. 295 (1999)

VI. BIBLIOGRAFÍA

ANNAS, G.J., Genetic Privacy, en *DNA and the Criminal Justice System: The Tecnology of Justice*, Ed. David Lezer, Cambridge 2004.

DOLZ LAGO, M.J., "ADN y derechos fundamentales (Breves notas sobre la problemática de la toma de muestras de ADN —frotis bucal— a detenidos e imputados)", *Diario LA LEY* 21946/2011, Año XXXIII, núm. 7774, Jueves 12 de enero 2012, pp. 1-6.

FOREMAN et al., "Interpreting DNA Evidence: A Review", 71, *International Statistical Review*, 2003.

GÓMEZ COLOMER, J.L., (coor.) et al., *Introducción al Proceso Penal federal de los Estados Unidos de Norteamérica*, Ed. Tirant lo Blanch, Valencia 2013.

HANEBECK, A., "DNA-Analysis and the right to privacy: Federal Constitutional Court Clarifies Rules on the use of genetic fingerprints", *German Law Journal*, Vol. 2, N. 3, 2001, p. 2.

HUANG, J., "*United States v Kincade*": Constitutionality of Mandatory DNA Testing", *Hastings Constitutional Law Quarterly*, Vol. 31, N. 4, 2004, pp. 587-610.

HURST, L./ LOTHRIDGE, K., DNA *Evidence and Offender Analysis Measurement: DNA Backlogsm Capacity and Funding*, Final Report to National Institute of Justice Grant 2006- MU-BX-K002, Washington, DC, January 2010

JAMES, N., *DNA Testing in Criminal Justice: Background, Current Law, Grants, and Issues, Congressional Research Service*, 7-5700, R41800, December 6th, 2012.

ISRAEL, J.H./ KAMISAR, Y./ LAFAVE, W.R./ KING, N.J., *Proceso penal y Constitución de los Estados Unidos de Norteamérica, Casos destacados del Tribunal Supremo y texto introductorio*, Traducción de GÓMEZ COLOMER, J.L. (coord.) et al., Ed. Tirant lo Blanch, Valencia 2012

JAMES, N., *DNA Testing in Criminal Justice: Background, Current Law, Grants, and Issues*, Congressional Research Service, 7-5700, R41800, December 6th, 2012.

KOBILINSKI,K L.F., *DNA: forensic and legal applications*, Ed. Willey-Interscience, Hoboken, New Jersey, 2005.

EL ADN Y EL PROCESO PENAL EN ITALIA

RENZO ORLANDI
Catedrático de Derecho Procesal Penal
Universidad de Bolonia (Italia)

Sumario: I. Osservazione introduttiva. II. L'antecedente: la vicenda della Madonna di Civitavecchia. La sentenza 238/1996 della Corte cost. Primi tentativi di riforma. La situazione di vuoto normativo. III. L'indagine genetica finalizzata all'identificazione personale. IV. L'attuazione del Trattato di Prüm. V. Principali problemi in tema di indagini genetiche nell'attuale situazione italiana.

I. OSSERVAZIONE INTRODUTTIVA

Il problema delle indagini genetiche non è stato affrontato con la dovuta solerzia nella realtà dell'ordinamento giuridico italiano. Il legislatore si è mosso con ritardo, dopo molti anni che la scienza aveva messo a punto tecniche di identificazione basate sull'analisi del DNA.

La prima regolamentazione normativa risale al 2005 e si limita a disciplinare il prelievo coattivo di campioni biologici con finalità di identificazione personale.

Solo nel 2009 viene emanata una legge che —nel ratificare il Trattato di Prüm— detta una disciplina più completa in tema di perizia genetica. Con questa stessa legge sono istituiti anche il *Laboratorio centrale per la banca dati nazionale DNA* (destinato alla conservazione e tipizzazione dei campioni biologici) e la *Banca dati nazionale del DNA* (destinata alla conservazione dei profili genetici). Tuttavia, né il laboratorio nazionale, né la banca dati sono attivi, non essendo stati ancora approvati i decreti attuativi indispensabili per il loro concreto funzionamento.

In giurisprudenza, non si è ancora presentata l'occasione per particolari approfondimenti della disciplina applicativa.

La dottrina, dal canto suo, ha cominciato a occuparsi del tema solo ne-
gli ultimi anni, dopo che le prassi investigative si erano da tempo orientate
all'uso del *D.N.A-profiling*[1].

II. L'ANTECEDENTE: LA VICENDA DELLA MADONNA DI CIVITAVECCHIA. LA SENTENZA 238/1996 DELLA CORTE COST. PRIMI TENTATIVI DI RIFORMA. LA SITUAZIONE DI VUOTO NORMATIVO

L'assenza di regole *ad hoc* non ha impedito di utilizzare in campo penale
le conoscenze che la ricerca scientifica sul DNA offriva già a partire dalla fine degli anni '80. In Italia, le indagini genetiche cominciano a diventare un
metodo frequentemente utilizzato verso la metà degli anni '90. Nessun serio problema si poneva per l'acquisizione di reperti biologici sul luogo del
delitto. L'unica condizione che la legge poneva e tuttora pone è che il reperto sia acquisito in presenza dei difensori o di consulenti dell'interessato.
Trattandosi di atto non ripetibile, la legge processuale italiana impone che la
difesa sia garantita a pena di inutilizzabilità del reperto acquisito[2]. Solo nei
procedimenti contro ignoti, la difesa è forzatamente assente, non essendoci
un imputato noto da difendere.

Diversamente stanno le cose quando si tratta di prelevare il campione
biologico dal corpo di un individuo non consenziente. Il prelievo forzoso
mette in gioco la libertà personale e pone quindi problemi di tutela di un diritto fondamentale. In realtà, come si dirà fra poco, è in gioco anche il diritto

---

[1]   Risalgono tutti all'ultimo quinquennio i volumi dedicati all'argomento: si vedano in par-
      ticolare P. FELICIONI, *Accertamenti sulla persona e processo penale: il prelievo di materiale
      biologico*, ed. IPSOA, Milano 2007; C. FANUELE, *Dati genetici e procedimento penale*, ed.
      CEDAM, Padova 2009; A. Scarcella (a cura di), *Prelievo del DNA e banca dati nazionale: il
      processo penale tra accertamento del fatto e cooperazione internazionale*, ed. CEDAM, Pa-
      dova 2009. Non erano mancati, in precedenza, studi dedicati al tema dove si segnalava
      l'opportunità di un intervento legislativo volto a regolamentare questo nuovo mezzo
      d'indagine: sia consentito rinviare, al riguardo, a R. ORLANDI, *Il problema delle indagini ge-
      netiche nel processo penale*, in *Medicina Legale - Quaderni Camerti* 1992, 413-427.
[2]   Si tratta di una regola volta ad assicurare il diritto di difesa che trova il suo principale
      referente normativo nell'art. 360 c.p.p.

alla riservatezza di dati personali sensibili. Ma di questo ci si è a lungo disinteressati in Italia. La discussione sulla perizia genetica si è focalizzata inizialmente sul tema della libertà personale. L'occasione fu data da una vicenda che ebbe vasta eco nell'opinione pubblica e della quale si sono occupati i giornalisti più dei giuristi.

Un contadino di Civitavecchia (piccola città poco distante da Roma) teneva nel giardino di casa una statua della madonna di Medjugorie. Un giorno del mese di febbraio 1995, la piccola figlia del contadino rivelò di aver visto scendere lacrime di sangue dagli occhi della Madonna. Le guance, infatti, erano coperte di macchie color ruggine, come di sangue secco. Il giorno dopo, altri testimoni confermarono il pianto di sangue. Si sparse subito la voce e si pensò al miracolo. Il giardino del contadino cominciò ad essere meta di pellegrinaggi da parte di un numero crescente di persone. Quando la cosa divenne di dominio pubblico, un'associazione di consumatori —pensando che il sangue sulla statua fosse quello del contadino— denunciò quest'ultimo per truffa (*estafa*) e abuso della credulità popolare (*abuso de credulidad popular*). Il giudice ordinò di esaminare il liquido presente sulla statua e la perizia dimostrò che si trattava di sangue umano, maschile. Fu allora ordinato un prelievo ematico sul contadino per poter eseguire una perizia genetica volta a stabilire se il sangue presente sulla statua fosse il suo. Consigliato dal suo avvocato, il contadino rifiutò il prelievo forzoso, negando che il giudice avesse il potere di costringerlo a un simile trattamento.

La legge processuale italiana dell'epoca permetteva al giudice di ordinare "tutti i provvedimenti necessari per l'esecuzione della perizia", non esclusi atti limitativi della libertà personale come il prelievo coattivo di sangue (*toma forzosa de sangre*). Si trattava però di una previsione troppo generica. L'art. 13 della cost. it. ammette limitazioni della libertà personale solo "nei casi e modi previsti dalla legge". Orbene, la citata normativa sulla perizia non prevedeva casi e modi del prelievo coattivo. Di qui il sospetto di incostituzionalità[3].

---

[3]   Secondo la giurisprudenza della Corte cost. italiana il prelievo di sangue costituisce atto invasivo della libertà personale così come ogni prelievo compiuto su "parti del corpo non esposte normalmente alla vista altrui, specialmente quando questo possa comportare un mancato riguardo all'intimità o al pudore della persona" (così sent. 27 marzo 1962, n. 30).

Sul punto fu chiamata a pronunciarsi la Corte costituzionale che, con la sent. nr. 238 del 1996, dichiarò illegittima la normativa sulla perizia, nella parte in cui consentiva il prelievo coattivo "senza determinare la tipologia delle misure esperibili e senza precisare i casi ed i modi in cui esse possono essere adottate".

La sentenza conteneva un implicito invito a una diversa regolamentazione legislativa dell'accertamento peritale. Sarebbe stato sufficiente prevedere casi e modi del prelievo coattivo. Un compito semplice che però il legislatore italiano non ebbe la forza di eseguire per circa dieci anni.

L'autorità giudiziaria non aveva pertanto strumenti per costringere gli imputati a subire il prelievo di campioni biologici. Era vietato il prelievo forzoso non solo del sangue, ma anche di saliva o di capelli: per la giurisprudenza costituzionale italiana, infatti, qualsiasi prelievo forzoso comporta una limitazione di libertà personale e deve quindi rispettare le condizioni poste dall'art. 13 cost[4].

Il vuoto normativo non impedì, comunque, di effettuare indagini genetiche. La loro esecuzione era possibile se la persona coinvolta nel processo (vittima o supposto autore del reato) acconsentiva al prelievo oppure quando era possibile prelevare il campione biologico con qualche *escamotage*, senza mettere le mani sull'imputato, ad esempio, acquisendo il mozzicone di sigaretta o la tazzina del caffè con tracce di saliva. Grazie a simili stratagemmi, verso la fine degli anni Novanta, la polizia è riuscita a risolvere casi problematici. Il più clamoroso ha riguardato un *serial killer,* autore di diciassette omicidi, individuato grazie ai campioni di liquido seminale lasciati sul luogo di alcuni dei suoi delitti, confrontati con i campioni di saliva lasciati sui bicchieri di whiskey o sui resti di sigaretta nei bar da lui frequentati[5].

---

[4]   Fondamentale, al riguardo, la presa di posizione di Corte cost. n. 30 del 1962, dove si afferma che il prelievo coattivo (di sangue) cade sotto la tutela dell'art. 13 cost., così come qualsiasi atto ispettivo sulla persona che non si limiti (come, ad esempio, la dattiloscopia o il rilievo fotografico) a registrare aspetti esteriori del corpo.

[5]   Si allude al "caso Donato Bilancia" che ha avuto un'ampia eco nell'opinione pubblica ed è stato oggetto di ricostruzioni cinematografiche. Si veda la notizia che ne dava la stampa dell'epoca in un articolo del quotidiano la Repubblica, rintracciabile al seguente sito web: http://www.repubblica.it/online/fatti/liguria/liguria/liguria.html

III. L'INDAGINE GENETICA FINALIZZATA ALL'IDENTIFICAZIONE PERSONALE (D.L. 144/2005)

Solo nel 2005 il legislatore italiano interviene a disciplinare il prelievo coattivo di capelli o saliva. Si tratta però di provvedimento limitato al fine di identificare la persona sottoposta a procedimento penale. Non per eseguire perizie genetiche su persone già identificate. Questo limite si spiega con la situazione d'emergenza che è all'origine dell'iniziativa legislativa.

Nel luglio di quell'anno, come si ricorderà, una serie di attentati suicidi provocarono una strage nella metropolitana di Londra. L'*intelligence* britannica aveva segnalato un'utenza telefonica inglese attribuita a una persona che si riteneva coinvolta nell'attentato. Il numero era stato attivo a Londra, nella zona di Waterloo Station, la sera di lunedì 25 luglio; poi era scomparso. C'era la possibilità che si spostasse verso Francia e Italia. La sera del 27 luglio risulta attivo a Parigi, poi tace di nuovo. Il giorno successivo ricompare a Milano e poi a Bologna. La polizia italiana viene allertata dai servizi britannici. Urge uno strumento per identificare la persona sospettata.

L'assenza di una normativa sui prelievi coattivi, impediva alla polizia italiana di collaborare con le polizie straniere attraverso il *DNA-profiling*, come auspicato nel trattato di Prüm approvato due mesi prima da alcuni Stati dell'Unione europea. Per questo il governo italiano si affretta a emanare un decreto-legge che colma, almeno in parte, la lacuna lasciata dalla sentenza n. 238/1996 della Corte costituzionale. Si attribuisce alla polizia giudiziaria il potere di effettuare, previa autorizzazione scritta od orale del pubblico ministero, il prelievo di capelli o saliva anche senza il consenso della persona interessata. Ciò, come delto, al solo fine di identificare la persona sottoposta all'indagine[6]. La situazione d'urgenza aveva ostacolato un provvedimento legislativo più articolato e completo sulle indagini e le perizie genetiche.

---

[6]   Art. 349 comma 2*bis*, novellato da art. 10 comma 1 decreto legge 27 luglio 2005, n. 144, convertito nella legge 31 luglio 2005, n. 155.

IV. L'ATTUAZIONE DEL TRATTATO DI PRÜM (L. 85/2009)

Nel giugno 2009, con la legge che ratifica il Trattato di Prüm, il parlamento italiano ha finalmente varato una normativa più ampia. La stessa legge —come già accennato— ha istituito, presso il Ministero dell'interno, la Banca dati nazionale del DNA e, presso l'amministrazione penitenziaria, il laboratorio centrale per la conservazione dei campioni biologici ricavati dai reperti sul luogo del delitto.

La Banca dati dovrebbe conservare i profili DNA in forma anonima.

Il Laboratorio dovrebbe invece conservare i campioni biologici ricavati dai prelievi sulle persone che entrano in carcere o tratti dai reperti trovati sul luogo del delitto.

Oltre che del Trattato europeo, la legge tiene conto delle indicazioni contenute nella citata sent. 238/1996 della Corte costituzionale. Il prelievo forzoso di saliva, di peli o capelli deve sempre essere autorizzato dal magistrato penale ed è ammesso solo nei casi predeterminati dalla legge.

Minore attenzione è dedicata all'altro importante diritto che la perizia genetica mette in discussione: il diritto all'autodeterminazione dell'individuo sui dati personali che lo riguardano (quello che i colleghi tedeschi chiamano *informationelles Selbstbetimmungsrecht*).

La legge oggi in vigore ammette il prelievo forzoso in ordine a tre distinte finalità:

a) per identificare la persona nei cui confronti si svolgono le indagini: come già prevedeva il decreto legge n. 144 del 2005, al prelievo forzoso di capelli o di saliva procede la polizia giudiziaria, dopo aver ottenuto l'autorizzazione (scritta od orale) del pubblico ministero[7]. Il prelievo può essere effettuato solo per stabilire l'identità della persona sottoposta all'indagine, quando sorgano dubbi al riguardo, ad esempio quando la persona sottoposta all'indagine non dà le proprie generalità. Il campione biologico così prelevato non può essere oggetto di perizia genetica, né può essere utilizzato per trarne un profilo da inviare alla banca dati DNA.

---

7   Art. 349 comma 2 bis c.p.p.

b) per eseguire una perizia genetica necessaria ad accertare delitti non colposi di una certa gravità.

In omaggio al principio di proporzionalità, il prelievo coattivo di saliva o capelli è ammesso solo quando si tratti di accertare delitti non colposi punibili con l'ergastolo o con la pena della reclusione superiore a tre anni[8]. Praticamente lo stesso limite imposto dall'art. 280 per l'applicazione di misure cautelari personali.

Il prelievo può essere ordinato nei confronti sia dell'imputato, sia di persona non coinvolta nel procedimento penale: l'art. 224*bis,* infatti, parla di "persona da sottoporre all'esame del perito", non di "imputato" o di "persona sottoposta all'indagine".

La competenza a disporlo è affidata al giudice, il quale può provvedere su istanza di una delle parti o d'ufficio. In caso di pericolo nel ritardo, il prelievo può essere ordinato dal pubblico ministero, salvo convalida successiva da parte del giudice[9].

Del provvedimento giudiziale non c'è bisogno, se la persona da esaminare si sottomette spontaneamente al prelievo.

Chiunque subisca il prelievo (forzoso o consenziente) ha diritto di farsi assistere da un difensore o da persona di sua fiducia. La presenza del difensore è condizione necessaria per la validità dell'operazione di prelievo[10].

Una volta conclusa la perizia genetica, il campione biologico va distrutto, salvo che il giudice non ritenga assolutamente indispensabile conservarlo[11].

c) per procurare un campione biologico da cui ricavare un profilo genetico destinato alla banca dati nazionale DNA e destinato a essere usato in altri, futuri procedimenti penali.

A tal fine, come accennato, campioni biologici vanno prelevati al momento dell'ingresso in carcere, da soggetti arrestati o condannati per delitti non colposi di una certa gravità.

---

8   Art. 224-bis comma 1 c.p.p.
9   Art. 359-bis comma 2 c.p.p.
10   Art. 224*bis* comma 7 c.p.p.: L'atto è nullo se la persona sottoposta al prelievo o agli accertamentri non è assistita dal difensore".
11   Art. 72-*quater* comma 1 disp. att. c.p.p.

La legge esclude espressamente da questo trattamento le persone arrestate o condannate per reati economici, reati tributari, delitti contro la famiglia, delitti contro l'autorità giudiziaria, delitti di falsità in monete o titoli di credito[12].

I campioni biologici vanno conservati presso un laboratorio centrale[13] gestito dal Ministero della giustizia.

Dai campioni biologici sono tratti i profili DNA resi anonimi e da destinare alla banca dati nazionale, gestita dal Ministero dell'interno[14].

L'analisi genetica può essere fatta solo sulle strutture non codificanti del DNA. E' vietata l'analisi delle sequenze DNA che consentono l'identificazione di patologie[15], ma la regola ha una sua eccezione, come dirò tra poco.

La banca dati raccoglie inoltre i profili tratti dai reperti biologici trovati sulla scena del delitto e quelli riguardanti persone scomparse, loro consanguinei o persone decedute.

I campioni biologici debbono essere distrutti e i profili DNA vanno cancellati:

i.   quando l'imputato è prosciolto nel merito[16];

ii. quando si tratta di campioni e relativi profili ricavati da cadaveri o da persone scomparse, dopo che il cadavere è stato identificato o la persona è stata ritrovata[17];

iii. quando le operazioni di prelievo sono state eseguite fuori dei casi legalmente previsti (art. 9)[18];

Va però detto che questa parte della normativa attende di essere implementata. A più di tre anni dall'entrata in vigore della legge, né il laboratorio centrale, né la banca dati del DNA sono operativi. Questo perché il governo non ha ancora emanato i regolamenti attuativi necessari per farli funzionare.

---

[12]   Art. 9 l. 85/2009.
[13]   Art. 5 e art. 8 l. 85/2009.
[14]   Art. 5 e art. 7 l. 85/2009.
[15]   Art. 11 comma 3 l. 85/2009.
[16]   Art. 13 comma 1 l. 85/2009.
[17]   Art. 13 comma 2 l. 85/2009.
[18]   Art. 13 comma 3 l. 85/2009.

V. PRINCIPALI PROBLEMI IN TEMA DI INDAGINI GENETICHE NELL'ATTUALE SITUAZIONE ITALIANA

Tre problemi caratterizzano principalmente l'esecuzione di indagini genetiche oggi in Italia.

Il primo si collega al mancato funzionamento della Banca dati DNA già ricordato poco fa. Questo ulteriore ritardo normativo sottrae alla polizia e al pubblico ministero un efficace strumento di indagine e rende meno efficiente la cooperazione giudiziaria internazionale. Ma, quel che è più grave, lascia un vuoto che viene di fatto colmato da iniziative incontrollate da parte delle organizzazioni di polizia[19].

E' noto che i reparti di carabinieri e polizia competenti per le indagini scientifiche hanno costruito, nel tempo, proprie banche dati, al di fuori di qualsiasi regolamentazione legislativa. La cosa è tollerata, anche per lo scarso valore che la cultura giuridica italiana assegna al diritto alla *privacy* o al diritto di disporre liberamente dei propri dati personali (*informatinelles Selbstbestimmungsrecht*), privo di esplicita copertura costituzionale e, per questo, non ancora percepito come un valore fondamentale (nonostante l'art. 8 CEDU).

In ciò, il legislatore italiano è stato forse fuorviato dalla sent. 238/1996 della Corte costituzionale, che poneva l'accento sulla libertà personale più che sul diritto alla riservatezza e all'autodeterminazione individuale nell'uso di informazioni personali.

Il secondo problema riguarda i limiti soggettivi da rispettare nell'esecuzione del prelievo coattivo e si riallaccia proprio alla già segnalata scarsa considerazione del legislatore italiano per il diritto alla riservatezza.

Come già detto, la legge processuale ammette questo tipo di prelievo anche nei confronti di persone diverse dall'imputato. Non fornisce però alcun criterio per circoscrivere l'area dei soggetti che possono essere obbligati a

---

[19] Si tratta di una pratica illegittima se si considera quanto stabilisce l'art. 17 comma 2 l. 85/2009: "I profili del DNA ricavati da reperti acquisiti nel corso di procedimenti penali anteriormente alla data di entrata in vigore della presente legge, previo nulla osta dell'autorità giudiziaria, sono trasferiti dalle Forze di polizia alla banca dati nazionale del DNA entro un anno dalla data della sua entrata in funzione.

subire un simile trattamento[20]. Non esiste, in altre parole, nella legge proces-suale italiana una disposizione analoga a quella contenuta nel § 81h della StPO germanica. Il prelievo di campione biologico può essere ordinato nei confronti di terzi non coinvolti nel procedimento penale alle stesse condizio-ni previste per gli imputati. Nessuno, finora, ha sollevato obiezioni rispetto a questa soluzione normativa, a mio avviso discutibile.

Il terzo problema si collega a una tendenza espansiva nell'uso dell'indagine genetica e proietta ombre poco rassicuranti sul futuro di questo invadente mezzo di accertamento.

Come già detto, la legge vieta espressamente l'analisi genetica su se-quenze del DNA che permettono di identificare patologie. Si capisce la ra-gione del limite. L'analisi genetica non può essere strumento di incursione nella sfera intima della persona.

Il divieto non vale quando si tratta di accertare la capacità di intendere e volere. In tali casi, il perito può servirsi anche di analisi capaci di rilevare tare psichiche. Questo in base alla regola che ammette perizie psichiatriche, alla ricerca di possibili cause patologiche del reato[21]. Fino ad ora, le perizie psichiatriche si risolvevano in colloqui o sottoposizione a test che lasciavano un ampio margine di opinabilità al parere dell'esperto. Ora, nell'epoca delle neuroscienze e delle analisi genetiche, le cose cambiano nel senso che si co-lorano di un'apparente capacità predittiva.

Merita di essere ricordato, a questo riguardo, un caso deciso dalla Corte di assise di appello di Trieste nel settembre del 2009. Un caso di omicidio parti-colarmente efferato. Il giudice di primo grado aveva condannato l'imputato, riconoscendo un vizio parziale di mente. Per questo, aveva diminuito la pena detentiva e applicato una misura di sicurezza personale (assegnazione a una casa di cura per tre anni). Essendo emerse in primo grado incertezze fra i periti in ordine alla capacità di intendere e volere dell'imputato, la Corte di secondo grado ordinò una nuova perizia psichiatrica. Questa fu eseguita con la risonanza magnetica abbinata a un'indagine genetica.

---

[20]   Si vedano, al riguardo, gli spunti critici di A. Santosuosso e G. Gennari, *Il prelievo coattivo di campioni biologici a terzi*, in *Diritto penale e processo*, 2007, p. 395 ss.
[21]   Art. 220 comma 2 c.p.p.

Grazie a una nuova metodologia, lo psicologo incaricato della perizia ricavò dal DNA dell'imputato informazioni considerate utili per il giudizio sulla imputabilità.

In un passaggio cruciale del resoconto peritale si legge: "In base ai polimorfismi esaminati, l'imputato risulta possedere almeno uno e forse entrambi gli alleli che, in base a numerosi studi internazionali riportati sinora in letteratura, accrescono il rischio di di comportamenti aggressivi, impulsivi, socialmente inaccettabili. In particolare, l'essere portatore dell'allele a bassa attività per il gene MAOA (MAOA-L) potrebbe rendere il soggetto maggiormente incline a manifestare aggressività, se provocato o escluso socialmente. E' opportuno sottolineare che tale 'vulnerabilità genética' risulta avere un peso ancor più significativo per individui sia cresciuti in un contesto familiare e sociale non positivo ed esposti, specialmente nei primi vent'anni di vita, a fattori ambientali sfavorevoli, psicologicamente traumatici o negativi"[22].

Sulla scorta di questa perizia la Corte ha corretto la sentenza di primo grado e ha attribuito al vizio parziale di mente un valore tale da giustificare una più consistente riduzione di pena. Questa sentenza —peraltro criticata da una parte della dottrina scientifica— dimostra che la cosiddetta *personalized medicine,* già affermatasi in campo medico-farmacologico, favorisca l'evoluzione di una *personalized justice*[23].

Anche se resta il divieto di utilizzare la parte codificante del DNA per l'accertamento della responsabilità penale, l'analisi genetica ammessa senza limiti per stabilire la capacità di intendere e volere contribuisce a ridefinire l'area dell'imputabilità. Non solo. In casi simili a quello appena descritto, sarà difficile, di fatto, impedire al giudice di formare il proprio convincimento sulla responsabilità penale dell'imputato, avvalendosi di resoconti peritali che gli sarebbero preclusi dalla legge processuale.

---

[22]   Il passaggio è riportato nella motivazione della sent. emessa dalla Corte di assise di appello di Trieste il 18 settembre 2009

[23]   Steven HY Wong , Christopher Happy , Dan Blinka , Susan Gock , Jeffrey M Jentzen , Joseph Donald Hon. Howard Coleman , Saeed A Jortani , Yolande Lucire , Cynthia L Morris-Kukoski , Manuela G Neuman , Paul J Orsulak , Tara Sander , Michael A Wagner , Jennifer R Wynn , Alan HB Wu , Kiang-Teck J Yeo, *From personalized medicine to personalized justice: the promises of translational pharmacogenomics in the justice system,* in *Pharmacogenomics,* giugno 2010, Vol. 11, No. 6, p. 731-737

Renzo Orlandi

Nel prossimo futuro c'è dunque da aspettarsi un graduale mutamento della giurisprudenza di merito nell'accertamento di reati commessi da persone con tratti geneticamente determinati o con dipendenza da droghe.

Scenari inquietanti, inevitabilmente connessi con gli svolgimenti e i successi delle scoperte scientifiche davvero sorprendenti nel campo della genetica. Ma non tutto è negativo e motivo di preoccupazione. In più di un'occasione, la prova genetica è stata risolutiva per scagionare persone gravemente indiziate di gravi delitti, come nel caso dei due romeni che, nel febbraio 2009, avevano addirittura confessato una violenza carnale commessa da altri in un parco alla periferia di Roma[24].

---

[24] La notizia è riportata nel seguente sito web: http://www.corriere.it/cronache/09_marzo_05/roma_stupro_parco_caffarella_romeni_cappotto_macchiato_sangue_fbfa-4f4a-097c-11de-84bf-00144f02aabc.shtml

EL ENFOQUE NEERLANDÉS EN EL TRATAMIENTO DEL ADN EN EL SISTEMA DE JUSTICIA PENAL[*]

J.A.E. Vervaele[1], F.C.W. de Graaf[2] & N. Tielemans[3]

> Sumario: I. Introducción. II. Legislación actual relativa a la utilización del ADN en el proceso penal. III. Investigaciones de ADN: ámbito de aplicación y límites. IV. Almacenamiento del ADN (Base de ADN) y aspectos específicos de protección de datos; V. El ADN como prueba en el tribunal. VI ¿El ADN y la protección de los derechos humanos? VII. Intercambio de información sobre ADN en la Unión Europea. VIII. Breve conclusión. IX. Bibliografía.

I. INTRODUCCIÓN

Los Países Bajos aparecen como uno de los países pioneros en el campo de la utilización del ADN en causas penales. Ya en 1988 se utilizó por primera vez el ADN como un instrumento de investigación en los procesos penales. En el caso en cuestión, el resultado del ADN se utilizó con el fin de investigar si una persona declarada culpable de violar a dos mujeres, había sido en realidad el autor del delito[4]. La prueba del ADN se llevó a cabo *después* de la condena. La investigación debe basarse en el artículo 195 del Código de Procedimiento Penal holandés (CCP), que hace posible físicamente (es decir, corporalmente) investigar al sospechoso. Sin embargo, en 1989 se decidió por

---

[*] Traducción del inglés al español realizada por Ana Beltrán Montoliu, Profesora Contratada Doctora de Derecho Procesal, Universitat Jaume I, Castellón.
[1] Catedrático de Derecho Penal Económico y Europeo en la Universidad de Utrecht y de Derecho Penal Europeo en el *College of Europe* en Brujas.
[2] Docente/investigadora en la Facultad de Derecho de la Vrije Universiteit Amsterdam, Utrecht, *Willem Pompe Institute*.
[3] Docente/investigadora en en la Facultad de Derecho de la Vrije Universiteit Amsterdam
[4] De Poot and Kruisbergen 2006, p. 27.

el Tribunal Supremo neerlandés que esta competencia no incluye la posibilidad de realizar una investigación basada en la toma de muestras de ADN. Como consecuencia de este acontecimiento, en 1994[5] se aprobó la legislación que regulaba la utilización del ADN en el proceso penal. En otras palabras, el primer cuerpo legislativo sobre el ADN en el proceso penal se introdujo con el fin de cumplir con el principio de legalidad procesal en virtud del artículo 1 del CPP y por lo tanto para crear suficientes posibilidades de utilizar el ADN como instrumento de investigación y de prueba en materia penal.

En 1997 ya se estableció una base de datos de ADN en el Instituto Nacional Forense (*National Forensic Institute*) (en adelante NFI), que contiene perfiles de ADN. Aunque hubo alguna discusión al principio, estaba claro que el almacenamiento de perfiles de ADN sería competencia exclusiva del NFI, bajo la dirección del fiscal. Dicho de otro modo, una investigación sobre el ADN (que incluya muestras/perfiles) es una cuestión que afecta a la acusación no a la policía. A las autoridades policiales, incluso aunque tengan funciones judiciales, no se les permite crear sus propias bases de datos de ADN.

Después de 15 años, era obvio que el primer cuerpo legislativo exigía cambios sustanciales para hacer frente a las nuevas necesidades. En abril de 2012 entró en vigor una nueva legislación[6]. Ahora bien, la utilización del ADN en el proceso penal, como instrumento de investigación y prueba, no es un tema exento de controversia. El Tribunal Supremo recientemente ha revisado y reabierto varios procesos penales de condenas firmes debido a la existencia graves indicios de error relacionados con las pruebas de ADN. Estos casos, considerados como errores judiciales graves, han demostrado que las muestras de ADN pueden ser contaminadas por una actuación inapropiada de la policía o incluso manipuladas por las autoridades policiales cuando participan en la investigación inicial de la escena del crimen.

El objetivo de este trabajo es proporcionar una visión general de la actual regulación neerlandesa sobre el ADN que se utiliza en los procesos penales. Tras una breve introducción a la legislación neerlandesa sobre ADN, se ofrecerá una visión general sobre las normas más importantes de los Países Bajos relativas a las investigaciones de ADN con repercusión en el proceso penal. A

---

[5]   *Stb.* 1993, 596.
[6]   *Stb.* 2012, 131.

continuación, especificaremos el objeto y la/s finalidad/es de los diferentes tipos de investigación de ADN. Prestaremos especial atención a los límites que deben respetarse con el objeto de llevar a cabo legítimamente las investigaciones de ADN y las personas que pueden sometidas a la prueba de ADN. Seguidamente se ofrecerá una descripción sobre el modo de preservar muestras de ADN (legislación neerlandesa relativa a las bases de datos de ADN). Por último, se discutirá sobre la relación entre el uso de ADN en el proceso penal y los derechos humanos y se prestará atención al *Prüm acquis*.

II. LEGISLACIÓN ACTUAL RELATIVA A LA UTILIZACIÓN DEL ADN EN EL PROCESO PENAL

El actual compendio legislativo contiene normas que proceden de diferentes fuentes, con la combinación de los CCP, los estatutos especiales y Reales Decretos. El procedimiento general sobre la toma de muestras y análisis de ADN se establece en el CPP, especialmente en el artículo 138 bis y el artículo 151 bis del CPP. Junto al CCP, también existe legislación relativa a la recogida de muestras de ADN de personas condenadas. Esta legislación se encuentra regulada en la *'DNA Testing (Convicted Persons) Act*[7]. Por otra parte, el *DNA (Criminal Cases) Tests Decree (DNA Decree)* contiene la legislación respecto a la base de datos de ADN: en qué casos y en qué condiciones es posible mantener las muestras de ADN en la base de datos.

A) Artículos aplicables en el CCP

Antes de comentar las disposiciones específicas del CCP es necesario y útil subrayar algunos de los factores esenciales del procedimiento penal neerlandés y el ADN. En primer lugar, en los Países Bajos los fiscales son las autoridades judiciales las que investigan (no sólo acusan) y supervisan a las autoridades policiales con funciones judiciales. En segundo lugar, en los Países Bajos todavía se tiene un juez de instrucción, pero ha perdido la mayor

---

[7]   Ley Investigación ADN en relación con condenados *Wet DNA-onderzoek bij veroordeelden, Stb.* 2007, 513. See also: ECHR 7 December 2006, appl. no. 29514/05 (*Van der Velden vs. The Netherlands*).

parte de su monopolio de investigación y sobre todo su ámbito de actuación se circunscribe a la autorización de determinadas medidas coercitivas. En tercer lugar, en lo que respecta a las pruebas, no existe el concepto legal de "prueba científica". Esto significa que toda la prueba obtenida por medios técnicos será el resultado de un análisis realizado por un experto. El resultado se presentará en un dictamen o informe pericial. Finalmente, el perito puede ser llamado a testificar ante el tribunal. La aproximación a las investigaciones de ADN y las pruebas de ADN se encuentran, pues, en gran medida, focalizada en la prueba pericial.

El CCP comienza con una definición de la investigación sobre el ADN, con el fin de indicar el objetivo y el alcance de la investigación, incluyendo las personas que pueden ser objeto de tal investigación.

El **artículo 138 bis** CCP contiene la definición de la investigación sobre el ADN en el proceso penal:

'La investigación sobre el ADN se refiere a la investigación de material celular que tiene como objetivo la comparación de perfiles de ADN o la determinación de las características personales observables de un sospechoso desconocido o de una víctima desconocida o la determinación del parentesco.'

En otras palabras, la utilización de pruebas de ADN en los Países Bajos evidentemente no está limitada a las muestras tomadas de condenados, sino que incluye un amplio círculo de personas, incluyendo al sospechoso. Esto está en consonancia con la evolución internacional en este ámbito, pero no está exenta de controversia.

A principios de 2012, la Corte de Apelación de Maryland en Estados Unidos sostuvo que la recogida de muestras de ADN de personas detenidas, pero aún no condenados violaba la prohibición de la Cuarta Enmienda contra registros e incautaciones no razonables[8]. En los EE.UU. hay un desacuerdo entre los tribunales estatales y federales que han considerado la cuestión. En la actualidad, 24 estados y el gobierno federal tienen leyes que permiten la toma de muestras de ADN antes de que se produzca la condena. En 2013, En una apretada decisión —cinco votos a favor y cuatro el contra—, el Tribunal

8   Court of Appeals of Maryland 24 April 2012, no. 68 (*Alonzo Jay King jr. vs. State of Maryland*).

Supremo[9] ha fallado a favor de que la policía pueda tomar muestras de ADN de personas detenidas por delitos graves sin necesidad de una autorización judicial previa y que la policía mantenga una base de datos de ADN de los arrestados y equipara el material genético con las huellas dactilares.

El CPP efectúa una clara distinción entre una investigación sobre el ADN con el consentimiento (la versión clásica) y una investigación sobre el ADN sin consentimiento, que es necesariamente una medida coercitiva. El CPP también contiene las normas procesales relativas a la forma en que una investigación sobre el ADN tiene que llevarse a cabo, por quién (qué autoridad, el fiscal o el juez) y qué limitaciones existen.

Los perfiles de ADN deben tratarse únicamente con fines de prevención, detección, persecución y el enjuiciamiento de los delitos.

Una variación significativa en la reciente reforma del Código de Procedimiento Penal ha sido introducir un cambio en la finalidad de esta investigación. Anteriormente a este ajuste, el propósito era "encontrar la verdad". Ahora ha sido reemplazado por el "interés de la investigación penal". Esta alteración refleja el hecho de que el ADN se ha convertido en un instrumento de investigación y no es sólo una cuestión probatoria. Se ha llevado a cabo la reforma legislativa con el fin de incorporar este propósito de las investigaciones de ADN.

El criterio "en el interés de la investigación" se ha utilizado más a menudo en el CPP para el uso de medidas coercitivas. En el CCP, no se ha incluido ninguna indicación general en cuanto a lo que "el interés de la investigación" significa en realidad. Es importante, sin embargo, que el fiscal puede señalar por qué una investigación sobre el ADN contribuye a la investigación y cómo esta investigación puede conducir a la toma de decisiones penales[10]. En resumen, el cambio de la finalidad en una investigación sobre el ADN ha aumentado su alcance y el número de posibilidades.

El **Artículo 151 (a) (1)** se refiere a la investigación *clásica* de ADN, comparando los perfiles de ADN tomados de personas voluntariamente con el

---

9   US Supreme Court, *Maryland v. King*, 3 June 2013.
10   *Kamerstukken II*, 2009-2010, 32168, nr. 3, p. 24.

fin de detectar coincidencias, incluso dentro de las investigaciones de ADN a gran escala.[11]

De conformidad con el art. 151 a, apartado 1, el fiscal puede iniciar una investigación sobre el ADN con el fin de comparar los perfiles de ADN, usando el material de ADN de un sospechoso o de una persona contra la que no han surgido sospechas (un tercero). Por tanto, la condición para que se pueda realizar una investigación sobre el ADN es que tiene que haber una sospecha. La muestra de ADN de esa persona sólo puede tomarse con su permiso, que tiene que ser por escrito.

El fiscal designa a un perito para que realice la investigación. Este perito tiene que estar vinculado a uno de los laboratorios que han sido aprobados para este propósito. En concreto son el Instituto Forense Países Bajos (*Netherlands Forensic Institute*) (NFI) y el Laboratorio Forense para la investigación del ADN en Leiden (*Forensic Laboratory for DNA investigation*) (FLDO) que principalmente lleva a cabo investigaciones en representación de las personas sospechosas (párrafo 2). Si una investigación sobre el ADN se realiza en un sospechoso desconocido, el policía con función judicial tiene las mismas facultades que el fiscal (párrafo 3).

El sospechoso tiene derecho a que se contraste la muestra (párrafos 4 y 6). Si no hay suficiente material celular disponible para llevar a cabo un contraste de la muestra, y sólo hay un sospechoso que ha proporcionado material de ADN, éste tiene derecho a nombrar al perito que vaya a realizar la investigación. Si la muestra contrastada confirma las conclusiones iniciales, el sospechoso tiene que pagar la parte que le corresponda por los gastos ocasionados (párrafo 7). El fiscal notifica al condenado, por medio de un dictamen escrito, los resultados de la investigación sobre el ADN, si el perfil de ADN coincide con otro perfil de ADN ya procesado, y si los intereses de la investigación lo permiten (párrafo 5). Las normas relativas al tratamiento de perfiles de ADN y material celular se han establecido en decretos administrativos, previa consulta a la Agencia Holandesa de Protección de Datos (*Dutch Data Protection Agency*).

---

[11]   Esto ha sido enfatizado en la última versión del Art. 151a CCP (*Kamerstukken II*, 2009-2010, 32168, nr. 3, p. 25). Se ha incluido la frase 'La investigación de ADN tiene como objetivo la comparación de perfiles de ADN'.

El **Artículo 151 ter** CCP prevé la posibilidad de que el fiscal pueda ordenar la toma de una muestra de ADN de forma coactiva cuando existan indicios racionales de que el sospechoso ha participado en alguno de los delitos previstos en el art. 67 CCP (detención provisional es posible). En otras palabras, existe un umbral de gravedad relacionado con el derecho penal sustantivo. En realidad el art. 67 CCP se refiere a los delitos con una pena máxima de al menos 4 años de prisión. Esta facultad de investigación coercitiva sólo se utiliza cuando el sospechoso no proporciona consentimiento (por escrito). Esta orden no se puede dar antes de que las autoridades hayan tomado declaración al sospechoso. El sospechoso tiene el derecho a ser asistido por un abogado (artículo 2). Normalmente, la toma de muestras se lleva a cabo por medio de un adhesivo en la mejilla. Si esto no es conveniente, la toma de muestras de sangre o del cabello también es posible. La toma de muestras se realiza normalmente por un médico o una enfermera, y si es necesario con la ayuda de los agentes de policía (facultades coercitivas). El *DNA (Criminal Cases) Tests Decree (DNA Decree)* contiene otras normas relativas a la práctica de las actuaciones previstas en el artículo 151 b del CCP.

El **Artículo 151c CPP** afirma que un perfil de ADN de un sospechoso conocido debe efectuarse utilizando el material que se toma para este propósito, salvo en excepciones muy justificadas. Este tipo de investigación ofrece los mejores resultados, con la menor posibilidad de errores. Además, de esta manera el sospechoso sabe que se está llevando a cabo una investigación criminal, especialmente mediante la toma de muestras de ADN. Otra consideración es que esta investigación prevé costes mínimos para el Instituto Forense de Holanda (*Netherlands Forensic Institute*)[12]. El Artículo 151b sin embargo prevé una excepción: 'si existen razones de peso, se puede llevar a cabo una investigación de ADN sobre material celular que se ha dejado sobre objetos, que se hayan obtenido del sospechoso o de material celular que se haya obtenido de una manera diferente'.

El **Artículo 151d** se refiere a la posibilidad de que el Fiscal pueda llevar a cabo una investigación sobre el ADN destinada a la determinación de las características personales observables de un sospechoso o de la víctima des-

---

[12]   *Kamerstukken II* 1999-2000, 26271, nr. 6.

conocida. Para poder actuar así tiene que redundar en "el interés de la investigación penal".

Como se puede deducir de esta visión general de las investigaciones de ADN, el fiscal desempeña un papel principal en la investigación. Se centra la atención en la toma de muestras de personas (mucho menos en muestras en la escena del crimen, aunque no sea imposible). Los límites se refieren a la gravedad del delito, cuando se trata de la realización mediante poderes coercitivos. La asistencia de un abogado se convierte en un derecho en esa situación, pero el fiscal puede ordenar la medida de investigación sin (previa o a posteriori) autorización alguna de un juez de garantías o del tribunal.

Pasamos ahora a algunas de las características específicas de la investigación sobre el ADN, siendo la prueba de ADN de personas condenadas, la investigación del parentesco sobre ADN y la investigación del ADN de varias personas.

B) La Ley sobre la prueba de ADN de personas condenadas (The DNA testing (convicted persons) Act)

De conformidad con la Ley sobre la prueba de ADN de personas condenadas existen varias maneras de establecer la investigación sobre el ADN sobre estas personas.

En primer lugar, el tribunal o el fiscal que tenga encomendado el conocimiento de acuerdos extrajudiciales (como conformidad (si el fiscal llega a un acuerdo extrajudicial con el sospechoso)) puede ordenar la toma de una muestra de material celular de una persona que ha sido condenada por un delito, cuando se refiera al supuesto mencionado en el artículo 67 CCP (un delito que puede dar lugar a la detención provisional, en su mayoría delitos castigados con una pena de prisión máxima de al menos cuatro años). Hay dos excepciones:

   a. Un perfil de ADN ya ha sido procesado anteriormente, basado en el artículo 151 bis, el artículo 195a CCP o del artículo 23 de la Ley relativa a la protección de datos personales.
   b. No se efectuará ninguna toma de muestras si, teniendo en cuenta la naturaleza del delito o de las circunstancias especiales en las que se

cometió, pueda razonablemente suponerse que la determinación y elaboración del perfil de ADN no serán de importancia para la prevención, detección, persecución y enjuiciamiento de los delitos cometidos por la persona en cuestión.

Si un perfil de ADN que ha sido procesado, tal como se determina en el CCP, tuviera que ser destruido, podrá sin embargo mantenerse si la persona ha sido condenada por un delito mencionado en el art. 67 CCP y el fiscal ha decidido que es razonablemente posible que el procesamiento de este perfil ADN sea significativo para la prevención, detección, persecución y enjuiciamiento de los delitos cometidos por el condenado.

El Fiscal también puede solicitar la toma de muestras de una persona condenada, si existen razones de peso que lo justifiquen, incluso en el caso de que se trate de muestras de ADN existentes de la persona en cuestión.

Para poder la ejecución de la orden del tribunal o del fiscal, se aplica un procedimiento por un perito similar al que se explica en el artículo 151 a.

C) Investigación del parentesco del ADN

Como se ha mencionado brevemente *supra*, el CPP se ha modificado con el fin de establecer un marco legal para una investigación de parentesco (la determinación de parentesco, "La prueba de parentesco del ADN"), determinando las características personales observables de un sospechoso o de la víctima desconocidos y algunas otras cuestiones[13]¿Qué razonamiento hay detrás de los últimos cambios en la legislación de ADN, en particular con respecto a la introducción de las investigaciones de parentesco?

Las búsquedas de parentesco en las investigaciones criminales han marcado una nueva "era" en las investigaciones de ADN en los Países Bajos. Antes de la nueva ley de ADN, sólo era posible una investigación sobre el ADN "clásica". Ahora, con la posibilidad de determinar el parentesco, la investigación sobre el ADN ya no se limita a 'la clásica comparación "respuesta positiva/respuesta negativa". Ahora se ha hecho posible identificar a las personas a

---

[13] Enmiendas en el Código de Procesal Penal y en La Ley sobre investigación ADN con el objetivo de introducir la *investigación del parentesco del ADN, investigación ADN sobre características personales de personas desaparecidas y asuntos relacionados. Stb.* 2011, 555.

través de miembros de la familia. Coincidencias parciales entre dos perfiles de ADN pueden conducir a la posible identificación del sospechoso[14]. En la Exposición de Motivos, se mencionaron varias razones explicando los argumentos por los que esta nueva posibilidad se debe implementar en la legislación[15]. En primer lugar, se menciona la eficacia de la investigación criminal. El arsenal de posibilidades en las técnicas de investigación de ADN se ha ampliado enormemente. El legislador indicó que sería erróneo no hacer uso de estas posibilidades con el fin de agilizar las investigaciones penales. Se obtendrán beneficios temporales y de capacidad. En un sentido más amplio, la introducción de búsquedas parentesco contribuirá a la detección y persecución de delitos. Se hace referencia a la situación en Inglaterra donde la introducción de las búsquedas de parentesco ha contribuido enormemente a la detección de delincuentes. También se proporciona un argumento práctico: el gobierno puede utilizar la información, si se ha obtenido legalmente, con el fin de detectar los delincuentes / sospechosos de delitos graves. También es posible su utilización si el NFI detecta información de forma accidental. Entonces ¿por qué esto no será posible si se busca activamente esta información? Se efectúa una comparación con información obtenida a través de la intervención telefónica de una persona y el hecho de que esta la información (accidentalmente) obtenida pueda ser utilizada en los procesos penales. Lo mismo debería posibilitarse en el marco de una investigación sobre el ADN. Desde la perspectiva de una respuesta adecuada ante la delincuencia, no sería justificable en relación con las víctimas y los familiares de las víctimas si no se pudiera utilizar la información disponible de un sospechoso. Esto es aún más dramático cuando se trata de delitos violentos y sexuales muy graves y se podría haber evitado la reincidencia con una adecuada utilización de los instrumentos disponibles.

Asimismo se mencionan argumentos en contra, pero el legislador los rechazó. En concreto se refiere a la posibilidad de detener a personas inocentes y exponer involuntariamente ciertos lazos familiares. La detención de personas inocentes no se trata de una posibilidad remota, ya que con la búsqueda de parentesco no se puede dar el mismo grado de seguridad en

---

[14]　　*Kamerstukken II*, 2009-2010, 32 168, nr. 3, p. 2.
[15]　　*Kamerstukken II*, 2009-2010, 32 168, nr. 3, p. 4.

comparación con la investigación sobre el ADN clásica (donde se indican correspondencias completas). Por último, este nuevo método de investigación (pasando por la base de datos NFI con el fin de encontrar coincidencias parciales entre perfiles de ADN) impondrá una pesada carga para la capacidad del NFI, la policía y el Ministerio Público.

Los nuevos artículos 151da y 195g CCP se han incorporado con el fin de proporcionar una base legal para las investigaciones de parentesco. El apartado 1 del artículo 151da estipula lo siguiente: si bien la Ley de Protección de Datos de Carácter Personal (*Persoonsgegevens Bescherming Wet*, en adelante APD) lo prohíbe, ahora se ha posibilitado realizar una investigación de ADN que pretenda la identificación del parentesco. En el art. 21, párrafo 4 de la APD, se contempla una excepción que prohíbe el procesamiento de la información relativa a características hereditarias. El artículo 151da será una *lex specialis* del artículo 21 (4) de la APD, que por lo tanto, permite esta excepción. Sin embargo la persona en cuestión tiene que dar permiso y ser capaz de prestar su consentimiento libremente en este sentido. En el Decreto de ADN, se establecerán nuevas normas por lo que se refiere a esta cuestión.

El apartado 2 prevé la posibilidad de utilizar material celular de una persona condenada para una investigación de parentesco. En la exposición de motivos se ha puesto de manifiesto que el art. 151da tiene un papel complementario a la investigación sobre el ADN clásico (art. 151 a CCP)[16]. Las investigaciones sobre parentesco sólo pueden llevarse a cabo si la investigación clásica de ADN no proporciona resultados y no hay casi o ninguna información disponible sobre el delincuente.

El párrafo 3 limita las posibilidades de llevar a cabo una investigación sobre el parentesco en delitos que lleven aparejada una posible pena de prisión de 8 años o más y en una serie de delitos específicos. Por otra parte, en este caso, el fiscal no necesita autorización previa del juez de instrucción. Es decir, se han previsto unos límites sustantivos y procesales más elevados para el uso de este tipo específico de investigación sobre el ADN.

---

[16]   *Kamerstukken II*, 2009-2010, 32 168, nr. 3, p. 6.

D) Investigaciones de ADN a gran escala en una pluralidad o multiplicidad de personas

La investigación sobre el ADN a gran escala tiene como objetivo comparar el material de ADN de un sospechoso desconocido con el material de ADN de un grupo de personas con el fin de encontrar una 'coincidencia'. El material de ADN de este grupo de personas no puede ser utilizado para ningún otro propósito y no se puede comparar con los perfiles de ADN recogidos en una base de datos de ADN. Las personas a las que se les solicita su ADN para dicha investigación deben prestar su consentimiento por escrito. Debe quedar claro que se está cooperando como un tercero y no como sospechoso. Además, simplemente porque una persona se niegue a cooperar con la investigación no debe implicar que se convierta en sospechoso[17]. Si no se ha encontrado ninguna coincidencia entre el ADN de una persona de este grupo y el ADN del sospechoso desconocido, el material de ADN de esta persona tiene que ser destruido. Si, sin embargo, hay una coincidencia, la persona se convertirá en sospechoso partir de ese momento. A continuación su perfil de ADN se almacena en la base de datos de ADN y será comparado con todos los otros perfiles ADN en la base de datos, en la medida en que se refiere a una sospecha como se ha mencionado en el art. 67 CCP.

El Fiscal puede ordenar una investigación sobre ADN a gran escala. Si, sin embargo, la investigación sobre el ADN a gran escala se refiere a un grupo de más de 15 personas, el juez de instrucción debe conceder la autorización (art. 151a par.1 CCP).

E) Conclusión provisional

Tras el análisis de las cuestiones generales y las características específicas de la utilización de las investigaciones de ADN en el proceso penal neerlandés podemos sacar algunas conclusiones provisionales en la fase de investigación sobre el ADN.

Las modificaciones legislativas introducidas por el cuerpo legislativo de 1994 al de 2011-2012 han sido muy importantes. El legislador ha ampliado

---

[17]   Kamerstukken II 1999/2000, 26 271, nr. 6, p. 40, Kamerstukken I 2000/01, 26 271, nr. 210b, p. 4 and Kamerstukken II 2000/01, 27 400 VI, nr. 49, p. 8

la investigación sobre el ADN en un instrumento de investigación adecuado, aplicándose de este modo a círculos más amplios o círculos específicos de personas, como la investigación sobre el ADN de una multitud de personas o la investigación de parentesco. El legislador también ha concedido una amplia discrecionalidad al fiscal en la utilización de una investigación sobre el ADN en relación con condenados. La nueva redacción que contempla la investigación sobre el ADN en el interés de la investigación penal en lugar de en la búsqueda de la verdad, refleja el mayor alcance de las investigaciones de ADN en el proceso penal.

Si bien se ha producido una ampliación y extensión de las disposiciones, el legislador también ha tenido mucho interés en aclarar exactamente quién desempeña el papel principal en este procedimiento, siendo el fiscal. Además, se centra la principal atención en la toma de muestras de personas y en análisis por peritos, teniendo mucha menos atención que la toma de muestras aleatorias en la escena del crimen.

Tras el análisis de las características específicas, a continuación nos centraremos más detalladamente en un par de aspectos. ¿Quién puede ser sometido a una investigación sobre el ADN, por quién y en qué circunstancias?

III. INVESTIGACIONES DE ADN: ÁMBITO DE APLICACIÓN Y LÍMITES

El Código de Procedimiento Penal y la Ley sobre la prueba de ADN de personas condenadas indican exactamente en qué casos el ADN se puede utilizar para fines de investigación. En los primeros años que se llevaron a cabo investigaciones de ADN en el proceso penal, la investigación se centró principalmente en el sospechoso. El fundamento de esta actuación se halla en la consideración de que el equilibrio debía encontrarse entre la preservación de una sociedad segura, por un lado, y la protección de los derechos humanos (la inviolabilidad del cuerpo humano/ integridad física y el derecho a la privacidad), por el otro. Visto desde esta perspectiva, también se consideró inconcebible que las muestras de ADN de toda la población neerlandesa se pudieran tomar como medida preventiva con el fin de tener una red nacional de muestras de ADN para facilitar así la detección de sospechosos de delitos penales. En la legislación neerlandesa esto todavía no es posible, a pesar de que la discusión en la política sobre este tema ha destacado en los últimos años.

Si bien la razón antes mencionada todavía puede ser considerada aplicable en la legislación neerlandesa, la variedad de fines para los que puede utilizarse el ADN es ahora mucho más amplia. Ahora bien, la utilización de ADN para las investigaciones penales siempre debe basarse en una fuente legal formal.

El primer límite establecido para la utilización de material de ADN con fines de investigación en el proceso penal es siempre la existencia de una sospecha de haberse cometido un delito (en el caso de una persona condenada, sin embargo, esta persona ya ha sido condenada por el delito que ha cometido y, en consecuencia, la 'sospecha' ya no es relevante). No se permite la toma de muestras de ADN con un objetivo preventivo o proactivo. La existencia de una sospecha (o un sospechoso o una persona condenada) es condición necesaria para poder llevar a cabo una investigación sobre el ADN.

Asimismo una investigación sobre el ADN sólo puede llevarse a cabo en relación con el ADN de personas específicas enumeradas en la ley. Las categorías de las personas y de los requisitos que deberían cumplirse en todos los casos se enumeran a continuación.

A) *Sospechoso en un proceso penal*

Este supuesto podría considerarse el caso "clásico" de la investigación sobre el ADN. El fiscal puede pedir a un perito que realice este tipo de investigación sobre el ADN, que tiene como objetivo la comparación de dos perfiles de ADN (en general, el perfil de ADN del sospechoso se compara con los perfiles almacenados en la base de datos de ADN). Con el fin de minimizar cualquier posible violación de los derechos del sospechoso (siendo la integridad física del sospechoso lo más importante), las muestras de ADN sólo se tomarán si presta consentimiento. Según el artículo 151a del CCP este consentimiento debe prestarse por escrito.

El sospechoso tiene derecho a consultar con un abogado antes de decidir prestar consentimiento (art. 2 párr. 1 del Decreto ADN) y el sospechoso decide qué tipo de material celular se tomará para su utilización en la investigación sobre el ADN (art. 3 Decreto ADN). La toma de muestras de ADN de sospechosos sin su consentimiento sólo puede hacerse en el caso de sospechas graves: una persona debe ser sospechosa de haber cometido un delito mencionado en el art. 67 apartado 1 CCP (delitos castigados con una pena de prisión máxima legal de al menos cuatro años y otros delitos específicos). En el supuesto de que sea en interés de la investigación, el material de ADN se tomará del sospechoso sin su permiso (art. 151b CCP).

B) Sospechoso desconocido en un proceso penal

En caso de que el sospechoso sea desconocido, el fiscal o un policía pueden ordenar que se lleve a cabo una investigación sobre el ADN destinada a la comparación de perfiles de ADN sobre el material que se encuentra en la escena de un crimen (art. 151a CCP). El fiscal también puede ordenar que se realice una investigación sobre ADN destinado a la determinación de las características personales del sospechoso desconocido que se puedan considerar. Esta investigación sólo puede tener por objeto la determinación del sexo, raza u otras características personales observables según lo determinado por decreto (art. 151d CCP).

C) Persona conocida que no es sospechosa en un proceso penal

De conformidad con el art. 151a CCP el fiscal puede pedir a un perito que lleve a cabo una investigación sobre el ADN con el fin de comparar los perfiles de ADN, usando el material de ADN de una persona contra la que no han surgido sospechas. La toma de muestras de ADN de esta persona sólo puede efectuarse si ha prestado consentimiento, que tiene que ser por escrito. El propósito de esta investigación es el interés de la investigación penal. Los requisitos para este tipo de investigación sobre el ADN son los mismos que los requisitos para el sospechoso que ha prestado consentimiento como se mencionó anteriormente.

D) Persona condenada

Con el objeto de realizar análisis y procesar la prueba de ADN, el Fiscal ordena que se tome una muestra de ADN de la persona que ha cometido el delito, tal como se menciona en el art. 67 par. 1 CCP, que se realizará, salvo en el supuesto en el que ya se hubiese actuado en ese sentido o cuando sea posible que el perfil y el procesamiento del material de ADN, a la luz de la naturaleza del delito o de las circunstancias del caso, no sea de importancia para la prevención, investigación y persecución de delitos o para la administración de justicia (art. 2 par.1), *Ley sobre la prueba de ADN de personas condenadas*. Si, a juicio del fiscal, existen razones de peso que se oponen a la toma del ADN de una persona condenada, se puede utilizar otro material de ADN de la persona condenada con el objeto de realizar perfiles y llevar a cabo su procesamiento (art. 2 par. 1, *Ley sobre la prueba de ADN de personas condenadas*).

E) Investigación sobre parentesco

Este tipo de investigación sobre el ADN tiene como objetivo la búsqueda de una relación de parentesco entre ciertas personas, lo que podría conducir a la conclusión de que un familiar de la persona (s) cuyo ADN ha sido utilizado para una investigación sobre el ADN posiblemente podría ser el autor del delito. La investigación puede llevarse a cabo activamente o pasivamente, lo que significa que los investigadores pueden realizar investigaciones de ADN dirigidas a descubrir si existe una relación de parentesco, pero también puede encontrar por casualidad una relación de parentesco, mientras realiza de investigación sobre el ADN distinta.

Los resultados de este último también se pueden utilizar en la investigación. De conformidad con el art. 151da CCP sólo puede llevarse a cabo una investigación sobre el parentesco en interés de la investigación y así lo haya ordenado la Fiscalía. En el caso de que se llevase a cabo esta investigación a partir de datos de ADN que ya han sido procesados, el juez de instrucción debe conceder la autorización. Si se utilizan muestras de ADN que aún no ha sido procesadas, se requiere el permiso por escrito de esa persona. Una investigación sobre parentesco sólo puede llevarse a cabo en los supuestos en los que existan indicios de haberse cometido un delito sancionado con pena de prisión máxima de al menos 8 años o en caso de otros delitos graves (como la violencia callejera comunal y el vandalismo con resultado de daños corporales).

F) Víctima desconocida fallecida

Con anterioridad a la reciente modificación del Código de Procedimiento Penal, sólo era posible una investigación de ADN para determinar las características personales observables de un *sospechoso* desconocido. Con la entrada en vigor de la modificación del Código de Procedimiento Penal, se añadirá la expresión "víctima desconocida" al art. 138 CCP y por consiguiente una investigación sobre el ADN también puede tener por objeto determinar las características observables personales (sexo, raza u otras características personales observables, establecidas en un decreto) de una víctima no identificada (art. 151d CCP).

IV. ALMACENAMIENTO DEL ADN (BASE DE ADN) Y ASPECTOS ESPECÍFICOS DE PROTECCIÓN DE DATOS

Los perfiles de ADN se almacenan en la base de datos de ADN de la NFI. El término "base de datos" en la legislación holandesa se refiere a la recopilación de perfiles de STR autosómicos que se almacenan en la base de datos[18].

El **artículo 14** del *Decreto de ADN* está compuesto por normas relativas a la conservación de las muestras de ADN en la base de datos de ADN. La Sección 1 establece: "existe una base de datos de ADN para casos penales, con el fin de prevenir, detectar, perseguir o enjuiciar los delitos". Por lo tanto, la prevención es uno de los objetivos que se persiguen con la base de datos de ADN. Según la Sección 2, el Ministerio de Justicia es responsable de la base de datos de ADN. El Secretario General del Instituto Nacional Forense (NFI) administra la base de datos de ADN. En la base de datos de ADN neerlandesa se recogen las muestras de ADN de sospechosos (que tienen que ser eliminadas si tras el juicio no hay condena), de personas condenadas ejecutando la pena, de personas con antecedentes penales, víctimas fallecidas y las muestras que se han detectado en la escena del crimen (sección 3). Los perfiles de ADN completos, así como perfiles de ADN parciales y perfiles combinados, se almacenan en la base de datos[19]. Con la futura legislación también será posible almacenar los perfiles de ADN de personas que han desaparecido si se sospecha que han sido víctimas de un delito grave (delito mencionado en el art. 67 CCP). Esto se ha previsto con el fin de facilitar que se encuentren personas desaparecidas. Asimismo se ha posibilitado que el Secretario General

---

18   De Knijff 2004, p. 39-49.
19   http://forensischinstituut.nl/dna-databank/dna-databank/.

del NFI pueda comparar los diferentes perfiles de ADN con el fin de prevenir, detectar, perseguir y juzgar los delitos. Anteriormente, no era posible hacer esto con los perfiles de ADN de personas desaparecidas, de personas no sospechosas y de víctimas fallecidas. Ahora, es posible con el fin de determinar si el perfil desconocido coincide posiblemente con el perfil de una víctima o de una persona fallecida (sección 6). Además, ya no va a haber ninguna violación de los derechos humanos (principalmente derecho a la intimidad) ya que a menudo la persona en cuestión ha fallecido.

Ahora bien, se menciona una excepción (si la persona desaparecida aparentemente se encuentra con vida y su perfil coincide con el perfil del sospechoso desconocido). Esta excepción sin embargo está pensada para justificar el hecho de que la realización de esta investigación ayudará a avanzar en el proceso penal. Aparte de eso, también ayudará a las personas consideradas desaparecidas que no lo sean más, lo que repercutiría en su mejor interés. Nos parece que este argumento es un poco peculiar ya que, por supuesto, algunas personas desaparecidas no quieren ser encontradas.

Por último, la nueva sección 7 ha introducido la posibilidad de que el Secretario General del NFI pueda comparar los perfiles de ADN de los fallecidos no identificados, con los perfiles de ADN de los sospechosos y (anteriormente), condenados en la base de datos de ADN. El objetivo de esta norma es el de identificar, personas fallecidas desconocidas. Este poder no puede sin embargo ser utilizado con el fin de resolver crímenes, como se dice explícitamente en la Exposición de Motivos[20].

El **artículo 15** determina qué personas pueden acceder a la información almacenada en la base de datos. Estas personas se refieren principalmente a los funcionarios / empleados del NFI. En virtud de la sección 2, el NFI sólo puede proporcionar información, proveniente de la base de datos a (a) los fiscales, (b) los jueces, (c) los funcionarios de policía, (d) Cuerpo Nacional de Policía y (e) Servicio de Información Judicial. La sección 3 determina qué información se debe dar a las personas mencionadas en el apartado 2 c). Se refiere al nombre de la persona cuyo perfil de ADN se almacena en la base de datos, así como su

---

[20]   Nota de Explicación en relación con la Emienda de la Decisión Ministerial sobre Investigaciones ADN in materia penal y sobre la Decisión Ministerial sobre Datos Policiales, *Stb.* 2012, 82.

fecha de nacimiento, el lugar y el país de su nacimiento o, si esta información es desconocida, otra información que pueda servir para determinar la identidad de la persona. Las secciones 4 y 5 también incluyen las condiciones en que la información del ADN se puede proporcionar a las personas mencionadas en la sección 2 (d) y (e). Según la sección 6, los datos sólo se pueden proporcionar cuando se solicitan por escrito, excepto en el caso de los datos que solicite el Cuerpo Nacional de Policía, donde se produce de forma automática.

Los datos personales de la persona a la que se le atribuye la muestra de ADN no se mencionan en la base de datos en sí. Los perfiles de ADN se registran en números y letras y se les da un sello de identidad. Con la ayuda de este sello, los empleados del NFI pueden emparejar la persona adecuada con el perfil adecuado.

Los **artículos 16 y 17** contienen normas relativas a la eliminación de los perfiles de la base de datos de ADN. El art. 16 (1) prevé la posibilidad de que un sospechoso de un delito mencionado en el artículo 67 del CCP ya no lo sea. El Servicio de Información Judicial tiene que informar al NFI sobre esta circunstancia. En el momento en el que el NFI reciba esta información, el perfil de ADN del que fue sospechoso tiene que ser eliminado de la base de datos de ADN (art. 17 (1)). No sólo se debe eliminar el perfil de ADN, sino que también se deben destruir el material celular que se habría proporcionado para el perfil y los datos relativos al perfil de ADN. Sólo podrá preservarse cuando el perfil de ADN del antiguo sospechoso coincide con el perfil de ADN de un sospechoso desconocido en un proceso penal de conformidad con el artículo 67 del CCP.

El **artículo 18** contiene disposiciones generales sobre la determinación de las condiciones de almacenamiento de los perfiles de ADN. En resumen, los siguientes períodos de retención serán aplicables a las diferentes categorías de personas:

- Según la sección 1, el NFI tiene que destruir el perfil de ADN de un sospechoso o de una persona condenada, (a) veinte años después de la decisión final del juez como se menciona en los arts. 351 y 352 (2) CCP, en relación con un delito cuya detención sea posible por menos de seis años o doce años después de que el interesado haya muerto, (b) treinta años después de la decisión final de conformidad con los artículos 351 y 352 (2) CCP, si se trata de un delito cuya detención sea posible por más de seis años, o veinte años después de que el interesado haya muerto y (c) después de que haya prescrito.

- Si una persona ha sido declarada culpable y condenada a más de 20 años de prisión, el perfil de ADN se mantendrá durante 50 años. Si una persona ha sido declarada culpable y condenada a cadena perpetua, su perfil de ADN se mantendrá durante 80 años (sección 3).

- Perfiles de ADN de personas sospechosas o condenadas por delitos sexuales (art. 240 b, 250 CP) se conservarán durante 80 años (sección 4).

- Los perfiles de ADN de las personas con antecedentes penales serán destruidos si esa persona ya no consiente que su perfil de ADN se almacene (sección 5).

- Los perfiles de ADN de las víctimas fallecidas serán destruidos (a) después de veinte años, si se trataba de un delito por el cual es posible 6 años de prisión o más (b) después de doce años si se trata de un delito en virtud del art. 67 CCP para los que es posible una pena máxima de prisión de seis años (artículo 6). Sin embargo, si la víctima ha muerto como consecuencia de un delito que puede ser castigado con cadena perpetua, el perfil de ADN se mantendrá durante 80 años (sección 7). Lo mismo ocurrirá con el perfil de ADN de un sospechoso desconocido.

Los perfiles de ADN de personas que cooperan en la investigación del ADN a gran escala no se almacenarán en la base de datos. Estos perfiles serán destruidos tan pronto como se ponga de manifiesto que no coinciden con el perfil de ADN en cuestión.

El material celular que se ha utilizado con el fin de hacer un perfil de ADN tiene que ser destruido al mismo tiempo que los perfiles de ADN.

V. EL ADN COMO PRUEBA EN EL TRIBUNAL

El CCP neerlandés enumera exhaustivamente las fuentes que pueden servir como prueba en los tribunales (artículos 338-344a CCP). Las pruebas de ADN se considerarán parte de los "documentos escritos" (*schriftelijke bescheiden*) mencionados en el artículo 344 del CCP. Otra posibilidad es que un perito proporcione las pruebas de ADN al tribunal. En ese caso será aplicable el artículo 343 CCP.

El Centro de Investigación y Documentación neerlandés (*Dutch Research and Documentation Centre*) ha llevado a cabo investigaciones con el fin de investigar cómo los jueces valoran las pruebas de ADN ante los tribunales. La jurisprudencia en relación al valor probatorio de ADN tiende a diferir[21]. Parte de esta jurisprudencia entiende que las pruebas de ADN únicamente tienen un valor complementario que sirven para respaldar la prueba principal, mientras que otros están dispuestos a basar una condena casi por completo en las pruebas de ADN. Los abogados en general están satisfechos con la forma en que se utiliza el ADN como prueba.

Sin embargo ha habido, como se mencionó en la introducción, algunos casos de graves errores judiciales en los dos últimos años, causados por una incorrecta interpretación de las pruebas de ADN.[22]

En uno de estos errores judiciales, el caso 'Schiedammer Parkmoord', un hombre fue condenado injustamente del asesinato de una niña. Confesó el crimen, pero resultó que su confesión había sido obtenida por la policía mediante coacción. Es más, el ADN que se encontró en el cuerpo de la niña no coincidía con el ADN del hombre condenado. Este hecho fue ignorado por el fiscal y el tribunal.

Este caso provocó la constitución de una comisión (*Posthumus Commission*) que ha investigado lo que salió mal en el caso 'Schiedammer Parkmoord' y cómo evitar este tipo de errores judiciales. En el informe final de la comisión se hacen una serie de recomendaciones con el fin de mejorar el proceso de búsqueda de la verdad en los tribunales. Asimismo en otros artículos científicos que se han publicado después de diferentes errores judiciales, se presta especial atención al valor probatorio de las pruebas de ADN. Una de las cuestiones que a menudo se menciona está relacionada con el hecho de que en el supuesto de que una muestra de ADN de la escena del crimen coincida con el ADN de un sospechoso, se supone con demasiada frecuencia que el sospechoso es en realidad el autor. Esta es una conclusión peligrosa: la muestra de ADN no necesariamente tiene que terminar en la escena del crimen como consecuencia de haber cometido el delito en cuestión.

---

[21] Jacobs & Bruinsma 2008.
[22] Se pueden encontrar ejemplos en HR 22 februari 2005, *LJN* AR5714 (*Deventer Moordzaak*); HR 25 januari 2005, *LJN* AS1872 (*Schiedammer Parkmoord*); HR 26 juni 2001, *LJN* AA9800 (*Puttense Moordzaak*).

VI. ¿EL ADN Y LA PROTECCIÓN DE LOS DERECHOS HUMANOS?

En los Países Bajos no existe un tribunal constitucional y la Constitución neerlandesa apenas contiene si cabe, disposiciones relativas al derecho a un juicio justo y el derecho a la intimidad. Por otro lado, se aplica el Convenio Europeo de Derechos Humanos (CEDH), gracias a la Constitución neerlandesa, que no prevé un sistema monista.

Hay dos derechos fundamentales que pueden entrar en conflicto con la legislación de ADN en los Países Bajos: el derecho a un juicio justo (artículo 6 del CEDH) y el derecho a la intimidad (art. 8 CEDH).

Existen varios derechos que se deducen del artículo 6 del CEDH que pueden entrar en conflicto con la forma en que la legislación neerlandesa sobre ADN está organizada. El principio de igualdad de armas, para empezar, no está totalmente garantizado en el proceso penal holandés. La defensa tiene derecho a que se contraste la muestra si no está de acuerdo con los resultados de la investigación sobre el ADN (artículo 151 a lid 4 y 195b lid 1 CCP).

Este derecho, sin embargo, es bastante limitado: la defensa tiene que solicitar al fiscal o al juez de instrucción que ordene una segunda investigación. Si se rechaza la solicitud (porque no hay suficiente material que esté disponible), no existen recursos contra esta decisión. El principio *nemo tenetur* también desempeña un papel importante en las investigaciones de ADN. El Tribunal de Derechos Humanos ha dejado claro en *Saunders contra Reino Unido* que la toma de una muestra de ADN de un sospechoso está permitida si existe con independencia de la voluntad del sospechoso. Por último, la *presumptio innocentiae* podría plantear dificultades ya que los perfiles de ADN pueden ser almacenados y utilizados con el fin de encontrar coincidencias con material de ADN que se ha mantenido de los crímenes pasados. Sin que exista ningún elemento que apunte a que el individuo está involucrado en un delito determinado y sólo porque ha cometido un delito en el pasado, su ADN se puede comparar con la nueva muestra de ADN[23]. El artículo 8 del CEDH (derecho a la intimidad) está estrechamente relacionado con la retención antes mencionada de muestras de ADN en la base de datos de ADN neerlandesa. En *Van der Velden vs Holanda*, el TEDH consideró que tanto la

---

[23]   Zuidwijk 2003, p. 267-275.

obtención de material genético por medio de la toma de una muestra bucal y la retención de dicho material, así como la determinación de un perfil de ADN constituye una injerencia en el derecho a la vida privada (ver *Van der Velden vs Holanda* (n º 29514/05, 7 de diciembre de 2006). Sin embargo, esta interferencia puede ser justificada: la recopilación y retención de un perfil de ADN sirven los objetivos legítimos de la prevención del delito y la protección de los derechos y libertades de los demás. Es más, el Tribunal considera que medidas como la que fue objeto de demanda ante el Tribunal se puede decir que podrían llegar a ser "necesarias en una sociedad democrática". En su decisión de *Van der Velden* el Tribunal ya señaló la trascendental contribución que han supuesto para la policía los registros de ADN en los últimos años, y apuntó que si bien la injerencia en cuestión era relativamente leve, el solicitante también podría obtener un cierto beneficio de la inclusión de su perfil de ADN en la base de datos nacional que permitió una rápida eliminación del solicitante como posible sospechoso de un crimen en concreto, donde se encontró material de ADN durante la investigación.

En el caso de *W. contra Países Bajos* el tribunal consideró que las consideraciones antes mencionadas son igualmente aplicables (véase *W. contra los Países Bajos* 20-01-2009, apl. No. 20689/08). El tribunal señaló que, al contrario que en el caso de *S. y Marper contra el Reino Unido*, este asunto se refería a la cuestión del almacenamiento y retención de registros de ADN de personas que han sido condenadas por un delito. Además, el material de ADN sólo se puede obtener de las personas condenadas por un delito de cierta gravedad, y los registros de ADN sólo se pueden conservar durante un período determinado de tiempo que depende de la duración de la pena legal máxima que se puede imponer por el delito que se ha cometido. El Tribunal por consiguiente estimó que las disposiciones de la Ley contienen garantías adecuadas frente a una retención general e indiscriminada de registros de ADN. Considerando, además, que el material de ADN se almacena de forma anónima y codificadamente, y que el solicitante únicamente tendrá que enfrentarse con su registro de ADN almacenado si ha cometido con anterioridad otro delito o si comete uno en el futuro, el Tribunal no vio ninguna razón para apartarse de sus razonamientos en *Van der Velden* por el simple hecho de que el demandante fuese un menor de edad (véase la sentencia).

Por tanto, parece que la legislación neerlandesa sobre la retención de material de ADN es acorde con el artículo 8 del CEDH.

VII. INTERCAMBIO DE INFORMACIÓN SOBRE ADN EN LA UNIÓN EUROPEA

El 27 de mayo de 2005 el Tratado de Prüm fue firmado por Alemania, Austria, Bélgica, Francia, Alemania, Luxemburgo, Países Bajos y España en la ciudad de Prüm en Alemania. En los años siguientes, Finlandia, Portugal, Italia, Eslovenia, Suecia, Bulgaria, la República Checa, Grecia, Rumania y Hungría se han unido al Tratado también. En 2008, el Tratado fue ratificado por los Países Bajos. En el mismo año se incorporó el Tratado de Prüm en el marco jurídico de la Unión Europea por dos decisiones del Consejo[24]. Los miembros de la Unión Europea, incluidos los que no han firmado el Tratado de Prüm, tienen que incorporar estas decisiones del Consejo en sus propios ordenamientos jurídicos antes del 27 de agosto de 2011.

El objetivo principal del Tratado es permitir a sus miembros el intercambio de datos sobre ADN, huellas dactilares y los registros de vehículos de las personas afectadas y la cooperación en la lucha contra el terrorismo. A los efectos de este artículo, se discutirán sólo las normas que regulan el ADN.

De conformidad con el Tratado de Prüm sus miembros tienen el derecho a comparar los perfiles de ADN totalmente automatizados presentes en sus bases de datos con los perfiles de ADN en las bases de datos de los demás miembros. El artículo 6 del Tratado establece que los Estados miembros designen un punto de contacto nacional para este fin. El 10 de diciembre de 2007, Holanda hizo algunos cambios en su Decreto de ADN[25]. El artículo 15 del Decreto de ADN permite ahora a los miembros un punto de contacto nacional como se menciona en el artículo 6 del Tratado de Prüm para tener acceso a la base de datos de ADN holandés.

Para poder comparar los perfiles de ADN, estos perfiles deben ser compilados de la misma manera. Por lo tanto, la resolución 2001 / C 187/01 del Consejo de la Unión Europea anima a los estados miembros para que utilicen

---

[24]   *2008/615/JBZ* and *2008/616/JBZ*.

[25]   Decisión Ministerial del 10 de diciembre 2007 introcduciendo enmiendas a la Decisión Ministerial sobre Investigación ADN in materia penal Besluit van 10 december 2007, houdende wijziging van het Besluit DNA-onderzoek in strafzaken, *Stb.* 2007, 512, p. 8 e.v.

el llamado Conjunto de Normas Europeas (*European Standard Set*) (ESS) al realizar un perfil de ADN. Todavía persisten problemas técnicos muy graves debido a que los países europeos no funcionan con los mismos estándares y ni siquiera utilizan el mismo y la misma cantidad de marcadores de ADN, lo que hace que la comparación de los perfiles sea técnicamente difícil.

Es necesario esclarecer que no existe una base de datos de ADN de la UE. Todo el sistema se basa en la vinculación de bases de datos nacionales de ADN entre sí. Tampoco existe un acceso automático. De hecho, el sistema se basa en un procedimiento de dos pasos. El primer paso en el procedimiento es la comparación de perfiles de ADN entre dos países (no es posible la comparación en toda Europa). No todo perfil de ADN que se encuentre en una base de datos de ADN es comparado con los perfiles de ADN en bases de datos de otros países. El perfil de ADN primero tiene que cumplir las denominadas "las reglas de inclusión"[26]. Estas "reglas de inclusión" garantizan que la comparación es útil y fiable. Las "reglas de inclusión" incluyen una regla que determina cuántas características de ADN debe incluir un perfil de ADN. Las "reglas de inclusión" también establecen que los perfiles "mixtos" de ADN y los perfiles de ADN de los restos que ya han sido encontrados no se pueden utilizar en el proceso de comparación. Los perfiles de ADN se comparan en un sistema de respuesta positiva o negativa.

En el momento en el que se encuentra una coincidencia, el segundo paso en el procedimiento puede activarse, lo que significa que sólo si se ha encontrado una coincidencia entre dos perfiles de ADN podrán compartirse los datos relativos a este perfil de ADN con el país 'en comparación'. Para que otros países puedan compartir información sobre el perfil de ADN, el país 'en comparación' debe, mediante el número de referencia indicado en el perfil de ADN específica, solicitar al otro país que comparta los datos. No es un proceso automático y está completamente regulado por el Derecho nacional. En los Países Bajos la información relativa al ADN se considera que es información judicial. Por esta razón, las solicitudes de datos de ADN de otros países están siendo tratadas como solicitudes internacionales de asistencia legal mutua (comisiones rogatorias, *Mutual Legal Assistance*), y no están a cargo de las autoridades policiales, sino por las autoridades judiciales.

---

[26]   Estas "reglas de inclusión" pueden consultarse en *2008/616/JBZ*.

J.A.E. Vervaele, FC.W. de Graaf y N. Tielemans

En 2012, de conformidad con la decisión de la UE todos los Estados miembros deberían haber implementado su contenido. Sin embargo, varios Estados miembros aún no han establecido una base de datos de ADN o tienen muy pocos perfiles en ella, o continúan teniendo problemas con las características técnicas y / o las normas de protección de datos. Esta es la razón por la cual el régimen de Prüm en realidad sólo funciona de forma eficaz entre 11 Estados miembros.

VIII. BREVE CONCLUSIÓN

Los Países Bajos fueron pioneros en los años 1980 y 1990 en el campo del uso de ADN en el proceso penal y lo siguen siendo hoy. El nuevo cuerpo legislativo de 2011-2012 es un claro ejemplo de la legislación vigente en esta materia. El legislador también ha trazado claramente los límites legales y el diseño conceptual de la investigación sobre el ADN. El ámbito de aplicación se ha ampliado (propósito, supuestos), pero se sigue considerando que el ADN pertenece a la intimidad de las personas, lo que significa que la investigación sobre el ADN y el uso del mismo implica una injerencia en el derecho fundamental a la intimidad. Por esta razón, los datos de ADN se consideran datos judiciales, que sólo se pueden almacenar en una base de datos única, bajo el control de la oficina del fiscal. El legislador neerlandés ha prohibido claramente la creación de bases de datos de ADN a nivel policial.

Las muestras de ADN y los perfiles son recopilados y almacenados con el fin de ser utilizados para comparar e identificar a los sospechosos de haber cometido delitos. También en este caso el legislador neerlandés ha mostrado una clara preferencia por la toma de muestras físicas de ciertas personas (con o sin su consentimiento), en oposición a la toma de muestras de la escena del delito.

Los datos de ADN son datos judiciales. Aunque el propósito judicial se ha ampliado (en el interés de las investigaciones criminales), limita el diseño conceptual de la investigación y persecución de los delitos. El legislador neerlandés no ha incluido en las investigaciones de ADN la nueva investigación judicial proactiva del terrorismo, lo que significa que la investigación sobre el ADN tiene producirse únicamente si existe sospecha de un delito.

Por último, el intercambio y la comparación de perfiles de ADN es un campo de creciente interés académico y práctico. El acervo de Prüm es interesante en este aspecto, pero aún queda mucho por hacer. No sólo los problemas técnicos siguen siendo un obstáculo, sino también las diferentes culturas jurídicas en materia de protección de datos y la naturaleza jurídica de los datos de ADN (el modelo de la policía y el modelo judicial).

IX. BIBLIOGRAFÍA

Jacobs & Bruinsma 2008
M.J.G. Jacobs & M.Y. Bruinsma, *Sporen met DNA. Evaluatie van de wijziging van de regeling van het DNA-onderzoek in strafzaken per november 2001*, Tilburg: WODC en IVA Tilburg 2008.
De Knijff 2004
P. de Knijff, 'Bewijsvoering op basis van DNA-profielen en databases', *Forensische Expertise*, 2004, jaargang 30, nr. 1, p. 39-49.
De Poot en Kruisbergen 2006
De Poot en Kruisbergen, *DNA-onderzoek als instrument in de opsporing*, Den-Haag: WODC 2006.
Zuidwijk 2007
S. Zuidwijk, 'DNA-onderzoek in strafzaken, een almaar voortrazende trein', *TREMA*, september 2003, nr. 7, p. 267-275.
Kamerstukken
Kamerstukken II 1999-2000, 26 271, nr. 6.
Kamerstukken I 2000-2001, 26 271, nr. 210b.
Kamerstukken II 2000-2001, 27 400 VI, nr. 49.
Kamerstukken II 2009-2010, 32 168, nr. 3.
Websites
– http://forensischinstituut.nl/dna-databank/dna-databank/.
Wetten
– Wet DNA-onderzoek bij veroordeelden, *Staatsblad* 2007, 513.
– Wijziging van het Wetboek van Strafvordering en de Wet DNA-onderzoek bij veroordeelden in verband met de introductie van DNA-verwantschapsonderzoek en DNA-onderzoek naar uiterlijk waarneembare persoonskenmerken van het onbekende slachtoffer en de regeling van enige andere onderwerpen. *Staatsblad* 2011, 555.
– 2008/615/JBZ.
– 2008/616/JBZ.
– Besluit van 10 december 2007 houdende wijziging van het Besluit DNA-onderzoek in strafzaken, *Staatsblad* 2007, 512.
– *Staatsblad* 1993, 596.
– *Staatsblad* 2012, 131.

Jurisprudentie
- ECHR 7 december 2006, appl. no. 29514/05 (*Van der Velden vs. The Netherlands*).
- Court of Appeals of Maryland 24 april 2012, no. 68 (*Alonzo Jay King jr. vs. State of Maryland*).
- HR 22 februari 2005, *LJN* AR5714 (*Deventer Moordzaak*)
- HR 25 januari 2005, *LJN* AS1872 (*Schiedammer Parkmoord*)
- HR 26 juni 2001, *LJN* AA9800 (*Puttense Moordzaak*).

EL ADN Y EL PROCESO PENAL EN ALEMANIA[*]

WALTER PERRON
Catedrático de Derecho Penal y Procesal Penal
Universidad de Freiburg im Breisgau (Alemania)

Sumario: I. El éxito práctico del análisis genético en el proceso penal alemán. II. Análisis genético de pruebas del inculpado. III. Análisis genético de pruebas de otras personas. IV. Grabación de huellas genéticas en bases de datos para la identificación en futuros procesos. V. Análisis genético de una multitud de personas para identificar el autor del crimen.

I. ÉXITO PRÁCTICO DEL ANÁLISIS GENÉTICO

1. Primer uso en Alemania en 1989

2. Caso más importante en 1998: análisis genético de 17.900 personas para la identificación de un autor

3. Medio de prueba muy seguro y eficaz:
   - Probabilidades más altas de los métodos probatorios
   - Huellas mínimas suficientes (PCR)
   - Ningún análisis de fragmentos codificantes

4. Grandes éxitos (método estándar, identificación del responsable en más de 100.000 casos)

5. Pocos fracasos
   - Un inocente 6 meses en prisión (contaminación)
   - Gemelos univitelinos (archivo de un proceso en Berlín)
   - Fantasma de Heilbronn

---

[*] *Nota del Coordinador*: El Prof. Perron presentó su conferencia en PowerPoint. Con su autorización, la hemos transformado en Word y la hemos publicado como tal a efectos de que el lector pueda tener una idea de la situación en Alemania.

II. ANÁLISIS GENÉTICO DE PRUEBAS DEL INCULPADO

1. Toma de pruebas § 81a StPO:
   - Sujeto pásivo: Inculpado (sospecha preliminar)
   - Toma de sangre u otra forma de intervención corporal sin consentimiento
   - Necesario para la averiguación de hechos relevantes
   - Autorización por un juez
   - Ejecución por un médico según las reglas médicas
   - Ningún peligro para la salud
2. Análisis genético § 81e StPO
   - Necesidad de base legislativa específica
   - Objeto del análisis: Material obtenido por una intervención según § 81a StPO, Material obtenido por búsqueda, registro o secuestro
   - Objetivo exclusivo del análisis: Abolengo de la persona o identificación de huellas encontradas como pertinentes al inculpado
   - Consentimiento del inculpado o autorización por el tribunal
   - Realización del análisis por expertos aprobados e independientes de los órganos de la persecución penal competentes en el caso (los expertos no deben conocer los datos personales de los afectados)

III. ANÁLISIS GENÉTICO DE PRUEBAS DE OTRAS PERSONAS

1. Toma de muestras § 81c StPO:
   - Sujeto pásivo: cualquier persona
   - Toma de sangre o otra forma de intervención corporal sin consentimiento del inculpado
   - Necesidad absoluta para la averiguación de la verdad
   - Exigibilidad de la intervención para la persona afectada según las circunstancias
   - Ausencia de derecho a recusación de testimonio o falta de uso de tal derecho
   - Autorización por un juez
   - Ejecución por un médico según las reglas médicas
   - Ningún peligro para la salud

- Uso de fuerza sólo con autorización dada por el juez como última ratio

2. Análisis genético § 81e StPO
   - Objeto del análisis: Material obtenido por una intervención según § 81c StPO, material obtenido por búsqueda, registro o secuestro
   - Objetivo exclusivo del análisis: Abolengo de la persona o identificación de huellas encontradas como pertinentes a la víctima
   - Consentimiento de la persona afectada o autorización por el tribunal
   - Realización del análisis por expertos aprobados e independientes de los órganos de la persecución penal competentes en el caso (los expertos no deben conocer los datos personales de los afectados)

IV. GRABACIÓN DE HUELLAS GENÉTICAS EN BASES DE DATOS PARA LA IDENTIFICACIÓN EN FUTUROS PROCESOS

1. Obtención de las huellas genéticas
   - Análisis genético de material tomado del inculpado según §§ 81a, 81e StPO
   - Análisis genético de material obtenido por búsqueda, registro o secuestro según § 81e apartado 2 StPO
   - Toma de material celular (sangre, saliva etc.) del inculpado y análisis genético por el fin de grabación § 81g StPO:
     - Inculpación o condenación por delito de gran significado, delito contra la libertad sexual o delitos cometidos frecuentemente
     - Sospecha fundada de futuros delitos de gran significado
     - Consentimiento del inculpado o autorización por el juez
     - Objetivo del análisis: constatación del sexo y de modelo de identificación del ADN

2. Grabación de modelos de identificación de ADN por la Dirección federal de investigaciones criminales (BKA = Bundeskriminalamt) en una base de datos § 81g StPO
   - Inculpación o condena por delito de gran relevancia, delito contra la libertad sexual o delitos cometidos frecuentemente

- Sospecha fundada de futuros delitos de gran relevancia
3. Uso de los modelos de identificación grabados
    - Uso por el BKA mismo según la ley sobre el BKA
    - Transmisión a otras autoridades (nacionales o extranjeras) por los fines de la persecución penal, prevención policial o asistencia judicial internacional
4. Práctica (30.09.2013) http://www.bka.de/nn_205980/DE/ThemenA-BisZ/DnaAnalyse/Statistik/dnaStatistik__node.html?__nnn=true
    - Establecimiento de la base de datos en 1998
    - 1.036.495 expedientes grabados (799.002 relacionados a concretas personas, 237.493 relacionados a crímenes)
    - Cada mes 7.900 expedientes nuevos
    - 160.762 concordancias:
    - huella - persona 127.455
    - huella - huella 33.307
    - Concordancias huella - persona por delitos:
    - vida 1.447, libertad sexual 2.478,
    - integridad corporal 2.076, hurto 99.833, robo 8.730

V. ANÁLISIS GENÉTICO DE UNA MULTITUD DE PERSONAS PARA IDENTIFICAR EL AUTOR DEL CRIMEN

1. Análisis con el consentimiento de las personas afectadas § 81h StPO:
    - Toma de material celular de una multitud de personas
    - Análisis genético de este material celular
    - Comparación automática de los modelos de identificación del ADN de las personas afectadas con los modelos de identificación encontrados en las huellas del crimen
    - Presupuestos legales
        - Hechos concretos indican la comisión de un crimen contra la vida, integridad física libertad personal o sexual
        - El autor del delito se distingue de otras personas por rasgos particulares (masculino, edad 18 - 35, domicilio etc.)
        - La persona afectada pertenece al grupo de estos rasgos particulares y declara su consentimiento por escrito

- Necesidad y proporcionalidad de la medida
- Autorización por el tribunal
- Realización por expertos competentes
- Eliminación de los datos cuando ya no se necesitan para la investigación concreta (prohibición de grabación para investigaciones futuras)

2. Análisis sin el consentimiento de las personas afectadas:
   - Falta de regulación
   - Problema 1: ¿La negación a participar constituye una sospecha suficiente para inculpar a esta persona y proceder según los §§ 81a, 81e StPO? (respuesta negativa)
   - Problema 2: ¿Es legal la toma de material celular forzosa según el § 81c y el análisis genético de este material según el § 81e StPO? (respuesta discutida, texto legal no muy claro)

3. Experiencias prácticas
   - Wikipedia publica una lista de 13 casos entre 1997 y 2009 (http://de.wikipedia.org/wiki/DNA-Reihenuntersuchung) con números de personas analizadas entre 500 y 100.000
   - Sólo en 2 (discutiblemente 3) de estos casos el análisis de una multitud de personas llevó a la averiguación del autor del crimen
   - En 7 casos se averiguó el autor por otros métodos (incluso el análisis de ADN singular)
   - En el resto de los casos no se averiguó una persona responsable

OTROS TÍTULOS DE LA COLECCIÓN

1. LA EJECUCIÓN PROVISIONAL DE SENTENCIAS EN EL PROCESO LABORAL
   Juan Montero Aroca
   José M.ª Marín Correa

2. LA CONCILIACIÓN PREVIA O EXTRAJUDICIAL EN EL PROCESO LABORAL
   Juan Montero Aroca

3. LA ACUMULACIÓN EN EL PROCESO LABORAL (Acciones, autos, recursos y ejecuciones)
   Juan Montero Aroca

4. COMPETENCIA DESLEAL, 2ª EDICIÓN (Doctrina y jurisprudencia)
   Silvia Barona Vilar

5. LA PRUEBA EN EL RECURSO DE APELACIÓN PENAL (Doctrina y jurisprudencia)
   M.ª Pía Calderón Cuadrado

6. LA INTERVENCIÓN DE LAS COMUNICACIONES TELEFÓNICAS EN EL PROCESO PENAL (Un estudio jurisprudencial)
   Juan Montero Aroca

7. LA PRUEBA POR SOPORTES INFORMÁTICOS
   Carolina Sanchis Crespo

8. DETENCIÓN Y APERTURA DE LA CORRESPONDENCIA Y DE LOS PAQUETES POSTALES EN EL PROCESO PENAL
   Juan Montero Aroca

9. LAS DILIGENCIAS DE ORDENACIÓN EN LA NUEVA LEY DE ENJUICIAMIENTO CIVIL
   Antonio Dorado Picón
   Jesús Seoane Cacharrón

10. LAS COSTAS EN LA NUEVA LEC
    Olga Fuentes Soriano

11. EL DICTAMEN DE PERITOS EN LA LEY 1/2000, DE ENJUICIAMIENTO CIVIL
    Iñaki Esparza Leibar

12. EJECUCIÓN DE SENTENCIAS POR OBLIGACIONES DE HACER Y DE NO HACER
    Virginia Pardo Iranzo

13. EL RECURSO DE APELACIÓN CIVIL
    Rosa Pascual Serrats

14. GUARDA Y CUSTODIA DE LOS HIJOS
    Juan Montero Aroca

15. LA EJECUCIÓN DE TÍTULOS EXTRAJUDICIALES
    Raquel Castillejo Manzanares

16. RECURSOS CONTRA RESOLUCIONES INTERLOCUTORIAS EN LOS PROCESOS PENALES
    Luis Alfredo de Diego Díez

17. LA TERCERÍA DE DOMINIO
    Andrea Planchadell Gargallo

18. LA PENSIÓN COMPENSATORIA EN LA SEPARACIÓN Y EN EL DIVORCIO (La aplicación práctica de los artículos 97, 99, 100 y 101 del Código Civil)
    Juan Montero Aroca

19. LOS ALIMENTOS EN LOS HIJOS EN LOS PROCESOS MATRIMONIALES (La aplicación práctica del artículo 93 del Código Civil)
    Juan Montero Aroca

20. EL EJERCICIO DE ACCIONES CIVILES EN EL PROCESO PENAL
    Irene Nadal Gómez

21. EL ARBITRAJE EN EL MARCO DE LA LEY 1/2000, DE ENJUICIAMIENTO CIVIL (Novedades, lagunas jurídicas y propuestas de futuro)
    Elena Martínez García

22. EL USO DE LA VIVIENDA FAMILIAR EN LOS PROCESOS MATRIMONIALES (La aplicación práctica del artículo 96 del Código Civil)
    Juan Montero Aroca

23. LA PRUEBA POR MEDIOS AUDIOVISUALES E INSTRUMENTOS DE ARCHIVO EN LA LEC 1/2000 (Doctrina, jurisprudencia y formularios)
    Carolina Sanchis Crespo
    Eduard A. Chaveli Donet

24. EL DIVORCIO INTERNACIONAL (Jurisdicción, ley aplicable, reconocimiento y ejecución de sentencias extranjeras)
    Carlos Esplugues Mota

25. PRUEBA DE INDICIOS, CREDIBILIDAD DEL ACUSADO Y PRESUNCIÓN DE INOCENCIA
    Francisco Pastor Alcoy

26. LA SUSTRACCIÓN DE MENORES POR SUS PROPIOS PADRES
    Mar Montón García

27. ASPECTOS JURÍDICOS Y POLICIALES DE LA ALCOHOLEMIA
    Francisco Martín Uclés

28. LOS JUICIOS RÁPIDOS (Doctrina, jurisprudencia y formularios)
    Juan Antonio Mora Alarcón

29. SOCIEDADES DE RESPONSABILIDAD LIMITADA Y SOCIEDAD LIMITADA NUEVA EMPRESA
    José Antonio Mora Alarcón
    Luis Miguel Mora Alarcón

30. ACUMULACIÓN DE PROCESOS EN LOS LITIGIOS INTERNACIONALES
    Hilda Aguilar Grieder

31. ARBITRAJE EN INVERSIONES EXTRANJERAS: EL PROCEDIMIENTO ARBITRAL EN EL CIADI
    Enrique Fernández Masiá

32. OCUPACIÓN, CONSERVACIÓN Y DESTRUCCIÓN DE LAS PIEZAS DE CONVICCIÓN
    Luis Alfredo de Diego Díez

33. EL NUEVO PROCESO CONCURSAL
    Alberto Montón Redondo
    Mar Montón García

34. **DOCTRINA DE LOS JUZGADOS DE LO MERCANTIL SOBRE LA LEY CONCURSAL**
    Juan José Cobo Plana

35. **VIOLENCIA DE GÉNERO Y PROCESO**
    Juan-Luis Gómez Colomer

36. **TRIBUTACIÓN DE ABOGADOS Y PROCURADORES**
    Francisco J. Magraner Moreno

37. **LA PRUEBA DOCUMENTAL EN EL PROCESO PENAL**
    Virginia Pardo Iranzo

38. **LA SELECCIÓN DEL JURADO**
    Salvador Alba Mesa

39. **LOS EXPEDIENTES DE REGULACIÓN DE EMPLEO**
    Ángel Blasco Pellicer

40. **EMBARGO DE BIENES Y DERECHOS EN LA LEY DE ENJUICIAMIENTO CIVIL**
    Isabel González Cano

41. **LA IDENTIFICACIÓN DEL IMPUTADO**
    Helena Soleto Muñoz

42. **MANAGEMENT JURÍDICO**
    Francisco Misiego Blázquez

43. **RETÓRICA FORENSE**
    Jesús Manuel Villegas

44. **EL CONOCIMIENTO CIENTÍFICO EN EL PROCESO CIVIL**
    Julio Pérez Gil

45. **CONCILIACIÓN CIVIL Y LABORAL EN LA NUEVA OFICINA JUDICIAL**
    Sagrario Plaza Golvano
    Vicente Albert Embuena

46. **LAS COSTAS EN EL PROCESO PENAL**
    Sagrario Plaza Golvano

47. **SISTEMÁTICA JURISPRUDENCIAL DE LA ACCIÓN REIVINDICATORIA**
    José Vicente Rojo

48. **EL RECURSO DE SUPLICACIÓN PASO A PASO, SEGÚN LAS SENTENCIAS**
    Jacobo Quintans García
    Jacobo Quintans Dalmau

49. **LOS HONORARIOS**
    Miguel Ángel Aragüés Estragués

50. **CÓMO PRESENTAR UNA DEMANDA ANTE EL TRIBUNAL EUROPEO DE DERECHOS HUMANOS**
    Carmen Morte Gómez

51. **EL TRABAJO PROFESIONAL DE LOS ABOGADOS**
    Ángel Blasco Pellicer (Coordinador)

52. **OTRO SÍ DIGO**
    Luis Jesús González López

53. **ESTRATEGIA DE LITIGACIÓN EFICAZ**
    María José Fernández-Fígares Morales

54. **LA PRUEBA PERICIAL MÉDICA EN EL ÁMBITO DE LO SOCIAL**
    María Teófila Vicente Herrero (Coordinadora)
    Pilar Moreno Torres (Coordinadora)

55. **LOS PERITOS Y LA PRUEBA PERICIAL EN EL PROCEDIMIENTO CIVIL**
    José Vicente Rojo

56. **GUÍA SOBRE DILIGENCIAS BÁSICAS EN MATERIA PENITENCIARIA**
    Antonio Ferrer Gutiérrez

57. **YO TAMBIÉN SOY ABOGADO 2.0**
    Mónica Fernández Montero

58. **MARKETING JURÍDICO**
    Eugenia Navarro

59. **LA "SUCINTA EXPLICACIÓN" EN EL VEREDICTO DEL JURADO**
    Juan Igartua Salaverría

60. **ESTRATEGIA DE LITIGACIÓN EFICAZ**
    Isabel Casas

61. **LA PRUEBA ELECTRÓNICA ANTE LOS TRIBUNALES**
    Mª del Carmen Ortuño Navalón

62. **TÉCNICAS Y HABILIDADES JURÍDICAS BÁSICAS**
    Juan Antonio Altés Tárrega (ed.)

63. **PRUEBA ELECTRÓNICA Y PROCESO 2.0**
    Federico Bueno Mata

64. **LOS LENGUAJES DEL FORO**
    Miguel Ángel Aragüés

65. **DERECHO Y SISTEMAS DE DATOS**
    M. Mercedes Martínez González (ed.)